GW00392883

LA PATIENCE
DU DIABLE

MAXIME CHATTAM

LA PATIENCE DU DIABLE

ROMAN

ALBIN MICHEL

Si vous voulez lire ce roman enveloppé dans le même cocon qui m'a servi à l'écrire, je vous conseille de vous isoler du monde réel en écoutant ces musiques de films pendant votre lecture :
– *Prisoners* de Johann Johannsson.
– *Prometheus* de Marc Streitenfeld.
– *The Grey* de Marc Streitenfeld.
– *The Silence of the Lambs* de Howard Shore.
– *The Awakening* de Daniel Pemberton.

À tous ceux qui m'ont appris à me structurer. Mes parents, ma famille, mes professeurs, mes amis et ma femme.

Vous êtes les briques de ma maison et lorsque le vent souffle fort dehors, c'est grâce à vous que je dors au sec chaque nuit.

« Ils sont là, tout autour de nous, ils s'organisent, dans l'ombre, dans le silence. Ils sont invisibles, et nous n'avons pour les traquer que l'empreinte de leur existence : leurs crimes. »

Joshua Brolin

« La plus belle des ruses du diable est de vous persuader qu'il n'existe pas ! »

Charles Baudelaire

PROLOGUE

L a situation manquait cruellement d'excitation.
Et Silas le regrettait profondément. Il s'était fait
toute une histoire de cet instant, il avait attendu avec
impatience ce jour, ce moment, trépignant comme
un enfant la veille de Noël, pour ne finalement ressentir qu'un
soupçon de joie. Pierre, lui, était ravi, ses yeux brillaient et
un rictus presque idiot ne quittait plus ses lèvres depuis leur
arrivée dans la gare Montparnasse. En même temps, c'était lui le
plus enthousiaste depuis le début, lui qui avait le moins rechigné
à se lancer, et il en éprouvait la plus grande fierté à présent.

Silas se posta sous le panneau des départs, au milieu des
effluves de viennoiseries chaudes. Il n'eut pas à chercher longtemps leur train, il s'affichait en grosses lettres, et la destination,
Hendaye, brillait comme la promesse de longues et paisibles
vacances, la promesse d'un repos mérité. Total.

Ce n'était pas vraiment des vacances, corrigea-t-il silencieusement, mais c'était tout comme.

La voie était déjà indiquée, il donna une bourrade à Pierre et
lui désigna le panneau. Celui-ci, absorbé par la contemplation de
la foule déjà massive qui remplissait le hall de la gare, sursauta.

– Viens, le train est là.

Les deux adolescents hissèrent leurs lourds sacs sur leurs
épaules et se frayèrent un passage au milieu des forces vives du

pays en pleine migration quotidienne. En passant devant un kiosque à sandwiches, Pierre s'arrêta pour acheter une bouteille de jus d'orange – non sans avoir au préalable taxé de l'argent à son compagnon –, il était assoiffé, et la vida d'une traite tandis que Silas en faisait de même avec une petite bouteille d'Évian qu'il laissa tomber sur le sol. Elle roula sur quelques centimètres et il la regarda se faire happer par la machine à broyer du petit matin : une Weston parfaitement cirée frappa dedans, la projetant sous la semelle d'un godillot de chantier qui lui broya le bec avant de l'expédier dans le flot grouillant, elle rebondit contre le talon de Ugg fourrées – bien que ce fût le début du mois de mai, cela n'étonna personne sinon Silas – et disparut dans le brassage de toutes ces jambes en mouvement : une machinerie hypnotisante et à la dynamique implacable. Personne ne pouvait arrêter une telle énergie.

Les deux adolescents se postèrent à l'entrée du quai, les bretelles des sacs leur sciant les épaules. Leur train était en gare, et il chargeait déjà ses cohortes de passagers.

– Ça te fait pas un petit quelque chose ? demanda Pierre, euphorique.

Mis à part les couleurs chatoyantes du TGV, Silas ne remarquait rien, ni en lui, ni à l'extérieur, il était d'une placidité déconcertante. Frustrante même.

– Non, pas encore.

– Tu déconnes ? T'es pas dingo, là ? Moi, je tiens plus en place ! T'as pris le son ?

– Oui, bien sûr. J'ai mon iPod chargé à bloc et mon casque.

– Lunettes de soleil ?

– Évidemment.

– Crème solaire et capotes ?

Cette fois, Silas fixa Pierre sans un sourire.

– Oh, ça va, râla Pierre, putain, tu sais même plus te marrer.

Silas avisa un homme qui les guettait avec un étrange regard. L'individu était grand et maigre, les cheveux grisonnants, plaqués sur les côtés, et il était habillé comme un vrai plouc, avec un gilet d'une autre époque et un pantalon en velours. L'homme parut gêné et aspira une bouffée de sa cigarette électronique avant d'attraper un sac qui semblait très lourd et de grimper dans son wagon.

D'une pichenette derrière l'oreille, Pierre interpella son ami :

— C'est l'heure. Moi, je rentre, là.

— Ouais, la première classe pour toi, la seconde pour moi...

Même s'ils avaient encore dix bonnes minutes avant le départ du train, il ne servait à rien d'attendre dehors.

— On se retrouve à la voiture-bar, fit-il.

Il allait s'éloigner lorsque Pierre l'attrapa par le bras.

— Hey ! fit ce dernier avec un sourire presque triste.

Le garçon de dix-sept ans aux cheveux noirs coupés en brosse lui tendait le poing fermé, ses épais sourcils froissés par le mécontentement.

Silas ferma la main et colla son poing contre celui de son ami.

— Tu devrais être radieux, Silas, et tu fais la gueule. Merde, c'est le grand jour ! Qu'est-ce qu'il y a ?

— Rien, tout va bien

— T'es sûr ?

Silas prit un air joyeux pour rassurer son ami.

— Je suis pas réveillé, c'est tout.

— Bah t'as intérêt à l'être, mon pote, c'est l'heure de notre train ! Putain !

— Oui, t'en fais pas.

Comprenant qu'il ne servait à rien d'insister, Pierre haussa les épaules.

— OK. À la voiture-bar, donc.

Les deux adolescents s'éloignèrent. Silas marcha un bon moment pour trouver sa voiture et, en attendant que les passagers devant lui montent, il attrapa son reflet dans la vitre. Il était encore plus pâle que d'habitude, lui qu'on prenait parfois pour un albinos tellement il avait la peau claire et les cheveux blonds ! Un air malade. Il rabattit une mèche récalcitrante en arrière et gagna sa place après avoir posé son sac dans le compartiment à l'entrée de la voiture.

À l'annonce du départ imminent, l'excitation commença à se faire sentir : des picotements dans le ventre, suivis de fourmis dans les jambes. Ça y était, il ressentait enfin quelque chose.

Il nota que les moindres lumières scintillaient d'un éclat particulier. Était-ce à cause de l'euphorie qui s'emparait de lui ? Une jeune femme s'excusa en s'asseyant à côté de lui, un joli brin de fille, avec une mini-jupe et des collants opaques. Silas adorait les filles avec des collants opaques, ça leur faisait de belles jambes. Il interpréta sa présence comme un signe et, cette fois, n'eut pas à se forcer pour esquisser un sourire. Il commençait à lâcher prise, à se laisser griser par le départ. Pierre et lui étaient dans le train. Et il réalisa enfin pleinement la situation, comme s'il n'avait été jusqu'à présent qu'un témoin distant. Son cœur s'emballa et ses mains devinrent moites au signal sonore prévenant de la fermeture des portes.

Sa voisine avait sorti une tablette numérique et était plongée dans un de ces livres invisibles. Silas avait du mal avec ce concept. Lire sans tourner de pages. Lire sans tenir de livre entre ses doigts. Lire sans triturer la couverture. Lire sans marquer les pages des moments de la vie : une trace de doigt sale par-ci, de bouffe par-là, un cil qui se glisse dans la rainure de l'ouvrage pour vingt ans, une page qu'on corne pour noter une phrase mémorable ou juste pour un mot qu'on voudrait retenir. Non, cette manie de lire sur un écran, il ne la saisissait pas du tout Pour lui c'était comme de s'adresser au *fantôme* d'un livre.

Et en matière de *fantôme*, Silas en connaissait un bout.

Il guetta la fille du coin de l'œil.

Elle ne savait pas ce qui l'attendait, la pauvre. À trop fréquenter les esprits des romans qu'elle engloutissait, ils finiraient par la posséder, *elle*. Ils allaient s'insinuer peu à peu dans son crâne, par le biais de l'écran, mot à mot, se diffuser dans son cortex cérébral par la projection des ondes de l'écran. Car, en papier, un livre ne faisait qu'attendre qu'on vienne piocher en lui son histoire, mais sur une tablette c'était différent, les ondes se projetaient, elles diffusaient leur champ électromagnétique ou un truc dans ce goût-là, gorgé de mots, induisant des résonances sémantiques inconscientes qui finissaient par devenir des voix.

Hantée. Elle allait être hantée.

Silas eut la chair de poule. Il avait assisté à des événements auxquels personne ici ne pourrait croire. Il savait des choses.

Le train se mit en branle et le paysage glissa lentement en arrière.

Les picotements devinrent crépitements. Silas se réveillait. Il ne tenait plus en place, envie de se lever, de bouger. Pourtant il demeura bien assis à côté de la fille qui finirait hantée, et prit son mal en patience. Il consulta sa montre plusieurs fois et attendit l'heure.

Cinq minutes avant, il se leva et jeta un coup d'œil à sa voisine qui était manifestement déjà possédée puisqu'elle ne réagit même pas, puis il gagna l'entrée de la voiture. Là, il retrouva son sac au milieu de tous les autres, en sortit son iPod et son casque qu'il mit sur ses oreilles.

8 h 58.

Il avait encore deux minutes devant lui. Il ferma les yeux pour se concentrer. Depuis leur arrivée à la gare il avait un peu mal derrière les yeux. Les lumières étaient toutes un peu aveuglantes et les couleurs saturées. Il se souvint alors que ses lunettes de soleil étaient dans la poche sur le côté de son sac et il les posa sur l'arête de son nez. Il se sentait mieux ainsi. Et puis pour le look c'était préférable. Qu'on ne voie pas son regard. Personne ne méritait de sonder ses pupilles. Ces prunelles qui connaissaient des secrets.

8 h 59.

Les secondes défilaient, bientôt 9 heures.

Le cœur de Silas battait à présent vite et fort, il cognait contre son T-shirt kaki comme pour l'inciter à ne plus attendre.

Pierre devait être en place.

D'un coup d'œil dehors, Silas vit qu'il y avait des champs à perte de vue. C'était parfait, comme prévu. Il pressa la touche « lecture » de son iPod et lança la musique.

Orelsan, *Suicide social*. Un air de circonstance.

Avec des gestes rapides et sûrs, il s'équipa en un instant, puis sortit son outil de vérité de son sac et rentra dans la voiture.

Pendant un instant il crut déceler un bruit sourd au loin, mais n'en fut pas certain. Pierre avait peut-être déjà commencé.

Silas examina attentivement les premiers passagers, tous absorbés par leurs téléphones, leurs ordinateurs portables, leurs tablettes et leurs magazines. Il s'était joué plusieurs fois cette scène et, dans ses fantasmes, à chaque fois, les gens hurlaient. Là, rien. Personne ne semblait le remarquer.

Plusieurs longues secondes passèrent pendant lesquelles il put étudier avec précision qui serait le premier élu. Il n'avait jamais envisagé qu'il aurait ce luxe.

Soudain, une femme hurla.

À cinq rangées, elle le fixait, les yeux exorbités, tétanisée par l'arme qu'il tenait à la main.

Enfin ! Il était temps !

Brusquement, tout le monde sortit de son petit cocon d'isolement cataleptique et fouilla le wagon du regard pour comprendre ce qui se passait.

Lorsqu'ils virent Silas, il était déjà trop tard.

Le fusil à pompe à canon scié se tendit vers un homme en costume et, avant qu'il ne puisse reculer dans son siège, l'essentiel de sa matière grise fusionna avec le coton de son appui-tête dans une déflagration assourdissante. L'odeur de la poudre se répandit dans le wagon en un instant, presque aussi vite que la panique.

Les passagers les plus proches de Silas, prisonniers de leurs sièges, n'eurent que le temps de se redresser avant que l'un ne reçoive une décharge de plombs en pleine poitrine, le renvoyant à son fauteuil avec rage, qu'une autre ait la gorge arrachée, quasiment décapitée, et que le visage d'un troisième s'enfonce bizarrement dans sa boîte crânienne sous l'effet des projectiles tirés à bout portant, comme s'il avait été avalé par sa propre tête.

Les passagers du Paris-Hendaye se mirent à courir, se marchant dessus en hurlant. D'un geste fluide l'adolescent saisit un pistolet à sa ceinture et fit feu. Il n'avait même pas besoin de viser, il suffisait de presser la queue de détente en pointant l'arme devant lui, la foule absorbait les balles. Elle les buvait, une à une, et rendait en échange des corps inertes, convulsant ou en train de crier, d'implorer, de pleurer dans la confusion et la terreur.

Les coups de feu claquaient dans l'espace, effroyables pour les tympans. Et Silas remontait l'allée d'un pas inflexible, au son des assauts verbaux d'Orelsan. Parfois, il croisait des silhouettes recroquevillées à leur place et d'un coup de fusil les réduisait à l'état de cadavre chaud sans aucune pitié.

Il parvint au niveau de la fille qui allait être hantée. Elle était blottie contre la fenêtre, livide, des larmes inondant ses joues, sa satanée liseuse en plastique contre elle, lui masquant le bas du visage, comme pour se protéger.

– Ce truc, dit Silas d'une voix blanche, ça va te bousiller les neurones, tu sais ?

La fille ne semblait pas l'entendre, elle tremblait et gémissait.

Après tout, c'était son choix, non ?

Silas pointa le canon de son pistolet vers elle.

– Crois-moi, c'est préférable, tu n'as pas envie d'être possédée un jour par tous tes livres. Vraiment.

La liseuse se désintégra en centaines de particules qui se fichèrent dans le visage de la fille, lui arrachant la mâchoire au passage.

Silas pivota vers le bout du wagon où les derniers passagers s'engouffraient en se poussant. Une fillette trébucha et deux hommes la piétinèrent sans vergogne. Deux balles suffirent pour les faire tomber. Pendant un instant Silas crut que la fillette, qui pleurait en se tenant le bras, le visage en sang, lui adressait un clin d'œil, mais c'était improbable. Pourtant, il l'avait bien vu, elle l'avait remercié ! Encore un coup des *fantômes* ! Oui, c'étaient eux ! Il allait épargner la fillette. C'était décidé.

Silas éjecta une nouvelle cartouche de son fusil et tira dans le tas. Ils beuglaient tous à s'en claquer les cordes vocales. Et surtout, ils détalaient comme des lapins. Dans la même direction.

Vers Pierre.

Le spectacle avait certainement déjà commencé de son côté aussi. Les gens finiraient par être acculés, pris en tenaille, deux masses humaines s'entrechoquant, chacune voulant écraser l'autre... Avant qu'ils ne comprennent...

Mais par où fuir dans un TGV lancé à pleine vitesse ? Ils finiraient par tirer le signal d'alarme, par stopper le train, par s'enfuir dans les champs. Totalement à découvert.

Alors Pierre et Silas n'auraient plus qu'à se positionner sur le marchepied du wagon, un peu en hauteur, puis à viser pour en dégommer le plus possible. Ce serait facile.

Une vraie boucherie.

Silas était fier. Ils allaient entrer dans l'histoire.

Établir un nouveau record.

1.

L'ourlet de ses paupières était lesté par du plomb, difficile à soulever. Un filet de lumière aveugla ses rétines sensibles et fatiguées. Ludivine grogna en enfouissant son visage dans le creux de son coude. Ses lèvres se décollèrent comme une fermeture Éclair qu'on ouvre progressivement. Elle avait la bouche pâteuse, la langue gonflée et le fond de la gorge irrité. Une force palpitante s'éveilla en même temps que la jeune femme, exerçant sa pression depuis l'intérieur de son crâne sur ses tempes.

Bordel... qu'est-ce que j'ai encore fait ?

Elle cligna des yeux, lentement, pour s'habituer à la clarté, cherchant à reconnaître le plafond, la tringle et le haut des rideaux en velours qu'elle apercevait. Les souvenirs de la veille affluaient à débit moyen, et venaient encombrer sa tête qui pulsait de plus en plus fort, comme s'il n'y avait pas assez de place pour la mémoire et les vapeurs d'alcool.

Soirée déprime. Gros cafard. Force 5 sur 5. Alerte rouge cramoisi. Plan de secours activé en urgence. Lexomil inefficace. Xanax pas suffisant. Besoin de vie tout autour, de se frotter au monde, d'être entourée, de se couvrir de sourires, de se saouler de rires, de regards, de mots, de gestes, que toute cette attention l'étouffe, la pénètre, l'enivre.

Bars. Picole. Mecs.

Mec.

Ludivine soupira, puis se massa le front avant d'ouvrir en grand les yeux. C'était bien ce qu'elle croyait : elle n'était pas chez elle Pas même dans une chambre connue. Elle se hissa douloureusement sur un coude et avisa le corps à ses côtés. Mal rasé, sourcils broussailleux, tatouages de flammes et motifs cabalistiques dans le cou et sur les épaules. Costaud. Au moins, il n'était pas vilain. Des traits grossiers mais pas moche du tout. Il ronflait doucement, la bouche tordue sur l'oreiller.

Ludivine souleva les draps et cela confirma ce qu'elle pressentait : elle était nue.

Dites-moi qu'on a mis une capote.

Elle se laissa retomber, accablée, les mains sur le visage.

Elle ne se souvenait plus de la dernière partie de la soirée. Avaient-ils baisé ? En tout cas elle ne sentait rien de particulier par là, aucun souvenir d'aucune sorte. Son haleine était chargée, bonne à faire fondre une bougie.

Qu'est-ce que t'as encore fait, ma grande ? C'est plus fort que toi, hein ?

Ludivine réalisa soudain qu'elle ne savait même pas quel jour on était, ni l'heure, et fut prise d'un élan de panique. Et s'il y avait une perquis' à effectuer ! Elle bondit hors des draps et fouilla ses vêtements roulés en boule au pied du lit pour trouver son téléphone dans la poche arrière de son jeans. 10 h 12.

Merde !

Lundi 5 mai.

Le blues du dimanche soir. *Ce putain de blues du dimanche soir*. Redoutable. Le pire de tous.

Elle sonda sa mémoire en urgence et se rassura aussitôt ; elle n'avait rien manqué. Journée de repos.

Sa tête bourdonnait, une force de plus en plus oppressante appuyait sur les fins os de ses tempes comme pour s'échapper.

Je te comprends, moi aussi je voudrais m'extraire de mon esprit.

Ludivine enfila sa culotte en observant le pourtour du lit. Le pied du tatoué dépassait, un autre dessin tribal enroulé autour de sa cheville, cette fois. Il s'appelait Dom. Dominique ? Non, Dam ! Damien. Oui, c'était ça, Damien ! Il travaillait aux pompes funèbres ou un truc comme ça.

Qu'est-ce que ça peut foutre ?

Ludivine grimaça de douleur. Elle avait vraiment beaucoup trop bu. Son estomac se réveilla, en décalage, et fut pris d'un spasme violent qui plia la jeune femme en deux, une main sur la bouche. Elle ferma les yeux pour se concentrer, et ce fut pire encore, le monde se mit à tanguer dans l'obscurité de ce qu'elle percevait. Elle serra le poing et bien qu'un reflux acide lui brûlât l'œsophage, elle ne vomit pas. Elle devait partir, vite. Pas envie d'explications, de discussions gênées entre queutards à la gueule de bois, encore moins d'échange poli de numéros. Elle sauta dans son jeans – ou plutôt se tortilla pour entrer dans sa coupe skinny –, attrapa son petit haut Zadig & Voltaire et retrouva son soutien-gorge pendu à la poignée de la porte.

Elle n'était pas sortie uniquement pour s'emmitoufler de présences, il ne fallait pas qu'elle se raconte n'importe quoi. Son petit haut blanc avec tête de mort en paillettes, elle savait qu'il lui faisait un décolleté infernal, un piège à pupilles, un attrape-mec formidable. Elle ne l'avait pas enfilé par hasard. Pas hier soir. Elle savait ce qu'elle faisait.

En cherchant ses espadrilles à talons compensés, elle tomba sur un emballage déchiré de préservatif et lâcha un râle rassuré. C'était déjà ça, pas la peine de cumuler les conneries.

Un nouveau flot de bile acide remonta de son estomac. Il fallait qu'elle parte vite.

Elle sortit de l'appartement sur la pointe des pieds, sans laisser un mot, sans même un dernier regard pour Dam le tatoué. Ils s'étaient bourré la tronche jusqu'à l'excès, ils avaient baisé, c'était déjà bien assez. *Déjà trop*, se corrigea Ludivine. Elle ne le reverrait jamais. Pas envie de l'avoir sous les yeux comme un rappel de ses erreurs, de ses failles, ce n'était pas utile.

Elle repoussa la porte doucement, pour ne pas la claquer et n'eut pas à prendre le métro pour rentrer chez elle, Dam le tatoué vivait à moins de dix minutes de marche.

Quelle conne ! Je ne pouvais pas en prendre un à l'autre bout de Paris ?

De toute façon, si elle venait à le recroiser, elle n'était pas sûre de le reconnaître et elle espéra qu'il en serait de même pour lui.

L'air tiède la rasséréna, mais le soleil de printemps était trop agressif, elle se planqua derrière ses lunettes de soleil. Ses boucles blondes dansaient autour de l'épaisse monture. Avec un look pareil, elle avait tout de la connasse parfaite, *fashionista* à peine dégrisée qui s'est fait tirer par un parfait inconnu un dimanche soir. Sordide. Une caricature pitoyable. Elle se haïssait dans ces moments-là.

Ludivine jeta ses espadrilles en arrivant chez elle et se précipita dans sa salle de bain pour avaler un cachet de Prontalgine, puis elle lança la bouilloire pour se faire un thé. Elle avait la gorge sèche, la bouche encore chargée des arômes de bière et de tequila. Le jet de la douche lui fit le plus grand bien, chassant les odeurs rances de la nuit, transpirations mêlées, parfums de sexes, et elle demeura de longues minutes ainsi, à se refaire une virginité phéromonale avant de s'avachir sur le sofa du salon, un deuxième thé English Breakfast à la main.

Maintenant que le soleil brillait dans un ciel bleu, que la civilisation était ressortie dans les rues, que ses sens devinaient la vie tout autour, ce brassage apaisant de sons distants, Ludivine posait sur ses actes de la veille un regard consterné. Elle n'avait pas su se rassurer, se maîtriser. Circonscrire les pulsions noires, agir comme une adulte sereine. Non, elle avait sombré.

Elle se leva et retourna dans la cuisine pour se planter devant le calendrier des pompiers de Paris. Avec un marqueur, elle raya le chiffre 2 et écrit un 3 à la place.

3/5.

Elle s'autorisait cinq dérapages par an. Des soupapes. La tolérance qui lui semblait acceptable pour naviguer dignement et sans tomber dans l'excès. Une valeur mathématique pour quantifier l'abus, faute de mieux.

Déjà trois et on n'est qu'au mois de mai. L'année va être longue.

L'an passé elle s'en était bien sortie, alors pourquoi maintenant ? Cela faisait un an et demi depuis la mort d'Alexis et le carnage de Val-Segond[1]. Le plus dur était passé, pourquoi craquer maintenant ?

Depuis combien de temps je ne suis pas allée fleurir sa tombe ?

Ludivine secoua la tête. Elle se cherchait des prétextes.

Elle fixa de nouveau le calendrier.

3/5.

Cela ressemblait à une mise en équation de sa santé mentale, de sa résistance à la démence. Elle avait dépassé les trois quarts de son réservoir à merde, il était temps de songer à le vidanger. Mais comment ?

Ludivine avait repris les sports de combat de plus belle, jiujitsu, krav-maga, et elle y consacrait de nombreuses soirées en semaine, pour se défouler, ça et les séances de tir en club, pour devenir une parfaite arme de guerre, invulnérable, décisive. Mais cela ne suffisait plus. Depuis le début elle en était consciente : s'épuiser physiquement et mentalement n'était pas la solution à long terme.

Il faut que je bosse. M'immerger dans les affaires me soulage.

Elle jeta le marqueur sur le dessus du frigidaire.

Elle venait de consacrer un an et demi à étudier la psyché des pires pervers. Tout lire, écouter des conférences, assister à des cours du soir pour comprendre, les cerner. Tout savoir, comme un moyen de se rassurer. Elle avait affronté les pires spécimens et, pour en chasser les fantômes, elle avait décidé d'en décortiquer les âmes. Les disséquer, c'était ne plus avoir peur, émietter ses cauchemars, porter sur cette terreur des monstres presque enfantine un regard clinique, scientifique. C'était désincarner les

---

1. Voir *La Conjuration primitive* du même auteur, aux éditions Albin Michel.

émotions, opérer ses névroses et ses angoisses pour les changer en sources de connaissance. Passer de l'état empathique à l'état analytique.

Mais la part humaine de Ludivine reprenait souvent le dessus, et jaillissait comme un diable hors de sa boîte, avide de caprices, de désirs, de sensations. On n'étouffe pas comme ça ce qui fait de soi un être vivant. C'était certainement mieux ainsi, mais tellement douloureux.

Son mentor l'avait prévenue. Pour comprendre les démons du monde, il fallait explorer leurs ténèbres. Et ce voyage ne s'effectuait pas sans risques.

Le téléphone portable se mit à sonner et vibrer sur la table basse du salon. C'était Segnon, son collègue.

— Ma biche, on gicle sur le terrain ce soir, prévint-il aussitôt.

— Qu'est-ce qui se passe ?

— Un go-fast cette nuit, les Stups ont chopé l'info sur une écoute. Le GIGN est saturé, ils ne peuvent pas intervenir si tôt, et le colon ne veut pas que le flag nous échappe, alors on y va tous. Rendez-vous à 20 heures pour le brief.

Les affaires reprennent, songea Ludivine.

Une saisie de stups, ce n'était pas son domaine de prédilection, mais au moins un peu de terrain lui ferait le plus grand bien. Et puis il fallait voir la vérité en face : une enquête comme celle qu'elle avait vécue avec les fanatiques de Gert Brussin et Markus Locard ne se produisait qu'une fois par siècle. Ça avait été un dossier hallucinant à côté duquel la moindre investigation pour homicide lui paraîtrait désormais banale. Mais la vie continuait, il fallait retrouver de l'intérêt dans les « petites choses » du quotidien. Ça, elle en était capable. Ludivine se l'était prouvé maintes fois. Lorsqu'elle focalisait son esprit sur un cas, il devenait sa priorité et, alors, c'était pire que de regarder un pitbull affamé se ruer sur un os.

Un go-fast. Elle n'en avait jamais tapé un. Ce serait son premier. Elle avait souvent entendu parler au sein de la section de recherches de la gendarmerie de Paris de ces convois de véhicules transportant de la drogue en pleine nuit, roulant à toute vitesse pour rester sur les routes le moins de temps possible, une voiture en éclaireur pour prévenir de la présence de flics et la cargaison dans une autre, quelques kilomètres derrière, roulant à plus de deux cents kilomètres à l'heure. Intervenir là-dessus relevait de la chirurgie, il fallait être précis, pas le droit à l'erreur, pas à cette vitesse.

Ce serait une bonne expérience. De quoi se vider la tête complètement.

Ludivine s'allongea sur le sofa, les tempes douloureuses.

Elle avait l'après-midi pour se remettre.

Bien plus que nécessaire.

2.

Les cônes de lumière défilaient à toute vitesse, ils cou-vraient l'autoroute de leur clarté jaunâtre, un cordon sanitaire entre ce ruban de célérité et les ténèbres autour. Les phares arrière des véhicules glissaient à gauche, absorbés et dissous par la vitesse.

Les trois Porsche Cayenne GTS de la gendarmerie remon-taient le long de l'A1, noir mat, ils semblaient presque imper-méables au balayage des lampadaires et fusaient sans effort pour fondre sur leur cible. Trois véhicules saisis à des trafiquants de stupéfiants, réquisitionnés comme la loi l'autorisait désormais, pour battre les voyous sur leur propre terrain.

Ludivine tira sur le col de son gilet pare-balles pour le réa-juster, il lui compressait la poitrine, les lettres « GENDARMERIE » écrites en blanc sur le devant et sur le dos. Elle remua les orteils dans ses bottes flambant neuves en Gore-Tex qu'elle avait spécia-lement chaussées pour l'occasion, sous son jeans, pour avoir de bons appuis sur le bitume. Ils étaient quatre dans le Cayenne, équipés du même gilet et de leur arme de service, les fusils à pompe dans le coffre. Ses trois compagnons faisaient partie de la section stups de la SR de Paris. Le colonel était à bord du premier Cayenne, et Segnon dans celui qui fermait le convoi.

Le briefing avait été concis et clair. Des écoutes téléphoniques avaient mis en évidence l'acheminement imminent d'une grosse quantité de marchandise en provenance de Lille, dans la nuit même. Trois mois d'enquête et un peu de chance pour finalement réaliser un maximum d'arrestations en quelques heures. Les transporteurs étaient des gros poissons, leur avait expliqué le colonel. Le but était de les prendre en flagrant délit pour les expédier directement au trou. Tout le reste du réseau serait cueilli le lendemain matin, à 6 heures, chez eux, par les collègues.

Contrairement à ce que pensait Ludivine, les go-fast roulaient rarement à tombeau ouvert, ils circulaient à bord de voitures puissantes en cas de problème, pour pouvoir fuir, larguer les flics, voire les trafiquants concurrents susceptibles de les intercepter, mais l'essentiel du voyage s'effectuait à vitesse normale pour ne pas éveiller l'attention, avec un véhicule éclaireur en amont. Le colonel le lui avait expliqué en détail. Lors des opérations de gendarmerie, il arrivait souvent qu'on choisisse de laisser filer l'éclaireur, pour ne pas alerter celui qui transportait la drogue. Il était intercepté un peu plus tard par des motards, ou le lendemain à son domicile. Mais cette fois, l'équipe de Ludivine était justement en charge de l'interpeller, aidée par deux motos du peloton motorisé de la SR. Elle ne serait pas au cœur du dispositif principal et cela l'énervait.

— Où sont les motos ? demanda-t-elle.

— En retrait, invisibles. Elles débarqueront à notre demande, répliqua Yves depuis le siège passager devant elle. Tout comme les quatre autres véhicules en attente au péage. On va leur faire la misère.

Yves était dans les Stups. La peau tavelée d'éphélides, des rides profondes autour des yeux, le cheveu noir, raide, ponctué d'éclairs blancs plus visibles dans le bouc qui lui encadrait les lèvres, et le regard aussi intense que le plus serré des robusta.

Le talkie sur les genoux d'Yves crépita.

« Ils viennent de passer la jonction avec l'A29, on a tout juste le temps de s'installer », avertit la voix du colonel.

Les trois Porsche Cayenne accélérèrent en même temps, une poussée continue sous le ronflement des V8 atmosphériques qui se mirent à siffler en projetant les bolides sur l'asphalte.

Nouveaux grésillements.

« Yves, vous décrochez à la prochaine sortie pour préparer l'interception de l'éclaireur. »

– Compris.

Leur véhicule déboîta quelques kilomètres plus loin et glissa sur la rampe pour s'extraire. Ils franchirent le pont qui enjambait les quatre voies et trouvèrent deux motards de la gendarmerie qui les attendaient sur la bretelle redescendant sur l'autoroute dans le sens inverse. Yves sortit pour leur parler puis revint s'asseoir à sa place.

– Maintenant, on écoute le show et on se tient prêts à entrer en scène au top-départ, dit-il sans aucune émotion dans la voix.

Moins de dix minutes plus tard, le colonel prévint qu'ils étaient en place au péage. Yves fit un signe au conducteur, Arnaud, qui acquiesça avant d'aller chercher les armes lourdes dans le coffre. Il tendit un fusil à pompe à Yves et un autre vers Ludivine :

– Tu sais t'en servir ?

– Je préfère mon 9 mm, répondit-elle en tapotant sa hanche et la crosse de son Sig-Sauer. Précision et cadence de tir.

Arnaud approuva en agitant son crâne rasé pour masquer sa calvitie précoce et il tendit l'arme à l'autre passager à l'arrière. Frank l'attrapa et vérifia qu'il était chambré d'une cartouche rouge.

« L'éclaireur vient de passer notre niveau. Je répète : l'éclaireur vient de passer le péage. Yves, reçu ? »

– Haut et clair.

« Volkswagen Touareg gris, vitres teintées, c'est confirmé. »

– Même plaque que prévu ?

« La même. Il sera sur vous dans dix minutes, tenez-vous prêts. Mais vous n'intervenez pas tant que nous n'avons pas tapé le convoyeur ! »

– Bien compris.

Arnaud fit un appel de phares aux deux motards. L'un des deux prit une paire de jumelles et alla se positionner accroupi derrière un buisson, à l'entrée du pont, pour avoir un œil sur l'autoroute et se mit à scruter les véhicules en approche.

Ludivine sentait la tension monter peu à peu. Son cœur grimpait en pression, son rythme s'accélérait au fil des minutes, pour se préparer. Tout était dans la mise en condition, se répéta-t-elle. Être prête au moment opportun pour être efficace. Ne pas se laisser déborder par l'émotion, se focaliser sur les objectifs, sur les circonstances, sur l'environnement, analyser chaque donnée et répliquer en conséquence, comme avant un assaut aux arts martiaux.

Dans le silence feutré du Cayenne, en pleine nuit, avec le trafic hypnotisant en contrebas, il était plus facile de se laisser bercer et de s'endormir que de se préparer à une arrestation éclair. Il était difficile de croire que tout allait se déchaîner d'un instant à l'autre. Pourtant cela irait vite, elle le savait. Accélération, gyrophares, il faudrait jaillir du Cayenne, arme braquée sur le Touareg, hurler les sommations, mettre les pinces aux poignets, attendre l'estafette… Rapide et frustrant. Le gros du boulot serait effectué en amont, au péage, par les autres.

Tout l'habitacle résonna soudain de la voix du colonel :

« Cible en approche ! Ils viennent de passer le dernier pont ! Toutes les équipes en alerte. »

Puis, moins de deux minutes plus tard :

« Ils sont là ! Le 4 × 4 noir, file de gauche ! Go ! Go-go-go-go-go ! On les tape ! On les tape ! »

Trois minutes d'attente. Interminables. Un silence peuplé de centaines d'interrogations. De probabilités. D'angoisses.

Avant la délivrance :

« On les tient. Ils sont dehors, les pinces dans le dos ! »

Soulagement général. Avant de se reconcentrer sur leur mission. Leur tâche n'était pas encore accomplie.

« Pas de résistance. Les loups sont des agneaux. Yves, l'éclaireur est à vous. »

– Reçu, on s'en charge.

Le gendarme en poste avec ses jumelles se redressa au même moment et passa en courant devant le Cayenne en désignant l'autoroute. Il se jeta sur sa moto qu'il démarra dans la foulée et les deux motards s'élancèrent sur la rampe d'accès, plein gaz, les gyrophares illuminant la nuit.

Le moteur du 4 × 4 Porsche rugit et plaqua les quatre passagers sur leur siège lorsqu'il fusa à son tour.

Le Touareg gris apparut sur la gauche, parfaitement synchronisé, presque aussitôt encadré par les deux motos de la gendarmerie.

Pendant une quinzaine de secondes, la scène sembla se figer, le Touareg ne dévia pas, ni même ne ralentit malgré les signes d'un des motards lui intimant de se rabattre sur la file de droite. Puis, l'arrière du 4 × 4 s'abaissa sous la pression d'une accélération brusque.

– Les fils de putes ! aboya Arnaud au volant du Cayenne. Ils se tirent !

– Colle-les ! ordonna Yves.

Le V8 tomba deux rapports et se mit à vrombir pour rattraper les fuyards. Devant, un des motards se glissait sur la trajectoire du Touareg pour le forcer à ralentir, mais le véhicule éclaireur continua sur sa lancée, obligeant le motard à accélérer à son tour pour ne pas être percuté.

– Véhicule en fuite ! prévint Yves dans le talkie. On leur colle au train.

« Si le trafic devient dense vous laissez filer ! C'est clair ? Je veux pas d'une connerie ! Tant pis, on ira les chercher dans la cité plus tard ! »

Ludivine était cramponnée à la poignée de sa portière, elle avisa la circulation, plutôt clairsemée à cette heure de la nuit.

– Mais il a quoi sous le capot pour bomber comme ça ? s'inquiéta Arnaud. C'est pas une motorisation normale ! Ils l'ont gonflé !

– On les lâche pas ! confirma Yves à leur chauffeur. Viens les serrer par la droite !

Les 420 chevaux du GTS hurlèrent et les aiguilles du compteur grimpèrent en flèche, franchissant allégrement les 250 kilomètres à l'heure. Les deux motos s'étaient déjà décalées, peinant pour rivaliser face à la puissance des deux 4 × 4 dopés au turbo.

« On s'est fait duper, lança le colonel. Le convoyeur est vide. »

Yves, qui se tenait d'une main à la poignée, porta le talkie à sa bouche :

– Sûr ? Vous l'avez retourné ?

« Certain, même le chien du cyno n'a rien flairé. »

Arnaud, cramponné au volant, s'écria :

– S'il n'y a rien derrière, alors pourquoi ces connards se barrent-ils ? C'est débi...

Comprenant en même temps que son collègue, Yves désigna le Touareg avec le talkie :

– La came est là ! Ils nous la jouent à l'envers !

Le 4 × 4 Porsche fendait la nuit en sifflant, la puissance de sa motorisation le faisait se hisser à hauteur des fuyards, ils allaient plus vite. Arnaud se stabilisa au même niveau et, à l'arrière, Frank braqua le canon de son fusil à pompe en direction des vitres du Touareg. Derrière, les deux motards fermaient la marche, obligeant les quelques voitures et camions à ralentir pour créer une poche de sécurité.

– Ils sont faits ! s'écria Arnaud dans l'excitation. Ils sont faits !

Le Cayenne fit tomber encore un rapport et le moteur hurla.

En un instant, ils dépassèrent la voiture éclaireur et se positionnèrent devant en chassant de droite à gauche pour bien montrer qu'il n'y avait aucune fuite possible.

Le Touareg ralentit doucement, accompagné par le 4 × 4 Porsche des gendarmes, et ils glissèrent lentement vers la bande d'arrêt d'urgence, aussitôt talonnés par les deux motos.

À peine arrêtés, les trois gendarmes giclèrent hors du véhicule, laissant Arnaud en poste derrière son volant, leurs armes pointées vers le pare-brise sombre du Touareg. Les gyrophares des motos projetaient un halo bleu sur la carrosserie tandis que les poids lourds passaient tout près sans même ralentir.

– Gendarmerie ! Coupe le moteur ! hurla Yves à l'attention du conducteur du Touareg.

Mais le bruit de l'autoroute couvrait les voix, et les vitres teintées empêchaient de distinguer qui que ce soit à l'intérieur.

Ludivine se décala sur le côté et vint se coller au rail de sécurité, pour ne pas avoir les phares en plein visage. Elle tenait son Sig-Sauer pointé droit sur ce qu'elle devinait être le fauteuil passager, prête à presser la détente au moindre coup fourré. Il en allait de leur vie. Au moindre problème, il faudrait réagir instantanément, ne pas hésiter et risquer qu'un d'entre eux ne tombe sous les balles ennemies.

Baisse d'un cran la nervosité, Lulu, s'ordonna-t-elle. Il ne fallait pas que la pétarade d'un pot d'échappement lui fasse perdre son sang-froid non plus !

– Le moteur ! insista Yves en désignant du bout de son canon le capot. Coupe le moteur et sors ! Tout doucement ! Allez !

Mais les passagers du Touareg ne montraient aucun signe de vie. Hésitaient-ils ? *Entre quoi et quoi ? Pas bon, ça ! Pas bon du tout !*

Ludivine serra un peu plus fort la crosse de son arme. S'il fallait ouvrir le feu, elle se savait capable de répliquer immédiatement avec précision. Mais un gendarme n'ouvre le feu que si l'adversaire tire le premier. Et, dans ces conditions, ça pouvait être un massacre. C'était un mauvais plan. Un très mauvais plan. Ils n'étaient pas bien préparés, pas assez nombreux.

Ça devait juste être la voiture éclaireur, putain !

Les motards ne bougeaient pas, pistolets braqués sur l'arrière du véhicule, presque face aux trois gendarmes.

Dans la panique, on pourrait même se tirer dessus !

Ludivine enjamba doucement le rail de sécurité pour s'écarter d'un mètre supplémentaire et continua de progresser lentement, sans lâcher le pare-brise du regard. Si une des portes s'ouvrait de son côté, ce serait pour elle.

Le moteur du Touareg se coupa brusquement et la nervosité retomba d'un cran. C'était déjà un premier signe de capitulation.

– Dehors ! aboya Yves. Sortez ! Tout doucement !

La portière du côté de Ludivine s'ouvrit lentement.

– Les mains sur la tête ! cria-t-elle aussitôt.

Une jambe tomba sur le sol, basket blanche épaisse et jeans baggy. Puis une silhouette se profila, les mains levées au-dessus d'un crâne hérissé de cheveux en brosse. Du coin de l'œil, Ludivine devina qu'il se passait la même chose côté conducteur. Elle entendit la voix de Frank beugler ses ordres à travers le mugissement assourdissant des poids lourds qui les frôlaient.

L'homme qui se tenait face à Ludivine avait la trentaine, sec, habillé d'un blouson Teddy noir aux manches blanches. Son regard était perçant, d'un bleu intense, froid et déterminé. Il avait les joues creuses, un air sévère. *Pas la tronche d'un ange.* Bien au contraire même. Il y avait dans ses yeux une sévérité troublante, une haine dangereuse. Ce n'était pas une petite frappe de banlieue galvanisée par la présence de sa meute, non, il était bien plus menaçant que ça. Lui était capable de tout, du pire. Seul s'il le fallait. En d'autres circonstances, Ludivine devina qu'il n'aurait pas hésité une seconde à la cribler de plomb pour s'enfuir.

– Écarte-toi du véhicule ! lui intima-t-elle. Garde les mains bien sur la tête.

Un des motards se rapprocha à grandes enjambées pour venir lui prêter main forte, et Ludivine, qui n'était pourtant pas du genre craintive, se sentit rassurée. Pendant qu'il braquait le convoyeur, Ludivine rangea son Sig-Sauer dans son étui et sortit les menottes.

– Tourne-toi, et à genoux. Allez ! Dépêche-toi !

L'homme la transperça de ses pupilles glacées et un rictus méprisant lui souleva la commissure des lèvres avant qu'il ne s'exécute.

Les menottes se refermèrent sur son poignet droit puis Ludivine fit passer son bras au milieu du dos pour l'immobiliser.

Une fois captif, elle fit signe au motard de veiller sur lui pour jauger la situation générale.

Le conducteur était également neutralisé, sous la surveillance de Frank. Yves s'approcha du coffre qu'il ouvrit avec précaution. Ludivine se tenait en retrait, la main sur son arme, prête à dégainer. Les phares des deux motos illuminaient l'intérieur du Touareg.

Vide. Il n'y avait ni mallettes, ni sacs de sport, rien pour contenir la drogue.

– Merde, lâcha Yves.

– Pourquoi ils se tiraient alors ? fit Ludivine qui pensait tout haut. Ils ont flippé ?

Un mouvement attira son attention sur le côté droit du véhicule et elle vit la portière arrière s'ouvrir d'un coup. Une ombre jaillit et se jeta au-dessus du rail de sécurité en courant.

– Là ! s'écria-t-elle en bondissant à sa poursuite.

La silhouette remontait le talus herbeux à toute vitesse, tenant un sac à la main. Ludivine entendit Yves crier son prénom mais elle ne prit pas le temps de s'attarder là-dessus. Elle voyait le fuyard détaler et la cime des arbres qu'elle distinguait au-delà de la pente était mauvais signe. S'il parvenait à pénétrer la forêt en pleine nuit, il les larguerait sans problème.

Ludivine enfonçait la pointe de ses bottes dans la terre meuble pour ne pas glisser, et enchaînait les foulées aussi rapidement que possible. Le fuyard ne broncha pas aux ordres beuglés par Ludivine pour qu'il s'arrête, il savait certainement que personne n'oserait lui tirer dans le dos. En bonne sportive, Ludivine prenait de la vitesse et s'efforçait de souffler en rythme. Elle avait trouvé son équilibre et filait entre les buissons, maudissant ses bottes qui, finalement, la ralentissaient plus qu'une bonne paire de baskets. Mais elle gagnait du terrain. La silhouette devant elle courait n'importe comment, gênée par le sac dans sa main.

C'est la drogue ! Il se barre avec la marchandise !

Les arbres au sommet du talus devenaient de plus en plus hauts, un mur obscur et dansant dans la brise nocturne. Ludivine puisa dans ses réserves pour accélérer encore. Ses cuisses poussaient à chaque enjambée, les muscles de ses fesses tiraient en alternance, ses mollets étaient durs comme du bois. Elle remontait la pente plus rapidement que son adversaire.

La silhouette n'était plus qu'à quelques mètres, déséquilibrée par le sac et par sa course paniquée.

Ludivine respirait en cadence, parfaitement disciplinée. Ses jambes en feu la propulsaient vers sa cible. Elle pouvait presque la saisir.

Devinant la présence de la gendarme juste derrière lui, l'homme pivota brusquement pour la cueillir d'un direct du droit, la mâchoire en ligne de mire. Ludivine vit un visage noir, avec de grands yeux blancs, se tourner vers elle, et le poing apparut. Du bras elle se protégea la tête et, sans même ralentir, s'emplafonna volontairement dans le fuyard qu'elle déséquilibra sous le choc. Ils tombèrent ensemble et roulèrent pour se redresser chacun de leur côté. Ludivine se releva juste à temps pour voir un autre coup de poing se projeter dans sa direction. D'un mouvement du bassin elle se pencha en arrière et repoussa le poignet adverse du plat de la main avant de gicler en avant pour frapper avec son coude. Mal ajustée, son attaque heurta mollement le front de son adversaire qui la saisit par le col de son gilet pare-balles et la jeta au sol, sur le dos. Elle vit alors qu'elle avait affaire à un grand gaillard à la peau plus noire que la nuit, et à l'attitude tout aussi déterminée que son camarade plus bas. Il tenta de lui mettre un coup de pied, mais Ludivine roula et la pointe de la basket ne fit que frôler le gilet. D'un bond, Ludivine se remit sur ses jambes, s'efforçant de maîtriser sa respiration pour ne pas perdre sa lucidité en hyperventilant.

– Je vais te fumer, sale pute ! cracha le fuyard en dégainant un cran d'arrêt de sa poche.

Il haletait, nota Ludivine au moment où il plongeait sur elle, lame en avant.

Mouvement du bassin pour esquiver. Coup de paume dans l'avant-bras pour écarter l'arme. Un pas en arrière pour assurer l'équilibre. Levé de cuisse, déhanché pour envoyer le genou au plus fort dans les lombaires. Frapper avec toute la force du bassin. Poing fermé, cibler la mâchoire, lancer le bras comme un élastique pour une frappe sèche, parfaitement localisée. Impact. Amorcer l'autre bras sans attendre, le visage en destination. Finalement toucher le cou. Deviner la main au couteau à portée de saisie, l'attraper au niveau de l'articulation, verrouiller comme une pince, tourner dans le sens inverse des mouvements naturels, forcer la clé. *Crac.* Cri. Coup de pied dans l'arrière du genou, sec, violent, pour forcer la jambe à plier. Proie accroupie. Passer le bras dans le dos. Résistance. Levé de jambe et frappe du genou en pleine pommette. Maintenir la pression sur le poignet malgré le corps qui part dans la direction opposée. Saisir le col de l'autre main Passer le bras dans le dos et immobiliser. Pousser sans ménagement en avant pour mettre la cible à terre, lui enfoncer le visage dans la boue, appuyer sur sa colonne avec le genou. Garder son équilibre avec l'autre jambe.

L'homme était immobilisé. Il gémissait.

Ludivine avait frappé sans se poser de questions. Une vraie machine. La forme de l'épaule n'était plus normale. Elle la lui avait déboîtée et l'homme poussait des cris de douleur à chaque fois qu'elle serrait un peu plus le poignet remonté dans son dos. Elle sortit sa seconde paire de menottes et les lui passa. Il n'irait plus nulle part désormais.

Elle se redressa, en cherchant à retrouver sa respiration.

Tout avait été très vite. Elle fouilla les herbes du regard, à la recherche du sac.

En contrebas, Yves remontait la pente vers eux en criant son nom. Elle agita le bras pour lui indiquer sa position dans la pénombre. Les phares du Cayenne et des motos semblaient lointains, nimbés par les gyrophares bleus.

Le sac était juste là, à côté d'elle.

Pourvu que ce soit bien la dope. Si je lui ai pété les os pour rien je vais en entendre parler...

Elle le souleva pour le remettre droit et fut surprise par son poids. *Je dirais dans les dix kilos. J'espère que c'est de la poudre. Ce sera un très gros coup. Énorme même.*

Elle tira sur la fermeture Éclair et écarta les pans.

Il s'agissait bien de sachets en plastique, mais ils étaient beaucoup plus grands que prévu et leur contenu était plus foncé. Ambré. Elle plongea la main à l'intérieur et en devina une bonne dizaine au moins, tous assez épais et lourds. Elle en sortit un de la taille d'un petit poster et ne comprit pas tout de suite de quoi il s'agissait, sinon que les bords n'étaient pas droits, mais plutôt irréguliers et ourlés d'un liseré sombre.

D'un coup d'œil, elle s'assura que son prisonnier était toujours en train de gémir à terre et elle sortit sa lampe torche.

Le flash blanc saisit un dessin bleuté en forme de poisson sur un fond oranger bordé d'un ruban de sang séché.

On dirait...

Un tatouage. Entouré de grains de beauté et de taches de rousseur. Le sachet contenait un morceau de peau pliée. De la taille d'un dos au moins.

Ludivine déglutit péniblement.

Elle se pencha pour sonder le sac.

Tous les sachets renfermaient le même genre de marchandise.

Des échantillons de peau. Blanche pour la plupart.

Et lorsqu'elle tomba sur un sachet plus fin, Ludivine n'eut plus aucun doute.

Un visage difforme, une tête aplatie, sans aspérité, seulement les plis du nez et le bourrelet des lèvres. Sans plus aucune substance en dessous.

Le masque d'un faciès la scrutait de ses orbites vides.

3.

L'Institut médico-légal de Paris ressemblait à un petit fort du XIXᵉ siècle. Un premier niveau brun, presque obscur, à demi enfoui et ouvert côté Seine, abritant des frigos géants, des salles de découpe, un réseau inquiétant de couloirs mal ventilés. Au-dessus venait la partie en brique rouge, percée de ses hautes fenêtres, surmontée de bureaux et laboratoires dans des préfabriqués blancs hissés sur le toit. L'ensemble avait été bâti pour abriter de terribles secrets. Ceux de la mort, des cages thoraciques ouvertes, des boîtes crâniennes découpées à la scie vibrante, des coups de scalpel dans la couenne froide, des fluides et viscères luisant sous les scialytiques impudiques. Les secrets d'une âpre vérité : la mort vidait de toute personnalité ceux qui avaient vécu, elle les transformait en objets, elle les chosifiait. La chair devient viande, les noms numéros, les plaies indices, et les corps carcasses. L'être devenait souvenir. Dissous dans le néant, il n'en restait que des fantômes ravivés par nos mémoires. Ici plus que partout ailleurs, cette sinistre alchimie se constatait chaque nuit, chaque jour, sans jamais le moindre répit.

Ludivine et Segnon se tenaient debout dans l'une des pièces dépourvues de toute fenêtre du niveau inférieur, un lieu glacial à la peinture décatie. Le jour venait à peine de se lever et Segnon tenait à la main un gobelet Starbucks qu'il n'avait plus porté à ses lèvres depuis son entrée dans le bâtiment. Sa peau noire semblait boire la lumière des néons. Son immense squelette supportant une masse musculaire impressionnante masquait totalement Ludivine qui paraissait frêle en comparaison, presque absente. Ils étaient en service et, comme la plupart de leurs collègues de la section de recherches de la gendarmerie de Paris, ils travaillaient en civil la plupart du temps. Sweatshirt gris à capuche et pantalon de jogging pour lui, jeans et pull en mohair rose pâle pour elle. Ils ressemblaient à des visiteurs, deux touristes perdus au milieu de corps allongés sous des draps.

Minutieusement étalés sur des tables en inox, les fragments de peaux saisis quelques heures plus tôt réfléchissaient la lumière crue, ressemblant à un étrange puzzle écœurant. Il y en avait quatorze en tout. Les plus petits étaient des visages. Trois masques absurdes posés à plat, paupières closes, lèvres entrouvertes, sans cheveux, sans oreilles, semblables à une parodie d'être humain. Les plus grands correspondaient à des dos et à des abdomens, ces derniers étaient percés au niveau des tétons et entortillés au nombril. Un homme et deux femmes, comme le soulignaient les deux parties cloquées à la place des seins.

— L'analyse ADN nous indiquera combien il y a d'individus, rapporta le légiste à la barbe noire. Mais à première vue, si on regarde la découpe et la teinte de la peau, je pense qu'on aura confirmation qu'il s'agit bien de trois individus, je ne pense pas qu'il y aura de surprise de ce côté-là. Enfin c'est juste mon avis, rien d'officiel pour l'instant.

— Il y a tout leur corps ? demanda Ludivine.

— Non, mais une large portion. Il manque quelques fragments au niveau du cou, des bras, les parties génitales et aussi un peu aux genoux et aux pieds. En résumé : tout ce qui est difficile à prélever. Et sont absents aussi les scalps.

— Un travail de professionnel ?

— En tout cas un travail délicat. Pas la peine d'être chirurgien, si celui qui a fait ça avait tout son temps et qu'il n'est pas sensible, il a pu ôter lentement l'épiderme. Il y a beaucoup de traces de lame, certainement un scalpel ou un rasoir, le type a travaillé méthodiquement par petits à-coups, c'est pas un travail d'orfèvre, mais il a tout de même pris soin de faire des prélèvements les plus propres et grands possibles à chaque fois. C'est pas mal.

— Pas mal ? releva Segnon en grimaçant.

— Oui, enfin, je veux dire que c'est assez bien fait, corrigea le légiste un peu gêné. Sinon, on a soigneusement rasé chaque prélèvement, et ils ont été enduits d'une sorte de cire. Je n'ai pas encore le résultat de sa composition. Je pense que c'est pour stopper la prolifération de bactéries.

— Pour les conserver ? devina Segnon.

Le légiste acquiesça.

— Aucune substance stupéfiante dissimulée dedans ? interrogea Ludivine. Ce sont des trafiquants de drogue qui les transportaient, il y a forcément une raison à ça.

— C'est ce qu'on m'a dit en les déposant. Je n'ai rien trouvé. On les a même passés aux rayons X pour essayer de comprendre, et ça n'a rien donné. J'ai fait plusieurs écouvillons tests, avec des réactifs pour les drogues les plus classiques : aucun positif.

— Côté ADN, ça va prendre combien de temps pour les résultats ?

— Pour être honnête, j'ai fait tout ce que j'ai pu ce matin, tôt, avant l'arrivée de tous les autres corps, mais là, votre affaire va devoir attendre un peu.

— Quels corps ? s'étonna Ludivine.

— On récupère une partie des cadavres de l'attaque du TGV.

Ludivine se tourna vers Segnon en fronçant les sourcils.

— Eh bien quoi ? fit-il. T'es pas au courant ? L'attaque d'hier matin ? T'étais sur quelle planète ? C'est aux news partout en boucle !

— J'ai rien allumé depuis dimanche. Une attaque terroriste ? demanda la gendarme, incrédule.

— Non, apparemment deux ados.

— Beaucoup de victimes ?

– Cinquante-trois, et une vingtaine de blessés dont une partie dans un sale état.

– Oh ! merde.

– Comme tu dis.

Le légiste ajouta :

– En tout cas, nous on récupère les restes pour festoyer, si vous voyez ce que je veux dire. Avec la pression médiatique et politique, autant vous dire que ça devient notre priorité de la semaine, sinon du mois. Toutes les autres affaires passent après, même en se dispatchant le boulot avec Garches et d'autres.

Les deux gendarmes étudiaient le médecin d'un air dubitatif. Il ressemblait à une petite fouine avec sa barbe et ses minuscules yeux rapprochés.

– Bon. Et sur nos peaux, mis à part le tatouage, enchaîna Ludivine, il y a d'autres signes particuliers ?

– Pas de cicatrices, ni de piercings, non...

– Parce qu'il y a autre chose ?

Le légiste fit crisser sa barbe du plat de la main et s'approcha des fragments de peau.

– Vous voyez ce petit poinçon ? fit-il en désignant un carré d'un centimètre de diamètre sur le bas d'une bande qui devait correspondre à une cuisse.

– Qu'est-ce que c'est ? fit Ludivine en se penchant à son tour.

Le légiste lui tendit une loupe et elle découvrit un marquage incrusté dans le derme, une forme ronde... Un smiley. Ces visages ronds proliférant sur Internet et dans les textos.

– C'est bien ce que je crois ?

– Regardez de plus près, son « œil » droit, insista le médecin.

Ludivine constata qu'il n'était pas comme celui de gauche, plus replié...

– Il fait un clin d'œil !

– Et ce logo est sur chaque fragment, toujours en bas à droite.

– Et c'est post-mortem, j'imagine ?

– Ah ça, je ne peux pas vous dire, par contre si vous voulez mon avis, je doute que les victimes aient été recouvertes de smileys de leur vivant ! C'est le type qui les a charcutées qui a apposé son marquage ensuite pour identifier chaque peau.

– Comme des bêtes, résuma Segnon.

– Ou comme une marque dans un supermarché. Une sorte de contrôle qualité, en somme...

Les deux gendarmes fixèrent le légiste qui haussa les épaules.

Ludivine et Segnon marchaient en direction de leur voiture, enveloppés par le brouhaha de Paris qui s'éveillait et par le fracas du métro aérien.

– On a un tordu sur les bras, fit le colosse.

– Tu parles du légiste ou du dépeceur ?

Segnon ricana.

– Tu crois pas ?

– C'est sûr que ça ne ressemble pas aux méthodes des trafiquants, on n'est pas dans un cartel mexicain. J'ai jamais entendu ça en France, ils n'arrachent pas la peau de leurs rivaux. C'est ça qui me perturbe le plus. C'était méthodique, conditionné...

– Et traité pour être conservé ! rappela Segnon. C'est quoi leur délire ?

– Ils voyageaient avec leur marchandise comme s'il s'agissait d'une de leurs cargaisons de drogue. Le type a même essayé de se tirer avec. Ils y tenaient. Je ne comprends pas, mais il y a quelque chose à tirer au clair.

Le portable de Ludivine se mit à vibrer.

– Oui, colonel ?

– Qu'est-ce que ça donne avec le légiste ?

– On attend les résultats de l'ADN mais a priori trois victimes.

– Possible qu'elles soient vivantes ?

Ludivine ralentit.

– Euh... j'avoue que j'ai pas demandé, c'est que... ça paraît impossible, on leur a arraché méthodiquement soixante-dix pour cent de la peau !

– J'ai besoin de savoir s'il y a une urgence, Vancker, s'il y a trois pauvres gus qui attendent d'être libérés dans une cave en agonisant ou si je recherche trois cadavres.

– Je penche pour la seconde option, personne ne peut survivre à ça.

– Je veux une certitude signée de la main du légiste, qu'on se retrouve pas dans la merde après si une des victimes était vivante et qu'on a rien fait.

– Hélas, ça n'arrivera pas, mais on s'en occupe. Les prévenus se sont mis à table ?

– Non, des poupées de cire, pas un mot.

– Colonel, je voudrais être responsable de cette enquête.

– Chaque chose en son temps, Vancker.

– S'il y a trois morts, c'est plus pour les Stups mais pour nous. Je veux m'en charger.

– Laissez-moi faire le point et on en discute.

– Je n'aime pas mettre mon pied dans une porte entrebâillée pour m'imposer mais je suis la meilleure pour ce genre d'enquête, colonel, vous le savez. Je ne vis que pour ça.

– C'est plus le pied, là, c'est tout votre corps.

– Les homicides dans ce genre, c'est ma compétence.

– Vancker ?

– Oui colonel ?

– Vous m'emmerdez avec vos obsessions.

Et il raccrocha.

Ludivine en fut vexée. Elle ne s'estimait pas *obsédée*, il ne fallait pas non plus exagérer. Elle se préparait, elle se documentait, quoi de plus normal après avoir vécu l'affaire de Brussin et Locard ? Elle avait vu ses collègues mourir, devant elle pour certains, elle avait traqué des tueurs, des psychopathes, elle s'était retrouvée dans les pires situations ! Évidemment qu'elle en nourrissait une certaine curiosité, une volonté manifeste de mieux comprendre les criminels, les assassins, les pervers en particulier et, oui, elle l'admettait volontiers : depuis un an et demi, elle avait tout lu sur le sujet, elle avait suivi des formations, et elle avait été prise

sous l'aile d'un criminologue hors pair pour s'affiner. Mais de
là à affirmer qu'elle...

*Bon, OK, je suis un poil obsédée. Et alors ? Ça peut se com-
prendre, non ?*

Pendant cette période, elle avait tout fait pour travailler sur
les affaires les plus sordides, et elle avait démontré une aptitude
et une sérénité au-dessus de la moyenne dans chacune. Pourtant
toutes lui avaient paru presque banales.

Oui, elle était peut-être obsédée après tout.

Mais cela la rendait compétente. Particulièrement compétente.

4.

Les images tournaient en boucle sur les chaînes d'info. Un TGV gris stoppé en pleine campagne, encerclé de champs blonds. Un long trait d'acier inflexible bordé d'une lande duveteuse, dorée, qui frissonnait au gré de la brise. Ce qui marquait le plus les rétines depuis cette vue aérienne, c'étaient les taches sombres près de la rame. Plusieurs dizaines, tels les impacts d'une déflagration étrange. Des silhouettes en blouse s'agitaient autour de chacune. Des ambulances, des camions de pompiers, de la gendarmerie, des estafettes des pompes funèbres et plusieurs voitures banalisées étaient alignées un peu plus loin sur un chemin herbeux, et le ballet incessant entre les uns et les autres devenait hypnotisant.

Une explosion morale, songea Ludivine. La violence pouvait nous happer, nous déchiqueter, nous broyer à tout moment, en toutes circonstances. Voilà ce que semblaient hurler ces corps éparpillés un peu partout dans les champs de blé.

Deux gamins fous et le massacre éclaboussait toute la civilisation. Un pacte rompu, une faille éthique qui pouvait s'étendre, morceler la confiance de chacun en cette communauté désormais précaire. Déjà, des fissures ne cessaient de s'élargir avec la crise économique que le monde traversait depuis plusieurs années, mais si la promesse essentielle du cocon commun venait à être trahie, alors à quoi bon continuer ? Pourquoi ne pas s'armer, se défendre soi-même ? Se préparer au pire ? Pourquoi même ne pas aller encore plus loin et reconquérir soi-même ce qu'on a perdu, ce qui nous fait envie, ce qu'on désire ? La loi du plus fort. La violence de l'individu, comme un premier pas vers une violence collective. Armer la masse et attendre que les petits mouvements individuels prennent de l'ampleur, fassent échos, et que, peu à peu, des courants internes se forment, qu'ils finissent par entraîner le groupe et qu'une vague se dresse. Puissante.

Les doigts de Segnon claquèrent devant les prunelles de Ludivine pour la rappeler à la réalité du petit café parisien dans lequel ils s'étaient installés.

— T'es partie loin, là ! dit-il.

— Pardon. Tu disais ?

L'index du colosse s'allongea en direction de l'écran de télé.

— Les fusils étaient à l'oncle d'un des ados, mais on ne sait toujours pas comment ils ont obtenu les flingues.

— Marché noir ? On trouve tout maintenant au pied des cités.

— Peut-être. Mais où va le monde ? Deux ados sans histoire qui pètent les plombs comme ça... Non mais tu imagines ?

— Probablement pas sans histoire, Segnon.

— Pas de casier !

— Ce qui ne signifie pas qu'ils n'ont rien fait. Tu ne finis pas ta vie en entrant dans un train pour flinguer tout ce qui bouge si tu n'as pas un certain nombre d'antécédents, au moins psychologiques ! Ces deux ados étaient à bout. L'élastique de leur résistance morale s'est rompu. Ça n'arrive pas du jour au lendemain sans une usure préalable. Maintenant il faut s'intéresser à leur quotidien pour piger pourquoi ils ont basculé dans la folie criminelle.

— Les gamins qui font ça dans les écoles aux États-Unis, on explique leur geste ?

— Oui, forcément. C'est pas le gentil garçon scolaire, bien inséré dans le système, affable et aimant, qui devient dingue du jour au lendemain. Plutôt des marginaux, des engrenages rouillés tombés à côté du mécanisme général.

– Alors quoi, on retombe dans le cliché du pauvre petit mec aux parents divorcés, qui n'a pas vraiment d'amis, mauvais élève, incapable de s'intégrer, qui nourrit un sentiment de revanche, que personne n'aime, dont tout le monde se fout et qui pour se venger va tirer dans le tas ?

– En tout cas qui frappe là où ça va heurter le plus, oui, on n'en est pas loin.

Segnon balaya cette hypothèse d'un revers de main et s'enfonça dans la banquette qui crissa sous sa masse.

– C'est un peu facile ! Tous les ados ont des passages à vide.

Segnon murmura plusieurs mots que Ludivine ne comprit pas et elle supposa que c'était une prière ou quelque chose dans ce registre. La fatigue leur pesait sur le crâne et Segnon avala un deuxième café avant de rentrer à la section de recherches de Paris, porte de Bagnolet.

Ils franchirent les grilles de l'ancienne caserne grise, un grand bâtiment pas assez ancien pour être beau et trop vieux pour être confortable.

Ils grimpaient les marches pour regagner leurs bureaux lorsque Yves apparut sur le palier. Ses yeux paraissaient plus noirs encore que d'habitude, si cela était possible. Il leur fit signe de venir.

– On va retourner en audition mais avant je voudrais mettre un petit coup de chaud à un de nos suspects, je pense qu'il est mûr. À quatre autour de lui, ça peut finir de lui mettre la pression.

Yves les entraîna au fond du rez-de-chaussée, à travers un couloir étroit, jusque devant une porte en acier entrouverte. Martial, un gars des Stups, aux traits aussi lisses et ingénus que ceux d'Yves étaient marqués par les rides et les cernes, se tenait sur le seuil. À l'intérieur de la cellule, Ludivine vit un garçon nerveux, aux membres élancés. Coupe afro et vêtements de sport, baskets ouvertes, lacets manquants. Moins de trente ans. Sa jambe droite battait la mesure au tempo imaginaire d'une partition hystérique de hard rock. Il soutenait le regard de Martial et se redressa lorsque les autres apparurent.

– C'est l'heure du tabassage en règle ? lâcha-t-il sans parvenir à dissimuler la peur qui l'envahissait.

– Pas le genre de la maison, répliqua Yves. Joseph, t'as pas décroché un mot utile depuis le début. On va y retourner mais avant je voudrais te mettre devant tes responsabilités familiales. Tu sais très bien comment ça va se passer. Toi, la prison, tu connais, mais ton frangin, qu'est-ce qu'il va devenir là-bas, hein ? C'est encore un gamin ! C'est un poisson-clown dans un déguisement de piranha ! Il va se faire croquer, tu le sais bien !

– Je vous ai dit de laisser Marvin en dehors de ça !

– Hey ! C'est pas moi qui l'ai mis dans la bagnole !

– Vous avez rien contre lui, elle était clean, la caisse ! Y avait rien dedans !

Yves leva la main et désigna les étages supérieurs :

– J'ai quarante heures d'écoutes téléphoniques sur votre bande, j'ai la filature de vos bagnoles où, clairement, celle avec ton frangin servait de leurre. T'en fais pas, si je monte bien mon dossier, vous tombez tous pour trafic ! Et j'attends le résultat des perquisitions à vos domiciles, t'as intérêt à prier pour qu'on trouve rien sinon la peine va s'alourdir.

Joseph jura dans sa barbe.

– Ton frère, c'est un des plus bavards au téléphone, ajouta Martial.

Joseph secoua la tête de dépit.

– Maintenant, je suis pas un emmerdeur, reprit Yves. Si tu te montres sympa avec moi, je le serai avec ton frère et je ne le charge pas. Il a un casier, mais comme il n'y avait pas de dope dans sa caisse on peut s'arranger pour qu'il s'en sorte bien. Il a dix-huit ans, Joseph, si je soigne le dossier, le tribunal n'hésitera plus cette fois, pas avec ses antécédents.

Ludivine comprit soudain ce qu'Yves et Martial avaient en tête. Ils ne pouvaient pas exercer ce genre de pression en audition, pas devant la caméra qui filmerait tout. Mais sur un suspect qu'on sent à bout de nerfs, juste avant d'enregistrer son témoignage, il arrivait parfois qu'on « le mette en condition » pour qu'il soit fin prêt une fois dans le bureau.

— Bâtards, vous me faites du chantage !

— Ah non, on ne donne pas dans ce genre de pratique. Nous, on te propose de te comporter en bon patriarche, d'assumer tes conneries pour que ton petit frère ne prenne pas à ta place. Si tu te mets à table, si tu nous donnes un os à ronger, on arrêtera de renifler le petit bonhomme qui ne sert à rien. C'est à toi de voir. Et tu sais comme moi que c'est un tendre, en prison il se fera bouffer tout cru...

Joseph secoua la tête.

— Putain de condés de merde. J'ai le choix peut-être ?

— À toi de voir.

La jambe convulsive s'arrêta net. Joseph se prit la tête dans les mains et soupira.

— Vous voulez quoi ? demanda-t-il, soudain moins combatif.

— Pourquoi vous transportiez de la peau humaine ?

La jambe se remit à s'agiter. Joseph, qui n'était pas menotté, se frotta les mains nerveusement.

Sentant la faille, Ludivine se mêla à la conversation :

— C'est vous qui avez fumé ces gens avant de les dépecer ?

— Ça va pas, non ? Trafic de peaux, je veux bien prendre, mais pas meurtre ! C'est pas nous !

— Alors qui ?

— Je les connais pas.

— Tu l'as bien récupéré quelque part, ce sac, il est pas tombé du ciel !

— Non, je vous jure, je sais pas.

Yves brandit un index menaçant devant lui et changea de ton :

— Joue pas au con avec nous ! Je serai réglo avec ton frangin si tu es réglo avec moi. Continue de me dire que tu ne sais rien et que tu es innocent de tout et on arrête là. Toi et Marvin vous plongez pour trafic de stups, tant pis s'il n'y avait pas de came dans les bagnoles. J'ai les écoutes, probablement pas mal de fric en cash chez vous, des mouvements d'argent suspects sur des comptes, et je te parle même pas de ces peaux humaines ! Si on retrouve des cadavres qui correspondent, c'est meurtre pour tous ! Tu connais la peine pour assassinat et actes de barbarie. J'ai pas besoin de te faire un dessin.

Joseph se dévorait la lèvre inférieure. Il fit la moue et inclina la tête pour parler sans regarder ses interrogateurs :

– On a récupéré le sac du côté de Lille. Je vous jure que je sais pas qui l'a déposé. Quand on a une livraison en cours, on a juste une adresse qui nous dit où trouver la marchandise. Nous, on dépose le fric au même endroit et on se tire. Y a pas de confrontation, les mecs ne comptent même pas les liasses devant nous, ça marche à la confiance. Mais on a jamais entubé ces gars-là, pourquoi on le ferait ? Tout le monde y gagne ! Et personne a envie de déconner avec des types qui arrachent la peau comme si c'était un putain d'emballage de Chupa Chups !

– C'est pas la première livraison que vous faites ? intervint Martial après avoir jeté un coup d'œil atterré à Yves.

– C'est la cinquième fois. Mais je vous jure que les premiers voyages, je savais pas ce que c'était ! J'accompagnais Selim et Adi, c'est eux qui gèrent ce coup-là ! Si j'avais su, j'aurais pas mis les pieds là-dedans !

– Mais tu l'as fait, trancha Yves aussitôt pour s'éviter le monologue plaintif du regret.

– Selim, Adi et moi, c'est tout ou rien. On est comme ça depuis qu'on est petits. Je pouvais pas leur dire non. L'amitié, vous savez ce que c'est ?

Yves haussa les sourcils, il ne semblait pas partager la même conception de l'amitié que son suspect.

– Et vous en faites quoi de cette peau humaine ?

– Bah... le trafic !

Regards accablés des deux gendarmes. Un peu en retrait, Ludivine et Segnon demeuraient silencieux, pour ne pas briser l'élan du suspect.

– Trafic de peaux ? répéta Yves, incrédule.

– Hey, vous savez combien ça se négocie, ça, sous les barres ?

– Tu veux dire au marché noir ?

– Oui, dans les caves ! C'est plus cher au poids que n'importe quelle dope ! C'est de l'or pur !

– Qui vous achète un truc pareil ?

– Tout le monde ! Des marabouts sont prêts à mettre le prix, des dealers d'objets rares... Aujourd'hui, tout le monde veut avoir son porte-clés ou sa coque de téléphone en peau humaine ! C'est trop classe ! C'est mieux que le diamant !

Martial n'en revenait pas :

– Tu veux dire qu'il y a des gamins qui se baladent dehors avec des téléphones en...

– Mais même dans vos beaux quartiers ! Qu'est-ce que vous croyez ? J'ai des clients bourges, moi ! Et les Russes aussi ! C'est nos meilleurs clients, ils adorent ce qui est très rare !

– Et ça dérange personne d'avoir un morceau de cadavre sur soi ?

– Ils savent pas ! Ils croient que c'est des volontaires qui vendent leur peau. Des petits bouts. Après tout, il y a bien des meufs qui vendent leurs cheveux en Inde ! Et il y en a qui vendent leur ventre pour un bébé ! Et puis même d'autres qui filent un de leurs organes contre du blé ! Pourquoi pas leur peau ?

– Volontaire ? Avec un visage entier ? releva Yves.

– Les têtes, c'est autre chose... C'est ce qui se vend le plus cher parce que, là, y a pas de doute. Un sorcier africain nous en a déjà acheté une pour se faire un masque, il a raqué 6 000 pour ça ! Sûr que les Ruskoffs, ils seront prêts à cracher pour en avoir une !

Martial s'était adossé à la porte, il fixait Joseph. Yves réfléchissait, bras croisés, tout aussi estomaqué.

– Vous êtes les seuls à dealer ce genre de marchandise ? demanda-t-il après un temps.

– Qu'est-ce que j'en sais ? En tout cas notre came est top. Nos peaux sont grandes et propres, c'est du beau matos. Belle qualité, lisses, pas de coups dedans, et parfois de beaux tatouages.

C'est bon pour le commerce, les clients aiment quand il y a un tatouage bien fait, nickel.

Joseph en parlait comme s'il s'agissait de sacs et de vestes en cuir.

— Mais... tu as conscience que ce sont des gens... morts ?

— C'est pas moi qui les ai tués ! s'exonéra aussitôt le grand gaillard. Moi j'y suis pour rien ! Je vends ! C'est tout ! Quand tu manges ton steak, c'est pas toi qui as flingué la vache !

Yves se passa la main dans les cheveux sans parvenir à dissimuler son effarement.

— Qui vous a mis sur ce coup ? questionna-t-il.

— Je sais pas, c'est Selim et Adi qui...

— Ils vont rien me dire, l'interrompit Yves avec un début de colère, au mieux ils diront que c'est toi qui sais. Joue pas avec moi ou Marvin tombe.

— Hey ! s'énerva Joseph. Je vous ai déjà tout balancé ! Vous avez juré que mon frère...

— Et je tiendrai parole si tu vas au bout de ce que tu sais !

Le ton était monté d'un coup, l'un aboyant plus fort que l'autre.

Les trois hommes se toisaient, les prunelles ardentes.

— C'est le Chelou, avoua enfin Joseph, à contre-cœur, après un long silence. C'est lui qui est venu nous dire qu'il avait un plan pour nous. Il connaissait un mec à Lille, capable de nous fournir de la marchandise unique.

— C'est qui, le Chelou ? fit Ludivine qui cette fois ne put se retenir.

Joseph la toisa entre dédain et vice.

— Un gus de la cité, finit-il par avouer. Il est pas comme vous et moi. Il plane à deux mille au-dessus du monde, il est bizarre, genre un peu taré. Il s'est trop chargé de came, ajouta Joseph en posant son index sur sa tempe. Il a freezé, c'est grillé là-haut. Au début on s'est méfiés, mais comme ça a marché, au final on lui a fait confiance.

Yves reprit la direction de l'interrogatoire :

– C'est lui qui vous met en relation avec le réseau de Lille ?

– Oui. Nous on parle jamais à personne d'autre que lui.

– C'est quoi son intérêt à lui ? Il prend sa com' au passage ?

– Oui.

– Et on peut le trouver où, le Chelou ?

– Chez nous, dans la cité.

– À La Courneuve ?

– Oui, mais il a pas d'adresse, il squatte un peu partout. C'est un mec flippant. Il est branché trucs malsains, magie noire, Satan et toutes ces merdes.

– Tu vois, quand tu veux, fit Martial. Maintenant on va monter et tu vas répéter tout ça devant la caméra.

Yves se retourna vers Ludivine et Segnon. D'un regard entendu, ces deux derniers battirent en retraite. Ils avaient de quoi faire.

Ils investirent le bureau du colonel Jihan et lui exposèrent la situation sans qu'il ne témoigne la moindre réaction. C'était un quadra autoritaire, sportif et déterminé, coupe militaire et gestion stricte. Il avait remplacé Aprikan lorsque Ludivine et Segnon étaient revenus du Québec, abasourdis, rescapés d'un massacre organisé dont la presse avait fait ses gros titres pendant plusieurs semaines. L'affaire de la décennie, sinon du siècle.

Jihan était un homme solide, armé pour reprendre la SR après ce qu'elle avait enduré. Un roc dont il était difficile de cerner les émotions.

– La perquis' a donné quoi ? voulut-il savoir.

– Je viens de demander en venant, c'est pas fini, mais apparemment ils ont déjà chopé pas mal de cash et des armes.

– Très bien. Les Stups vont continuer sur cette bande, faute de drogues dans le go-fast, je veux qu'ils retournent toutes leurs planques, qu'on ait quelque chose de solide à présenter au proc.

– Et la peau ? C'est un truc hallucinant ça, non ?

Jihan observa Ludivine un court instant et elle commença à s'affaisser, sentant que tout allait lui échapper.

– Vancker ?

Ludivine avala sa salive, pleine d'espoir.

– Oui, colonel ?

– Votre groupe prend le relais sur la peau humaine. Vous êtes en charge de l'enquête. Je veux tout. L'origine et les ramifications.

Ludivine se redressa brusquement. Elle était la seule dans la pièce à esquisser un début de sourire.

– Et pas de vagues, aucune communication avec les médias. C'est pas le genre d'affaire qu'on a envie d'ébruiter.

– Comptez sur nous.

À peine de retour dans le couloir, Ludivine donna un coup dans le bras de Segnon.

– Viens, on file à La Courneuve.

– Comme ça ? Sans renforts, sans gilets, t'es malade ou quoi ?

– Non, justement, on passera plus inaperçus qu'avec trois camions de gendarmerie mobile.

Segnon bloqua sur la silhouette de sa collègue qui s'éloignait, ses boucles blondes dansant dans son sillage.

– T'es folle, Lulu, dit-il tout bas. Et moi, comme un abruti, je vais te suivre…

5.

Les sourires et les rires transcendaient le chaos.

Ludivine longeait la file de voitures stationnées au pied de l'immeuble, dans un paysage d'ultra-urbanisme, un concentré de logements vétustes. Ce qui l'avait frappée en premier lieu relevait du cliché malmené. Elle croisait des femmes joyeuses, des gamins hilares, là où elle s'était attendue à entrer en zone de guerre. Rien d'idyllique pour autant, mais seulement la vie plus forte que la misère. Tellement banal qu'elle se raillait intérieurement. Elle qui n'avait pourtant rien de la petite princesse élevée dans un cocon, elle qui avait vécu un peu partout dans des conditions pas toujours épanouissantes, n'avait plus remis les pieds dans une véritable cité depuis longtemps. *On oublie vite*, songea-t-elle. Les croyances, les mythes et l'imaginaire collectif finissent toujours par l'emporter sur les souvenirs.

Segnon et elle marchaient au milieu d'un complexe labyrinthique de tours et de barres portant des noms d'écrivains et de poètes comme pour insuffler un peu d'espoir et de beauté à ces blockhaus étouffants. L'herbe des plates-bandes avait disparu depuis longtemps, si tant est qu'elle ait jamais poussé un jour, remplacée par d'interminables rubans de boue séchée incrustée de mégots. Les arbustes ressemblaient à des squelettes atrophiés, incapables de se développer dans cet environnement, à croire que la terre elle-même était gâtée, et l'unique flore qui s'épanouissait ici consistait en des branches de linge séchant dans le vent du printemps, sous l'ombrage des paraboles à chaque balcon. Par endroits, Ludivine pouvait voir un homme tirer sur une cigarette, scrutant le paysage depuis ses hauteurs ; plus loin deux individus discutaient côte à côte, d'autres partageaient le thé ; des télés braillaient depuis les étages ; un autoradio diffusait ses basses assourdissantes dans une voiture suréquipée qui démarra en trombe ; des gamins jouaient au foot au milieu d'une rue. Le quartier était plein d'une vie débordante, riche, intense.

Pourtant ces quelques fragments positifs ne révolutionnaient pas l'image de la cité, et il suffisait de lever les yeux pour constater qu'elle rassemblait aussi le pire des clichés habituels. Peintures décaties, graffitis partout, grillages ou barreaux aux fenêtres les plus basses, monceaux de détritus entassés çà et là, boîtes aux lettres éventrées, carreaux fissurés et rouille omniprésente comme autant de saignements d'une architecture à l'agonie.

Ludivine et Segnon passaient de hall en hall, à la recherche d'un numéro. Certains sentaient l'urine, d'autres le cannabis. Certains sifflaient, traversés par les courants d'air, d'autres grouillaient d'une faune qui se taisait brusquement à l'arrivée des deux gendarmes en civil, une dizaine de paires d'yeux se tournant alors dans leur direction, sous des casquettes, des capuches et des bérets. Regards inquisiteurs, curieux, agressifs, moqueurs, intrusifs. Des échos de voix résonnant de droite à gauche, devant et derrière... « Il veut quoi, le renoi ? » « Tsssssss, tu veux combien ? » « Hey, la blonde, tu veux que je te casse les reins ? » « Tu cherches quoi ? » « Venez, venez visiter ma cave... » « Tu veux de la blanche ? » « Écoute pas ce bouffon... » « T'en veux pour combien ? » « Approche ! » « Je lui ferai des trucs, moi. » « Dégage. » « J'ai tout ce que vous cherchez... »

Une atmosphère angoissante enveloppait Ludivine et Segnon qui regagnèrent la rue pour contourner une épave calcinée de voiture et rejoindre le bâtiment d'en face. Des silhouettes attentives sortaient d'un peu partout pour observer ces deux intrus. Un grand Noir puissant et une petite blonde belle à croquer, un duo intriguant qui n'était pas d'ici. Personne ne les reconnaissait, et ils n'étaient pas descendus furtivement d'une voiture pour acheter de la drogue et repartir aussi vite. Non, ils circulaient à pied, à la recherche de quelqu'un ou de quelque chose. Un grain de sable dans une routine bien huilée où peu d'inconnus s'attardaient ainsi dans le secteur.

Au bout d'un moment, Ludivine constata qu'ils étaient carrément suivis par un petit groupe d'adolescents, et elle décida de leur faire signe pour qu'ils approchent.

— Je cherche un homme qui habite ici, dit-elle, son surnom c'est le Chelou. Où est-ce que je peux le trouver ?

Le groupe était constitué exclusivement de garçons, la vingtaine pour les plus âgés et moins de quinze pour les plus jeunes, estima Ludivine, tous équipés de la panoplie idoine : baskets, bas de jogging ample, et sweats. Ils commencèrent à se répandre pour former un croissant se refermant peu à peu autour des deux gendarmes.

— T'es qui, toi ? demanda un des plus âgés avec un fort accent de banlieue.

— Vous lui voulez quoi au Chelou ? fit un jeune.

— Vous avez pas peur de venir comme ça chez nous ? questionna un autre.

Chacun y allait de son petit commentaire, entre ironie, hostilité et volonté de marquer son territoire. Un garçon avec une casquette presque aussi noire que ses yeux et sa peau leva la main pour les faire taire. Il se planta devant Ludivine après avoir toisé Segnon avec défiance.

— Pourquoi vous voulez voir le Chelou ? demanda-t-il.

— Lui poser quelques questions.

— Vous êtes des keufs ?

Des ricanements secouèrent la petite meute.

— Plus vite on le trouve, plus vite on se tire. Si notre présence ici est un problème, alors on se casse pour revenir en nombre et foutre le bordel, mais franchement, toi et moi, on n'a pas envie de ça, pas vrai ?

– D'où tu laisses une meuf te parler comme as, Fringe ? fit un de ses acolytes.

– Viens, on va lui apprendre les bonnes manières ! lança un autre.

Ludivine releva la tête et fusilla du regard le gringalet qui la provoquait.

– Tu crois que tu m'impressionnes ? répliqua-t-il sans se démonter. Je te fais couiner si je veux !

La frénésie de la meute galvanisait chaque individu, les poussant à aller plus loin, comme s'il s'agissait de défendre son droit à vivre. Il y avait quelque chose d'animal dans ce comportement, les plus faibles n'auraient pas leur pitance, rejetés, voire seraient tués par les plus forts, au moins socialement.

Ludivine serrait les poings, prête à toute éventualité. Elle repéra les plus costauds. Commencer par eux, pour impressionner les autres, leur faire peur et que la meute se disperse vite, afin de l'empêcher d'attaquer unie.

Mais celui qui avait levé la main leur intima le silence d'un « Chhhhhh » autoritaire.

– Vous êtes couillus de venir à seulement deux chez nous, dit-il. Par ici on aime pas trop les keufs, vous savez ça ?

– Justement, on ne veut pas d'histoires. Pas la peine de débarquer avec la BAC, on sait tous comment ça finira. Le Chelou ne fait pas partie de vos bandes, c'est un marginal, pas vrai ? Dites-nous où le trouver et vous reprenez vos affaires sans incident.

– Il a fait quoi ?

– Il a violé ta mère ! lança un garçon à l'écart.

Le gars à la casquette se raidit et pivota vers celui qui venait de lui manquer de respect. Il tendit l'index dans sa direction et l'autre avala sa salive, effrayé, réalisant qu'il avait été trop loin.

– On voudrait l'entendre dans une affaire d'homicide.

– Y a personne qu'est mort ici dernièrement ! fit une voix indistincte.

– Ouais, on n'est pas à Marseille ! fit un autre.

– Le Chelou, insista Ludivine sans masquer qu'elle perdait patience.

– Et vous êtes sûrs de *vraiment* vouloir lui parler ?

– Je suis très déterminée.

Le chef de meute désigna une barre un peu plus loin :

– Aux dernières nouvelles, il squattait la carcasse là-bas. Elle est vide, ils vont la détruire bientôt.

– Merci. Vous venez de vous épargner pas mal d'emmerdes, conclut-elle en guise de salut.

– Nous peut-être, mais vous, avec le Chelou, ça m'étonnerait !

Tous rirent.

Il la retint d'un geste de la main :

– Je serais vous, je réfléchirais avant d'y entrer.

– Pourquoi ?

– C'est dangereux.

Le silence était retombé brutalement.

– À cause de vous ?

– Non.

– Alors quoi ? Des junkies ?

– Oh non...

Ludivine sentit que Segnon voulait partir, mettre rapidement une distance de sécurité entre eux et la meute.

– C'est hanté ! lâcha une des voix autour d'eux.

– Ouais ! Si tu rentres, t'es pas sûre de ressortir ! ajouta une autre.

Ludivine guetta la réaction du chef.

Il acquiesça.

– On vous aura prévenus, dit-il.

Les deux gendarmes fendirent le mince rideau humain qui les encadrait et s'éloignèrent en direction d'un immeuble de cinq étages construit tout en longueur. Derrière eux, ils entendirent des coups pleuvoir et un garçon gémir.

Finalement, c'était lui qui allait couiner, songea Ludivine

La barre de béton ressemblait à un immense cargo échoué. Toutes les ouvertures des deux premiers étages étaient murées par des parpaings et, au-dessus, les huisseries avaient disparu, ne laissant que des trous béants et noirs. Les tags recouvraient une bonne partie des murs au niveau du sol, langage sibyllin en forme d'invocations protectrices, et plusieurs squelettes de voitures brûlées s'entassaient le long de cette masse grise et abandonnée.

Ludivine se sentait observée sans savoir si cela provenait de l'intérieur ou des bandes de gamins dans son dos. La cité était trop grande pour en repérer toutes les cachettes, toutes les fenêtres, les guetteurs pullulaient et il ne fallait pas se leurrer : ils devaient être une demi-douzaine au moins à suivre leurs moindres faits et gestes. Pourtant, lorsqu'elle se retourna, elle ne remarqua personne en particulier, comme s'ils avaient pénétré dans une zone à part, ne faisant plus partie du territoire des bandes.

– Tu as vu l'herbe ici ? demanda Segnon. Elle est toute rabougrie.

– Tu appelles ça de l'herbe, toi ?

– Sérieusement ! Regarde ! On dirait que... Tout autour de l'immeuble, la végétation est atrophiée !

Et en effet, les semblants d'épis qui n'avaient d'herbe que le nom poussaient par mottes clairsemées.

– Segnon, s'il te plaît ! Me dis pas que tu vas croire les conneries de ces gamins ? Rien ne pousse par ici ! Trop de passage, pas d'entretien, véhicules incendiés régulièrement... C'est pas surnaturel !

Le colosse haussa les épaules. Il était superstitieux, Ludivine le savait. Du genre à ne pas prendre une salière directement dans la main d'une autre personne, à se méfier des chats noirs et à se signer de temps à autre pour se rassurer. Depuis ce qu'il avait vécu au Québec, sa foi s'était accentuée. Il avait frôlé la mort. Sa faux l'avait menacé toute une nuit dans le dédale d'un village isolé et Segnon avait tout de même survécu là où la plupart avaient péri. Pourquoi lui ? La question le hantait, il en parlait de temps en temps avec Ludivine et fréquentait l'église le dimanche pour tenter de se réconforter, à défaut d'y trouver des réponses.

Elle lui donna une bourrade à l'épaule.

— Viens, on va faire le tour, il y a forcément un passage quelque part pour entrer là-dedans.

Plusieurs gros corbeaux se tenaient sur les arceaux métalliques des voitures noircies et fixaient les deux intrus de leurs billes miroitantes.

— Je t'ai déjà dit que j'aime pas les corbeaux ? demanda Segnon.

— Non.

— Je n'aime pas les corbeaux. Je les déteste même. Regarde leur tronche, perfide ! Vicieuse ! Et ces yeux ! Imperméables à toute émotion, à la vie. Des créatures de la mort.

— Toi, tu sais me rassurer...

Ils parvinrent à l'angle de la barre et tombèrent nez à nez avec un immense visage peint à la bombe. Il recouvrait une partie de la largeur de l'immeuble, une tête de clown avec des yeux effrayants. Deux fenêtres éventrées du premier étage en guise de pupilles lui conféraient un regard noir, d'une profondeur inquiétante. Ils remarquèrent une ouverture pratiquée dans ce qui était autrefois un accès vers les caves. Les parpaings avaient été cassés à coups de masse pour dégager un passage étroit mais suffisant pour qu'un être humain s'y glisse. Le trou était au fond de la bouche ouverte du clown, un accès direct à son œsophage vers les entrailles du rire.

Les gendarmes restèrent un instant à contempler le visage pendant que les corbeaux croassaient. Ludivine prit une profonde inspiration pour se donner du courage.

— Tu crois que tu passes ? demanda-t-elle.

Segnon s'approcha de la bouche grande ouverte et hésita à l'idée de poser ses mains à l'intérieur, puis il se contorsionna en grimaçant et parvint à se faufiler de l'autre côté.

Sa voix revint vers sa partenaire, lointaine et étouffée :

– Ça descend. T'as une lampe ?

Ludivine scruta les environs une dernière fois. La cité semblait tout entière occupée par l'autre côté du monde, tournant le dos à cet endroit. Personne en vue. Pas même quelques enfants jouant avec un ballon ou sur un vélo. Rien sinon une longue étendue de terre jonchée de débris, de quelques touffes d'herbe et d'épaves. La cité avait déjà oublié ce bâtiment qui ne faisait même plus partie de la tanière des meutes.

Hanté ? Vraiment ? songea Ludivine. *Quel genre d'horreurs a-t-il bien pu s'y dérouler pour que des petits durs comme vous finissent par y croire, hein ?*

Quoi que ce fût, ce devait être moche pour que tous s'en détournent, même les adultes.

Ludivine sortit sa petite lampe torche de la poche de sa veste en cuir, et s'approcha de la gueule hurlante du clown. Ses dents la surplombaient, prêtes à la trancher en deux.

Ludivine alluma la lampe et se glissa au fond de la gorge.

Affamé, le clown l'avala.

6.

L'humidité suintait le long des murs et l'odeur de moisissure empestait de plus en plus à mesure que Ludivine et Segnon s'enfonçaient dans les entrailles du bâtiment. Le mince faisceau de la lampe leur servait de guide, posant son œil blême sur les marches glissantes et sur les parois couvertes de graffitis. La plupart consistaient en signatures, autant de noms, d'actes de bravoure à mesure qu'ils étaient inscrits dans les profondeurs de l'immeuble. Ludivine imaginait sans peine les défis que se lançaient les jeunes garçons de la cité : descendre le plus bas possible pour taguer son nom. Comment étaient nées les légendes liées à ce lieu obscur ? Des blessures que certains avaient dû se faire en tombant dans les marches ? Des courants d'air qui sifflaient et résonnaient comme des murmures ? Y avait-il un adolescent qui n'était jamais remonté ? Une mauvaise rencontre avec un junkie ? Ce devait être le paradis de tous les camés du coin. Un squat parfait, isolé, vaste et à l'abri des intrus.

Ludivine caressa la crosse de son arme sous sa veste, juste pour se rassurer. Il ne fallait pas risquer une bavure et elle ne brandirait son 9 mm que si la situation l'exigeait, en dernier recours. Sa matraque télescopique devait suffire, mais la présence de l'arme à sa ceinture fonctionnait comme un booster de confiance. L'Homme se sentait toujours plus puissant avec une arme à feu. C'était aussi idiot que véridique. Quitte à parfois en perdre les pédales.

Ils parvinrent au niveau inférieur où un long couloir aveugle courait dans le sens de la longueur du bâtiment. Le sol était jonché de journaux moisis, de magazines pornographiques déchirés, de sacs plastique, de bouteilles vides, d'emballages divers et même de vêtements. Après quelques mètres, ils découvrirent une vieille machine à laver renversée, plus loin des caisses en bois vides, des vieux pneus qu'ils devaient enjamber, des planches brisées, vestiges de meubles oubliés... Les portes des caves étaient pour la majorité fracassées, donnant sur des réduits vides, mais quelques-unes étaient encore pleines d'un bric-à-brac fouillé déjà mille fois. Plus ils avançaient, plus les tags sur les murs se raréfiaient, le courage avait ses limites et manifestement il n'allait pas jusqu'ici.

Quelque chose se renversa dans leur dos et Ludivine fit volte-face immédiatement, scrutant le passage du halo de sa lampe. Un pot en plastique tournait sur lui-même, lentement, puis se stabilisa.

— Un des gosses ? fit Segnon tout bas.

Ludivine secoua la tête. Ils l'auraient entendu descendre derrière eux. Un rat apparut le long du mur et fila à toute vitesse dans un orifice sous une porte.

— La prochaine fois que tu veux aller quelque part, expliqua Segnon, rappelle-moi de te laisser seule.

— Relax, c'est toi l'armoire à glace, c'est toi qui devrais être en train de me rassurer.

— Franchement, tu m'expliques ce qu'on fout là ? Pourquoi ne venir qu'à deux ? Hein ? Tu cherches les embrouilles parfois, Lulu, vraiment !

— Les types dehors n'auraient jamais répondu si on avait débarqué à trois camions, et le Chelou aurait pu se faire la malle avant même qu'on localise son repère. Crois-moi, j'ai habité dans une cité il y a quelques années, si tu t'y prends bien, ils ne sont pas plus compliqués que d'autres.

– Et maintenant, on fait quoi ? On fouille toute une barre à la recherche d'un taré qui va jouer à cache-cache avec nous ?

– Parle moins fort et avec un peu de bol on va lui tomber dessus sans même avoir besoin de lui courir après.

– Avec un peu de bol... Je mène pas mes enquêtes avec un peu de bol, moi, ronchonna Segnon.

De l'eau gouttait depuis le plafond rouillé, un long sablier égrenant les derniers instants de l'immeuble. *Ploc.*

Ludivine sondait chaque recoin avec sa lampe, pour ne pas prendre le risque de passer à côté d'un détail, d'une cachette. Où pouvait donc vivre le Chelou ? Loin du soleil et des intempéries de la surface ? Ou au contraire dans les hauteurs pour dominer les environs ? Venait-il de lui, ce sentiment d'être observée qu'avait éprouvé Ludivine en arrivant ? Si c'était le cas, il fallait espérer qu'il ne prenne pas peur et qu'il n'y ait pas d'autres accès...

Ploc.

Un matelas éventré occupait une cave et de nombreux préservatifs déroulés maculaient le sol. Ludivine préféra ne pas imaginer le spectacle sordide qui s'était produit ici.

Ploc.

Une autre avait servi de fumoir, des pipes à crack renversées un peu partout. Pourquoi les toxicos n'étaient-ils pas plutôt montés dans les étages pour se défoncer ? Loin de l'humidité, de la crasse... Avaient-ils peur des niveaux supérieurs ?

Les gamins peuvent être fiers d'eux ! Je me mets à raisonner comme si cet endroit était vraiment hanté !

Ploc.

Segnon la tira par la manche et lui désigna un embranchement. Le couloir de droite était entièrement tagué, bombé à la peinture de motifs qui s'illuminèrent au passage de la lampe : des flammes vives, des faciès difformes, des yeux sournois, injectés de sang, des cornes, des fourches... Les flammes de l'enfer recouvraient chaque centimètre de ce passage, et des démons étaient tapis entre elles.

– C'est gai, on se sent bienvenus, ironisa Ludivine.

Au bout du couloir, des marches en béton grimpaient vers la surface.

Chaque contremarche était marquée d'un mot : « Fuyez ; Non ; Interdit ; Ici les morts parlent ; Le prix du passage… ; C'est votre âme ; Soyez maudits ; L'antre du diable. » Au premier palier de l'escalier, sur le mur face aux deux gendarmes, la tête de la Bête était peinte en rouge et noir, assez réaliste. Le portrait de Satan fixait ses visiteurs d'un regard bas, sourcils froncés mais sourire gourmand, et une immense main griffue se tendait, paume ouverte, pour accueillir ses invités.

– Pas sûr d'avoir envie de monter là, avoua Segnon.

– S'il te plaît, arrête tes conneries.

Ludivine s'élança et son collègue n'eut d'autre choix que de ιui emboîter le pas pour ne pas rester seul dans les ténèbres. Ils passèrent devant le diable et Segnon fit un signe de croix avant d'embrasser le petit crucifix qui pendait au bout de sa chaîne de cou. Le rez-de-chaussée était muré, maintenant les couloirs dans une obscurité pesante. Ils étaient dans un hall assez vaste, avec deux corridors et une cage d'escalier desservant les accès supérieurs.

– Si tu étais un mec un peu taré, adepte de magie noire et toutes ces merdes, où est-ce que tu t'installerais ? demanda Ludivine.

– Tu crois vraiment que je peux répondre à cette question ?

Ludivine fit claquer sa langue contre son palais.

– Tu n'es pas joueur, Segnon…

Elle se mit à étudier le sol avec sa lampe, cherchant des traces dans la poussière.

– Moi, dit-elle en continuant son examen, si j'étais fan de trucs glauques dans ce genre, je préférerais les lieux fermés, sans lumière. C'est logique, non ?

– Si tu le dis…

– Donc il s'est installé par ici, c'est plus proche de la sortie pour s'enfuir. Parce qu'un mec comme ça est un peu parano, n'est-ce pas ? L'étage du dessus est muré aussi, mais on y serait plus loin des issues en cas de problème. Plus haut, tout est ouvert, donc je penche pour le rez-de-chaussée.

Le pinceau blanc se promena sur les casiers éventrés des boîtes aux lettres et mit à jour des dizaines de petites bougies fondues. Il y en avait une par emplacement.

– On est sur la bonne piste, on dirait, murmura Ludivine.

Elle se retourna et hésita entre le couloir de droite et celui de gauche. Il faisait frais ici et elle frissonna malgré sa veste. Ses mains étaient glaciales. Était-ce l'absence de lumière du jour ?

– Par là, indiqua Segnon lorsque la lampe illumina le passage de gauche.

– Pourquoi ?

L'index de son partenaire se tendit vers le linteau marquant l'entrée du couloir.

Un petit dessin que Ludivine n'avait pas remarqué, un pentagramme tracé à la main avec de la peinture rouge, « protégeait » l'entrée.

– C'est un truc ésotérique, ça, dit-il. Pentacle à cinq branches, inversé, c'est mauvais.

– Tu es calé dans le domaine ?

– Ça, je le sais, c'est tout.

Ludivine passa la première, sa lampe entre les doigts, l'autre main posée sur la poignée de sa matraque télescopique, prête à dégainer. Le bâtiment respirait. Un vent frais circulait dans ces longs tunnels, le faisant grincer. Son squelette d'acier fatigué craquait par intermittence, et chaque son résonnait dans les étages comme s'ils étaient infinis, se démultipliant en un chœur sinistre. *L'écho est le fantôme du son,* se répéta Ludivine pour se rassurer, *rien de plus. Juste une saloperie de fantôme bien réel.*

Le couloir desservait les anciens appartements, et il était rempli d'obstacles. Des scooters désossés dont Ludivine se demandait comment ils étaient parvenus jusqu'ici, une armoire renversée, un sommier en fer tordu, ses dizaines de ressorts pendouillant comme autant de petites chenilles fossilisées... Des livres aux pages arrachées constellaient le lino déchiré et taché, tant et tant que la jeune femme eut l'impression de marcher parmi les décombres d'une bibliothèque.

– Qui a dit que la culture ne rayonnait pas dans les cités ? plaisanta-t-elle.

Mais Segnon ne se décrispait pas. L'ambiance n'y aidait pas, les craquements de la charpente les faisaient constamment sonder tout autour d'eux, comme si une ombre les suivait, et une odeur de plus en plus désagréable les enveloppait.

– Tu sens, toi aussi ?

Segnon acquiesça. Un mélange âcre de pourriture extrême, une acidité écœurante, un bouquet composé de fleurs décomposées, viande gâtée et lait rance, le tout concentré jusqu'à devenir très agressif...

– La charogne, approuva Segnon. Putain, j'espère que c'est pas ce que je crois...

Ludivine pensait à la même chose. Un cadavre.

Bien que très prenante, l'odeur n'était pourtant pas encore assez puissante pour que la gendarme en soit certaine. Ce pouvait être un animal. L'homme en décomposition sent tellement fort, ses cinq litres de sang caillé, ses viscères fourmillantes d'asticots, ses fluides s'écoulant par tous les orifices, ses chairs se nécrosant, que le parfum qui s'en dégage est à la mesure d'une telle masse : phénoménal.

Un jour, un légiste lui avait dit : « Imaginez qu'on renverse dans une pièce une bouteille de soixante litres de parfum pourri ! Et ça vous étonne que ça pue autant ? Moi pas... » Et c'était exactement ça. Mais ici, l'odeur n'était pas à ce point concentrée.

Pourvu que ça en reste là...

Quelque chose grouillait pourtant tout près. Un bourdonnement léger, irrégulier. La lampe attrapa dans son faisceau la cause de cette agitation : des mouches s'aggloméraient contre la porte d'un appartement et formaient une masse informe, recouvrant presque entièrement la dépouille féline clouée au milieu du battant. Le pauvre chat avait la gueule pendante, le regard vide, le ventre ouvert où festoyaient les diptères tout en pondant leurs œufs dans ce nid bienvenu.

Ludivine tira sur son T-shirt pour s'abriter le nez et la bouche. D'un geste, elle fit comprendre à Segnon qu'il devait entrer pendant qu'elle poussait la porte.

Les charnières grincèrent en coulissant.

D'un geste du poignet, le colosse allongea sa matraque téles-copique et pénétra dans l'appartement. La lampe de Ludivine lui dessinait un chemin sur le sol recouvert de cartons éventrés. Les murs disparaissaient sous les mots. Une écriture fine, presque celle d'un enfant, en rouge, partout, du sol au plafond, avec parfois des motifs, des pentagrammes, des gueules de bélier, des cornes, et quelques mots écrits en beaucoup plus grand. BÉLIAL. MOLOCH. AZAZEL. SATAN.

Tout l'immeuble craqua en même temps. Une longue plainte qui résonna à travers toutes les cages d'escalier, de couloir en couloir.

La puanteur de charogne devint plus forte encore, à la limite du soutenable. Segnon enfouit le bas de son visage dans le creux de son coude.

Pour la première fois depuis leur départ de la caserne, Ludivine réalisait qu'elle avait peut-être été un peu vite. Ils n'avaient aucune idée de ce qui les attendait réellement. Elle avait tout de suite pensé à localiser un témoin potentiel, à l'interpeller pour l'inter-roger, sans imaginer autre chose. Maintenant qu'ils pénétraient dans l'antre du malade, elle se rendait compte que si la situation dégénérait, il faudrait tout retraverser pour sortir à l'air libre.

Segnon scrutait les moindres recoins de la pièce, aux aguets, et il fit signe à Ludivine d'approcher pour l'éclairer davantage. Il rangea sa matraque et, cette fois, sortit son Beretta. La ten-sion grimpa d'un cran. Il lui désigna une autre pièce et ils se postèrent de part et d'autre de l'accès.

Le remugle de charogne s'amplifia. Les deux gendarmes entrèrent presque en même temps, lampe et arme explorant les lieux. Le cône blanc glissait sur des murs toujours recouverts d'inscriptions et dévoila un large pentagramme dessiné au sol. La lame d'un couteau de boucher renvoya l'éclat de la torche. Ludivine s'attendait à tout moment à ce qu'un visage difforme, hystérique, apparaisse, au lieu de quoi ce fut un amas abject qui s'imposa dans le cercle lumineux. Entassées dans un coin, mais si nombreuses qu'elles avaient fini par envahir un tiers de la pièce, les dépouilles de dizaines de chiens et de chats se décomposaient en exhalant leur infâme parfum. Autant de victimes sacrificielles, autant de réserve d'encre pour rougir les murs d'inscriptions démoniaques.

Cette fois, Segnon ne put retenir un gémissement accablé.

Ludivine détourna le regard. Elle avait déjà vu beaucoup de cadavres, et parmi les pires qu'il soit donné à un être humain de contempler, mais les circonstances ici rendaient la scène presque plus insoutenable encore.

Ne pas se laisser submerger. Sécuriser le périmètre d'abord. Allez ! On se reprend !

Segnon s'était déjà éloigné par un étroit corridor pour continuer l'exploration et, à peine engagé, il fit claquer son majeur contre son pouce pour capter l'attention de Ludivine. L'angle où le couloir bifurquait dans une autre direction brillait d'un halo oranger inconstant. Ils avancèrent tout doucement et pénétrèrent dans une troisième salle, plus large et assez longue, entièrement meublée cette fois de guéridons, de fauteuils, d'étagères couvertes de bibelots, de repose-pieds anciens, de tapis, d'animaux empaillés, de tableaux poussiéreux déposés çà et là. Il y avait de tout, à l'instar d'une boutique d'antiquaire sans logique ni présentation. Parmi tous ces objets étaient disposées des bougies par dizaines, au sol ou sur les tablettes, leurs flammes conférant à l'ensemble une atmosphère d'église. Ludivine baissa sa lampe. Ses yeux balayaient chaque parcelle de ce capharnaüm, mais il y avait tant de choses à voir qu'elle et Segnon mirent plusieurs secondes avant de remarquer l'étrange armoire tout au fond de l'appartement.

À bien y regarder, ce n'était pas une armoire, mais un confessionnal. Il y avait deux espaces fermés à l'intérieur, l'un par un rideau sombre, l'autre par une petite porte à croisillons, et ils étaient séparés par un crucifix argenté disposé à l'envers, tête vers le bas, marque du diable. Des bougies brûlaient également dedans.

Le cœur de Ludivine tressauta dans sa poitrine lorsqu'elle vit la chaussure et la jambe qui dépassaient de sous le rideau. Quelqu'un était assis à l'intérieur. Elle le montra à Segnon qui braqua son canon vers l'individu et ils s'approchèrent le plus silencieusement possible. Progresser discrètement était un calvaire tant il y avait d'objets partout sur le chemin. Il fallait les enjamber, les contourner, faire attention à ne pas en agripper un avec ses vêtements...

Lorsqu'ils furent face au confessionnal, Ludivine déplia lentement sa matraque et, du bout de celle-ci, tira brusquement le rideau.

— Gendarmerie nationale ! Ne bougez pas ! aboya-t-elle.

Mais le pêcheur ne bougeait pas. Et il ne bougerait plus jamais.

L'homme était assis sur un tabouret, appuyé contre le fond en bois, les yeux fixés sur le néant. Il avait la trentaine, une petite moustache, portait un simple pantalon de treillis beige et une chemisette blanche. Sa gorge suintait encore des derniers écoulements de sang par lesquels sa vie s'en était allée. Une bouche effroyable lui meurtrissait le cou, une plaie si profonde qu'elle lui maintenait la tête dans une position anormalement penchée sur le côté. Des pentagrammes avaient été peints un peu partout sur les parois du confessionnal, parmi les bougies.

Ludivine abaissa sa matraque, fascinée par ce spectacle macabre.

De nouveau, un grincement monta de l'appartement.

Cette fois, ce n'était pas l'immeuble, mais le visage du diable.

Juste derrière eux. Immense.

Ses yeux énormes et malicieux et sa bouche pleine de crocs jaillirent des ténèbres. Ce faciès atroce mesurait plus de deux mètres de haut, et le démon se jeta sur Ludivine et Segnon.

7.

L'énorme tête diabolique tombait sur les deux gendarmes. Sa gueule béante essayant de gober ces minuscules êtres humains, de les écraser de ses dents pointues, de les briser.

Segnon eut tout juste le temps de tendre le bras pour pousser Ludivine et il roula à son tour sur le côté tandis qu'une lourde masse de bois heurtait le sol en claquant.

C'était un grand totem, vestige d'une fête foraine, d'un train fantôme ou d'une attraction de mauvais goût.

– Lulu ? Ça va ? s'enquit Segnon en se relevant.

Ludivine s'était encastrée dans une étagère et de nombreuses statuettes en porcelaine lui dégringolaient dessus, se fracassant au sol. Quelque chose tomba, un peu plus loin, vers l'entrée, dans un bruit de verre qui explose.

Ludivine aperçut une ombre glisser sur le mur.

– Là ! s'écria-t-elle. Il se tire !

La jeune femme se projeta en avant, se cognant dans tout ce qui était sur son passage, et se jeta dans le couloir. Une silhouette venait à peine de s'en extraire. Elle devina fugacement sa présence, l'entendit plus qu'elle ne la distingua. Ils n'étaient pas seuls !

Derrière, Segnon jurait en se mettant à courir également.

Ludivine parvint au pied du tas de cadavres en décomposition et elle ne ralentit pas malgré l'odeur épouvantable qui lui donna la nausée. Sa lampe projetait ses lumières de haut en bas, de droite à gauche, au gré de sa course, tel un stroboscope, et Ludivine s'efforça de la maintenir droit devant elle, pour tenter de repérer le fuyard. Était-ce l'assassin du type dans le confessionnal ?

Ne pas se précipiter. Anticiper. Une main sur la crosse, au cas où.

Si l'homme était armé et déterminé, il pouvait tendre un piège aux gendarmes dans le moindre recoin. C'était une folie que de lui courir après ici, à deux.

Comme Ludivine ne pouvait sprinter en tenant son arme, elle se focalisa sur sa vision et ses mouvements.

Un glissement, probablement celui de semelles sur le lino, lui indiqua que l'individu était déjà dans le couloir principal de l'immeuble. Ludivine accéléra. Elle s'accrocha au chambranle de la porte pour tourner plus vite et se jeta à sa poursuite.

Sa lampe accrocha une silhouette droit devant, esquivant les épaves de scooters, un individu dans un sweat gris, capuche rabattue sur le visage.

– STOP ! STOP OU JE TIRE ! hurla Ludivine en essayant de maîtriser sa respiration.

Mais l'homme ne ralentit pas, au contraire, il se jeta derrière l'angle et disparut du côté des escaliers. Ludivine se précipita et, cette fois, dégaina son 9 mm. La situation devenait trop dangereuse, elle prenait le risque de tomber nez à nez avec un couteau et de n'avoir pas le temps de riposter. Derrière elle, les pas lourds de Segnon martelaient le sol.

Une fois dans le hall, la gendarme s'immobilisa. Plus aucune trace de l'individu. Était-il monté dans les étages ou avait-il filé vers les caves ? La porte menant à ces dernières était entrouverte, mais ne l'avaient-ils pas laissée ainsi en venant ?

Segnon la rejoignit, haletant.

– Tu montes, fit Ludivine, je vais en bas.

La poigne d'acier de son partenaire la bloqua sur place.

– Hors de… question. On se… sépare pas.

Ludivine serra les mâchoires.

– OK, alors en bas, il cherche sûrement à s'enfuir.

Ils dévalèrent les marches, armes et lampe braquées devant eux, et retrouvèrent l'obscurité moite des sous-sols ainsi que le visage du diable et ses flammes de l'enfer.

Ludivine s'efforçait de contrôler sa respiration, pour écouter plus attentivement l'environnement, détecter une présence dans ce labyrinthe de décombres, mais il n'y avait que le sifflement du vent, les craquements de l'ossature en acier et l'écoulement de l'humidité. Elle respirait par le nez, fort, et s'arrêtait devant chaque cave pour la sonder, Segnon couvrant leurs arrières du mieux qu'il le pouvait avec le peu de lumière dont il profitait. La sueur commençait à couler le long de leurs échines, sur leurs fronts.

Pas à pas, ils progressaient dans le long couloir.

La salle des pipes à crack.

Celle des matelas et des préservatifs.

Une autre pleine de caisses vides.

Ludivine braquait le canon et la lampe à l'intérieur à chaque fois. Un coup d'œil rapide.

Ils enjambaient ou contournaient les obstacles au milieu du passage et se rapprochaient peu à peu de la sortie. Ludivine avait le sentiment qu'ils devaient aller plus vite. Si le fuyard avait sprinté tout du long, il était déjà loin dehors... Mais s'il était tapi ici, quelque part, elle ne pouvait risquer de passer à côté...

Ils étaient presque parvenus au pied des marches lorsque Ludivine devina une présence. C'était inexplicable, instinctif. En un instant, au moment où elle entrait dans un box, elle *flaira* la vie. Ce fut immédiat, un flash, presque trop tard. Elle n'eut que le temps de lever son arme, plus pour se protéger que pour en faire usage. Un éclair métallique traversa le cône de sa lampe et une barre heurta son Sig-Sauer qui s'envola. Plusieurs personnes, vêtements rouge, marron et noir. Un homme se jeta sur elle. Il avait un foulard pour masquer ses traits, et une capuche. Rouge vif.

D'un coup de rein, Ludivine recula et esquiva le retour de la barre métallique qui visait sa tête. La riposte se déclencha machinalement. Réflexes d'années d'arts martiaux. Coup de talon sur le genou pour déstabiliser l'adversaire. Prise d'élan, poing dans la paume opposée et toute la hanche qui part afin de donner un maximum de puissance au coude pour qu'il frappe avec férocité.

Le coude, l'arme la plus redoutable du corps humain, heurta l'homme en plein sous le nez. Le choc le fit basculer en arrière.

Une deuxième silhouette jaillit sur le côté, prise furtivement par les éclats de la lampe torche.

Segnon déplia ses interminables bras et un bruit sourd cueillit l'agresseur, suivi d'un autre, puis encore un. La puissance de Segnon mit l'homme à terre, bouche en sang, regard perdu d'incompréhension.

Ludivine ne vit le troisième agresseur que trop tard. Elle devina la batte de base-ball au moment où elle entrait à pleine vitesse dans son champ de vision restreint, et elle n'eut que le temps de pivoter pour présenter le minimum de surface et se protéger du haut de son bras. L'impact l'électrisa et la projeta contre le mur. La douleur n'était encore qu'une chaleur vive, immédiate, et Ludivine vit la batte reculer dans les airs pour amorcer un second coup. Elle lâcha sa lampe et saisit d'une main un poignet qu'elle serra le plus fort possible, tandis que de l'autre elle chercha la gorge de son ennemi. Son pouce tâtonna puis localisa le pli qu'elle cherchait. Il s'enfonça dedans le plus profondément possible, se leva de quelques centimètres dans la chair pour pincer le nerf. L'homme hurla, brisé dans son élan par la douleur fulgurante qui irradiait tout son cerveau.

Ludivine reconnut alors le gringalet qui lui avait promis de la faire couiner.

Elle le repoussa dans la pénombre que la lampe tombée à ses pieds parvenait à peine à dissiper, et le plaqua contre le mur. Son genou se leva trois fois pour lui écraser les parties génitales et le dernier coup fut le plus fort, rageur. Un filet de bave s'écoulait sur le menton du gamin en même temps que s'échappait de sa bouche un gargouillis inintelligible.

Lorsque Ludivine se tourna, elle vit Segnon qui projetait contre le mur un adversaire d'un coup de pied dévastateur, avant de l'achever avec ses poings. Le garçon se recroquevilla en gémissant.

Lorsque l'imposante masse de Segnon se redressa, deux autres assaillants s'immobilisèrent sur le seuil du box, puis détalèrent.

– Ça va ? demanda-t-il.

– Oui, fit-elle en dépliant son bras meurtri. Quelques bleus seulement.

La douleur commençait à se répandre et Ludivine sut qu'en réalité elle allait souffrir un bon moment.

– C'était pas notre homme.

– Non, ces abrutis nous l'ont fait perdre.

Ludivine était furieuse. Contre ces idiots sans foi ni loi et contre elle-même.

– Je crois que cette fois il est temps d'appeler la cavalerie, fit Segnon. On a un cadavre sur les bras.

Elle acquiesça en ramassant sa lampe, jeta un regard noir vers le gringalet qui grimaçait dans son coin, et se vengea d'un coup de pied entre ses cuisses.

8.

Le crépuscule rampait lentement par l'est, gagnant le firmament, recouvrant le monde de sa masse sombre. Au pied des cités de La Courneuve, les gyrophares tournaient et projetaient sur les façades leurs éclats de saphir en fusion. Rassemblées sur un parking à cinquante mètres de la barre abandonnée, les fourgonnettes de la gendarmerie mobile servaient de QG pour boucler le périmètre de sécurité, et les hommes en tenue d'intervention s'égrenaient le long des centaines de mètres de ruban jaune pour baliser le secteur, réglementer l'accès. Plusieurs camionnettes de pompiers s'y entassaient aussi, ainsi que les véhicules de la police locale, les voitures des responsables politiques, des gendarmes, et enfin de la cellule d'investigations criminelles.

Une foule de curieux s'étaient amassés par grappes et se tordaient le cou pour tenter d'apercevoir un détail croustillant ou simplement pour profiter de cette animation qui rompait avec la routine de la cité. Les fenêtres des appartements s'étaient allumées, les balcons remplis et, par endroits, même les toits étaient occupés par des observateurs. Pour l'heure aucun débordement n'était survenu. Il y avait trop de monde et surtout d'intérêt pour ce qui ressemblait à une scène de crime.

Assis sur la banquette arrière de leur Peugeot, Ludivine et Segnon patientaient depuis plusieurs heures après avoir supervisé l'enquête de voisinage, missionnant les collègues de la police locale, censés avoir une relation privilégiée avec les habitants, pour qu'ils recueillent tous les témoignages possibles sur le Chelou ainsi que les allées et venues dans le bâtiment en ruine. Le colonel Jihan les avait rejoints et il gérait l'ensemble des opérations, les politiques, le procureur et tous les services présents sur le site.

Guilhem Trinh arriva au pas de course, les cheveux en pétard, jeans, baskets et chemise hawaïenne, son look habituel, une cigarette électronique entre les lèvres et ses écouteurs d'iPod dans les oreilles. Guilhem avait débarqué dans la SR de Paris quatre mois après la mort d'Alexis. Il avait pris sa place, occupé son bureau, peu à peu étalé sa présence sur les murs, comme si Alexis n'avait jamais existé. Pour Ludivine, cela avait été difficile les premières semaines, elle lui en voulait presque, ce qui n'était ni logique ni légitime mais simplement humain. Puis la bonhomie naturelle de Guilhem l'avait emporté et, s'il n'effaçait en rien le souvenir de celui qui l'avait précédé, lorsque Ludivine avait été prête à lui faire une place, il avait apporté un peu de gaieté dans la pièce qu'ils partageaient avec Segnon. Plus d'un an après son arrivée, il faisait désormais partie intégrante de leur petite cellule.

— J'ai raté la guerre, c'est ça ? dit Guilhem en rangeant sa cigarette.

— T'es plus en repos ?

— Vu les circonstances, non, et ma fièvre est redescendue. Le colon vient de briefer le proc. Dites, la prochaine fois que vous débarquez dans une cité, prenez votre petit Viet avec vous, ça passe mieux que les grands Blacks et les blondinettes.

— Dans ma bouche, ce serait du racisme primaire, lâcha Ludivine.

— Fallait être issue d'une minorité invisible, ma grande. Alors, le macchabée, c'est qui ?

— Pas encore d'identification formelle.

— Homicide ?

– Ça y ressemble beaucoup, confirma Segnon. On attend des nouvelles des TIC[1]. Lulu a été questionner quelques jeunes pour se faire décrire le Chelou, c'est le mec qu'on cherchait, mais a priori ça n'est pas lui la victime.

– Le « Chelou » ? C'est pas un peu ridicule, non ?

– Sauf qu'on a que ça pour l'identifier pour l'instant.

– Alors c'est lui le tueur ?

Ludivine haussa les épaules. Guilhem enchaîna :

– Ou bien ce sont les complices des dealers que vous avez chopés la nuit dernière ? Ils sont venus faire le ménage...

– Ou la bande qui fournit la peau humaine, répondit Ludivine. Faudrait déjà qu'on sache qui est le mort avant de se perdre en conjectures.

– J'ai entendu ce que Jihan a raconté à ce sujet. C'est hallucinant ! De la peau humaine ? Non, mais on va où...

– Tu as des nouvelles des gardes à vue ? interrogea Segnon.

– J'étais à la caserne avant de venir, apparemment rien de nouveau. Sauf pour les perquisitions, il y avait un peu de résine, pas mal de cash et aussi des armes, assez pour les inculper.

– Pas d'autres fragments de peau ?

– Non. Il paraît que vous vous êtes castagnés et que vous avez laissé les petits cons se tirer ensuite ?

– Ils ont pris une bonne leçon, ça devrait suffire, ricana Segnon.

– Et vous êtes sûrs qu'ils n'avaient aucun rapport avec l'homicide ?

– Non, rien à voir. Ceux-là, c'est juste des apprentis piranhas qui cherchent à défendre leur territoire et à casser du flic.

Ludivine se redressa en voyant une silhouette familière approcher. L'homme se défit de sa combinaison blanche, de ses gants, et jeta le tout dans un grand sac-poubelle avant de se recoiffer à la main. Cheveux gominés en arrière, petites bouclettes sur la nuque, polo Ralph Lauren, jeans moulant, mocassins en

---

1. Techniciens en identification criminelle.

cuir, montre de luxe et teint UV de cabines, Philippe Nicolas enfourna dans sa bouche une tablette de chewing-gum et se dirigea vers les trois gendarmes. Philippe était le « cocrim » de l'opération, une vieille connaissance, coordinateur des opérations de criminalistique, en charge de faire le lien entre les enquêteurs et toutes les expertises techniques et scientifiques.

– Bon, eh bien c'est la merde, dit-il en guise de préambule.

– Pourquoi, il n'y a rien ?

– Je préférerais presque. Il y en a trop ! C'est un vrai bordel là-dedans. Des empreintes en veux-tu en voilà, de quoi extirper tout l'ADN de la Seine-Saint-Denis et remplir trois ou quatre fourgonnettes de prélèvements ! On ne va pas pouvoir compter sur la science, les amis.

– Comment ça ? fit Guilhem.

– Il y a beaucoup trop d'éléments, toute une barre de cinq étages avec caves, le tout squatté depuis des mois. On ne peut pas. Les gars de la CIC ont ratissé tout ce qui est autour du corps, ils s'occupent de l'appart, mais *that's it*. De toute façon on n'aura jamais le feu vert pour lancer toutes les expertises. Au prix de la trace ADN, il faudrait le budget entier du ministère de la Justice, alors vous pouvez oublier.

– Voilà toute la différence entre les *Experts à Miami* et les *Experts à La Courneuve*, ironisa Guilhem. Donc on bosse à l'ancienne. Témoignages, loupes, indics.

– Désolé, fit Philippe Nicolas. Vous aurez le rapport du légiste et si les mecs à l'intérieur relèvent des traces évidentes on archivera l'ADN et je vous transmettrai ce que donneront les empreintes, mais je peux pas faire plus.

– L'appart c'est déjà pas mal, approuva Ludivine. Je n'ai pas vu si le type qui s'est enfui portait des gants, mais il a clairement touché les montants de porte pour se tirer, avec un peu de bol...

– Et pour les animaux morts ? demanda Segnon.

Philippe Nicolas leva les mains devant lui :

– Oh ! Est-ce que j'ai une gueule à aller fourrer mon nez là-dedans ? T'as vu le merdier que c'était ? Très peu pour moi.

Tu demanderas aux pompiers de te dire ce qu'ils en pensent quand ils vont ramasser tout ça.

– Il peut y avoir des indices.

Le cocrim ouvrit le bras vers le bâtiment en guise d'invitation :

– Vas-y, fais-toi plaisir !

– Ils ont fini ? On peut y aller ?

– Vous trois oui, les TIC ont terminé, on va procéder à la levée de corps.

Ludivine emboîta le pas au cocrim, et Segnon posa une main sur l'épaule de Guilhem :

– Je t'ai jamais demandé : tu es croyant ?

– Euh... Oui, enfin pas pratiquant mais oui, pourquoi ?

– Tu ferais bien de réciter une petite prière.

– T'es bizarre, Segnon, c'est quoi cette remarque ?

– Attends de voir l'intérieur. Si le diable existe, alors tu t'apprêtes à pénétrer dans la tanière d'un de ses émissaires.

Segnon lui tapota le haut du bras et partit dans le sillon des deux autres gendarmes, laissant Guilhem, intrigué, les observer avec une certaine appréhension.

Une toile d'araignée en métal pendait au bout d'une chaîne elle-même suspendue à la branche d'un candélabre et elle oscillait, petite horloge de ce monde improbable. Ludivine la stoppa du pouce et de l'index et se tourna vers le reste de la pièce. Le Chelou avait amassé quantité de vieux meubles rafistolés et d'objets hétéroclites. Toutes ces choses en apparence inutiles, sans intérêt, avaient leur dimension, leur repère, leur logique certaine dans l'univers de leur propriétaire.

L'équipe de la CIC avait disposé des projecteurs sur trépied pour travailler, pour explorer et rechercher des traces. Ainsi, l'appartement aux fenêtres murées n'était plus cette insondable poche obscure, on y voyait comme en plein jour, et c'était peut-être pire. Les murs, couverts de phrases ésotériques inscrites avec le sang des animaux morts, l'amas grouillant et insupportable de leurs dépouilles et la longue pièce encombrée où reposait le cadavre dans le confessionnal. Les TIC en combinaison blanche rangeaient leur matériel, après avoir rempli quantité de sacs de prélèvements. La poudre noire qu'ils utilisaient pour relever les empreintes maculait encore les montants de la porte et la plupart des surfaces susceptibles d'avoir accueilli paumes et doigts. Ils saluèrent Philippe Nicolas, puis les trois gendarmes en civil, avant de charger leurs affaires sur le dos.

– Laissez les projos, les gars, exigea le cocrim. Et le Bluestar, vous ne vous en servez pas ?

Ludivine passa aussitôt en revue son manuel interne de la parfaite experte en criminalistique. Le Bluestar servait à révéler les traces de sang effacées après nettoyage et ceci même après de longues années. Il avait remplacé le luminol classique qui dégradait l'ADN contenu dans le sang, alors que le Bluestar permettait encore une étude génétique après révélation.

L'un des TIC désigna les murs couverts d'un langage étrange :

– Il y en a partout, du sang ! Je vois pas ce qu'on aurait mis de plus en évidence.

Philippe Nicolas dodelina de la tête comme pour reconnaître qu'il aurait dû réfléchir avant de parler. La principale différence entre la fiction et la réalité dans les enquêtes criminelles se résumait à cela : dans la fiction tous les procédés possibles étaient mis en action, toutes les analyses, sans se soucier du temps, de la faisabilité et surtout du coût ! Car pour la moindre scène de crime, il y avait avant tout un budget à étudier. Fallait-il sortir le grand jeu ? Si le maximum de prélèvements étaient systématiquement effectués, on en exploitait assez peu au final, car le moindre envoi en laboratoire était facturé et que le porte-monnaie de la justice n'était pas extensible. Surtout en période de serrage de ceinture. Même la mort et la vérité pâtissaient en définitive de la crise...

Ludivine sortit sa lampe torche de sa poche pour pouvoir explorer les recoins moins éclairés et commença à se promener au milieu du capharnaüm, tandis que Segnon s'approchait du corps. Guilhem, lui, était resté en retrait, fasciné autant qu'écœuré par le spectacle des chiens et chats massacrés.

– C'est dingue, murmura-t-il. Combien il en a tué ?

Un gendarme en uniforme se présenta à l'entrée de l'appartement, suivi par un homme en costume un peu élimé, chemise en jean qui dépassait d'un côté de son pantalon, sacoche en cuir dans une main.

– Docteur Lehmann ! l'accueillit Philippe Nicolas.

Ludivine se retourna, satisfaite. Lehmann était non seulement un personnage, mais surtout le plus compétent des légistes qu'elle connaissait. Le grand médecin tout sec les salua d'un bref signe de tête, échevelé et le regard vide comme s'il venait d'être réveillé au beau milieu de la nuit. Puis, sans vraiment prêter attention aux visages, il traversa les lieux. En passant devant le tas d'animaux grouillant de vers, il lâcha sur un ton totalement neutre :

– Ça, c'est du pudding. Un gros pudding.

Il déposa sa sacoche aux pieds de Segnon et en sortit une paire de gants en latex, un spéculum et une petite torche pour débuter son examen externe.

– Si mes patients savaient, dit-il en écartant délicatement le col pour inspecter la plaie à la gorge.

– S'ils savaient quoi ? demanda Guilhem sur le seuil.

– Ce que je fais avec vous entre mes consultations ! C'est vrai, quand on débarque chez son médecin, on vient avec ses problèmes, sa santé défaillante, mais on ne pense pas au médecin lui-même !

Ludivine ne put dissimuler un sourire. Lehmann avait gardé un cabinet pour exercer auprès des vivants, pour « ne pas tripoter que de la viande froide », disait-il. Et son grand jeu consistait à faire frémir ceux qui prenaient pour argent comptant tout ce qu'il pouvait raconter.

– Quand ils viennent me voir, continua-t-il, ils ne songent pas un instant que le spéculum que j'utilise pour eux a servi deux

heures auparavant pour ausculter la victime d'un égorgement !
Je le désinfecte, bien entendu, mais c'est tout de même cocasse !
Ils me tirent la langue bien volontairement, écartent les cuisses,
se penchent, m'offrent leur fragile intimité, alors qu'ils seraient
pour la plupart opposés à l'idée d'être sondés par le même ins-
trument qui me sert à l'étude des cadavres en décomposition.

– Sérieux ? fit Guilhem, crédule. Vous ne changez pas d'ins-
trument ?

– Il est en métal ! fit le légiste en exhibant son spéculum.
Je ne vais tout de même pas en racheter un à chaque corps
et pour chaque patient ! Un coup d'eau et de savon, et c'est
comme neuf ! Bon, début de la rigidité cadavérique, yeux clairs,
mydriase bilatérale...

À ces mots, Ludivine se souvint de ce qu'elle avait appris. La
mydriase bilatérale, les pupilles dilatées, signifiait la mort cérébrale. Ou une très grande souffrance dans les derniers instants
de la victime... *Est-ce que celui qui a fait ça est le même qui
dépèce ses victimes ? Est-ce qu'on est face à un tueur en série ? Un
pervers qui se nourrit de la souffrance des autres, qui les vide de
toute résistance pour mieux s'abreuver de leur agonie ? Un vampire des temps modernes...*

Ludivine réalisa qu'elle était presque excitée par cette éventualité. Il fallait atterrir, redescendre d'un cran. Elle avait déjà
affronté cette réalité et elle n'avait rien eu de bon. Rien. Un cauchemar. Des morts partout. La souffrance. La terreur. Pourtant,
depuis, Ludivine n'avait plus jamais éprouvé la même tension
dans son travail, la même fièvre.

Calmos, tu dérailles. Pour rien au monde tu ne veux revivre ça.

Sa lampe se promena sur les étagères et caressa une collection
de petits crânes monstrueux, pas plus gros qu'une clémentine.
Des oiseaux. Une dizaine. Derrière il y avait aussi des araignées
prises au piège de boîtes en plastique. Ludivine ne parvenait pas
à bien les distinguer, elles étaient trop loin, aussi s'engagea-t-elle
entre deux fauteuils en cuir éventrés, puis elle contourna un
haut chevalet branlant et se faufila derrière un guéridon abri-

tant une vieille lampe poussiéreuse à l'abat-jour fendu. Elle put ainsi longer le mur et ses bibliothèques envahies de bibelots et y jeter un œil attentif.

Pendant ce temps, le légiste continuait son examen, accompagné de Segnon. Les deux hommes parlaient à voix basse à présent et le docteur Lehmann avait retrouvé tout son sérieux.

Ludivine se pencha vers un tas de flacons fermés avec des bouchons en liège. Leur contenu la fit reculer d'un pas. Il y avait des yeux dedans. Des yeux jaunes ou verts, à la pupille verticale. Des globes oculaires d'animaux. Dans d'autres c'étaient des griffes, arrachées. Puis des pattes d'oiseaux. Des plumes noires. Un lézard séché. Des poils blancs. Et des poudres de toutes les couleurs, rouges, safran, camel, brunes... Elle avait pénétré dans l'antre d'un fou. La jeune femme poursuivit son exploration, à la recherche d'un élément plus parlant, sans savoir quoi exactement, peut-être des documents avec une identité, un répertoire, un téléphone portable, du courrier, n'importe quoi qui pourrait la lancer sur une piste tangible. Mais il n'y avait qu'un entassement de vieilleries cassées et d'ingrédients nauséabonds.

Dans la pièce mitoyenne, un groupe de pompiers venait d'entrer et Guilhem les observait chercher comment s'y prendre au mieux pour vider l'appartement de sa pile de cadavres infestés. Ils finirent par y aller carcasse par carcasse, qu'ils saisissaient tant bien que mal pour les enfourner dans de grands sacs à gravats. L'odeur était pestilentielle, insupportable, même à travers les masques blancs qu'ils arboraient.

Guilhem les assistait seulement par la parole.

– Il y a même des lapins, commenta-t-il, accablé. La plupart sont décapités ! Les têtes sont en vrac. Il leur manque les yeux !

Tu veux les voir ? songea Ludivine de son côté, coincée entre une armoire et un immense tableau strié de trois coups de couteau. Il représentait un navire à voiles luttant pour rester à flot dans une mer déchaînée. *C'est tout moi, ça,* ironisa la gendarme avant de s'en vouloir aussitôt d'être si pessimiste.

Elle examinait chaque recoin depuis une vingtaine de minutes lorsqu'elle commença à se résigner. Il n'y avait rien d'exploitable. À l'autre bout de la pièce, Segnon, le docteur Lehmann et deux autres gendarmes avaient allongé le cadavre dans un sac. Les constatations *in situ* étaient presque terminées.

Ludivine s'était faufilée, glissée, intercalée, contorsionnée pour parvenir au fond du labyrinthe d'objets et de meubles et elle se rendit compte qu'elle était à présent bloquée à moins de faire demi-tour, et l'idée de devoir effectuer toutes ces manœuvres et de repasser devant les yeux jaunes et verts la déprimait. Elle se mit à genoux, grimaça à cause de son bras et de son épaule douloureux, et avisa un passage possible à condition de ramper sous des meubles recouverts de draps crasseux. *Ce serait intelligent d'aller faire examiner ce bras ensuite, j'ai vraiment mal...* Mais elle savait déjà qu'elle n'en ferait rien. Elle se connaissait.

De là où elle était, les projecteurs de la CIC n'éclairaient pas grand-chose car la plupart étaient orientés en direction du cadavre. Ludivine cala sa lampe entre ses dents et se mit à ramper en gémissant. Elle se coula entre une banquette et un entassement de vieilles caisses de champagne vides puis elle fila à quatre pattes sous des tables et des dessertes. Elle respirait l'épaisse couche de poussière. Lorsqu'elle n'en put plus, elle s'assit pour se moucher et reprendre son souffle. Pendant un instant, à l'abri sous la frondaison de tissus sales, perdue dans une forêt de pieds de meubles, Ludivine eut l'impression d'être redevenue une petite fille. *Si les autres me voient, je suis bonne pour me faire vanner jusqu'à la fin du mois !* Elle était tout près d'un pan de mur, aussi recouvert de ces inscriptions loufoques. Rouges. De l'encre encore tiède au moment de la rédaction. C'était immonde. Ce type était immonde. Dans le pinceau de sa torche, elle capta des mots en français. Tout n'était pas en latin. Elle s'approcha en deux reptations et se hissa sur les coudes pour pouvoir lire :

... il existe. Il est réel. Il y a des accès à sa grâce, à sa puissance. Des portes tangibles... Tous ont fait de lui un être désincarné, un mythe, une légende pour effrayer les enfants et les simples d'esprit, mais il foule notre terre chaque aube, chaque crépuscule, il est parmi nous, il fomente ses formidables plans et recrute ses initiés pour faire de nous les prophètes de son avènement. Gloire à toi, Satan ! Que ton règne débute ! Que ta lumière de braise embrase le monde et nous illumine de ton...

Ludivine soupira. Et dire qu'il y en avait comme ça sur tous les murs de chaque pièce. Le Chelou n'avait pas perdu son temps, seulement son esprit.

La jeune femme reprit son parcours du combattant et, après avoir longé un coffre en bois vermoulu, les tapis troués en guise de moquette, elle eut le passage principal en vue, et les jambes de ses collègues plus loin, autour d'une housse sombre d'où dépassait une main crispée et figée. *C'est pas trop tôt. J'ai l'impression d'être Alice, de l'autre côté du miroir ! Paumée dans un autre monde glauque et sans repères...*

Elle s'extirpa de sous une table, repoussa le pan de drap et s'épousseta de tous les moutons de poussière qui la recouvraient. Pendant qu'elle se nettoyait, ses yeux passèrent sur un des tapis du passage, légèrement de travers. Les autres étaient disposés à la file, comme pour dessiner un corridor entre l'entrée et le confessionnal, pourtant celui-ci était particulièrement de travers. Ludivine s'agenouilla et pointa sa lampe dans cette direction. Sur les bords du tapis le duvet gris qui recouvrait tout l'ancien lino était plus clair sur quelques centimètres, comme l'empreinte d'un tableau décroché sur un mur. *C'est ce tapis, il a été déplacé de quelques centimètres...*

Elle rampa jusqu'à lui et l'inspecta, à la recherche de traces de sang ou d'empreintes de pas, ce qui était illusoire car tout le monde était passé par là depuis la découverte du cadavre.

Déplacé ou... mal repositionné !

Elle tira sur le tapis qui n'était pas plus grand qu'une serviette de plage. Le vieux lino était fendu et entortillé, on avait creusé un trou dans la structure en bois qui servait de plancher, une cachette pas très discrète pour peu qu'on prenne la peine de soulever ce qui la recouvrait. Ludivine l'écarta du bout des doigts.

La lampe se braqua sur cette petite cavité et Ludivine en sortit un paquet enveloppé dans du tissu.

Segnon, qui venait de remarquer sa collègue, s'approcha.

– Qu'est-ce que c'est ?

– Le trésor du Chelou ? Avec lui, je m'attends au pire...

Segnon lui tendit une paire de gants en latex qu'elle enfila pour extraire lentement un livre au format in-quarto. L'ouvrage était étrange, sa couverture recouverte d'une pellicule presque molle, de couleur crème tirant sur l'oranger et même parfois un peu sur le brun.

– Il n'y a pas de titre, commenta Ludivine après l'avoir rapidement tourné dans tous les sens.

– C'est quoi, cette matière ?

Segnon prit la petite lampe torche que Ludivine tenait mal calée entre ses dents et l'approcha. La texture étrange et un peu parchemineuse du livre se dévoila complètement. Son irrégularité. Ses taches de rousseur.

Alors ils comprirent.

9.

La sonnerie hystérique du micro-ondes sortit Ludivine de ses pensées.

Elle attrapa le pot de nouilles chinoises, y planta une fourchette et alla s'asseoir dans son canapé, sous un tableau de Fazzino représentant Manhattan en 3D pop art dont les cristaux Swarovski renvoyaient l'éclat de l'unique halogène allumé à l'autre bout du salon. Elle était exténuée. La gueule de bois, la nuit du go-fast puis cette journée incroyable qui se soldait par cette découverte improbable...

Ludivine n'en revenait toujours pas. Un livre relié en peau humaine.

Elle l'avait ouvert avec une boule au ventre, comme s'il contenait les pires secrets de la création. Un titre simple, écrit à la main en lettres gothiques sur une page intérieure : *Necronomicon*.

Puis une écriture serrée, agressive, avec des pointes, des angles aigus, des traits trop longs, celle d'un esprit torturé. Elle ressemblait un peu à celle qui couvrait les murs de l'appartement, en nettement plus appliquée. L'auteur s'était donné un genre. Le *Necronomicon* était un journal. La pensée d'un homme qui dédie sa vie à son maître. Ludivine n'avait fait que le parcourir, mais c'était assez évident. Il y avait aussi des croquis. Des dizaines, souvent pleine page. Ils représentaient des abdomens ouverts, des têtes coupées, des animaux mutilés, des femmes aux bras tranchés, un homme avec une gueule de bouc, un autre illustrait le principe d'une horloge faite uniquement avec des corps humains greffés les uns aux autres, la vie égrenée au rythme du sang, des cœurs, véritable mesure du temps. C'était un ouvrage en cours de rédaction, un petit tiers seulement était rempli. Ludivine, Segnon et Guilhem avaient, en toute logique, supposé qu'il s'agissait de l'œuvre du Chelou. Un exemplaire unique, extraordinaire. Il allait vouloir le récupérer. Car le Chelou n'était pas la victime. Une photo présentée à Joseph – le bavard de la bande du go-fast – avait suffi à le confirmer. L'homme retrouvé mort dans l'appartement était un garçon de la cité. Un « branleur », selon Joseph. Un « fouille-merde, prêt à tout pour gratter un peu d'oseille ». Cette fois il n'avait peut-être pas mis le nez au bon endroit au bon moment...

Le *Necronomicon* était en sécurité à la SR, attendant d'être lu par Ludivine et ses collègues en vue d'y puiser des informations intéressantes sur les méthodes de son auteur, voire des éléments utiles pour le retrouver. Dans l'état où Ludivine se trouvait en rentrant de La Courneuve, elle n'était plus capable d'en lire une seule ligne supplémentaire.

Il était presque minuit et Ludivine faisait son premier repas normal de la journée, si tant est qu'un pot de nouilles chinoises puisse être considéré comme tel.

Il va vouloir le récupérer, c'est sûr. S'il y a bien un objet auquel il tient plus que tout, c'est ce bouquin.

Ludivine avait tout d'abord songé à installer un dispositif de surveillance discrète, en espérant intercepter le Chelou dans la nuit, mais il était impossible de laisser l'immeuble sans une présence massive de la gendarmerie mobile tant que la scène de crime demeurerait sous scellés. Trop de curieux risquaient de s'y précipiter dès qu'il n'y aurait plus personne en vue. Mauvaise idée.

Pourquoi tu fais un bouquin pareil ? C'est quoi l'idée derrière tout ça ?

Devait-il y en avoir une absolument ? Ludivine voulait coller une explication derrière chaque geste, chaque obsession, mais dans le cas du Chelou cela ressemblait davantage à de la dévotion religieuse la plus extrême, relevant du domaine de la pathologie psychiatrique lourde. Le Chelou rédigeait son journal de bord satanique dans un livre relié en peau humaine et c'était tout. Inutile d'aller chercher plus loin. C'était juste un taré.

Ludivine engloutit ses nouilles en quelques coups de four-chette puis elle se rendit dans sa salle de bain pour se déshabiller. En découvrant l'énorme bleu qui recouvrait son épaule et son bras comme un tatouage noir, elle comprit mieux l'engourdis-sement permanent qui la travaillait au moindre mouvement.

– Connard, dit-elle tout haut.

Au moins Segnon et elle ne les avaient pas ratés.

La douche lui fit du bien, comme si l'eau chaude avait le pouvoir d'évacuer une partie des tensions en même temps que la saleté. Ludivine enfila un short en satin et un débardeur avant d'aller se mettre sous la couette. Elle était épuisée et pourtant sentait qu'il y avait encore trop de vestiges d'excitation dans son corps et son esprit pour parvenir à trouver le sommeil rapidement.

C'est là qu'un bon amant...

Ludivine s'enfonça dans ses oreillers, les mains derrière le crâne. Elle avait déjà assez déconné comme ça ces derniers temps. Trop d'alcool, trop de sorties tardives, et quelques inconnus... Elle réagissait comme une conne. Une fuite permanente.

Ces dernières vingt-quatre heures avaient été intenses, il fallait redescendre... Pour s'y obliger, elle éteignit la lumière et attendit d'être emportée par la vague du sommeil.

Mais après une demi-heure, elle se redressa dans le lit et tâtonna pour attraper l'iPad qui traînait près de sa table de chevet. Il y a des moments où il faut savoir ne pas se mentir : elle était incapable de dormir.

Le nom même du livre de peau ne lui était pas totalement inconnu. Elle l'avait déjà vu quelque part. Elle tapa « Necronomicon » et étudia les résultats. Ils étaient nombreux. Très nombreux. Cette fois elle s'assit complètement et alluma la lampe de chevet.

Il s'agissait d'une légende. Un ouvrage maudit. « Le livre qui rend fou », comme certains l'appelaient. Une création de l'auteur Howard Phillips Lovecraft au début du XXe siècle, reprise ensuite dans la mythologie urbaine. La plupart considéraient qu'il n'avait jamais existé, mais certains compilaient au contraire des tonnes de « preuves » de son passage à travers l'histoire. Un livre maudit qu'on avait tenté de faire passer pour une fable littéraire. Un grimoire contenant les secrets les plus formidables et terrifiants du cosmos, une porte vers des divinités monstrueuses… vers la démence.

Qu'est-ce qu'essayait de faire le Chelou avec son journal ? Créer le véritable *Necronomicon* ? Était-ce un hommage aux créatures abjectes censées être décrites dans le livre originel ?

À mesure qu'elle parcourait les résultats de sa recherche, Ludivine était prise d'un désir lancinant de percer le secret de ce journal.

Après une autre demi-heure, elle sortit du lit et enfila un jeans.

Elle le savait pourtant, elle avait été naïve de vouloir lutter contre ses démons. Il est possible de prétendre qu'ils ne sont pas là, pour gagner un peu de temps, mais on ne triomphe pas sans mal.

Dans l'ombre de sa chambre, ceux de Ludivine se frottèrent les mains en la regardant quitter l'appartement. Ils avaient encore gagné.

Le bureau qu'elle occupait à la caserne était plongé dans les ténèbres. Elle n'alluma pas les néons, préférant la lampe près de son ordinateur, moins agressive. La courte marche entre son appartement et la caserne avait terminé de la motiver à lire le livre.

Elle le trouva là où il avait été posé par ses soins à peine trois heures plus tôt. Philippe Nicolas l'avait passé lui-même au Polilight pour mettre en évidence une série de traces papillaires. Ne voulant pas toucher à la couverture en vue de probables expertises sur la peau, il avait privilégié l'intérieur et avait effectué plusieurs relevés. Ludivine décida qu'elle pouvait à présent se passer de gants et elle s'installa dans son fauteuil pour l'ouvrir.

La couverture était décidément très particulière au toucher. C'était comme d'effleurer quelqu'un de... *terriblement froid*. Un frisson désagréable parcourut la jeune femme.

Pendant un bref instant, elle crut deviner un murmure dans le couloir. Elle pivota mais ne vit que l'obscurité. Elle était seule ce soir. Les gendarmes étaient logés dans un immeuble en face pour une partie et d'autres, comme elle, disposaient de logements dispersés au-dehors de l'enceinte militaire.

Elle posa de nouveau la main sur la couverture et la caressa dans un geste presque morbide, pour deviner sa texture douce et froide.

Le livre eut la chair de poule.

Ludivine s'enfonça dans sa chaise en retenant son souffle, avant de cligner des yeux et de réaliser qu'elle venait d'halluciner.

T'es pas bien, ma grande ! Tu te tapes des délires, maintenant ?

Elle savait le pouvoir de l'imagination, surtout mise en condition, avec la fatigue de surcroît, mais tout de même... Le livre n'avait pas *frissonné*, il n'avait pas réagi, c'était elle qui avait ressenti cela. C'était dans sa tête.

Une profonde inspiration chassa tout doute et elle ouvrit le journal.

L'encre était noire, c'était déjà un premier point positif. Pas de sang ici, et les pages de l'ouvrage étaient constituées de vrai papier. Seule la reliure était effrayante.

Et son contenu.

Le Chelou y étalait toute sa fascination pour le diable, sa dévotion totale. C'était davantage un examen de conscience qu'un journal de bord. Son auteur n'y racontait rien de son quotidien, aucune de ses habitudes, il n'y avait pas de détails exploitables, sauf lorsqu'il abordait la nécessité des sacrifices pour satisfaire la Bête. Là, il donnait maints détails, notamment grâce à ses croquis dont la précision n'avait pour limite que le talent de dessinateur du Chelou. Il avait vu des corps ouverts, éventrés. Et pas seulement ceux des animaux qu'il avait lui-même massacrés. Il y avait des dessins de troncs humains dans son livre, de décapitations, de mutilations.

Avait-il assisté à des meurtres ou les avait-il commis ? Et s'il avait seulement puisé son inspiration sur Internet ?

C'est lui qui a mis la bande de Joseph en contact avec le dépeceur de Lille, il fréquente un assassin s'il ne l'assiste pas !

Pourtant il n'était fait mention d'aucun complice dans son témoignage. Ludivine s'appliqua à ne rien laisser passer et engloutit dix nouvelles pages. Il y était question de la présence des monstres sur terre. Nombreux, partout, parmi nous, anonymes, noyés dans la foule. Des monstres à visage humain, incarnation des ténèbres, projection du mal à notre échelle. Le Chelou expliquait que certains êtres humains naissaient corrompus. Il suffisait d'observer les enfants jouer ensemble pour le remarquer. De temps à autre, un en particulier se distinguait, un enfant diabolique, perfide, vicieux, pervers. Celui-là n'était pas gangrené par la société et ses maux, pas déjà, non, il était simplement né mauvais. En grandissant il deviendrait pire encore. Les plus malins apprendraient à se cacher, à libérer leurs sombres pulsions à l'abri des regards, les autres finiraient en prison, considérés comme des « causes perdues », des multi-récidivistes incurables. Et ils l'étaient, irrécupérables, car pour se soigner il faut avoir en soi, tout au fond, une base saine, ce dont ils n'étaient simplement pas dotés. Ces gens-là étaient l'incarnation des démons extérieurs. Des dieux oubliés d'autrefois, liés à d'autres dimensions incompréhensibles pour l'homme. Cette fameuse « pulsion » noire, fiévreuse, ce flash obsédant et irrésistible dont parlaient certains criminels, certains violeurs, n'était rien d'autre que la présence de ces démons en eux. La pulsion était le langage de ces monstres. Leur commandement. Leur expression. La fulgurance vers leur jouissance.

Et tous ensemble, ils servaient le Maître. L'unificateur. Celui qui rassemblait aujourd'hui ses forces en vue de prendre le pouvoir dans cette société enfin prête à l'accueillir. Le diable. Satan, pour ne citer qu'un de ses nombreux noms.

Un souffle provenant du couloir tira Ludivine de ses réflexions. Cette fois, elle l'avait clairement entendu. Comme quelqu'un qui susurre quelques mots inaudibles au loin, portés par le vent.

Ludivine reposa le *Necronomicon* sur son bureau et sortit dans le couloir pour y allumer la lumière. Les néons crépitèrent les uns après les autres, repoussant l'obscurité par paliers, et dévoilèrent le vide attendu.

Tu perds la boule, ma pauvre chérie. Il est temps d'aller dormir !

En reprenant sa lecture, elle eut à nouveau la désagréable sensation que le livre *frissonnait* entre ses doigts, mais, là encore, elle mit ça sur le compte de l'épuisement et de son imagination débordante.

Ludivine fut intriguée par les nombreuses références aux « portes d'entrées du diable », ses murmures. Satan s'exprimait à travers nos pulsions, mais cette fois dans celles ressenties par le commun des mortels. Le Chelou insistait sur la différence qui existait entre les démons incarnés, cette poignée de monstres humains, et la tentation du diable qui, elle, traversait tous les êtres comme une composante naturelle, une faille dans leur fabrication, une porte de derrière oubliée et connue seulement de Satan et qui lui permettait de faire basculer chacun dans son domaine, même les meilleurs d'entre nous, pour peu qu'ils aient un moment de trop grande faiblesse.

L'autre aspect intéressant était l'insistance de l'auteur à rappeler que le diable n'était finalement pas un mythe mais bien une réalité. Il affirmait avoir rencontré, plusieurs fois, l'incarnation absolue du mal, si fascinante, si puissante, promise à un règne inéluctable et imminent. Une présence si formidable qu'elle imposait le respect et la dévotion immédiate. Pourtant, il ne donnait jamais aucun nom, ni de personne, ni de lieu.

Ludivine acheva sa lecture, frustrée, et hantée par les kyrielles de litanies répétitives qui prônaient la gloire de Satan et son existence bien concrète.

Le journal était bien en cours de rédaction, constata-t-elle, et peut-être la suite aurait-elle été plus instructive, car pour l'heure elle n'était pas plus avancée.

Les néons dans le couloir balbutièrent puis s'éteignirent tous en même temps.

Ludivine fit tourner sa chaise en direction de la porte. Y avait-il quelqu'un avec elle ? Un officier qui avait vu les lumières allumées de chez lui, en face, et qui était revenu les éteindre ? *Oui, à part ça je ne vois pas d'autre explication…* Sa propre lampe de bureau était encore en marche, cela excluait la coupure de courant. *Tant pis, s'il monte il me trouvera là et puis quoi ?*

Ludivine revint au livre qu'elle tenait devant elle, et examina l'objet lui-même. Les pages étaient agréables au toucher, un papier au lourd grammage, d'une qualité évidente. Lorsqu'elle approcha l'ouvrage de l'ampoule, ce qu'elle avait cru deviner se confirma : un pentagramme apparaissait en filigrane par transparence au centre de chaque page. C'était bien plus visible sur celles qui étaient vierges, ce qui expliquait qu'elle ne l'ait pas remarqué tout de suite. Ainsi le support tout entier, s'il n'était pas en peau humaine, avait tout de même son importance et avait été choisi avec soin. Ce qui alerta Ludivine.

Ce genre de livre ne devait pas se trouver à tous les coins de rue.

Elle alluma son ordinateur et effectua une recherche Internet pour débusquer un site de vente spécialisé en accessoires ésotériques voire sataniques. En incluant ceux en anglais il y en avait beaucoup plus qu'elle n'aurait pu l'imaginer. Satan n'avait jamais été autant à la mode…

Après quelques minutes, elle décida de se concentrer sur les sites en français. Le Chelou n'avait pas de domicile officiel, pas de vie stable, certainement pas de compte bancaire, s'il avait réussi à commander sur Internet ce serait déjà un miracle alors certainement pas à l'étranger où il lui aurait été impossible de payer en cash, en imaginant déjà qu'il baragouine un peu d'anglais. Mais là aussi, les sites et les articles pullulaient. Ludivine y consacra une petite heure, sans identifier de cahier vierge semblable à celui qu'elle avait trouvé

Il ne l'avait vraisemblablement pas fait lui-même, c'était du beau travail, effectué par un professionnel...

– Quelle idiote !

Elle ouvrit la page de garde après la couverture, sans rien y trouver, alors elle se rendit à la toute fin et son œil capta aussitôt le détail qu'elle recherchait. Une signature. Mieux, une invitation : « Fabriqué à la main par Jabar. Marché Vernaison, Saint-Ouen. »

Ludivine fit claquer le livre en le refermant et se leva pour se dégourdir les jambes. Le vendeur en question ne saurait pas grand-chose sur le Chelou, mais si ce dernier réalisait qu'il lui serait impossible de récupérer son précieux journal, il chercherait certainement à s'en procurer un autre. Et il viendrait droit vers ce Jabar.

La piste valait ce qu'elle valait, Ludivine en était consciente, mais c'était un début. Elle fit courir ses ongles sur le vernis du bureau. Elle était face à l'emplacement qu'avait occupé Alexis avant sa mort. Guilhem l'avait arrangé à son goût avec un fanion du PSG ainsi que des posters de *Seven* et *Usual Suspects*, mais le spectre de son ancien collègue et amant brillait dans la pénombre. Elle ne pouvait l'oublier. Ils avaient partagé peu, mais avec une intensité rare. Presque une pulsion. Si c'était ça la porte d'entrée du diable alors Ludivine voulait bien lui céder plus souvent !

Elle ricana bêtement. Face à elle les souvenirs d'Alexis affluaient. Il était là, tout sourire, concentré, le nez sur son ordinateur ou plaisantant sur la victoire de son équipe de football américain préférée...

Ludivine cilla et se reprit.

Elle devait aller se coucher, elle en avait besoin. Trop d'émotions en peu de temps. Elle rechignait à prendre des somnifères, considérant que c'était un aveu de faiblesse, une facilité dangereuse et addictive, surtout pour elle qui avalait déjà bien assez de médicaments par ailleurs, il fallait garder les pilules pour les soirs de grande déprime, mais cette nuit elle allait faire une exception.

Il était temps de rentrer.

De minuscules cris, presque des rires cruels, sifflèrent dans son dos sur le bureau. La jeune femme bondit, le cœur serré par la peur.

Elle fixa le livre en peau humaine.

Puis son regard chercha si le bruit n'avait pas pu provenir d'ailleurs, une vidéo intempestive sur Internet... Mais son ordinateur était éteint.

Trop d'obscurité, d'ode au diable, et pas assez de lucidité.

Ludivine se faisait un mauvais délire.

Oui, c'est ça. Juste moi et mon imagination débordante.

Pourtant elle avait bien entendu des rires lointains, diaboliques, s'échappant des pages du *Necronomicon... Stop ! Ça ne sert à rien de continuer dans cette direction.*

Elle se frictionna les joues pour se donner de l'énergie. Filer, dormir, recharger les batteries, vider la tension, les idées bizarres...

Au moins j'en suis consciente, ça pourrait être pire : je pourrais prendre tout ça au sérieux !

Cependant, elle prit soin de ne pas toucher directement le livre avec ses doigts lorsqu'elle le fit glisser dans son sac en toile.

Il y avait peut-être encore un reliquat de superstition en elle.

Elle rangea l'ouvrage sur une étagère, coupa la lumière, et les ténèbres l'ensevelirent sans même un soupir.

10.

En semaine les Puces de Saint-Ouen ressemblaient à un gros chat endormi sous le soleil de printemps. Endormi, mais paupières mi-closes, tout de même prêt à bondir sur la première souris assez folle pour oser s'aventurer sous son nez.

Les rues et les allées étroites étaient clairsemées, parfois vides, la plupart des boutiques et des stands fermés par un volet en fer gris, sans aucun vendeur à l'étalage, ni hordes de badauds, de chineurs et de touristes.

Ludivine et Segnon s'étaient engouffrés dans un passage couvert et déambulaient dans le dédale des marchés, ne croisant que quelques antiquaires venus bricoler dans leur échoppe, les rares à ne jamais fermer. Ludivine s'arrêta chez l'un d'entre eux pour demander où trouver Jabar. Elle ne reçut de réponse qu'au troisième, qui lui indiqua un parcours digne d'un sketch pour localiser le vendeur d'objets ésotériques. Segnon, en retrait, les mains dans les poches de son sweat Brooklyn Industries, ressemblait à un cerbère menaçant, aux aguets. Depuis qu'il s'était laissé pousser la moustache il ressemblait de plus en plus à l'acteur britannique Idris Elba, et de moins en moins à l'image qu'on pouvait se faire d'un gendarme.

Ludivine agita en signe de victoire le bout de papier sur lequel elle avait noté les indications et sortit. Ils avaient laissé Guilhem à la SR pour qu'il rassemble les procès-verbaux de l'enquête de voisinage dans la cité de La Courneuve. Comme il le répétait souvent lui-même, il était davantage un cérébral, un homme de détails qu'un investigateur de terrain, et ses deux collègues ne se privaient pas de lui laisser toute la paperasse.

— Tu as une petite mine ce matin, fit remarquer Segnon pendant qu'ils remontaient l'allée encombrée de cartons éventrés. Tu dors bien en ce moment ?

— Tu te soucies de ma santé ? C'est mignon…

— Tu sais, tu peux venir dîner à la maison plus souvent, Laëtitia en serait ravie. Elle n'arrête pas de demander de tes nouvelles.

Segnon et sa femme s'étaient montrés très prévenants après l'aventure au Québec, et Ludivine avait été bien entourée les premières semaines, avant de passer une partie de ses week-ends et de ses vacances dans les Alpes, pour nourrir son obsession et décortiquer l'âme des psychopathes les plus torturés, afin d'apprendre auprès du meilleur ce qui n'était dans aucun livre.

— J'ai fait des cauchemars, c'est tout.

— À cause d'hier ?

— À cause de tout. T'inquiète, c'est rien.

— Bah non, justement, ça m'inquiète. Je vois bien les matins où tu te pointes avec des cernes jusqu'aux seins. L'été dernier j'ai pensé que tu allais vraiment mieux, que tout ça c'était fini, mais depuis l'hiver, je trouve que tu rechutes.

Ludivine plissa les lèvres. Elle ne savait que répondre. Elle ne voulait pas lui mentir, pas à lui, si fidèle, si sincère.

— J'ai des hauts et des bas, admit-elle.

— On a tous été marqués par ce qui s'est passé, l'oublie pas. Moi, je suis en vie seulement parce que je me suis planqué dans un placard toute la nuit ! Tu trouves ça glorieux ? Mais je suis passé à autre chose.

— Tu y repenses parfois, je le vois, je saisis ce regard triste qui te tombe dessus par moments.

— C'est normal, ça fait partie de moi à présent, mais je suis passé à l'étape d'après. Je me suis reconstruit. J'avance.

– Tu as une famille, tu n'as pas le choix.

– Ça m'aide, c'est vrai. Tu devrais te poser, Lulu, te fixer avec un bon petit mec et faire des gosses. Ça te ferait du bien, tu sais.

Ludivine lâcha un petit rire sec.

– Faut le trouver, le bon petit mec !

Segnon embrassa le monde entier d'un geste ample :

– Me dis pas qu'avec ta jolie gueule et ton cul d'enfer tu ne trouves pas ! Le monde est plein de mecs !

– Justement, Segnon, il y a trop de choix. La mondialisation, ça nous a ouverts à tous. Du coup, trop de choix tue le choix.

– Oh arrête, c'est des conneries, ça ! Les rencontres via les amis, sur Internet, dans les activités, si tu voulais vraiment, tu aurais une histoire !

– J'ai plein d'histoires, c'est ça le problème. De quoi faire des tas de nouvelles, mais jamais tout un roman.

Segnon la prit par les épaules et la serra affectueusement contre lui. En comparaison du colosse, elle semblait toute frêle et fragile. Ludivine grimaça lorsque la main de son ami se posa sur son bras meurtri.

– Allez, Lulu, tu vas te l'écrire, ta belle histoire d'amour, t'en fais pas, et je suis sûr que ce sera même une saga interminable. Faut juste que tu te mettes dans le bon état d'esprit. C'est sous ta tignasse que ça se joue avant tout.

Ludivine décrocha un sourire pour faire plaisir à son ami, mais elle n'avait pas le cœur à se réjouir. Était-elle faite pour une vie normale, comme tout le monde ? Pour se trouver un mari, avoir des enfants...

– Je t'ai parlé de mon cousin..., insista Segnon en essayant de recaser pour la énième fois le jeune homme.

– Oh, s'il te plaît ! Pas encore lui !

– Quoi, c'est parce qu'il est noir, c'est ça ? Tu sais, faut être moderne maintenant ! Les jolies blondes, ça se marie très bien avec les beaux Blacks, regarde Laëtitia et moi !

Ludivine secoua la tête de dépit.

Ils avaient quitté les allées principales pour s'enfoncer dans des passages plus étroits, des coursives couvertes de plaques ondulées vaguement translucides qui laissaient à peine filtrer la lumière du jour. Quelques marchands étaient ouverts, grignotant de leurs articles sur l'extérieur de leur magasin, réduisant encore plus l'accès. Ici on trouvait surtout des vieux meubles, un horloger spécialisé dans les mécanismes antiques, de l'argenterie, un tapissier, des tableaux craquelés, quelques friperies et des cartes postales, photos et plaques décoratives par centaines. Les chaises et les tables s'empilaient devant les vitrines, les tapis roulés formaient des colonnes comme pour soutenir les murs, et une odeur de vieux se dégageait de cet ensemble.

Après plusieurs virages et quelques hésitations, les deux gendarmes s'arrêtèrent devant une boutique un peu en retrait, coincée entre un antiquaire et un vendeur de poupées anciennes. Deux racks en bois masquaient la devanture, des étagères couvertes d'objets patinés, usés, dont beaucoup de vieilles bagues, des loupes, des presse-papiers étranges en forme de mains griffues, de tête de bouc, ou de triangles sertis d'un œil. Des livres jaunis garnissaient une large partie de ces étalages, ainsi que quelques crânes humains si réalistes qu'ils ne ressemblaient pas à des reproductions. L'antre de Jabar n'était pas fermé. La chance leur souriait enfin.

Ludivine entra par la petite ouverture et fut aussitôt assaillie par les forts effluves d'encens qui brûlaient un peu partout. Des dizaines de grosses bougies illuminaient également la minuscule échoppe. Des masques africains tapissaient un mur, au-dessus de centaines de pots pleins d'ingrédients divers. En face, plusieurs boules de cristal se partageaient une table avec des mèches de cheveux, et même quelques dents sales. Tables de ouija, vieux tarots et grimoires complétaient l'offre devant un portant encombré de tenues, essentiellement des capes avec capuche noire ou blanche. Tout au fond, presque invisible, la pièce se terminait par un comptoir encadré d'animaux empaillés, tous tournés vers l'entrée.

LA PATIENCE DU DIABLE 103

Un homme se leva du tabouret où il lisait son journal pour venir accueillir ses visiteurs. Un métis aux dreadlocks incroyablement longues, au regard tombant, des pattes-d'oie profondes aux commissures des yeux, et à la peau abîmée d'un côté par une vieille brûlure.

– Bienvenue chez Jabar, vous cherchez quelque chose en particulier ?

Ses incisives supérieures étaient en or.

– De quoi se faire un journal, avec du beau papier, et un filigrane représentant un pentagramme...

Ludivine, attentive, capta immédiatement le changement dans le regard. Il devint plus aiguisé, c'était le genre de détail qui ne lui échappait pas.

– On dirait que vous savez de quoi je parle, releva-t-elle.

– Pourquoi ? Qui êtes-vous ?

Segnon brandit sa carte de la gendarmerie.

– Section de recherches de Paris, déclina-t-il. Nous sommes là pour une enquête sur un meurtre.

– Donc on ne va pas se raconter n'importe quoi, enchaîna Ludivine, soit vous coopérez tout de suite, soit vous fermez boutique, on vous embarque, et c'est le début du cauchemar.

– Mais pour quelle raison ? Je n'ai rien fait !

– On ne demande qu'à vous croire. Sauf qu'on a retrouvé une de vos créations sur une scène de crime.

Jabar secoua la tête, paniqué.

– Je savais que ça allait m'attirer des emmerdes, ce bouquin. Écoutez, moi je ne veux pas d'ennuis, pas de mauvaise publicité, tout ce que je fais c'est légal, d'accord ?

– Et le livre en question ?

Jabar pencha la tête de droite à gauche et se dandina, mal à l'aise.

– C'était une commande.

– Un bon client ?

– Un type qui vient de temps en temps. Un matin, il s'est pointé et m'a demandé de lui faire un beau journal comme ceux qui sont dans la vitrine derrière vous, mais lui, il voulait un pentagramme, et surtout que je lui fasse la reliure avec le « cuir » qu'il me donnerait. Mais j'ai tout de suite vu que c'était de la peau ! Je suis pas idiot !

– Vous ne vous êtes pas dit qu'il aurait été préférable d'appeler les flics ? commenta Segnon pour lui mettre la pression.

Segnon, comme Ludivine, avait remarqué que les gens honnêtes, lorsqu'ils sont tendus, ont tendance à vite se débarrasser de tout ce qu'ils savent lorsqu'ils en ont l'occasion, pour se faire pardonner et en songeant que ça les dédouanera de toutes responsabilités.

– Il m'a assuré que c'était prélevé sur des volontaires, il leur avait acheté.

– Et c'était bien payé je suppose...

– Pas tant que ça...

Ludivine n'en croyait pas un mot. Jabar avait travaillé sans regarder de plus près la provenance du « cuir » en échange d'une belle commission. Au moins, maintenant, ils savaient ce que le Chelou avait fait de l'argent gagné en faisant le lien entre la bande de Joseph et le dépeceur de Lille.

– Comment s'appelle-t-il ? demanda-t-elle.

– Il se fait appeler HPL, c'est tout ce que je sais, je vous jure ! Il m'a payé en liquide.

– HPL, répéta Ludivine en faisant la moue. Howard Phillips Lovecraft, l'écrivain qui aurait soi-disant inventé la légende du *Necronomicon*. Il ne manque pas d'humour. À quoi il ressemble ?

– Assez petit, cheveux noirs et longs, des piercings partout, des tatouages dans le cou et sur les mains, bref il passe pas inaperçu.

– Ça correspond à ce que Joseph nous a rapporté, approuva Ludivine face à Segnon.

Elle fixa le vendeur. Il regardait les deux gendarmes avec attention, craintif. Elle décida de continuer à bluffer :

– Vous le connaissez mieux que ça. Allez, Jabar, on se met à table, sinon je vous fais fermer boutique et je détruis votre réputation. Je vous jure que plus personne ici ne vous laissera nuire à l'image des Puces, ils vous jetteront dehors.

— Mais j'ai rien fait ! Je vous jure !

— C'est votre bouquin qui a été retrouvé à côté d'un cadavre. Un homicide, insista Segnon qui jouait le même jeu que sa partenaire. Compte tenu de votre petite activité ici, et de la scène de crime, croyez-moi, on n'aura aucune peine à trouver des liens entre vous et ce meurtre satanique.

Jabar secouait la tête, réellement effrayé.

— Non...

— Si nous pouvions retrouver ce HPL, intervint Ludivine, ce serait le meilleur moyen de vous débarrasser de nous. Un meurtre pareil, il n'y a pas mille suspects possibles, soit c'est vous, soit c'est lui.

— Vous allez trop loin, rétorqua Jabar assez peu sûr de lui, vous m'accusez sans preuve.

— Nous, on se doute que tu n'y es probablement pour rien, mais si le procureur n'a pas mieux, il risque de vouloir te coller aux assises, et là tu devras convaincre tous les jurés que tu n'as rien à voir avec un meurtre rituel qui porte pourtant la marque de ta présence avec ce livre.

— Mais je l'ai seulement fabriqué ! Je ne sais rien d'un crime, moi !

— Dis-nous où trouver HPL et on te fout la paix.

— Je l'ignore !

— OK, tant pis pour toi, tu l'auras cherché.

Ludivine mit la main à sa ceinture dans son dos et sortit une paire de menottes.

— Non ! Non ! Vous ne pouvez pas m'embarquer comme ça ! C'est pas possible !

— On va se gêner.

— T'as eu ta chance, insista Segnon. Allez, tourne-toi.

Jabar leva les mains devant lui en signe d'imploration :

— Non, non ! Attendez ! Attendez ! Je peux peut-être vous dire où le trouver !

Ludivine rejeta la tête en arrière et prit une profonde inspiration. Enfin, ils y étaient.

– Vas-y, crache le morceau, ordonna Segnon. Et te fous pas de nous ou je te promets que tu vas au trou.

Jabar serra les mâchoires nerveusement et lorgna au travers de tous ses artefacts pour s'assurer qu'il n'y avait personne dans le passage pour les entendre.

– Jabar ! insista Segnon.

– Ce HPL, il... il fréquente des bandes. Il refourgue sa marchandise comme ça.

– La peau humaine ? fit Ludivine qui craignait d'en revenir au point de départ avec Joseph et ses caïds.

Jabar acquiesça.

– Mais je vous jure que je ne savais pas qu'il était lié à un meurtre, pour moi, cette peau, elle vient de volontaires !

– T'as surtout pas voulu en savoir plus, corrigea Segnon. Vas-y, continue.

– Il approvisionne des types dans une cité d'Argenteuil, il se fait du fric comme ça.

Ainsi HPL dit le Chelou ne se contentait pas de faire le lien entre le dépeceur de Lille et la bande de Joseph dans le 93, il écoulait lui-même la précieuse denrée. Il avait dû voir passer le fric de Joseph et, appâté par le gain possible, il avait réclamé directement un peu de marchandise à son fournisseur.

– Où à Argenteuil, et qui ?

– Je l'ignore, c'est vrai, sur ma vie ! C'est lui qui m'en a parlé. Un jour il est resté un long moment avec moi pendant que je travaillais sur sa... reliure. Et alors il a commencé à causer, encore et encore, c'était complètement tordu ce qu'il racontait, à propos du diable qui existe, qui circule dans nos rues sans qu'on s'en rende compte, mais à un moment, il m'a dit qu'il allait gagner beaucoup de fric avec cette peau. Il avait un plan avec ces gars d'Argenteuil, il les voyait dans un entrepôt pour les combats de chiens, et il disait qu'ils allaient devenir ses amis et qu'ensemble ils monteraient un business d'enfer, en attendant l'avènement de Satan. C'est tout ce que je sais ! Vraiment !

Segnon, qui était presque collé à Jabar pour l'intimider, recula. D'un coup d'œil vers Ludivine il conclut qu'ils en avaient assez.

– Il va peut-être revenir te voir, prévint la gendarme. Si c'est le cas, tu gagnes du temps et tu nous préviens immédiatement.

Ludivine rangea ses menottes et à la place enfouit sa carte de visite de la SR dans la paume du métis.

– Chaque détail a son importance, Jabar, dit-elle. S'il te revient quoi que ce soit qui pourrait t'innocenter et nous aider à mettre la main sur HPL, appelle-moi, quelle que soit l'heure. Entendu ?

Il hocha la tête vigoureusement.

Et avant que les deux gendarmes aient pu sortir de la petite échoppe emplie d'encens, Jabar lui tendait en retour un collier constitué de copeaux de bois sculptés, de dents et de perles de verre contenant d'étranges fragments.

– Tenez, prenez ça, dit-il à Ludivine. C'est moi qui vous l'offre.

– Merci, Jabar, mais ça va aller.

– Non, j'insiste. Vous en aurez besoin.

– C'est pour nous souhaiter bonne chance ? ironisa Segnon.

Jabar n'affichait aucune joie. Au contraire, il semblait très concerné.

– C'est pour protéger la fille. Vous avez une mauvaise aura, miss. Je suis désolé de vous le dire, mais le mauvais œil plane sur vous.

Et il referma la main docile de Ludivine sur le collier.

11.

Le soleil de mai contrastait avec le froid qu'éprouvait Ludivine. Ses mains étaient glacées.

Elle n'avait pas aimé l'épisode du collier et de Jabar, pas après avoir traîné dans l'antre d'un sataniste et avoir lu son journal. Elle n'était pas femme à se laisser embarquer dans ce genre de superstition mais ce n'était jamais rassurant de se faire traiter de cible du mauvais œil.

Ils étaient rentrés à la section de recherches, dans l'ancien fort un peu vieillot, y avaient retrouvé Guilhem, accablé de n'avoir dégagé aucune piste. Il remplissait de son côté leur logiciel d'assistance, Analyst Notebook, en y entrant tous les noms qui apparaissaient dans l'enquête de voisinage effectuée par les collègues à La Courneuve. Personne n'avait rien vu, ni entendu, ni ne savait quoi que ce soit. Classique, encore plus dans les cités.

L'autre groupe de la SR qui travaillait sur ce meurtre était retourné sur place pour interroger les proches de la victime, identifiée par Joseph.

Ludivine et Segnon exposèrent le maigre résultat de leur visite chez Jabar à Guilhem. La jeune femme était peu confiante sur ce que cela pouvait donner. Identifier le gang d'Argenteuil avec lequel fricotait HPL le Chelou risquait de prendre un long moment. Mais Guilhem les stupéfia. En quelques coups de téléphone auprès de ses nombreuses connaissances et en moins d'une heure, il agita les bras comme s'il venait de gagner un match de foot :

— Un pote à la DRPJ de Versailles m'a donné un tuyau. L'OCLCO[1] surveille une bande du côté d'Argenteuil, trafic en tout genre, a priori du lourd. Pendant la surveillance, ils ont découvert un autre gang qui fricote dans les petits trafics, mais apparemment pas dans la came, et qui organise des combats de chiens. C'est bien de ça dont vous m'avez parlé tout à l'heure ? Parce que autant les stups dans le secteur on va pas en manquer, autant les combats de chiens il n'y a pas mille bandes capables d'en monter sérieusement.

Ludivine fit rouler sa chaise jusqu'au bureau de Guilhem.

— Tu as des noms ?

— Aucun, mais j'ai l'adresse identifiée pour les combats de chiens, c'est mieux que rien, non ?

— Quel risque qu'on sape le boulot de l'OCLCO en se pointant là-bas ?

— Mon pote de la DRPJ m'a dit que tant qu'on s'en tient au groupe des combats de clébards, il s'en fout. Mais on n'approche pas les autres.

— Ça me va, fit Ludivine en bondissant sur son téléphone.

— Tu fais quoi ?

— Je préviens le colon. Il faut qu'on monte une cellule, qu'on fasse revenir tout le monde.

— Attends au moins qu'ils finissent à La Courneuve, de toute manière on va pas décoller aujourd'hui.

— On peut être prêts ce soir. À l'heure qu'il est, HPL s'est certainement rendu compte que sa planque était tombée, et il va filer auprès de ceux qui pourront l'aider. Messieurs, annulez vos dîners, ce soir on sert du chien.

Segnon secoua la tête.

— Laëti va me flinguer...

— Ce soir ? répéta Guilhem.

_____

1. L'Office central de lutte contre le crime organisé.

Ludivine approuva :
– Et ce coup-ci tu viens, on va avoir besoin de toi.

« L'arène » consistait en un vaste hangar rouillé, isolé entre des terrains vagues et une forêt, quelque part entre Argenteuil et Cormeilles-en-Parisis dans la banlieue nord-ouest de Paris.

Le colonel avait écouté attentivement Ludivine et il n'avait pas protesté. Il avait donné son feu vert aussitôt, rassemblant une partie du personnel de la SR pour venir en soutien de son groupe. Il ne fallait pas intervenir, seulement assurer la surveillance du site, vérifier si HPL dit « le Chelou » ne s'y cachait pas. Jabar et Joseph en avaient fait une description physique suffisamment claire pour qu'il soit reconnaissable. S'il était repéré et s'il pouvait être appréhendé facilement, sans se frotter au gang qui le protégeait, alors la SR intervenait, sinon ce serait au GIGN de le faire. Le colonel avait été clair sur ce point : aucun risque et le moins de vagues possibles.

Douze gendarmes en civil entouraient le hangar à bonne distance, épiant les allers et venues avec des jumelles depuis les fourrés où ils se dissimulaient. Une oreillette reliée à un talkie-walkie leur permettait de coordonner chaque poste de surveillance. La nuit tombait lentement, un ciel de mai, qui prend son temps, lorsque le soleil étire sa traîne incandescente longuement derrière lui, exubérant, comme le roi qu'il s'apprête à redevenir pour les mois suivants. Et tandis que les ombres reprenaient enfin un peu de leur substance, les voitures arrivaient et se garaient au pied du hangar pour cracher leurs spectateurs et parieurs.

Ludivine, qui était allongée sous une haie de buis avec Segnon et Guilhem, constatait que les amateurs de combats de chiens provenaient de tous les horizons : pères de famille en apparence bien sous tous rapports, des déçus du PMU, les avides de sensations fortes, et même trois hommes en costume, sortant à peine de leur bureau pour venir parier quelques billets sur l'affrontement de molosses comme ils se seraient rendus au club de striptease. Des femmes entrèrent également, assez peu, ainsi que des adolescents. Au final, lorsque le hangar se mit à résonner des aboiements belliqueux de ses stars éphémères, une quinzaine de voitures et une dizaine de motos, scooters et vélos occupaient le parking de terre battue.

Segnon attrapa son talkie et demanda :

– Franck, rien derrière ?

– Négatif, c'est calme, de temps en temps un mec qui fume sa clope en passant des coups de fil et c'est tout.

– Pas de guetteur, fit Ludivine, ces mecs sont donc tellement sûrs d'eux qu'ils ne craignent rien.

Guilhem, accroupi en retrait, rangea son iPhone sur lequel il venait de passer dix minutes à étudier la géographie des lieux via Google Maps, et se rapprocha :

– Il n'y a pas d'autre bâtiment à proximité. Si le Chelou est dans le coin, il est forcément dans ce hangar.

– Où chez un des mecs de la bande qui le protège, fit Segnon.

Ludivine embraya :

– Et ça on ne le saura qu'en les identifiant et en les filochant un par un. Pas jouable.

– T'as mieux à proposer ? C'était ton idée, de venir ici !

– Je pensais pas qu'il y aurait tant de monde. Faut descendre.

Segnon fixa Ludivine d'un air noir :

– Pas sûr que Jihan apprécie le changement de plan.

– Le colonel apprécie les résultats, Segnon. File le talkie.

Ludivine prit le boîtier et informa ses autres collègues en position : « Segnon, Guilhem et moi descendons, on va jeter un œil dans le hangar, on reste en contact. »

Personne ne protesta et les trois enquêteurs identifiables au brassard rouge fluo GENDARMERIE enroulé à leur bras dévalèrent le talus pour contourner l'entrée principale. Ils longèrent les murs de tôle jusqu'à la porte arrière surveillée par Franck et, après un rapide coup d'œil, ils entrèrent l'un derrière l'autre, main sur la crosse de leur arme de service, prêts à dégainer.

L'odeur assaillit aussitôt les trois intrus. Un remugle fort, mélange de chiens en captivité, d'excréments et... de sang, comme s'ils avaient gardé en bouche une pièce de monnaie qui aurait laissé une empreinte métallique sur la langue. Les aboiements féroces résonnaient, assourdissants, et l'excitation des spectateurs montait, leurs cris hystériques, leurs encouragements et leurs rires se mêlant au vacarme. Une vieille camionnette, un pick-up et une BMW rutilante étaient garés à l'intérieur. Ludivine inspecta rapidement la première pendant que ses collègues s'occupaient des autres. Signes de tête, véhicules vides. Plus loin, ils dépassèrent un enclos rempli de poules. Elles étaient toutes rassemblées dans un même coin, se marchant dessus, terrorisées par les hurlements.

– Vous croyez qu'ils s'en servent pour nourrir les chiens ? fit Guilhem, dégoûté.

– Certainement pas pour alimenter un trafic d'œufs..., lâcha Segnon en scrutant devant eux.

Ils passaient devant des cages et une forme surgit de l'ombre pour s'écraser contre les barreaux, à quelques centimètres de la jambe de Segnon qui recula précipitamment. Un rottweiler aux babines écumeuses aboya copieusement et les trois gendarmes regardèrent les barres qui maintenaient la cage fermée pour s'assurer qu'elles étaient bien solides, puis se hâtèrent de s'éloigner. D'autres cages et d'autres molosses suivirent. La clameur des combats se rapprocha. Au centre du hangar, une arène délimitée par un grillage à hauteur d'homme accueillait deux pitbulls retenus avec difficulté par leurs maîtres. Une quarantaine de personnes s'amassaient autour, s'agrippant au maillage d'acier comme pour être sûrs de ne pouvoir être délogés, excités par l'odeur du sang, par l'idée du combat. Les bookmakers venaient de terminer leur tour et notaient scrupuleusement les paris sur des calepins tout en enfournant des liasses dans les poches de leurs baggys.

Accroupie derrière un baril rempli d'eau, Ludivine avisa un homme à l'écart, très massif, portant un T-shirt avec « Ineffrayable » écrit en grosses lettres, et tenant en laisse un autre pitbull. D'une pichenette dans l'épaule, elle invita Segnon à l'étudier et continua d'inspecter le petit manège des uns et des autres. Au final, elle estimait la bande à huit membres. Le type de l'entrée avec son chien, les deux maîtres dans l'arène, quatre books et un autre individu qui fixait son attention sur les spectateurs, pas sur les combats, mais qui déambulait avec un fusil à pompe sur l'épaule ! Pas de trace de HPL, personne correspondant à sa description.

Les fauves furent lâchés et leurs aboiements se muèrent en râles terribles, en cris de guerre. Leurs mâchoires claquèrent sous les vociférations barbares du public chauffé à blanc. De là où elle se tenait, Ludivine ne pouvait distinguer l'affrontement et elle ne le regrettait pas, mais elle entendait clairement les heurts des crocs s'entrechoquant et les gémissements lorsqu'ils perçaient la chair.

— Qu'est-ce que tu fous ? fit Guilhem en la regardant, paniqué.

Ludivine réalisa qu'elle avait sorti son arme. Elle était prête à y aller. Segnon lui fit « non » de la tête.

— Il y a l'autre partie de l'entrepôt, à gauche en arrivant, qu'on n'a pas explorée, chuchota-t-il. Allons voir là-bas.

Ludivine scruta à nouveau la scène des combats. La petite foule galvanisée par la brutalité, par la souffrance, la dégoûtait. Individuellement elle ignorait ce qu'ils valaient, mais collectivement ils réagissaient comme un animal aveuglé par le sang. Tous ensemble, euphorisés par l'effet de masse, comme dans un concert, emportés par l'hystérie, ils perdaient le contrôle, la meute oubliait les notions de bien et de mal, le pire de l'instinct sauvage reprenait le dessus sur le civilisé.

— Lulu ! insista Segnon. On bouge !

Il la tira en arrière. Ils retournèrent sur leurs pas pour s'approcher d'une série de pièces assemblées avec des cloisons de bois brut, six portes en tout, dressées telles les loges de ce théâtre morbide.

– Je commence à douter qu'il puisse être là, avoua Ludivine. Si ça se trouve il n'est pas revenu ici, il s'est juste barré dans un autre squat.

– Si c'est ça autant lui dire adieu, gémit Guilhem.

Segnon posa la main sur la première poignée et l'actionna. Fermée à clé. Il essaya la suivante, qui donna sur des toilettes chimiques, puis la troisième et ainsi de suite jusqu'à n'avoir découvert que des réserves et des pièces vides. Ils revinrent à la première porte que Segnon força à l'aide d'une pelle ramassée un peu plus loin.

C'était un local de préparation. Le « vestiaire » des chiens. Anneaux d'acier dans le mur, chaînes, muselières, bandes pour strapper les bêtes et cocktails de « vitamines » avec seringues pour en faire des monstres de guerre. Il y avait du méthan-drosténolone, un stéroïde anabolisant, plusieurs flacons avec une étiquette « Hormones », des gélules d'amphétamines et même ce que Ludivine pensa être de la cocaïne.

– Pauvres bêtes, fit Guilhem. De toute manière, à terme elles sont condamnées avec des injections pareilles. Et vous remarque-rez qu'il n'y a pas de pharmacie, rien pour les soigner.

– Pour quoi faire ? demanda Segnon. Ceux qui survivent à leurs blessures, s'ils ont bien souffert, n'en sont que plus har-gneux et combatifs. Ne te méprends pas sur ces gens, Guilhem, aucun n'aime son chien, quoiqu'ils disent, pour eux ce n'est qu'un tas de viande qui rapporte du pognon.

Ils allaient sortir lorsque le colosse plaqua ses camarades contre la cloison avant de reculer à son tour et de repousser douce-ment la porte pour les cacher. Deux hommes approchaient. Ils progressaient étrangement et Ludivine comprit, en distinguant par l'interstice du battant, qu'ils transportaient un chien.

– Putain, il est lourd, ce con.

La bête couinait doucement. Sa gueule n'était plus qu'un amas de chairs retournées et de peau pendante, d'autres plaies béantes suintaient sur le cou et les flancs, et une de ses pattes était presque arrachée. Cette fois encore le cœur de la jeune femme se compressa et elle lutta pour ne pas intervenir.

Les deux hommes portèrent l'animal jusque dans un coin, face au « vestiaire », et renversèrent leur paquet au pied d'un gros poêle. En remarquant la hache et le long sécateur à deux mains, elle comprit ce qui allait suivre.

– Va chercher le taré, ordonna un des hommes. Qu'il serve à quelque chose.

– J'aime pas ce mec, il va nous attirer des emmerdes.

– Tu préfères t'occuper du taf ?

– Tu sais que lui il kiffe découper les clebs ? C'est un putain de *freak* ! Un dingo !

– Va le chercher et ferme ta gueule, ou découpe et crame le ienchtoi-même.

– C'est bon, pas la peine de monter dans les tours. J'y vais.

Les trois gendarmes suivirent du regard le garçon en short et débardeur jusqu'au milieu de l'espace où étaient stationnées les voitures et le virent se baisser pour tirer sur un anneau et libérer une trappe.

– Merde, murmura Ludivine, celle-là on aurait dû la remarquer.

L'homme se pencha vers le sous-sol et appela :

– Hey, on a du taf pour toi ! Monte !

Ludivine s'approcha un peu plus de l'interstice, pour mieux distinguer le visage de celui qui grimpait les marches de la pièce en contrebas. Lorsqu'il apparut, elle retint sa respiration.

12.

Ses cheveux d'encre lui tombant sur les épaules, le teint blafard, les lèvres scintillantes de piercings, tout comme son nez et ses arcades, les motifs indiscernables d'aussi loin tatoués sur ses poignets, ses mains, il ne faisait aucun doute qu'il s'agissait de HPL le Chelou. Il était assez petit, vêtu d'un treillis noir, rangers et chemise maculée tout aussi sombre. Il était difficile de lui donner un âge, il paraissait à peine la trentaine sous un certain éclairage mais aussi bien le double à d'autres moments. La drogue, la rue et tous les excès en général brouillaient les signes du temps sur lui, les entremêlaient.

Pour ce qu'en apercevait Ludivine, il avait un regard étrange, probablement à cause de ses sourcils épais et de ses yeux plantés profondément dans leurs cavités, mais il y avait autre chose. Il ne clignait pas des paupières. Jamais. Pendant les trois minutes où il resta à écouter les deux caïds lui dire quoi faire du chien – le découper membre par membre, puis brûler tout cela en s'assurant qu'il n'en restait rien –, il ne cilla pas.

– Je sais tout ça, je l'ai déjà fait ce matin, rappela-t-il sur un ton agacé.

Sa voix sifflait, assez aiguë.

– Ouais, bah comme ça on sera sûrs que tu le feras bien dans cet ordre. Cette fois achève le clébard ! fit le garçon en short Tu l'as découpé vivant, le dernier ! Sadique !

Rictus amusé et prunelles intenses fixèrent l'interlocuteur de HPL.

– C'est moi, le sadique ?

– Ouais, t'es un putain de pervers, ça se voit !

– Descends avec moi dans la cave et je vais te montrer ce que c'est que la perversion.

L'autre caïd intervint avant que le ton ne monte :

– Hey, calme ! Oublie pas qu'on a la bonté de te planquer ! Si tu veux que ça continue, tu ferais bien de nous rapporter encore de la peau ! Les gus là-bas, autour du pit, ils sont oufs des petits objets en peau ! On a de la demande, va falloir assurer l'approvisionnement !

– Oh ça viendra, pas de stress, ça viendra.

– BT, tu restes avec lui pendant qu'il découpe, tu t'assures que le job est bien fait, je veux plus une trace.

– Quoi ? Et pourq…

L'homme leva le poing devant lui et fit taire toute protestation avant de hocher la tête.

– J'attends de toi obéissance et soumission, comme ces putains de clébards.

Puis il repartit vers l'arène, laissant les deux hommes seuls avec le chien agonisant.

Les trois gendarmes attendirent encore une minute pour s'assurer que personne d'autre n'approchait et ils sortirent doucement de leur cachette, armes braquées vers les deux individus qui partageaient une cigarette en observant le chien se vider de son sang. Puis BT prit des bûchettes qu'il enfourna dans le poêle tandis que HPL s'emparait de la hache.

– Achève-le avant de lui couper les pattes ! lui commanda BT.

– C'est moi qui tiens la hache, alors va te faire foutre.

Ludivine mit le sataniste en joue et accéléra le pas.

– Pose ça tout de suite ! lança-t-elle d'une voix posée pour éviter d'alerter le reste du hangar.

BT se retourna, stupéfait.

– Merde, vous êtes qui ? fit-il avant de remarquer les brassards fluo.

HPL fronça les sourcils comme s'il ne comprenait pas.

– Sinon quoi ? dit-il. Tu vas essayer de me flinguer ? Moi ?

Il dévoila ses dents jaunes dans un sourire cruel.

– Gendarmerie ! Lâche cette hache ! insista Ludivine, mâchoire crispée.

Guilhem se rapprocha de BT en lui intimant de se mettre à genoux, mains sur la tête. Segnon les contournait tous, discrètement.

– Vous ne pouvez rien contre moi, dit HPL. Je suis protégé. J'ai des relations.

– Bien sûr, tu les feras jouer quand tu seras en cellule. Maintenant pose cette arme, joue pas au con.

HPL leva la lame de sa hache devant ses yeux et l'examina avec un air fasciné.

– Je connais quelqu'un qui pourrait te faire crier très fort avec cette hache, tu sais ?

– Justement, j'ai très envie de le connaître.

– Je peux te le présenter, mais il faut que tu me donnes ton pistolet et que tu viennes toute seule. Sinon il refusera.

Il était plus atteint que ce à quoi Ludivine s'était attendue. Un psychotique ? *Probablement. Gaffe, ce sont les plus imprévisibles.*

– Je pense que le maître aimerait que je te saigne, fit HPL après une courte réflexion.

Ludivine ne voulait surtout pas avoir à lui coller une balle pour l'arrêter, il fallait qu'il parle. Mais HPL serra sa hache entre ses mains et s'élança d'un pas déterminé vers Ludivine.

– Si telle est sa volonté, il me protégera.

Segnon bondit sur lui, dans son dos, et le ceintura avec une telle force qu'il le décolla du sol. Ludivine se jeta sur le sataniste pour lui arracher son arme. Il grognait et les injuriait en se débattant, mais la force de Segnon fut suffisante pour l'immobiliser et ils lui passèrent les menottes. Ceci fait, Ludivine fila au pas de course en direction de la trappe pour aller jeter un coup d'œil à la planque de HPL. Ce n'était qu'un minuscule réduit avec un lit de camp et une lampe à huile. Elle remontait lorsque Guilhem demanda :

— Et lui, j'en fais quoi ? On l'embarque pas ?

— Non, répondit Segnon. On est venus pour celui-là, c'est tout. Les autres c'est pas notre affaire.

— Mais..., commença Ludivine.

— Lulu ! répliqua Segnon. Respecte les priorités ! C'est pas à la SR de s'occuper d'eux ! On a d'autres chats à fouetter.

— Alors on les laisse s'en tirer ?

— D'autres que nous s'en chargeront.

— Tu parles, ça prendra des mois ! On est sur place ! On a un flag !

Cette fois Segnon se pencha pour chuchoter à l'oreille de Ludivine :

— T'es pas Superwoman, tu feras pas régner l'ordre et la justice à toi toute seule. Depuis le temps, tu devrais le savoir. Notre job, c'est ce gus-là et pas les autres. Tu te vois passer les trois prochains jours à les interroger et à rédiger leurs procès-verbaux ? Pendant ce temps, qui va se charger de l'homicide de La Courneuve ? Et du dépeceur ?

HPL profita de cet aparté pour se débattre mais Segnon n'eut aucune peine à l'immobiliser avant de sortir son talkie.

« Suspect appréhendé, on a besoin d'une voiture tout de suite à la porte de derrière. On s'arrache. »

Guilhem semblait embarrassé.

— Bon alors, j'en fais quoi ? Il va appeler ses potes dès qu'on aura le dos tourné si je l'embarque pas.

Ludivine désigna les cages.

— Enferme-le là, avec un bâillon.

— C'est pas très réglo, ça.

— Tu crois vraiment qu'il va aller se plaindre aux flics ensuite ?

Guilhem approuva et s'en chargea, mais quand il fut devant une des cages vides, Ludivine l'interpella :

— Pas celle-là. L'autre à côté.

– T'es pas bien ? T'as vu ce qu'il y a dedans ? Il va se faire bouffer !

Ludivine fixait Guilhem de ses saphirs intenses. S'il y avait encore de l'émotion quelque part dans ce regard, elle était loin, très loin sous le bleu étincelant qui commandait à Guilhem d'agir.

– Sérieux ? insista ce dernier.

La poigne de Segnon se referma sur le bras de Ludivine, un étau puissant.

– Arrête, dit-il doucement. Tu vas trop loin.

Le bruit d'un moteur de voiture longea l'entrepôt par-derrière et stoppa près de la porte.

– C'est notre taxi, fit Segnon. Allez, on y va. Guilhem, fous-le dans la cage vide.

La rage bouillonnait en Ludivine. La litanie de la raison, de la modération, contre la discorde des sentiments. Un puissant hurlement clamant un peu d'équité dans ce monde barbare. Mais faire payer ce pauvre crétin, c'était se soulager, se défouler sur le premier venu, elle le savait bien. Ce n'était pas pour ça qu'elle faisait ce métier, même si parfois il lui en coûtait de ne pas répliquer. Elle ravala son amertume et baissa les yeux en secouant la tête. Ses deux collègues avaient déjà atteint la porte et s'apprêtaient à grimper dans le break qui les attendait.

– Tant pis pour la discrétion, lâcha-t-elle avant de tirer une balle dans la tête du chien qui gémissait encore.

13.

L'oxygène et la lumière avaient fui la pièce.

HPL avait été installé dans une salle où une table séparait trois chaises, aux murs infestés par la moisissure et dont la fenêtre condamnée par des barreaux laissait à peine passer les lueurs des lampadaires au loin. Il y faisait lourd, l'air était dense, et tous ceux qui y étaient entrés en étaient ressortis en transpirant.

HPL se tenait droit sur sa chaise, les mains encore menottées compte tenu de son état mental ; les jambes écartées, il fixait un point imaginaire devant lui. De temps en temps, sa langue venait jouer avec l'un de ses piercings, de l'intérieur, et une petite boule s'agitait, se cognant aux autres. Il en était littéralement couvert. La fouille en avait dévoilé sur les oreilles, les tétons, le nombril, la peau des testicules et même transperçant le gland. Il était également recouvert de tatouages. Les plus anciens représentaient des têtes de mort, des sirènes enflammées, un pantin sanguinolent et d'autres motifs tout aussi effrayants, mais bon nombre avaient été ajoutés depuis. Des phrases en latin, des gueules de diablotin, des flammes, et surtout un 666 énorme sur la poitrine et un crucifix inversé lui prenant tout le dos. Ses mains aussi y étaient passées, jusqu'à ses doigts, avec une lettre gravée sur chacun pour former les mots : « S.A.T.A.N » et « R.È.G.N.E ».

Mais tout cela n'était rien à côté des scarifications.

Des zébrures blanches, parfois rouges et boursouflées, lui striaient le corps. HPL était passé dans une moissonneuse batteuse et avait survécu, c'est ce qu'on pouvait croire en le découvrant nu. Il en avait partout. Parfois fines et courtes, d'autres longues et épaisses. Des dizaines et des dizaines, comme une immense feuille si froissée qu'elle en devenait fragile, vestiges d'un pliage humain improbable. HPL était un origami de mutilations.

Au moment de vérifier ses empreintes, le sous-officier en charge de la procédure fit appeler Ludivine et Segnon : il était impossible d'y parvenir. Il s'était entaillé le bout des doigts tant et tant de fois qu'il n'en restait qu'un amas de sillons blancs semblables à des dépôts de corne. HPL se défonçait les empreintes digitales au cutter, à l'acide et probablement à tout ce qu'il pouvait trouver, aussi souvent que nécessaire pour qu'elles demeurent invisibles. Les gendarmes avaient déjà vu ce genre de tentative auprès de certains jeunes criminels inconscients et très motivés, trop inspirés par les films car en réalité cela ne fonctionnait pas. Les empreintes demeuraient lisibles ou revenaient trop vite, et cela nécessitait des mutilations si profondes et régulières qu'aucun n'avait le courage de les opérer et encore moins de les répéter. La détermination de HPL était obsessionnelle, clinique, au-delà de la souffrance.

Ils opérèrent un prélèvement de salive pour le soumettre en urgence à une analyse ADN et la comparer au FNAEG, le Fichier national des empreintes génétiques. S'il avait commis un crime ou un délit dans les dix dernières années, il ne pourrait plus mentir sur son identité. L'ADN ne pouvait être trafiqué. Pas encore.

Ludivine l'observait à travers la lucarne de la porte. Elle allait entrer lorsque Segnon lui saisit le poignet :

– Tu es sûre que ça va ?

– Oui.

– Tout à l'heure à l'entrepôt, tu avais l'air secouée.

– Je sais. Mais ça va mieux maintenant.

– Pas de connerie, hein ? On fait une audition propre.

– Je veux des résultats autant que toi, alors t'inquiète.

Segnon approuva et suivit sa partenaire pour s'asseoir en face du sataniste qui les toisa avec un sourire en coin.

– Je vais aller en prison ? demanda-t-il.

– Certainement, répondit Ludivine.

– Longtemps ?

– Ça dépend de toi. De ce que tu as fait.

HPL approuva en plissant le nez.

– Vous croyez qu'en taule j'aurai droit à un tisonnier ?

– Un tisonnier ? répéta Segnon, surpris. Sûrement pas. Pourquoi ?

– Pour me faire comme Charlie, fit le sataniste en faisant un signe de croix inversé sur son front. Charles Manson. Ça pourrait plaire au maître.

Décelant une porte d'entrée, Ludivine s'y engouffra :

– Le maître, c'est lui qui te fournit en peau humaine ?

– Les fringues pourpres ? Non, ça c'est mon pote.

– Comment il s'appelle, ce pote ?

HPL gloussa.

– Je peux pas vous le dire, ça déplairait à notre patron.

– Le maître ?

– Oui, bien sûr. C'est lui qui nous a présentés. On fait affaire ensemble.

– Tu l'aides à dépecer les gens ?

– Non, c'est pas mon truc. Et puis il n'aimerait pas que je sois là, je crois. Vous aimez qu'on vienne avec vous quand vous chiez, vous ?

– Je ne suis pas sûr que ça soit comparable, lâcha Segnon.

– Oh si ! C'est un besoin naturel. Il doit déshabiller les gens de leur manteau de peau, il me l'a dit. Pour arrêter les mensonges. Pour révéler la vérité. Nous montrer tels que nous sommes réellement. Sans nos masques, sans nos déguisements.

— Et toi, tu récupères la peau, enchaîna Ludivine qui ne voulait pas le laisser filer trop loin dans ses délires.

Elle connaissait assez les psychotiques pour savoir qu'il fallait essayer de contrôler leur concentration.

— Yep. Je mets des gens en contact. Vous n'imaginez pas le succès qu'on a avec notre marché ! Le maître avait raison : le monde est prêt ! Corrompu jusqu'à la moelle. Avide de tous les vices.

— Tu as branché Joseph et sa bande avec ton ami.

— Joseph ? Ah, le Joseph de la bande d'Adi et Selim, oui ! Des gros clients. Ils veulent des grandes quantités, eux. Et ils payent bien.

HPL parut fier et dévoila ses dents pourries dans un grand sourire.

Segnon insista pour que tout soit clair devant la caméra qui les filmait depuis le plafond :

— Et pendant ce temps, tu revends aussi de ton côté à ces gens qui font des combats de chiens, pas vrai ?

— Oui, je me fais un peu de cash en plus, mais c'est pour me permettre d'acheter ce dont j'ai besoin.

— Quoi donc ? De la came ?

— Non. Des produits. Pour les invocations.

— Les invocations ? répéta Segnon.

— Oui, les rituels pour faire venir les démons. Je leur ouvre des portes pour qu'ils investissent le monde. Et quand le maître régnera, il me remerciera pour ma dévotion.

HPL parlait avec douceur et simplement, comme s'il évoquait entre amis ses goûts musicaux. Soudain il sembla se souvenir d'un point capital et écarquilla les yeux en cognant de ses mains menottées sur la table. Segnon et Ludivine se raidirent, prêts à intervenir.

— Mon livre ! Vous l'avez trouvé, pas vrai ? Parce qu'il ne faut pas le laisser là-bas ! Non, ces petits scorpions finiront par mettre la main dessus et on ne sait pas ce que ça peut donner avec eux !

– Le *Necronomicon* ? demanda Ludivine.

– Oui ! Mon œuvre ! Vous savez, entre des mains non initiées, il pourrait se révéler une arme de destruction massive ! Ah, ces cons d'Amerloques, quand ils sont allés en Irak, c'est pas des armes de destruction massive qu'ils auraient dû chercher ! C'est des livres ! Vous saviez que la plupart des grands dirigeants qui ont régné sur le monde pendant longtemps, ceux qu'on appelle des tyrans, avaient tous comme point commun d'être fascinés par l'occultisme ? Vous saviez ? Moi je vous le dis : c'est pas leurs armes qu'on aurait dû démanteler à ces soi-disant dictateurs, c'était leurs bibliothèques privées ! Je parie qu'il y avait des ouvrages puissants ! C'est leur point commun à tous ! C'est la preuve que le maître récompense ses plus fidèles et dévoués par le pouvoir ! Ils ont tous été des grands dirigeants, ces mecs ! Hitler par exemple était obsédé par la magie ! Il avait même créé l'Ahnenerbe, un département spécial pour enquêter sur l'occultisme ! Sérieux ! Je suis sûr que s'il avait mis la main sur le *Necronomicon*, pas le mien bien sûr, l'original, alors il s'en serait servi pour conquérir le monde. Un type très sous-estimé ce Hitler, vraiment.

Segnon et Ludivine échangèrent un regard accablé.

HPL venait de grimper dans les tours, il était surexcité, plus rien du self-control précédent. Il bouillonnait.

– C'est quoi ton vrai nom ? questionna la jeune femme.

– HPL.

– Non, ça c'est pour te foutre de nous. Howard Phillips Lovecraft.

Aussi vite qu'il s'était emporté, le sataniste avait repris son calme. Il s'enfonça dans sa chaise et eut un petit rictus avant de fixer Ludivine avec une intensité dérangeante.

– Oh très bien, finit-il par dire, je suis en face d'une femme qui a de la culture, c'est bon, ça.

– Ton vrai nom, c'est comment ?

Il leva un index comme s'il venait d'entendre un son intéressant et pencha la tête sur le côté :

– Vous entendez ? C'est... c'est le son du silence.

– Arrête tes conneries. Ton nom.

Il secoua la tête lentement, catégorique.

– Je ne peux pas vous le dire.

– C'est dans ton intérêt. Comment veux-tu qu'on te prenne au sérieux si tu ne nous donnes pas ton vrai nom ?

– Je ne m'en souviens pas, dit-il sans même faire semblant d'être sincère.

– Il commence à me gonfler, intervint Segnon. Ton nom ! aboya-t-il soudain.

– Je n'en ai plus. C'est fini. Maintenant je suis celui que vous voudrez, ou HPL, le serviteur du livre.

Segnon soupira d'exaspération.

– L'homme dans le confessionnal, aborda Ludivine, pourquoi tu l'as tué ?

HPL tourna la tête vers Ludivine, réellement surpris.

– Un mort ? Chez moi ? C'est pour ça que vous avez mis tout ce bordel avec vos CRS ?

– C'était pour un sacrifice ?

– Non, enfin j'en sais rien. C'est pas moi. Je savais pas. Peut-être est-ce le maître ? Oui, une punition pour un intrus. Ou alors un message... Il est mort comment ?

– Qu'est-ce que ça peut te faire ?

– Pour savoir si c'est un message ! Si c'est un rituel.

Il paraissait sincère et même s'ils ne pouvaient se fier à son attitude et à ses déclarations, Ludivine eut le sentiment qu'il n'était pas l'assassin.

– Égorgé.

– Et c'est tout ? Pas de signe gravé sur son front ? Était-il nu ? Les doigts coupés ? Saigné à blanc ?

– Égorgé, et c'est déjà pas mal.

HPL fit claquer ses dents jaunes en grimaçant.

– Non, ça ne ressemble pas à un rituel, alors. Mais mon ami, le dépeceur, celui qui montre les gens tels qu'ils sont, lui il égorge, oui, lui il le fait souvent.

– Pourquoi aurait-il tué quelqu'un chez toi ? Tu l'avais invité ?

– Non, je lui ai dit où j'habite, mais il n'est jamais venu, il n'est pas du coin.

– Tu pourrais nous dire où le joindre ?

HPL se mit à rire.

– Non, bien sûr que non. Le maître serait furieux.

– Comment tu le joins quand tu as besoin de marchandise ?

– Un coup de téléphone.

– Tu as un portable ? On n'en a pas retrouvé dans tes affaires.

– Non, je suis plus futé que ça. Je sais que les grandes antennes nous surveillent avec les portables. J'utilise des téléphones un peu partout. Vous pourrez chercher, vous ne trouverez pas. Je suis malin. Oh ! dit-il en riant soudain à son propre jeu de mots involontaire, pas *le* malin, hein ! Juste *un* malin...

– À quel numéro tu l'appelles ?

HPL fit un sourire charmeur à Ludivine, à la manière d'un enfant cherchant à s'attirer les faveurs d'un adulte :

– Petite maligne, je ne vais pas te le dire. Je ne ferai rien qui puisse contrarier le maître.

– C'est qui, ce maître ? demanda Segnon.

Les yeux de HPL s'ouvrirent tout grand et il leva les mains lentement devant lui.

– Mais vous n'écoutez rien ou quoi ? dit-il avec emphase.

Et il tendit ses poings vers les deux gendarmes pour qu'ils lisent ses phalanges tatouées.

– Satan ? dit Ludivine.

– C'est l'un de ses nombreux noms, oui.

La sueur commençait à s'accumuler le long de leurs échines et Ludivine sentit les gouttes couler jusqu'au bas de son dos. Il faisait très chaud dans la pièce.

– Et c'est lui qui t'a présenté ton ami qui arrache la peau, alors ? insista Segnon. C'est donc quelqu'un de concret. Avec un visage, un état civil.

– Oh oui, il existe, vous savez. Le diable existe. Tout le monde croit que c'est une légende, pour faire peur aux gosses,

mais non, c'est justement sa force : avoir réussi à se faire oublier !
Pour mieux semer le chaos, pour mieux façonner la société selon
ses besoins. Nous y sommes presque. Il va pouvoir accéder au
trône. Bientôt...

— Rien que ça..., souffla Segnon.

— Parce que Dieu est le seul roi qui gouverne sans avoir
besoin de se montrer ! C'est un injuste. Satan, lui, sera présent
pour son règne. Il se montrera. Vous savez qu'au départ, il a
été chassé par Dieu parce qu'il n'était pas d'accord avec lui ?
Satan, c'est l'opposition. Mais ça, Dieu ne le tolère pas. Dieu
est un tyran, un dictateur. Faut-il vous rappeler qu'il a déjà
noyé le monde une fois par simple caprice ? Il a massacré toute
l'humanité sauf Noé, pour son seul plaisir. Dieu est impitoyable
et colérique, c'est ça la vérité, c'est un dangereux despote. Attendez que l'humanité s'éloigne trop de lui et vous verrez ce qu'il
fera si personne ne s'interpose pour nous sauver ! Satan c'est le
symbole de la lutte, de l'ouverture d'esprit, de la liberté. C'est
notre seul espoir.

— Et son petit nom dans la vie de tous les jours, c'est
comment ?

Les billes noires de HPL se plantèrent dans celles de Segnon.
Avec la pénombre de la pièce et ses arcades proéminentes, il en
devint angoissant. Il irradiait d'une assurance et d'une conviction
déstabilisantes.

— Je ne peux pas vous le dire. Il ne le tolérerait pas.

— On peut te protéger ici.

— Me protéger ? ricana le suspect. Vous croyez ? Non, personne n'est à l'abri du diable. Personne. Parce qu'il s'immisce
par la moindre tentation, et vous savez tout aussi bien que moi
que notre monde n'en manque pas. Nous n'avons jamais été
aussi tentés de notre histoire... Et après tout, qu'est-ce que nos
tentations sinon des sources de plaisir ? C'est encore la faute à
l'Église du tyran, ça ! Une foi culpabilisatrice, qui élève l'humanité dans la souffrance, dans le déni de son animalité, de ses
besoins, de ses jouissances !

– Il te fait peur ou tu l'aimes ? voulut savoir Ludivine.

– Ah, je l'aime, je le sers et je lui dois tout ce que je suis à présent, et surtout ce que je vais devenir. Pour ce qui est de la peur...

L'attention de HPL s'évapora dans des souvenirs lointains. Son expression fut traversée par des crispations et des convulsions désagréables.

– Hey, reste avec nous, intervint Ludivine. Oh ! HPL !

Elle claquait ses doigts devant lui. Les paupières du sataniste clignèrent et il revint à eux. Il semblait plus frêle à présent.

– Pour ce qui est de la peur, dit-il. Je ne peux pas dire qu'il fasse peur, non. Il *est* la peur... Lorsqu'il le désire, il incarne vos terreurs les plus intimes. C'est ça le pouvoir du diable. Dieu l'a chassé de la lumière, alors il n'a eu d'autre choix que d'apprendre à se servir des ombres pour survivre. Désormais, il en est le maître.

Il avait parlé avec une telle certitude que ni Segnon ni Ludivine ne purent enchaîner. Ils demeurèrent un instant à le guetter, sans bien comprendre ce qui les perturbait autant. Puis Ludivine se reprit et poursuivit :

– Tu l'as rencontré où ?

HPL secoua la tête.

– Je ne vous dirai rien de plus. Il n'aimerait pas que je vous parle de lui.

Segnon embraya :

– Tu vas prendre vingt ans si tu continues, voire plus. Tu pourrais ne plus jamais ressortir de prison, tu es conscient de ça ?

La vérité, songea Ludivine, c'était qu'il risquait surtout de filer en unité psychiatrique sans même passer par la case procès. À condition que les expertises scientifiques apportent suffisamment de preuves contre lui. Car pour l'heure, ils n'avaient pas grand-chose de concret sinon des témoignages et on ne condamne pas les gens juste parce qu'on a retrouvé un cadavre chez eux.

– Le maître viendra me chercher lorsque son règne viendra, je ne suis pas inquiet.

Ludivine tenta une autre approche. Elle posa une main sur la sienne. HPL avait la peau froide comme un lézard et la jeune femme frissonna du contraste entre la température de la pièce et celle du sataniste.

Il posa sur elle ses prunelles brillantes. Elles étaient si flamboyantes qu'elles semblaient pouvoir brûler l'âme. Ludivine dut prendre une longue inspiration pour se concentrer et parler :

– Et si nous voulions être initiés à ton maître, comment devrions-nous faire ?

HPL enfonça son regard loin dans celui de Ludivine. Avec une vivacité presque impudique, il la sonda profondément. Après un moment, ses lèvres se soulevèrent un peu en une sorte de satisfaction.

– Je ne peux pas vous parler du maître, mais je peux vous parler de son œuvre.

– Ce qu'il fait ? Son travail ?

– Non, son œuvre, ce qu'il accomplit pour préparer sa domination.

– Ça consiste en quoi ?

– À faire mûrir le fruit gâté encore plus vite pour qu'il tombe de l'arbre sans plus attendre.

– T'as pas plutôt quelque chose de concret ? s'impatienta Segnon. Ou tu vas nous citer la Bible pendant des heures ?

HPL ne s'intéressait pas au colosse en face, il fixait Ludivine.

– Vous savez que le coup du TGV c'est lui ? murmura-t-il en faisant siffler sa voix.

– Quoi ? fit Segnon, les deux ados qui ont flingué tout le monde ?

HPL acquiesça avec fierté, l'œil fiévreux.

– Et il y en a beaucoup d'autres qui se préparent. Ils arrivent, un par un, les signes annonciateurs de son avènement.

Sa voix était devenue plus douce, plus posée. Il prenait possession de l'espace, de la situation.

– Comment tu sais que c'est lui, le TGV ? insista Ludivine.

– Il m'avait dit qu'il préparait quelque chose de ce genre, la dernière fois que je l'ai vu. Il m'a prévenu de guetter les signes.

– Tu sais ce qu'il va y avoir d'autre ?

– Non. Par contre je peux vous dire que le TGV ce n'est que le début.

Segnon serra le poing, il épongea son front moite et vit le colonel Jihan qui les observait depuis la lucarne dans la porte. Tout le monde était derrière dans le couloir.

– Je peux vous initier à son œuvre, ajouta HPL. Vous voulez rencontrer sa dernière recrue ?

Ludivine se pencha en avant sur sa chaise :

– Nous aimerions beaucoup.

Ses lèvres se retroussèrent complètement.

– Ça, je peux vous y emmener, annonça-t-il tout bas.

– L'adresse ou un nom suffiront, rétorqua Segnon.

– Non, je vous guide personnellement. Mes conditions ou rien. C'est non négociable.

– Tu te doutes bien qu'on ne va pas te trimbaler comme ça en pleine nature. Un nom ou une adresse. Arrange ton cas, le procureur saura s'en souvenir.

– Non, je vous guide. Réfléchissez bien, mais vite, mon offre ne tient que pour la minute qui vient.

– Petit con.

– Quand un meurtrier se porte volontaire pour vous guider sur le lieu où il a enterré sa victime, vous l'accompagnez bien dehors, non ?

Segnon soupira, fatigué par le jeu du psychopathe.

– De toute manière il ne vous parlera jamais sans ma présence, insista HPL.

Segnon se tourna vers la porte. Jihan était contrarié. Il se passa la main sur le visage, puis, d'un léger signe de tête donna son accord.

— Après ça, vous non plus vous ne serez plus jamais les mêmes, les avertit HPL tout bas, comme s'il s'agissait d'une confidence qu'il leur accordait généreusement.

Ils acceptaient de signer un pacte avec le diable.

Tout du moins avec son émissaire.

14.

L e Deutz filtrait les lumières de la salle à travers sa robe légèrement ambrée. La délicatesse de ses bulles, qui remontaient comme autant d'étoiles vers leur orbite finale, ne faisait que souligner ces centaines d'éclats. Les lustres du restaurant se répercutaient à l'infini et Stef scruta attentivement le jeu de lumière sur la coupe levée au niveau de ses yeux. Millésimé 1999, un nectar.

Lorsqu'il dégusta la première gorgée, Esther, sa femme, pouffa.

– Toi et tes vins.

– C'est une merveille, goûte-le.

Esther attrapa sa coupe et sans autre cérémonial en avala une gorgée.

– Tu devrais le savourer, le faire tourner sur ta langue, pour saisir l'exquisité de sa construction, appréhender chaque palier de ses arômes, de sa charpente. Chaque lampée est une histoire.

– C'est vrai qu'il est bon, en même temps c'est juste du champagne, Stéphane, on se détend. Tu as choisi ce que tu voulais pour dîner ?

Stef détestait lorsqu'on l'appelait par son prénom entier. Depuis l'adolescence il se faisait appeler Stef et sa femme le savait, c'était sa manière à elle de le titiller lorsqu'il l'exaspérait avec ses démonstrations excessives. Et c'était à chaque fois la même chose, avec le vin, quand il parlait voiture, montre, golf, bref, dès qu'il abordait un sujet qui lui tenait à cœur. Il était ainsi, il ne pouvait pas s'exprimer sans y mettre de l'enthousiasme ! Mais elle, ça l'agaçait. Il fallait se modérer, en toute situation, être pondéré. Il l'énervait.

— Oui, je vais prendre le homard.

— Ce qu'il y a de plus cher, comme toujours.

— Et alors ? Si ça me fait envie ? Je me bousille la santé à bosser dix heures par jour et je prends à peine deux semaines de vacances par an pour bien gagner ma vie, j'estime que j'ai le droit de me faire plaisir. Et puis le homard accompagnera parfaitement ce champagne.

— Tu ne te fais pas plaisir, tu es snob, c'est différent.

— Snob ? Moi ?

— Oui. Tu veux toujours ce qu'il y a de plus cher. Regarde ta voiture, tes montres... Quand on part il faut toujours que ce soit sur le plus beau yacht disponible, tu ne sais pas te contenter du juste milieu. Pas étonnant que les gens haïssent autant les riches à présent ! Tu incarnes parfaitement ce qui va de travers dans ce fichu monde !

— Hey, dis donc, c'est mon soir ou quoi ? Qu'est-ce qui te prend ? Je croyais qu'on devait se faire un dîner en amoureux loin des gamins, pour se retrouver ?

Stef commençait à sentir la colère monter. Pourquoi fallait-il toujours que sa femme lui tombe dessus ainsi ? Pour qui se prenait-elle avec ses grands airs ? Stef était le seul de ses partenaires de golf à ne pas avoir de maîtresse, le seul ! Il s'entêtait à rester fidèle à sa femme et à son cul flasque dont elle n'était même pas généreuse ! Et pourquoi ? Pour se faire traiter de la sorte ?

— Non, répondit-elle, je te dis juste ce que je pense. Tu en fais trop. Ça finira par nous jouer des tours, à tous. Les gens détestent les riches en ce moment.

— Oh ça va, je l'ai pas volée, ma réussite, tout ce que j'ai je me le dois, je l'ai mérité.

– La réussite t'est montée à la tête, Stéphane, c'est tout ce que je te dis. Tu devrais y réfléchir.

Stef hésita, il avait envie de marquer le coup, qu'elle comprenne qu'elle allait trop loin, mais il n'avait pas le goût du scandale, pas au milieu d'un restaurant. Il n'avait pas la force de mener ce combat après une journée chargée au bloc opératoire, et puis il y avait le Deutz 1999 au bout de sa main. Le gâcher de cette manière aurait été un crève-cœur. Non, Stef opta pour l'indifférence.

Voilà la preuve que je suis capable de modération, espèce de gourde !

Elle, il le savait, aurait qualifié son attitude de lâche.

Connasse.

Le champagne lui apporta un peu de réconfort. Il avait la souplesse et la générosité que sa femme n'avait pas. Les bulles explosaient sur sa langue.

Elles au moins me montent au cerveau, elles savent y faire !

Le serveur s'immobilisa devant leur table et Esther fixa son mari avec un air amusé, presque provocateur. Elle attendait qu'il commande son homard pour se payer sa tête, il le savait.

Stef parcourut rapidement la carte une dernière fois pour vérifier s'il ne trouvait pas un autre plat moins cher qui lui ferait envie, mais il se ravisa. Il avait envie de homard, et qu'elle aille se faire foutre.

Comme Esther n'avait toujours rien dit, il l'invita à passer commande d'un geste de la main. Elle ouvrit la bouche.

Et son visage s'ouvrit comme un coquelicot qui éclot filmé en accéléré. Ses pommettes, son nez, ses yeux, et sa lèvre supérieure, tout se disloqua en une gerbe pourpre qui se projeta sur la table, le serveur et principalement sur son mari. Stef avait le goût de sa femme sur la langue. Une amertume poisseuse, comme un steak tartare baigné d'huile grasse. Et surtout... le goût du fer. Très fort. Celui du sang.

Ses oreilles sifflaient de la détonation phénoménale qui avait secoué le restaurant. Les lustres tremblaient.

En face, la mâchoire de sa femme pendait mollement, maladroitement maintenue par des tendons et des filaments de peau. Un énorme trou traversait sa tête, sa matière cérébrale visqueuse collée à la boîte crânienne par la violence du choc, presque brûlée par endroits.

L'esprit de Stef fit alors quelque chose de totalement inattendu. Il continua de penser dans la droite ligne de sa colère précédente, sans tenir compte du drame, des conséquences, et il songea :

Même là elle est ridicule.

Stef voyait le bac à fleurs derrière sa femme, à travers sa tête.

Tandis qu'Esther basculait en avant dans son assiette vide, il se dit que ça n'allait pas lui plaire d'ainsi dégueulasser la nappe en se répandant dessus, non, Esther n'allait pas trouver ça distingué. Elle allait s'en vouloir, terriblement. Du genre à en parler encore dans dix ans et faire chier son monde avec cette histoire.

Pendant que Stef refusait de comprendre ce qu'il voyait, le serveur à ses côtés reçut une décharge de chevrotine en pleine poitrine, et sa belle veste blanche se déchira en laissant éclore l'énorme fleur rouge vif de la mort. La salle venait de trembler à nouveau. Stef n'entendait plus très bien, tout vibrait, les clients hurlaient, et lui, toujours assis droit sur sa banquette, réalisa qu'il avait des morceaux d'Esther dans la bouche et étalés sur le visage.

D'autres coups de tonnerre claquèrent, et d'autres coquelicots, des hibiscus, des géraniums et des roses fleurirent, dispersant leurs pétales carmin sur les tables, les miroirs, les chaises et les alcôves.

Un jardin sauvage s'épanouit en quelques secondes, en pleine saison de l'enfer.

Stef glissait lentement de sa banquette. Et dans la démence.

Il voyait le paysage autour de lui tournoyer, les hurlements se distordre jusqu'à devenir un maelström inintelligible et l'odeur piquante de la poudre se mélangeait à ce goût de fer tellement prégnant dans sa bouche... Le monde basculait.

Stef se retrouva soudain recroquevillé sous la table, hagard, et sa paume se posa sur la cuisse chaude de sa femme.

Un liquide tiède goutta sur le dessus de sa main mais il préféra ne pas regarder. Tout ça n'était pas vrai. Non, tout ça n'était qu'un accès passager de démence. Oui, juste un épisode de *delirium tremens*. Voilà. Ce n'était pas grave. Stef était juste un peu fou. Ça allait passer. Esther irait bien après cette hallucination. On allait le soigner, le médicamenter. Il connaissait lui-même quelques confrères au service psychiatrique qui pourraient se charger de son cas.

Mais une chaussure se posa juste devant Stef, un mocassin abîmé, au cuir usé, fripé. Un homme couvert d'un imperméable beige, c'était tout ce que Stef pouvait voir de sous sa table, en partie dissimulé par la nappe tombante. L'homme était juste là, à quelques centimètres et, en dépliant le bras, Stef pouvait lui toucher la jambe.

Le canon d'un fusil apparut le long du pantalon en velours. Il fumait encore, un filet laiteux comme le vestige de son foutre létal. Il cherchait où faire éclore ses fleurs rouges.

Le jardinier.

D'un geste fou, sans savoir pourquoi, Stef souleva le bout de la nappe de l'index. Il tremblait. En face, un haut miroir réfléchissait le jardinier et il vit son visage. Et surtout son regard.

Il se mit à parler, et malgré les oreilles bourdonnantes, Stef entendit ce qu'il baragouinait avec rage.

Un discours étrange, qui hanterait les rares témoins de cet « échange ».

Le canon se releva et le jardinier avança dans le restaurant pour y semer les graines du mal. Jusqu'à n'avoir plus de semence.

Sous sa table, Stef laissa la nappe retomber comme le rideau de fin au théâtre, il se couvrit la tête des bras et se recroquevilla comme un petit garçon entre les jambes molles d'Esther.

15.

Une moitié de lune était encore accrochée dans le ciel bleu du matin, comme un bijou de la nuit oublié par une aube trop pressée. Ludivine contemplait cette broche gibbeuse vissée au-dessus de Paris et tentait de se réveiller. Son esprit traînait dans la vapeur du sommeil, et même le café chaud du matin n'y pouvait rien. Elle avait accumulé trop de fatigue. Le week-end lui semblait déjà loin.

D'une main nonchalante, elle mit la radio en marche pour entendre les infos. Depuis quand n'avait-elle pas lu un journal, vu ou écouté les news ?

Jeudi 8 mai. Jour férié.

Pas pour la SR... Pas pour nous, pas si nous voulons choper un ou plusieurs psychopathes avant qu'ils ne dépècent une autre victime...

Un jour férié pour les enquêteurs et peut-être qu'une des personnes qui profitaient de ce moment pour se reposer en famille ne vivrait pas une semaine de plus, c'était aussi simple que ça.

L'assaut du TGV était encore très présent dans les discussions à l'antenne, mais une fusillade dans un restaurant parisien la veille faisait l'ouverture des titres. Six morts et huit blessés. Le tireur fou avait fini par se suicider à l'arrivée des forces de l'ordre. Une histoire sordide, la vie de gens sans histoires venus dîner, se faire plaisir, qui bascule à jamais. Le monde ne tournait pas rond, pensait Ludivine à chaque fois qu'une affaire glauque comme celle-ci se produisait, heureusement rarement. Mais après le TGV, cela faisait deux faits divers fracassants coup sur coup. Fallait-il croire HPL ? Comment était-ce possible ? Y avait-il réellement eu manipulation des deux ados ? Difficile à croire. Qui pouvait avoir assez d'emprise sur deux jeunes mecs pour les envoyer ainsi massacrer des innocents avant de se donner la mort ? À moins d'avoir été totalement endoctrinés, d'un lavage de cerveau complet, mais cela semblait impossible. Idem pour le dingue du restaurant du 16ᵉ arrondissement. Les êtres humains ne sont pas des machines que l'on peut pirater à loisir, la psyché humaine est beaucoup plus complexe que ça.

Ludivine lorgna l'horloge ancienne suspendue au-dessus de la porte de sa cuisine, elle affichait 8 h 04. Il était temps. Le procureur avait validé la sortie de HPL à condition qu'il soit à tout moment sous bonne garde. Il s'agissait d'aller repérer les lieux, et éventuellement de surveiller la fameuse « recrue » de celui que HPL considérait comme son maître. Et, si vraiment la situation était simple et sans aucun risque, alors et alors seulement la SR interviendrait. Si cela semblait plus compliqué, ils feraient appel aux pros de ce genre d'embrouilles, le GIGN. « Chacun son métier », répétait-il souvent.

Ludivine passa sous la douche où elle demeura un long moment, jusqu'à ce que la buée recouvre complètement le miroir, puis elle s'habilla. Son épaule et son bras étaient vraiment très noirs et le moindre mouvement était sanctionné par une douleur lancinante. Rien de cassé, s'était rassurée la jeune gendarme, juste une très grosse ecchymose, ça finirait par passer. Elle enfila un jeans, un T-shirt vert foncé avec la statue de la Liberté en squelette et sauta dans une paire de baskets pour être plus stable sur le terrain. Elle préférait se préparer à tout avec HPL à leurs côtés. C'était probablement une ruse, un moyen pour lui d'aller prendre l'air, ou de les faire tourner en bourrique, pour autant, ils ne pouvaient pas se permettre de délaisser cette piste s'il disait la vérité.

La jeune expérience de Ludivine lui avait appris qu'en matière d'aveux, tout existait, tout était possible.

Elle s'équipa de son arme de service à la ceinture, en bas des reins, et la dissimula sous une veste kaki légère.

Lorsque la gendarme entra dans la cour de la caserne, les trois véhicules étaient prêts et elle retrouva le colonel à l'étage pour recevoir les dernières consignes. Jihan lui confiait l'opération, mais il ne voulait pas de cafouillage. Si HPL jouait au plus malin et les baladait sans se décider sur la destination finale, alors ils rentraient. Aucune prise de risque. C'était à elle de jauger.

Ludivine monta dans la première voiture, avec Guilhem, tandis que Segnon restait dans la suivante pour garder un œil sur HPL.

Ils quittèrent l'enceinte militaire en début de matinée, et se coulèrent dans le trafic du boulevard périphérique, suivant les consignes données par le sataniste, gyrophares en action et dépassant la vitesse légale.

« Il dit qu'on doit filer vers le sud, direction Melun », annonça Segnon dans la radio. Ludivine l'appela sur son téléphone portable :

– Ne fais que des réponses évasives pour qu'il ne puisse pas comprendre. Tu le sens comment, tu crois qu'on peut lui faire confiance ?

– Aucune idée.

– Il coopère ?

– Oui.

– Il n'a pas voulu donner l'adresse complète ?

– Non, ce sera au fur et à mesure.

– Il maintient que ça ne sera pas loin ?

– Une heure de route maxi.

– Et il ne veut toujours pas donner le nom du type ?

– Non.

– Bon, tu le gardes bien à l'œil. Si tu sens qu'il se paye notre tronche, on annule tout et on rentre.

– Bien reçu.

Guilhem, qui conduisait, jeta un œil vers sa partenaire :

– Tu crois vraiment qu'il va livrer un de ses complices comme ça ? Tu sais qu'au bureau ce matin, les paris étaient ouverts et ta cote est mauvaise.

– Moi j'y crois.

– C'est pas très logique, non ? Il a quoi à y gagner, lui ?

– Il suit sa propre logique, qui correspond à ses schémas mentaux. Si pour lui nous conduire jusqu'à la dernière recrue de leur maître peut servir leur cause, d'une manière ou d'une autre, ou au moins prouver qu'elle existe et qu'il faut la prendre au sérieux, alors il n'hésitera pas.

– Il est fou, non ? Il ira jamais aux assises, ce mec, on ne devrait pas lui faire confiance.

– Mais si au bout il y a un fil à tirer pour remonter jusqu'aux autres, le dépeceur et le « maître », alors crois-moi, on sera tous très contents d'avoir joué le jeu.

– Le maître, tu veux dire...

Guilhem émit un petit rire sec, pas assez soutenu pour être spontané.

Après une longue hésitation, il ne put se contenir et poursuivit :

– Tu crois qu'il est sincère ? Qu'il pense vraiment que c'est le diable ?

– Tu as vu ses tatouages, ses scarifications ? Moi, je n'ai aucun doute. Et puis j'ai lu son journal. C'est un obsédé. Sa vie ne tourne plus qu'autour de ça. Dès qu'on pourra se poser un peu je veux qu'on parvienne à l'identifier, qu'on creuse dans son parcours pour comprendre comment il en est arrivé là.

– Sans empreintes ça va être coton de lui trouver un nom.

– L'ADN parlera peut-être. Tu peux te défoncer les doigts, tu ne pourras jamais masquer qui tu es vraiment. Je pense qu'on sera surpris.

– Pourquoi tu dis ça ?

– L'instinct.

Guilhem ricana.

– L'instinct ? Sérieux ? Comme les vieux flics dans les polars des années 1980 ?

– OK, alors appelle ça plutôt le « raisonnement personnel ». Tu as écouté sa garde à vue hier soir ? Tu as vu comme il s'exprime ? Le type a le look d'un marginal en vrac mais il ne peut dissimuler ce qu'il a été, d'où il vient. Certains mots qu'il emploie, sa repartie, je ne pense pas qu'il a le profil classique du pauvre mec déscolarisé tôt, asocial, provenant d'un milieu plutôt pauvre. On risque d'être étonnés.

– Si c'est vrai, il a fallu quelque chose d'important dans sa vie pour qu'il bascule à ce point !

– Oui, approuva Ludivine, songeuse, quelque chose de très fort.

– La drogue, c'est typique, ça. Je mise sur un passif de toxico qui l'a totalement coupé de son ancienne vie.

– Ou une rencontre avec une personnalité exceptionnelle.

– À quoi tu penses ?

Ludivine pivota vers son partenaire, l'air un peu provocateur :

– Et s'il avait vraiment rencontré le diable, Guilhem ?

Le gendarme la regarda plusieurs fois, alternant avec la route, cherchant à savoir quel était son degré de sérieux.

– Oh merde, Ludivine, tu fais chier, t'es flippante avec ça.

Ludivine émit un rire sonore, cristallin.

– C'est ce qu'il cherche, dit-elle, à nous embarquer dans son délire, et toi tu cours !

Guilhem tapota le volant nerveusement.

– Ouais, bah on sait jamais... Quand j'étais môme, ma mère me répétait toujours que le diable, c'est comme de laisser son chien seul avec un bébé dans une pièce : on est sûr qu'il se passera rien jusqu'au jour où il finit par mordre sans qu'on sache pourquoi.

Ludivine arrêta de rire, surprise.

– Toi, tu crois au diable ? T'es premier degré, là ?

Guilhem était gêné. Il scrutait la route avec attention, puis secoua les épaules.

– Ça coûte rien. En tout cas, c'est mieux que de se faire mordre.

Le convoi de la gendarmerie quitta la route nationale un peu avant Melun pour s'engager dans une petite ville de banlieue : Brunoy. Ils roulèrent jusqu'à entrer dans une zone pavillonnaire et ralentirent pour laisser à leur guide le temps de retrouver son chemin, rue par rue, maison après maison.

Le talkie sur les genoux de Ludivine cracha :

« On est arrivés, c'est au numéro 13 », fit Segnon.

Ludivine prit la radio pour répondre à toutes les équipes :

« On ne s'arrête pas, un premier passage pour jeter un œil et on revient se garer à cent mètres ensuite. »

La maison au numéro 13 était un petit pavillon modeste, tout en pierre meulière ocre, fenêtres et porte peintes en blanc, et toit en V inversé sagement posé sur le tout. Un cerisier encore en fleurs occupait une large portion du minuscule jardin entre la bâtisse et la grille noire. Ludivine remarqua également un garage fermé sur le côté.

« Boîte aux lettres bourrée de pubs », annonça Ben – un des collègues qui les accompagnaient – depuis la troisième voiture. « Il n'y a personne depuis un moment, ou il ne ramasse plus son courrier. »

Ludivine n'avait pas remarqué. Elle prit son téléphone et appela Segnon :

– Il parle ?

– Pas vraiment.

– Il a précisé combien de personnes vivent ici ?

Segnon posa la question à l'intéressé et Ludivine l'entendit au loin répondre : « Il est seul. Le maître recrute surtout des solitaires, ils sont plus sensibles à son discours. Voulez-vous que j'aille lui demander de nous recevoir ? »

Ludivine attendit qu'ils aient fait le tour du pâté de maisons pour se garer en amont de la bâtisse et ainsi avoir un œil dessus, puis elle sortit pour rejoindre le véhicule de Segnon. La portière ouverte, elle vit HPL, les mains menottées posées sur ses cuisses, coincé entre Segnon et Franck – un grand quinqua à la moustache grise –, qui se pencha pour lui sourire.

– Ton maître, demanda-t-elle, il vient souvent lui rendre visite, à votre dernière recrue ?

– Je n'en sais rien, mais je ne pense pas.

– Pourquoi ?

HPL haussa les épaules.

– Il fait ce qu'il veut. C'est le maître.

– C'est quoi le métier de votre recrue ?

– Aucune idée. Je ne le connais pas vraiment. À vrai dire, je ne suis venu qu'une seule fois, pour assister le maître, et encore, je suis resté dehors jusqu'à ce qu'il me dise de rentrer pour contempler son œuvre, la conversion réussie.

Ludivine échangea un regard agacé avec Segnon qui sentait qu'il se fichait d'eux, et pourtant ils ne pouvaient pas repartir comme ça.

– Benjamin va venir te remplacer, Segnon, et toi et moi allons faire un petit tour de reconnaissance.

Lorsque le colosse fut sorti, Ludivine lui retira son sweat et le jeta sur la banquette arrière de sa voiture.

– Un problème avec mon look ?

– Trop moderne et pas assez cul-bénit.

– Pardon ?

– Tu as toujours ta chaîne avec le crucifix au bout ? Sors-la, que la croix soit visible.

– C'est quoi le plan ?

– Porte à porte, témoins de Jéhovah, en tout cas vu de l'extérieur. On va en profiter pour faire une enquête de voisinage discrètement.

Tout en observant le numéro 13, les deux gendarmes sonnèrent aux portails qui encadraient la maison du suspect. Trois ne répondirent pas, mais le suivant les salua du perron et accepta de leur parler lorsque Ludivine eut expliqué tout bas qu'ils conduisaient une enquête.

Le suspect s'appelait José Soliz, un homme gentil, veuf depuis plusieurs années, électricien fraîchement retraité, avec des habitudes hebdomadaires inébranlables, comme aller au marché trois fois par semaine ou filer jouer aux courses tous les mercredis après-midi. Mais la voisine était un peu étonnée car, depuis dix jours, elle ne l'avait pas vu sortir de chez lui. Segnon demanda s'il était parti quelque part, s'il avait de la famille à visiter, ce qu'elle ignorait. Et lorsque Ludivine l'interrogea sur des mouvements étranges, des visites inhabituelles, la voisine avoua ne pas épier la rue en permanence et n'en rien savoir.

Les deux gendarmes regagnèrent le trottoir.

— Et si José Soliz avait tout plaqué pour partir vivre dans un squat à la manière de HPL ? proposa Segnon.

Ludivine n'en était pas convaincue.

— Si ce que notre sataniste raconte est vrai, j'imagine plutôt Soliz en train de repeindre tous ses murs avec le sang des chats et chiens du quartier…

— Pas con, on aurait dû demander à la vieille si des animaux ont disparu récemment.

— Je mise sur l'affirmative. Viens.

— Tu fais quoi ?

— On va sonner chez Soliz.

— Comme ça ? T'es sûre ? Et s'il est chez lui à nous attendre avec une carabine ?

— Pas le genre. Le mec a passé sa vie à faire du câblage, il ne se transformerait pas en tueur de flics en dix jours, même avec un fort reconditionnement mental.

Sans hésitation, elle marcha jusqu'au portail de fer noir et sonna au numéro 13. N'obtenant pas de réponse, après plusieurs tentatives, elle fit signe à Guilhem de les rejoindre.

– Tu veux vraiment faire ça ? insista Segnon.

– Magali, Franck, Ben et Jean-Mi restent avec notre gars, nous trois on va jeter un œil.

– Sans autorisation du parquet ? contra Segnon.

– Situation d'urgence possible. Monsieur Soliz est peut-être en train d'agoniser dans son salon compte tenu de ce que vient de nous déclarer sa voisine.

Segnon secoua la tête.

– Même toi tu n'y crois pas...

Ludivine actionna la poignée du portail, s'attendant à ce qu'il soit fermé mais celui-ci s'ouvrit en grinçant. Elle marcha jusqu'à la porte principale avec Segnon sur les talons et fit signe à Guilhem d'aller se positionner derrière. Après plusieurs coups, Segnon se pencha vers l'une des fenêtres pour scruter l'intérieur :

– On ne peut pas entrer, Lulu, tu le sais. Bien essayé.

– Je vais aller regarder par le hublot du garage s'il y a une voiture.

Segnon l'attrapa par le poignet au moment où elle allait s'éloigner.

– Pas la peine, fit-il d'une voix blanche. Il est là...

Ludivine se pencha à ses côtés et suivit le long index noir qui désignait le salon.

Un homme était assis au centre de la pièce, presque face à la fenêtre, orienté vers la porte d'entrée. Il était inutile d'être médecin pour deviner qu'il n'allait pas bien. Son visage bougeait étrangement, comme si chaque parcelle pouvait trembler indépendamment. Puis Ludivine comprit que ce qu'elle avait pris pour de nombreux grains de beauté n'en étaient pas. *Des mouches.* De grosses mouches bien grasses. Et ce n'était pas ses muscles qui palpitaient sous la peau de ses traits, mais un bouillon de vers qui rampaient.

– OK, on entre, ordonna Ludivine en actionnant la poignée en vain

Segnon sauta dans le jardin à la recherche d'un outil et disparut derrière le garage avant de revenir avec Guilhem et une pelle qu'il enfonça au niveau de la serrure pour la forcer.

Lorsqu'ils pénétrèrent dans la maison, l'odeur infâme de la putréfaction les étourdit avec ses puissants mélanges de viande pourrie mâtinée d'un parfum de fer, d'excréments, et ses notes particulièrement acides et pénétrantes propres à la décomposition des cadavres. L'odeur de la mort.

José Soliz était assis devant eux, la mâchoire ouverte en un cri éternellement silencieux, figé dans son dernier hurlement. Malgré les insectes qui grouillaient, on pouvait encore remarquer la grimace de panique qui l'avait emporté, les tendons de son cou rigides, ses doigts recroquevillés jusqu'à s'enfoncer dans les accoudoirs en cuir de son fauteuil.

Et s'il n'y avait pas eu un nid d'asticots dans ses orbites vides, Ludivine aurait juré qu'ils auraient pu lire la terreur dans son regard.

16.

Ludivine avait le sentiment que l'histoire se répétait, encore et toujours. Le même ballet de véhicules, le même défilé d'experts scientifiques, d'officiers, de magistrats et même de la BR d'Évry.

Assise côté passager dans la voiture où était surveillé HPL, elle attendait que les pages des rapports se noircissent, qu'on les autorise à retourner sur la scène de crime pour s'en imprégner, pour débuter le travail d'investigation. Si les techniciens en identification criminelle traquaient la moindre trace, la moindre preuve possible, les enquêteurs, eux, devaient remonter la piste du sens. Recréer une histoire avec ce qu'ils trouvaient sur place.

Ludivine pivota vers HPL, encadré par Benjamin et Franck.

– Tu t'es bien foutu de notre gueule, dit-elle, agacée.

Le sataniste releva le menton. Ses nombreux piercings réfléchissant l'éclat du soleil contrastaient avec ses prunelles sombres au fond de ses arcades proéminentes.

– Pourquoi dites-vous cela ? Je vous ai conduit auprès de la dernière recrue, comme convenu.

– Une recrue ? C'est comme ça qu'il recrute, ton ami ?

– Le maître montre son vrai visage à ses adeptes. Peu ont la force mentale pour y survivre. Mais désormais cet homme est avec notre mentor, son âme a été bue, il alimente les limbes pour toujours.

– C'est un meurtre, tu en es conscient ?

– Une délivrance plutôt.

– Et tu y es mêlé, rappela Ludivine.

– D'autres suivront, vous savez.

– Tu sais qui, quand ?

– Non. Et si c'était le cas je ne dirais rien, cela pourrait contrarier le maître. Je vous ai guidés jusqu'ici pour que vous acceptiez son existence.

– Et si c'est tes empreintes génétiques qu'on retrouve ici ? Si tu es l'unique meurtrier de José Soliz ?

HPL semblait un peu triste de ne pas être compris, néanmoins il se fendit d'un léger sourire, comme s'il en savait beaucoup plus que les autres personnes présentes avec lui dans la voiture.

– Non, je ne crois pas avoir laissé quoi que ce soit de moi. Le maître non plus, je présume. Écoutez, je vais vous dire ceci : je l'ai accompagné à sa demande, pour contempler son œuvre, mais pendant qu'il se chargeait de convertir cette âme perdue, j'attendais dans la voiture, c'est aussi simple que cela.

– Tu nous as menti, tu nous as dit que sans toi il refuserait de parler.

– C'est vrai. Vous ne savez pas vous y prendre. Emmenez-moi auprès de lui et je vous montrerai. Je sais comment accéder à son âme, je sais parler avec certains morts. Nous pouvons essayer.

– Quoi, du spiritisme ?

– Appelez ça comme il vous plaira.

Ludivine était fatiguée de discuter avec un dingue. Elle s'échappa de la voiture et demanda où en était l'enquête de voisinage avant de retourner interroger elle-même la voisine qui leur avait parlé. Elle n'avait rien vu d'anormal, rien remarqué de suspect ces derniers jours, et Ludivine ressortit déçue. La plupart des voisins de M. Soliz étaient absents, il faudrait attendre que les collègues aient pu les joindre, plus tard dans la journée ou dans la semaine, pour en savoir plus. Est-ce qu'une voiture garée là pendant deux heures un soir ou dans la nuit se remarquait ? Peu probable, tout le monde menait sa petite existence, ils dormaient ou dînaient ou végétaient devant la télévision, personne ne restait scotché à sa fenêtre pour guetter le trafic dans une rue aussi calme. Il fallait croiser les doigts pour que les indices délivrent leurs flots de pistes. Listings téléphoniques, courriers, antécédents avec une personne mal intentionnée, empreintes, ADN... Car il n'y avait pas l'ombre d'une caméra vidéo dans le secteur pour lui montrer ce qui s'était passé au moment du crime.

La routine d'une enquête criminelle.

Ludivine s'approcha d'un des TIC qui rangeait ses affaires dans la fourgonnette :

– C'est fini ?

– Non, pas encore.

– L'intérieur est comment ?

– Vous n'êtes pas entrée ? C'est pas vous qui avez trouvé le corps ?

– Si, mais on vous a appelés dès qu'on l'a vu, nous n'avons pas fait le tour du propriétaire pour ne pas contaminer la scène.

– C'est pas mal pour nous, bien rangé, beaucoup de traces. Après, ça ne veut rien dire, ce sera peut-être seulement celles de la victime.

– Pas de bordel ? Pas de cambriolage évident ?

– Ah non, si ça se trouve c'est même pas un homicide. La porte était fermée, non ?

– Oui. Mais vous avez vu son expression ? Même dans son état on peut lire la terreur...

– En tout cas la maison n'a pas été fouillée, ou alors on l'a drôlement bien rangée ensuite. Et pour ce que j'en ai vu, la victime ne porte pas de traces apparentes. Enfin, je suis pas légiste non plus...

Ludivine se posa un instant devant le portail du pavillon. C'était un meurtre, ça ne pouvait être autre chose. HPL les avait conduits jusqu'ici, il savait qu'ils trouveraient un cadavre parce qu'il avait accompagné sinon assisté le tueur.

On ne peut pas mourir de peur, ça n'existe pas. Il y a quelque chose sous les fringues, une piqûre ou des marques de torture...

Il fallait que le légiste fasse son boulot, et rapidement, pour qu'ils avancent. Elle n'aimait pas ce qu'avait suggéré HPL, que ce n'était que le début et que la tuerie du TGV y était liée. Aussi loufoque que sa théorie puisse paraître, Ludivine ne pouvait s'empêcher d'y accorder un certain crédit, doublé d'un profond sentiment d'urgence.

Le colonel Jihan arriva en fin de matinée, après tout le monde, et il discuta rapidement avec plusieurs intervenants de la scène avant de filer vers Ludivine.

— Il est encore là, lui ? s'étonna-t-il en désignant HPL. Vous le ramenez tout de suite.

— Et l'enquête sur place ?

— Il y a assez de monde comme ça.

— Colon...

— Vancker, arrêtez de toujours discuter mes ordres, vous me gonflez à la fin. Vous êtes déjà sur l'homicide de La Courneuve, il y a ces fragments de peau à investiguer, et ce psychopathe-là, alors ça va.

— Mais le cadavre dans la maison est lié à notre affaire.

— C'est pour ça qu'on va former une cellule globale, l'adjudant Capelle va prendre le relais ici, ça vous va ?

Ludivine acquiesça, Magali était plus que compétente. Une excellente enquêtrice qui ne laissait rien passer.

— On fait le point en fin de journée, conclut Jihan. Préparez un topo complet. Vous êtes nommée responsable de la cellule, ça vous va ?

Ludivine serra les poings de jubilation.

— Merci, colonel.

— Ne me remerciez pas, Vancker. Toute cette histoire est merdique. Je n'aime pas ses ramifications. Si jamais ça se complique, on va me coller une pression de tous les diables pour obtenir des résultats, et fissa. Et si on me colle la pression, c'est sur vous que ça retombera. Allez, maintenant cassez-vous.

Guilhem avait scotché un morceau de papier avec « Cellule 666 » sur la porte de la salle de réunion. Ludivine avait eu l'idée du nom à cause de HPL, de ses divagations et de ses tatouages. La cellule rassemblait six enquêteurs à temps complet, les trois du bureau de Ludivine, Segnon et Guilhem ainsi que Magali, Ben et Franck. Ils avaient souvent travaillé ensemble, formé des binômes sur le terrain, et leur efficacité avait été prouvée lors de l'enquête sur les crimes signés « *e », dix-huit mois auparavant.

Tous prirent place autour de la table, accompagnés par le colonel Jihan et son second, le commandant Reynaut, un homme à l'ambition digne de sa bedaine, caché derrière d'épaisses montures fumées. Yves, des Stups, les rejoignit. Il faisait le lien entre la cellule et l'enquête sur le go-fast. Ludivine désigna le paperboard sur lequel elle avait déjà écrit les grandes lignes de leur investigation : les fragments de peau, le gang du go-fast, le dépeceur de la région lilloise, HPL et le cadavre retrouvé égorgé dans son squat et, à présent, José Soliz, victime identifiée numéro 2.

— Pour l'instant on navigue à vue, avoua-t-elle, rien que des suppositions.

— Allez-y, l'invita le colonel.

— Pour le dépeceur de Lille, nous avons transmis aux collègues une demande de renseignements. On recherche des cadavres largement écorchés. Nous attendons les résultats de l'IML[1] de Paris pour déterminer avec précision le nombre de victimes. Le légiste pensait qu'il y en avait trois mais l'ADN nous le précisera. J'ai aussi fait circuler le motif en forme de smiley qui fait un clin d'œil. Chaque morceau de peau était marqué, on pourrait le retrouver ailleurs, à surveiller.

— C'est un vulgaire smiley, opposa Guilhem. Sur Internet il est partout, ça n'en fait pas un signe précis d'identification.

— On ne sait jamais. Les collègues de Lille, ils ont renvoyé tout à l'heure qu'ils n'avaient pas d'écorchés en stock, pas

---

1. Institut médico-légal.

récemment, par contre ils ont six disparitions au cours des dix derniers mois, dont au moins quatre sont vraiment inquiétantes, des jeunes à la sortie de bars ou de discothèques. Je leur ai expédié par email la photo d'un tatouage des peaux pour vérifier auprès des familles, on verra bien.

Se tournant vers Yves et son visage marqué, le colonel Jihan demanda :

— Vous suivez aussi le dossier avec les Stups de Lille ?

— Oui, Joseph nous a indiqué où ils récupéraient les chargements de peaux et déposaient le fric. Les collègues sont sur le coup là-bas.

— Ça avance pour le go-fast, tout est ficelé ?

— On a de quoi les inculper, surtout que la perquisition a permis de mettre la main sur deux Kalachnikov, un PM-63 RAK, un .38 et des munitions ainsi que pas mal de cash. On va creuser de ce côté-là, il se pourrait que la bande du go-fast donne aussi dans le trafic d'armes. J'en suis même convaincu.

— OK. Je passerai vous voir ensuite pour le détail. Vancker, poursuivez.

— Pour ce qui est du cadavre retrouvé dans le squat, je doute que ce soit HPL l'auteur, il n'avait pas l'air au courant et il n'aurait pas abandonné son précieux livre derrière lui.

— Il est dingue, rappela Segnon.

— Oui, mais il parle. Il ne nie rien et le type que nous avons poursuivi dans le bâtiment me semblait moins... je ne sais pas, pas comme lui. HPL est lunaire, il est effectivement barré. Le mec que j'ai pourchassé me semblait beaucoup plus... efficace. Une intuition. Et plus massif aussi, je crois.

— Peut-être juste un curieux de la cité venu chercher son copain disparu, proposa Segnon.

— Peut-être, approuva Ludivine. Ou le dépeceur en personne. HPL a reconnu lui avoir donné son adresse, et il a dit que, l'égorgement, ça pouvait lui ressembler.

— L'identité du mort dans le confessionnal, ça donne quoi ? interrogea le colonel.

– Un jeune de la cité. Chômeur, adepte des plans louches, habitué à fourrer son nez aux mauvais endroits, pas aimé par grand monde on dirait. Les gens à qui ont parlé les flics sur place ne semblaient pas étonnés qu'on puisse le retrouver dans l'immeuble abandonné. Il a pu s'y retrouver pour chercher un mauvais coup à faire à HPL le Chelou.

– De la famille à interroger, des amis à qui il aurait pu confier ses intentions ?

– Peu, apparemment il n'avait plus que son père qui ne sait rien. Même lui traitait son fils de « bon à rien ».

Magali, toujours prompte à creuser les détails, souffla sur sa frange pour dégager son regard et demanda :

– Pourquoi le dépeceur laisserait-il un cadavre chez HPL ? C'est pas son secteur et quel intérêt ?

– Sauf s'il est venu se débarrasser de HPL et qu'il tombe sur un fouineur. Il ne peut prendre le risque d'être vu, il ne laisse pas de témoin, supprime le mec et c'est là qu'on survient.

– Pourquoi voudrait-il tuer celui qui fait la passerelle entre le gang et lui ? C'est con. Et il viendrait le buter pile au moment où vous débarquez ? C'est pas de bol, dis donc.

– S'il cherche à le tuer c'est qu'il *doit* le faire, même si ça ne l'arrange pas. Par exemple s'il vient d'apprendre que le convoi a été arrêté, que ça pourrait conduire les flics jusqu'à HPL, et donc jusqu'à lui. Il fonce au petit matin jusqu'en banlieue parisienne pour faire disparaître la seule personne qui le connaît, mais ne tombe pas sur la bonne.

– Comment il a su pour l'arrestation du go-fast ?

– HPL a peut-être attendu la marchandise, ne la voyant pas arriver il s'est barré passer un coup de fil au dépeceur pour savoir si la came avait bien quitté Lille, et l'autre a compris que quelque chose n'avait pas bien tourné.

– Admettons, intervint le colonel. Cette piste des coups de téléphone vers Lille, c'est exploitable ?

– Difficile et long. HPL n'a pas de portable, aucune ligne fixe bien sûr. Nous n'avons rien de ce côté-là. Si on doit aller chercher tous les téléphones publics ou accessibles dans la région et traiter les numéros un par un, ça prendra un temps fou.

— Je suis d'accord, il faut que ça avance. Ensuite ?

— Pour HPL il ne dit plus rien depuis ce matin. Il est fier de son petit coup. Il voulait nous prouver que son maître est réel et puissant, maintenant il a décidé de la fermer. Tant que nous n'aurons pas les résultats de l'analyse ADN, en croisant les doigts pour qu'il soit fiché au FNAEG[1], nous n'avancerons pas de ce côté-ci. Par contre j'ai décidé d'accorder un peu de crédit à ses dires concernant la tuerie du TGV et j'ai demandé à avoir un complément d'information.

— C'est-à-dire ? demanda le colonel.

Ludivine les fixa tous, un par un.

— Et si ce que HPL raconte est vrai ? S'il y avait bien un homme derrière le coup du TGV ?

Ben balaya l'hypothèse d'un revers de la main :

— Impossible ! Tu le sais très bien.

— Pourquoi pas ? J'ai demandé à savoir ce qu'on avait appris sur les deux auteurs du carnage, je devrais avoir tout ça ce soir ou demain. Pendant ce temps, j'ai aussi fait une petite recherche sur les « coups » un peu spectaculaires ou délirants de ces dix derniers mois.

Ludivine souleva la feuille du paperboard pour en dévoiler une autre où était inscrit « empoisonnement supermarché », « attentat merdique McDo » et « Théo Balendeau ».

— La première c'est le coup des seringues de potassium dans le lait ? crut reconnaître Franck.

— Exactement.

L'affaire avait fait grand bruit en début d'année. Un détraqué s'amusait à introduire dans les bouteilles de lait de supermarchés du potassium via une seringue dont il enfonçait l'aiguille dans le bouchon. Plusieurs personnes empoisonnées, et heureusement

---

1. Fichier national automatisé des empreintes génétiques.

aucun décès. Le coupable était un détraqué, arrêté après avoir sévi cinq fois en trois mois.

— Ensuite nous avons les sacs de merde balancés sur les vitrines des McDo du 16e arrondissement, sept attaques. C'est pas très satanique dans l'esprit, je vous l'accorde, mais on est dans la protestation, dans la démonstration excessive, alors je ne l'écarte pas.

Les gendarmes se gaussaient à l'évocation de l'attentat excrementeux.

— Passer de la provoc' au meurtre, il n'y a que vous pour faire le lien, Vancker, commenta le colonel.

— Bref, pour finir j'ai ajouté le dossier Théo Balendeau, je rappelle les faits pour ceux qui auraient oublié : en novembre dernier un gamin est arrêté chez lui alors qu'il s'apprêtait à se rendre à son lycée avec les fusils de chasse de son père pour flinguer à tout-va. Par chance ses derniers messages sur Facebook, la veille du carnage avorté, ont alerté son entourage. Le gamin est muré dans le silence depuis l'arrestation mais je vais demander aux responsables de l'enquête s'ils n'auraient pas de raisons de croire qu'il a été influencé. Idem pour le vieux qui empoisonnait le lait des supermarchés, je vais contacter le responsable de l'enquête.

— Et il y a la tuerie dans le restau hier soir, ajouta Segnon.

Ludivine hocha vigoureusement la tête et commença à l'inscrire en bas de sa liste lorsque le colonel se pencha en avant sur la table pour l'interrompre :

— Laissez tomber tout ça pour l'instant. Pas le temps, ne vous dispersez pas, il y a déjà bien assez à faire avec ce qu'on a de concret. On verra ces histoires-là plus tard.

Ludivine allait répliquer pour défendre son point de vue lorsque son regard croisa celui de son supérieur, et elle se mordit la lèvre pour se taire.

— Pour finir, le mort de Brunoy ? demanda-t-il.

Cette fois Ludivine tendit la main vers Magali pour qu'elle enchaîne :

– C'est tout frais donc on tâtonne encore, à première vue pas de signe d'effraction, rien ne semble avoir été volé, aucune violence constatée dans la maison, ni sur le corps à l'examen extérieur, le médecin pense qu'il est mort sur place. Comme on ne connaît pas grand monde au service de médecine légale d'Évry, j'ai fait partir le corps à Garches, l'IML de Paris est saturé à cause du massacre du TGV et celui du restaurant hier. Garches c'est moins pire, du coup on peut espérer une autopsie en début de semaine prochaine au plus tard.

– Ça veut dire quoi « mort sur place » ? demanda le colonel Jihan. Mort naturelle ?

– Il a pas su me dire, mais il penche pour la crise cardiaque.

– Je croyais que c'était un homicide ? s'étonna Jihan.

– On n'en sait rien.

– Vancker, il a raconté quoi, notre sataniste, sur la victime ?

– Qu'il n'a pas supporté de voir le vrai visage du diable. C'est ça qui l'a tué.

Jihan plaqua ses mains contre la table, accablé.

– Bon, fit-il avec lassitude, il m'emmerde, ce con. Le procureur qui va prendre tout le dossier est Mouroy.

– C'est plus Cafel ? demanda Segnon.

– Non, il est surchargé et notre affaire prend de l'ampleur. Mouroy est du genre à laisser faire le boulot, mais faudra lui faire des bilans réguliers. C'est un gentil. Vancker est en charge de la cellule, directrice d'enquête et... Au fait, 666, vous n'aviez pas mieux comme nom ?

Segnon balança Ludivine d'un geste du menton.

– Une idée pareille ça peut venir que d'elle, patron.

Le colosse dévoila sa dentition parfaitement blanche dans un sourire moqueur.

– C'est une affaire qui sent le soufre, colonel, se justifia bêtement Ludivine.

Jihan secoua la tête en se levant, dépité comme s'il avait affaire à des adolescents attardés.

– On est mal barrés avec vous, lâcha-t-il du bout des lèvres, pince-sans-rire. C'est un bon début. Vancker, c'est quoi votre prochain mouvement ?

– J'attends les résultats d'autopsie et des prélèvements de scène de crime à La Courneuve puis à Brunoy. Pendant ce temps on gratte sur nos deux victimes et on croise les doigts pour que l'ADN de HPL nous donne sa véritable identité.

– Parfait. Tenez-moi au courant.

Le colonel et son second, muet comme souvent, quittèrent la pièce, suivis par Yves qui les accompagna au rez-de-chaussée dans les bureaux des Stups.

Une fois seuls, tous les membres de la cellule 666 se dévisagèrent.

– Allez, il y a des paperasses à remplir maintenant, dit Franck, fatigué par cette perspective.

Les trois enquêteurs du groupe de Magali s'en allèrent rejoindre leur salle attitrée pendant que Segnon fixait Ludivine avec attention.

– Quoi ? demanda-t-elle.

– Pourquoi j'ai l'impression que tu n'as pas tout dit à Jihan ?

– Moi ?

– Oui, toi.

Ludivine ne put retenir son sourire.

– Tu fais chier, Segnon, à si bien me connaître.

– Crache le morceau.

– Oh merde, lâcha Guilhem.

– Je voudrais faire une recherche SALVAC[1] sur le mort de Brunoy. Il se peut qu'il y en ait d'autres.

– Sur quoi tu te bases pour dire ça ?

– L'intuition.

---

1. Système d'analyse des liens de la violence associée aux crimes, sorte d'équivalent français du VICAP américain, permettant le rapprochement de crimes éloignés grâce à une base de données regroupant les crimes violents et affaires jugées suspectes.

– Lulu ! Me prends pas pour un con.

– Le crime est propre. Pas de traces de lutte, pas d'effraction, pas de sang...

– Peut-être parce que c'est pas un crime ? suggéra Guilhem.

– Ou parce que le meurtrier est efficace. Il est méthodique et il est bon. Je doute qu'il en soit à son premier passage à l'acte.

– Tu vas perdre un temps fou à faire ça, déplora Segnon.

– C'est exactement ce qu'aurait dit le colon si je lui en avais parlé. Je me fais confiance.

Segnon se leva.

– Oh, si tu veux y passer ta soirée, c'est ton problème après tout, moi j'ai une femme et deux gamins à retrouver.

Guilhem, en bon pragmatique qu'il était, demanda :

– Mais tu comptes mettre quoi dans SALVAC ? Il n'y a pas de mode opératoire précis, pas de particularité, c'est un peu creux pour l'instant. Tant qu'on n'aura pas au moins le rapport du légiste... Avec quoi tu comptes opérer un rapprochement ? Crime parfait ? Tu n'as pas d'entrées pouvant être recoupées !

Ludivine tapota sur la table avec le bout du feutre qu'elle tenait encore. Elle haussa les sourcils d'un air mystérieux.

– Aussi bizarre que ça puisse paraître, je vais regarder s'il n'y a pas d'autres personnes qui seraient mortes de peur, voilà ce que je vais rechercher.

Les mots, improbables, impossibles sur le principe résonnèrent dans l'esprit des trois enquêteurs.

Morts de peur.

17.

Les néons multicolores des magasins et restaurants de la porte de Bagnolet scintillaient dans la nuit, entre les lampadaires et les fenêtres éclairées sur les façades des immeubles. Le trafic s'était fluidifié et Ludivine réalisa, à l'absence de bouchons sur la place, qu'il était en fait très tard. Elle était fourbue, des douleurs le long des lombaires, aux épaules et même aux poignets à force d'être assise à taper sur son clavier. Point par point, elle avait constitué son dossier pour le soumettre à Nanterre via l'Intranet pour que les analystes du SALVAC puissent effectuer des comparaisons et la renvoyer vers d'autres affaires pouvant contenir des similitudes. Ludivine ne s'était pas contentée de décrire une mort par terreur, un homicide déguisé en crise cardiaque, elle avait ajouté l'absence d'effraction, de lutte, et établi une victimologie aussi précise que possible en se basant sur les rapports de Magali et de ses hommes sur place.

Elle avait demandé au STRJD[1] à Rosny-sous-Bois qu'ils lui transmettent toute information sur des groupuscules satanistes reconnus s'ils en disposaient. Elle voulait creuser dans cette direction également. HPL avait forcément rencontré son « maître » quelque part ou à défaut en avait peut-être parlé autour de lui, à d'autres adeptes.

---

1. Service technique de recherches judiciaires et de documentation.

Tous les services qui étaient liés de près ou de loin à son enquête étaient alertés, elle avait adressé un courriel à chacun pour présenter les crimes, pour appeler à la vigilance. La cellule 666 était officiellement née dans la soirée et Ludivine avait lancé bon nombre de lignes en espérant qu'au moins une prise intéressante finirait par mordre à l'hameçon.

Elle marchait d'un pas lent, une main sur la nuque pour se masser et tenter d'apaiser la douleur qui lui raidissait le cou. Elle hésita à rentrer directement chez elle. Pourquoi ne pas s'arrêter dans un bar et siroter un verre en zieutant les infos à la télévision, juste le temps de déconnecter, un sas de décompression ?

Et pourquoi pas s'enfiler une bouteille entière tant qu'on y est ? Pour finir comme dimanche dernier ?

Ludivine s'en voulut aussitôt d'être si dure avec elle-même. Il existait un juste milieu entre abstinence totale et beuverie excessive.

Après réflexion, elle ne s'estima plus d'humeur. Elle venait de réussir l'exploit de s'autovexer. Chemin faisant le long du boulevard Davout, elle réalisa qu'elle aurait apprécié passer la soirée avec Segnon et sa femme. Ils formaient un couple agréable qui faisait du bien au moral. Depuis qu'ils étaient partis ensemble chez Richard Mikelis, le criminologue, à la fin de l'enquête sur les « *e », Ludivine avait appris à mieux les connaître et elle avait passé de très bons moments en leur compagnie. Pour Segnon, sa famille c'était toute sa vie, sa base. Il pouvait affronter les pires situations, être témoin des pires actes de l'espèce humaine ; tant qu'il retrouvait femme et enfants le soir, il encaissait et faisait le boulot. Tout comme Richard Mikelis. L'expert qui avait raccroché, tanné, usé jusqu'à la trame même de son âme par la violence. Lui avait tout laissé tomber pour sa famille, pour ne pas risquer de rapporter cette violence dans son foyer pour ne pas s'abîmer au point d'en infester son propre clan Ludivine les enviait.

Moi, je n'ai rien à perdre.

L'enquête de sa vie s'était soldée par la mort de plusieurs de ses collègues...

Alexis.

Le visage du jeune gendarme s'imposa à elle. Il lui manquait. Sa présence, sa chaleur, sa voix. Son corps. Il y avait quelque chose dans son rapport à la solitude, à son boulot, qui les rapprochait, un certain cynisme... Alexis et elle ne s'étaient que peu connus, mais il l'avait marquée comme aucun autre homme. Il flottait souvent à la lisière de ses pensées. Un fantôme. Ludivine se méfiait de l'idéalisation due à son décès, mais c'était plus fort qu'elle, il s'imposait comme une évidence lorsqu'elle se sentait profondément seule. La jeune femme inspira une longue bolée d'air pour se détendre un peu et chasser les pensées tristes de son esprit.

Après l'enquête, donc, elle avait compris qu'il existait des sentinelles dans le monde. Elle les appelait les Veilleurs. Une poignée d'hommes et de femmes incapables de se couler dans le moule, de se fondre dans la routine de la vie, et qui demeuraient un pas en retrait, ni tout à fait dans l'ombre ni en pleine lumière. Des êtres attentifs dont le rôle consistait à guetter, à s'assurer que la civilisation perdurait, que la violence ne se propageait pas. Car Ludivine en était à présent convaincue, la violence était épidémique. Hautement contagieuse. Il suffisait que la société soit fragile pour être contaminée. Les porteurs étaient nombreux. Et les temps actuels ne l'incitaient pas à la confiance.

Les massacres du TGV et du restaurant en étaient les premiers exemples. Des symptômes du mal qui rongeait la société. Il fallait surveiller leur recrudescence, leur rapprochement. Si les États-Unis étaient déjà bien infestés compte tenu du délai extrêmement court entre deux fusillades, entre deux crimes sordides, ce n'était pas encore le cas de l'Europe, mais il fallait demeurer vigilant.

Et ensuite quoi ? Que fera-t-on si la violence se répand ?

Ludivine se passa la main sur le visage pour se détendre. Elle arrivait chez elle, rue de Bagnolet. Il était temps de songer à autre chose. Avec des jours comme ceux qu'elle venait de vivre, elle voyait tout en noir.

Elle tapa le code de son immeuble et entra. Elle avait besoin de dormir. Ce n'était plus le moment de mener un combat mental contre elle-même. Certainement pas le bon jour non plus, pensa-t-elle avec ironie. Mais lorsqu'elle entra dans son appartement, l'horloge digitale du four indiquait qu'il était minuit passé. Ce n'était donc plus le 8 mai. L'armistice passé, la guerre intérieure pouvait reprendre.

Elle claqua la porte et se déshabilla sur le chemin de la chambre. Dans le tiroir de sa table de chevet il y avait des somnifères. Elle capitula et en prit deux. Elle s'effondra, nue sur son lit, s'enroula dans la couette, fatiguée de penser sans la moindre pause, et se mit à espérer qu'il puisse exister un bouton « OFF » pour débrancher le cerveau de temps à autre.

Aussitôt, le visage égorgé du fouineur de La Courneuve et celui terrorisé et dévoré par les asticots de José Soliz s'emparèrent de son esprit.

Si ce bouton existait, il se nommait la mort.

Segnon arriva à la SR vers 10 heures ce matin-là. Il se sentait de bonne humeur, la soirée, bien que courte, avait été bonne. Laëti avait été adorable, il avait pu embrasser les jumeaux, manger un bon dîner préparé avec soin par sa femme, ils avaient fait l'amour et, ce matin, il avait pris son petit déjeuner avec toute la famille avant de passer une heure à faire du sport au club. Bref, tout était pour le mieux dans le meilleur des mondes. Entre deux crimes.

Mais, dès qu'il entra dans la petite pièce qui servait de bureau aux trois gendarmes, il comprit qu'il s'était passé quelque chose. Guilhem tapait frénétiquement sur son clavier d'ordinateur tandis que Ludivine raccrochait son téléphone et se mettait à prendre des notes.

— J'ai raté quoi ? demanda-t-il.

— L'IGNA, le labo d'expertise génétique, a appelé ce matin. Ils ont un recoupement sur l'ADN de notre sataniste.

— HPL ?

Ludivine prit sa feuille.

— Appelle-le plutôt Kevin Blancheux.

— Moins flippant comme nom. Pourquoi il est dans nos fichiers ?

— Tu veux toute la liste ? Je te cite le plus intéressant : attentats à la pudeur en 1998 et 2000, viol sur un clochard en 2004, cambriolages la même année, agressions avec violences à l'aide de tessons de bouteille dans la foulée. Arrêté début 2005, il a été déclaré inapte par les experts psychiatres qui l'ont rencontré et il a fait quelques séjours en hôpitaux psychiatriques avant de ressortir en 2012. On a retrouvé son ADN dans un cimetière profané, mais impossible de remettre la main sur lui depuis. Un beau palmarès.

— Je peux pas dire que je sois étonné.

— Guilhem et moi avons creusé un peu et on a trouvé le nom d'un psychiatre qui l'a traité. Je vais le voir, tu m'accompagnes ?

Segnon jeta un œil vers Guilhem, toujours occupé sur son ordinateur. Sans relever le nez de son écran, ce dernier lança :

— Vas-y, fais-toi plaisir. Moi je préfère la compagnie des machines, elles sont plus surprenantes.

Segnon se retourna vers Ludivine et hocha la tête, résigné.

Le docteur Karchan reçut les deux gendarmes dans un bureau entièrement blanc de l'UMD, l'unité pour malades difficiles, de Villejuif. Le psychiatre avait une cinquantaine d'années, barbe noire et lunettes imposantes sous un crâne largement dégarni. Sa blouse immaculée laissait apercevoir une chemise et un nœud de cravate. Il marchait d'un pas traînant et Ludivine mit un moment avant de remarquer une légère différence entre ses deux chaussures. Il en portait une orthopédique pour soulager son pied bot.

– Asseyez-vous. Qu'est-ce que je peux faire pour vous ? demanda-t-il sans trahir la moindre émotion.

Ludivine se présenta et fit un très rapide résumé de la situation, la découverte matinale de l'identité d'un suspect dans une série de meurtres avec tortures et mutilations.

– Vous savez que tout ce qui se passe entre le patient et les médecins est protégé par le secret médical, non ? Pourquoi êtes-vous venus jusqu'ici ?

Karchan n'était pas un homme aimable.

– Nous avons besoin d'identifier le plus rapidement possible les complices de notre suspect, avant qu'ils ne tuent à nouveau. J'ai pensé que l'urgence de la situation méritait qu'on se déplace.

– Sans commission rogatoire ? Sans magistrat ? Je suis désolé, mais je ne peux rien faire pour vous.

Comme s'il n'avait pas entendu, Segnon demanda :

– Kevin Blancheux, il est bien passé par votre établissement ?

Karchan joignit l'extrémité de ses doigts sous son nez.

– C'est de Kevin dont il s'agit ?

– Vous vous souvenez de lui ?

– Bien sûr.

– Il traîne dans un trafic de peaux humaines, trois personnes au moins, écorchées vives. Probablement pas par lui, mais par un compère dont il est proche. Très proche.

Karchan fixait Segnon par-dessus sa pyramide de doigts.

– Écoutez, si vous voulez accéder au dossier médical, il faut voir avec votre juge d'instruction, pas avec moi. Ensuite vous appelez le secrétariat pour prendre rendez-vous. Personnellement je n'ai rien à vous déclarer.

– Nous ne vous demandons pas de déclaration officielle, docteur, précisa Ludivine, juste quelques précisions sur ce patient, pour nous aider à gagner du temps dans notre enquête. Imaginez, si ça peut sauver des vies...

– C'est du *off* que vous me demandez ? Parce que, je vous préviens, je ne témoignerai pas à un procès. J'ai le droit au silence, secret médical.

– Tout ce qu'on veut, c'est mieux comprendre Kevin Blancheux.

– Par exemple, son délire sataniste, c'était déjà présent quand vous l'avez eu dans votre service ? insista Segnon.

– Je ne vous parlerai pas de son état mental, c'est confidentiel. En revanche je peux vous dire qu'il est arrivé ici début 2006, je crois, en provenance de Sainte-Anne, obligation de soins psychiatriques sans consentement à la demande de l'État, un SPDRE[1]. Nous l'avons gardé dans l'unité qui traite les patients en phase aiguë de leur pathologie pendant un long moment avant de lui faire intégrer l'unité intermédiaire où il est resté deux ans. Nous l'avons testé ensuite dans un secteur mixte pour ce que nous appelons les pré-sortants, et il s'est bien comporté. Il a ensuite rejoint un service de psychiatrie plus conventionnel, à Sainte-Anne il me semble, avant qu'ils n'estiment qu'il pouvait ressortir. Un déroulé propre, avec une évolution constante, une prise de conscience et une amélioration notable.

– Il était violent ? interrogea Ludivine.

– Pas plus que la plupart des personnes qui arrivent ici. Vous êtes dans une UMD, nous sommes spécialisés dans les cas les plus extrêmes.

– Et c'en est un ?

– Quand il était ici, il était surtout imprévisible, avec des bouffées délirantes pouvant aboutir à des crises de violence, d'où sa venue en UMD.

– Vous pensez qu'il serait capable de dépecer un être humain ?

– Je ne peux pas répondre à cette question.

Ludivine tenta de masquer son agacement. Elle enchaîna :

– Vous a-t-il parlé d'amis proches, de complices...

– Non, je ne pense pas.

---

1. Soins psychiatriques sur décision du représentant de l'État.

– Est-ce qu'il faisait référence à Satan comme à un être réel qu'il aurait rencontré ?

– Non, mais il était passionné par le sujet, clairement.

Ludivine s'adressa à Segnon :

– Il l'a rencontré après sa sortie. Docteur, il recevait des visites pendant son internement ici ?

Karchan plissa le nez pour réfléchir.

– Écoutez, vous débarquez comme ça, sans documents officiels, vous me prenez du temps, je n'ai pas à vous répondre.

Ludivine se pencha en avant :

– C'est important, ça peut être le lien entre Kevin Blancheux et les crimes qui ont été commis, encore une fois, s'il y a d'autres meurtres, vous et moi allons très mal dormir, alors...

Karchan leva les mains devant lui :

– Je sais très bien ce que vous voulez dire, mais je suis désolé, je ne peux vous ouvrir mes dossiers ainsi.

– Juste l'identité de ses visiteurs, docteur, demanda Segnon.

Ludivine en rajouta :

– Votre nom n'apparaîtra dans aucun procès-verbal, c'est entre nous, pour nous aider. Je vous le promets.

Karchan se passa une langue pointue sur les lèvres avant de saisir un Post-it et un stylo plume.

– Il n'en avait qu'une, capitula-t-il, elle venait souvent, je me souviens très bien d'elle. Catherine Dequinck. La mère de sa fille.

Il tendit le Post-it avec le nom inscrit dessus.

– Kevin Blancheux a une fille ?

– Oui. Débrouillez-vous comme vous le voulez, mais je ne vous ai rien dit. De toute manière, je ne sais pas où elle réside.

Karchan se leva pour leur ouvrir la porte de son bureau.

– Merci, docteur, fit Ludivine en sortant.

Karchan lui attrapa le bras au passage. Le médecin avait une poigne d'acier. Il se pencha vers la gendarme. Sa barbe sentait le tabac à pipe.

– Si vous retrouvez cette gamine, dit-il, vérifiez si elle va bien. Moi, je n'ai jamais rien pu faire, ce n'était pas de mon ressort.

– Bien sûr.

– Je veux dire, là-haut, dit-il en posant un index sur sa tempe.

– Pourquoi, elle avait des problèmes psy, comme son père ?

– Ça, je l'ignore mais vous comprendrez en la voyant. Ça vous sautera aux yeux, si je puis dire.

Le regard du docteur Karchan devint d'un noir d'encre et, pendant un instant, l'âme de Ludivine le but comme un papier buvard assoiffé. Elle en frissonna.

18.

Ludivine enfonça sa paire de lunettes de soleil jusqu'à ce qu'elle lui masque une partie du visage. Le monde s'assombrit brusquement, et cela la soulagea. Ses mèches blondes dansaient de part et d'autre de la monture en écailles marron et noir.

Le soleil du mois de mai commençait à chauffer, seul dans un lit d'azur.

Segnon marchait à côté, tripotant les clés de leur voiture.

– J'ai prévenu Guilhem, l'informa Ludivine, il va se rencarder sur la mère.

– Je suis content d'être sorti, déjà que j'aime pas les hostos, mais là c'est le summum : un hôpital-prison ! Tous ces sas, ces barreaux, ces grilles, les caméras partout, le staff de musclés prêts à intervenir à tout moment, je commençais à ne plus respirer. Et puis Karchan, c'est pas le mec le plus aimable du monde.

– De toute manière, je déteste les médecins barbus, je trouve pas ça franc du collier.

Segnon se lissa la moustache et le bouc qui commençait à prendre en épaisseur.

– Merci…

– Je dis pas ça pour toi, toi c'est pour le style, c'est un accessoire, lui c'était la grosse barbe drue pour se planquer.

– Il aurait pu nous envoyer chier, Lulu, il avait plus que le droit.

– C'est ce qu'il a fait, je te rappelle. Quel connard !

– Tu veux tout, et tout de suite. Tu sais, je te trouve vraiment à cran en ce moment. Ça me fait chier de devoir te le dire, mais je suis ton partenaire, et ton ami.

– À cran genre... casse-couilles ?

– Un peu. Tu ne prends plus de distance sur les affaires, Lulu. Tu ne déconnes plus, tout est tout le temps sérieux, vital. Elle est où la fille qui se marrait avec moi ? Qui prenait le temps de vivre un peu ?

– J'ai jamais été la pitre de service non plus, c'est pas dans ma nature, n'exagère pas...

– Non mais... Je me fais du souci pour toi. Vraiment.

Ludivine enfonça ses mains dans les poches de son jeans, un peu agacée et en même temps touchée par l'attention que lui manifestait son ami.

– Je...

Se confier n'avait jamais été son genre. Elle était pudique. Segnon avait beau lui tendre une perche, elle n'arrivait pas à la saisir. Devinant sa difficulté, il se mua en accoucheur de mots :

– Je sais que ça a été très dur pour toi. Alexis d'abord, puis la fusillade au Canada... Je sais tout ça. J'étais là, ne l'oublie pas. Tu sais, on n'en parle jamais, mais on devrait. J'ai été terrorisé par cette nuit. Terrorisé. J'ai fait des cauchemars, et ça m'arrive encore parfois, mais j'ai Laëti et les jumeaux qui m'aident par leur présence, et parfois par la parole. Toi, tu n'as personne. Enfin si, justement, je voudrais que tu comprennes que tu m'as, moi.

– C'est gentil, Segnon...

– Non, c'est sincère. Tu arrives à dormir en ce moment ?

– Quand j'atteins le stade de l'épuisement, oui.

– Tu prends des trucs ? Des cachetons ?

– Rarement, j'aime pas ça. Mais plus ça va, moins j'ai le choix.

– Tu consultes ?

– Pour me retrouver face à un barbu dans le genre de celui qu'on vient de rencontrer ? Non merci !

– Les psys c'est comme le bon pain, tu sais, il y en a pour tous les goûts, suffit de chercher un peu.

– Je sais pas, c'est pas mon truc...

– Alors parle avec moi, vide ton sac.

Ludivine acquiesça mais ne sut plus quoi dire de plus. Rien ne lui venait hormis la souffrance, si bien qu'elle se tut jusqu'à ce qu'ils entrent dans la voiture. Segnon la regarda, lui passa la main dans le dos affectueusement, en lui répétant une dernière fois qu'il était là pour elle, puis ils démarrèrent. Ils s'arrêtèrent dans un Buffalo Grill en bord de route pour déjeuner, et Guilhem appela alors qu'ils sirotaient leur café :

– Quand tu es directrice d'enquête, je dois t'appeler « patron » ? demanda-t-il.

– Maîtresse suffira, répondit-elle en songeant à la remarque de Segnon une heure plus tôt. Qu'est-ce qu'il y a ?

– La nana de HPL, Catherine Dequinck, elle a un album photo chez nous, mais ça date un peu. Passif de toxicomane, quelques vols à l'étalage et un petit problème avec l'autorité, en particulier les flics. Mais rien depuis 2001, elle s'est tenue à carreau.

– Job, antécédents psychiatriques, des infos sur sa fille ?

– Non, mais vous allez vous renseigner directement.

– Tu l'as logée ?

– C'est qui le meilleur ?

– Tu as une adresse ?

– Je veux te l'entendre dire !

– Crache le morceau !

– Quel cruel manque de reconnaissance... J'ai creusé, services sociaux et office HLM de Paris sont mes amis désormais. Je te sms sa dernière adresse connue.

– Top ! Guilhem ? Tu es le meilleur.

Un soupir de satisfaction inonda le combiné avant que Ludivine raccroche. Cinq minutes plus tard ils fonçaient vers le 20ᵉ arrondissement.

Catherine Dequinck habitait dans un immeuble vétuste à la façade grise qui tombait en lambeaux, au fond d'une cour sale et encombrée de tronçons de vélos, morceaux de scooters et de poussettes. Ludivine et Segnon ne s'attendaient pas à avoir la chance de tomber sur elle en pleine semaine mais ils comptaient déjà repérer les lieux, poser quelques questions aux voisins et commencer à dresser un portrait global de celle qui connaissait probablement le mieux Kevin Blancheux. La cage d'escalier témoignait à elle seule de l'ancienneté de l'habitation : des portes laissant passer le jour, des murs trop fins, des aérations pas étudiées... Chaque palier diffusait une ou plusieurs chaînes de télévision, parfois la radio, chaque étage y allait de ses arômes de repas divers et variés, poisson par ici, plat au curry par là... Les deux gendarmes s'immobilisèrent devant la porte droite du cinquième étage et frappèrent. Il y avait trois appartements au même niveau, le dernier, de quoi tenter sa chance auprès des voisins si...

Un verrou coulissa et un visage anguleux jaillit dans l'entre-bâillement.

— Oui ?

— Catherine Dequinck ? fit Ludivine.

— C'est moi.

La gendarme montra sa carte tricolore, imitée par Segnon.

— Pourrions-nous entrer un instant ?

Le visage se renfrogna immédiatement.

— Pourquoi ? J'ai rien fait.

— Non, mais nous aurions besoin de vous parler, c'est important.

— C'est à propos de Lilith ?

— Votre fille ?

La porte s'ouvrit un peu plus et Catherine Dequinck se dévoila davantage, tout en os, teint mat et tresses brunes, à peine la trentaine.

— Il lui est arrivé quelque chose ?

— Non, rassurez-vous, c'est à propos de Kevin Blancheux que nous sommes là.

Le battant se referma à moitié.

— Je ne sais rien, je ne sais pas où il est, arrêtez de m'emmerder avec lui.

— Nous l'avons arrêté, madame Dequinck. Ce que nous voudrions, c'est mieux le connaître.

— En ce qui me concerne qu'il aille se faire foutre, cracha la brune en faisant mine de refermer.

Ludivine posa la main sur le chambranle pour empêcher d'être éconduite.

— Nous devons comprendre ce qu'il est pour sauver des vies. C'est très important. Nous avons besoin de votre aide.

La grande femme maigre hésita.

— C'est grave ? devina-t-elle.

— Plus que ça.

— Oh putain, bredouilla-t-elle entre ses lèvres.

Elle s'écarta pour les laisser entrer.

— Ma fille revient de l'école dans quarante minutes, je vous demande d'être partis d'ici là, je ne veux pas qu'elle entende parler de lui.

Ludivine la salua en passant. Un enchaînement de petites pièces constituait l'appartement, avec un plancher craquant et des peintures qui avaient grandement besoin d'être refaites. Mais Catherine Dequinck avait apporté sa touche de décoration avec de grands rectangles de tissus aux motifs orientaux qui couvraient une partie des murs. Elle les invita à passer dans un petit salon et ils s'assirent sur un sofa élimé très près du sol. Ludivine nota l'absence de photos. Aucun cliché d'elle ou, surtout, de sa fille. Pourtant les petits éléments décoratifs ne manquaient pas, des bibelots exotiques pour la plupart. De tout ce qu'elle pouvait distinguer, Ludivine ne remarquait rien qui puisse renvoyer à une présence masculine. Les chaussures près de l'entrée, les manteaux dans le couloir, les objets dans le salon, rien.

— C'est pas seulement pour cette histoire de cimetière que vous l'avez arrêté, pas vrai ? Ça va au-delà des dégradations de pierres tombales ?

— Oui, madame, fit Segnon, en effet, il est passé au niveau supérieur.

Catherine Dequinck ne parut pas surprise. Ludivine profita qu'elle était assise en face d'eux pour la détailler. Grande, elle avait de jolis traits s'il n'y avait cette maigreur inquiétante qui lui creusait les joues et les orbites, lui soulignait la mâchoire et donnait l'impression d'une grosse tête sur un tout petit cou fragile. Même ses bras sous son T-shirt à manches longues étaient faméliques. Son sarouel kaki dissimulait ses cuisses que Ludivine devina décharnées. Les manches masquaient ses coudes et Ludivine se demanda si elle se droguait à nouveau. Elle n'avait pas des yeux vitreux, ni l'air absente ou particulièrement concentrée. Aucun signe douteux.

— Qu'est-ce qu'il a fait ce coup-ci ?

— Il est lié, plus ou moins indirectement, à deux homicides, expliqua Ludivine posément.

La jeune maman émit un long feulement en coinçant sa langue contre son palais, lèvres entrouvertes.

— Fallait bien que ça arrive, ajouta-t-elle.

Vous n'êtes pas surprise ?

— Vous l'avez rencontré, non ? Ça vous surprend, vous ?

— Vous êtes certainement la personne qui le connaît le mieux, alors…

— Non, ses psys le connaissent, pas moi. Moi je sais qui il était autrefois, celui qu'il est devenu à présent, je ne le connais pas.

— Il était comment ?

— À vingt piges ? C'était un gentil, un sensible. On s'est rencontrés à un concert de métal. Un bon petit mec, un peu rêveur.

— Déjà sataniste ? demanda Segnon.

– OK, ça c'était son point faible. Le truc qui fait que les métalleux ont mauvaise réputation, le cliché merdique de base, le cas à part. Kev tombait dedans pour le coup, je vous l'accorde. Mais à l'époque c'était surtout une bouée, une croyance pour se sentir exister, plus fort au milieu de la masse, différent, vous comprenez ?

– Il y croyait vraiment ?

Catherine Dequinck haussa ses frêles épaules.

– Ça s'est pas mal atténué quand on était ensemble. Je crois que pendant un moment je l'ai rassuré, assez pour qu'il n'ait plus trop besoin de ça. Puis c'est revenu... Kev, c'est une éponge à émotions, et il ne gère pas. Un écorché vif.

Ludivine ne releva pas mais l'expression, compte tenu du contexte, était plutôt malvenue.

– La naissance de votre fille ne l'a pas posé ?

– Non, au contraire. On était jeunes, ça l'a fait flipper, c'est devenu pire après. Moi, ça m'a mis du plomb dans la tête, mais lui... Il a plutôt pété un câble. Il s'est mis à dérailler, à perdre le contrôle... Je dis pas qu'il était bien équilibré avant, même si j'étais loin de me douter de tout ce qu'il faisait dans mon dos, mais j'ai fait la bêtise de croire que je pouvais l'aider, qu'il allait aller mieux... En fait, ça a été tout l'inverse. Franchement, j'étais amoureuse et un peu nunuche, genre « mère Trésa », sauveuse des causes perdues, alors je m'accrochais, mais à un moment j'en ai eu marre. Je l'ai quitté quand il s'en est pris à Lilith.

Pour quelqu'un qui ne voulait pas parler au début, Ludivine fut surprise par la confession que Catherine Dequinck leur faisait.

– Merci pour votre franchise, dit-elle.

– Honnêtement, ça me fait du bien de le dire. Je parle plus de Kev. Avec personne. Sauf avec les keufs, quand ils viennent me prendre la tête pour que je leur dise où il est, mais maintenant que vous l'avez serré...

– Il vous fait peur, n'est-ce pas ? nota Ludivine.

Catherine Dequinck hocha la tête lentement.

– Je suis soulagée en fait. J'aurais pas pensé, mais si. Grave.

Segnon joignit les mains sur ses jambes, complètement tassé qu'il était dans le petit sofa.

— Vous dites qu'il s'en est pris à votre fille ? Il lui a fait quoi ?

Catherine Dequinck fit la moue. Une pointe de colère puis de tristesse se devina dans son regard songeur.

— À la naissance de Lilith, il s'est remis à ses trucs de sataniste, de plus en plus. Juste avant d'être arrêté, il l'a...

La jeune femme déglutit avec peine, et Ludivine préféra enchaîner :

— Comment va votre fille aujourd'hui ?

— Ça va. Elle se fait opérer dans un mois, après l'année scolaire. Pendant des années, les spécialistes m'ont dit que c'était mieux d'attendre qu'elle ait fini de grandir, que c'était plus sûr pour qu'ils puissent la... *récupérer*, et que ça se voie le moins possible. Et puis même si la Sécu prend en charge une grosse partie, il va y avoir pas mal de fric à sortir, et je l'avais pas, il m'a fallu du temps pour économiser. J'ai fait effacer ce que j'ai pu sur son corps quand elle était petite, c'est déjà ça.

Ludivine ne put contenir un frisson en imaginant de quoi il pouvait s'agir.

— Quel âge a-t-elle à présent ?

— Elle va avoir treize ans. C'est dur pour elle. Encore plus maintenant.

— Pourtant, nous avons cru comprendre que vous alliez voir Kevin à Villejuif pendant toutes ces années ? s'étonna Segnon.

Le regard de Catherine Dequinck tomba et elle confirma d'un signe du menton, coupable.

— Lilith voulait voir son père. J'ai refusé pendant quatre ans, mais à un moment que vouliez-vous que je dise à ma fille ? Elle savait que son père l'avait atteinte dans sa chair, elle en souffrait chaque jour à l'école, et pourtant elle ne cessait de réclamer de le voir. Quand elle avait huit ans, un jour elle débarque et me dit : « Je sais que papa est chez les fous, mais si je veux comprendre pourquoi il m'a fait mal, je dois savoir qui c'est. »

À huit ans. Vous imaginez ? Alors je l'ai emmenée le voir tous les mois, tant qu'elle me l'a demandé.

— Et pendant ces années, vous avez constaté une amélioration de l'état psychique de votre ex ?

— Oui, bien sûr. C'était flagrant.

Elle lâcha un rire amer, nerveux.

— J'ai même cru que... peut-être, un jour, il pourrait devenir un bon papa. Vous imaginez ? J'ai fini par envisager de lui pardonner. Quelle conne !

— Pourquoi ? Il était comment à sa sortie ?

— Au début, plutôt bien. Mais c'était pour mieux nous surprendre ensuite. Il s'est foutu de nous comme il s'est payé la tête des psys. Il nous a tous servi la soupe. Et puis une fois dehors, il a repris ses délires de plus belle.

— Profanation de cimetière ? rappela Segnon.

— Et il parlait tout le temps de Satan, de ces conneries...

Ludivine se pencha en avant.

— Il a mentionné une rencontre en particulier ?

Catherine Dequinck fixa Ludivine avec attention.

— Vous parlez du diable ? Bien sûr. Au départ il parlait tout le temps d'un homme. « Ma vie va changer, il disait. Vous ne le croirez pas ! » Tu m'étonnes ! Quand il a commencé à raconter à Lilith que son vrai père c'était Satan et qu'elle allait bientôt le rencontrer, je l'ai foutu dehors et j'ai refusé qu'on le revoie. C'est là que les keufs sont venus me demander où il était.

— Vous savez qui était cet homme ? Celui qu'il appelait Satan ? questionna Ludivine.

— Mais le diable ! Il y croyait dur comme fer ! Il pensait vraiment que c'était lui !

— Sauf qu'il a un vrai nom, ce diable, insista Segnon. Il ne vous a jamais rien dit qui puisse nous aider à l'identifier ?

— À part que c'était Satan, qu'il l'avait pris sous son aile et qu'il avait des pouvoirs incommensurables ? Non.

Ludivine et Segnon continuèrent à poser des questions pendant un moment, puis la porte d'entrée s'ouvrit. Surprise, Catherine

Dequinck se raidit comme si elle craignait que Kevin Blancheux ne surgisse brusquement. Une jeune adolescente entra, avec son sac trop lourd sur les épaules, et adressa un sourire aux deux invités. Un foulard bordeaux et noir lui recouvrait le front jusqu'à la naissance de ses longs cheveux bruns.

Ludivine reconnut aussitôt le portrait de son père. Son ventre se creusa à l'idée que, tous les matins, Catherine Dequinck, en levant les yeux sur sa fille, le contemplait chaque jour.

– C'est qui, maman ?

– Et bonjour ?

L'ado salua les deux gendarmes qui s'étaient levés. La jeune maman prit sa fille contre elle.

– Ce sont des spécialistes, dit-elle à sa fille. Ils sont venus pour te voir avant l'opération.

– Ah oui, d'accord, répondit innocemment la jeune fille comme si ça n'avait aucune importance.

D'un geste rapide, Catherine Dequinck ôta le bandeau et dévoila le front de Lilith. La peau avait été entaillée en profondeur dans tous les sens pour y graver une dizaine de crucifix inversés de toutes les tailles. Certains avaient blanchi avec les années, d'autres rougi, parfois déformés par la croissance.

– Alors, vous croyez que ça va partir ? demanda Lilith.

Ludivine regarda la mère. La gendarme ne parvint pas à desceller ses lèvres, prise au dépourvu par la surprise et l'émotion. Segnon s'accroupit et posa une main rassurante sur le front de l'adolescente.

– Toutes les blessures finissent par s'estomper avec le temps, la rassura-t-il. Pas vrai, Ludivine ?

19.

Le boulevard périphérique était bouché, entièrement congestionné par l'afflux massif de ces milliers de minuscules caillots pollueurs qui menaçaient Paris d'infarctus chaque jour aux mêmes heures, saturant ses artères, noircissant ses poumons et asphyxiant jusqu'aux cerveaux des conducteurs qui redevenaient primaires et hargneux.

La visite à Catherine Dequinck n'avait pas seulement permis de confirmer que Kevin Blancheux était profondément dingue et pervers, mais aussi que sa rencontre avec son « maître » datait de sa sortie d'hôpital psychiatrique en 2012. Il fallait ratisser dans les deux dernières années de sa vie.

Ludivine était plombée par ce qu'elle avait vu sur le front de Lilith. La gamine, pleine d'espoir pour son opération et en même temps résignée, habituée à devoir se cacher, n'en était que plus bouleversante.

Après avoir discuté avec Segnon pendant près d'une heure, elle finit par se plonger dans la lecture de ses emails sur son iPhone. Un en particulier attira son attention, une alerte automatique qui lui indiquait qu'elle avait reçu sur l'Intranet une réponse à sa demande de consultation de SALVAC. Le retour était beaucoup trop rapide pour être positif et Ludivine se douta qu'il s'agissait d'un résultat nul ou d'une demande de précisions qu'il lui serait impossible de fournir. Ne pouvant pas accéder à l'Intranet depuis son téléphone portable, elle retrouva le numéro direct d'un des fonctionnaires en charge du système d'analyse à Nanterre et l'appela pour se faire aiguiller jusqu'au collègue qui avait traité sa demande.

— Oui, je vous ai envoyé notre avis, confirma-t-il.

— Je n'y ai pas accès d'ici, en résumé vous me racontez quoi dans votre courriel ? Je suis trop vague, c'est ça ?

— C'est en effet comme ça que j'ouvre mon courrier. Par contre, les archives nous ont tout de même sorti deux affaires qui peuvent vous intéresser. Deux décès suspects, un homme et une femme retrouvés figés dans une grimace de terreur, crise cardiaque, pas d'effraction, portes fermées, aucun vol, aucune trace de sévices, mais un visage terrorisé. Ce sont les mots « terreur » et « mort de peur » qui se recoupent dans les fichiers. Et aussi le délai court entre les trois. Ces deux-là datent de mars et avril dernier.

Ludivine n'en croyait pas ses oreilles. Elle attrapa la main de Segnon sur le levier de vitesse et la lui serra.

— Des pistes en cours ? demanda-t-elle.

— Aucune idée, je vous ai noté tout ce que j'ai sur les services qui traitent les deux morts. Pas la peine d'aller consulter des archives au TGI, ce sont des enquêtes en cours, les collègues vous rencarderont directement.

— Vous êtes formidable.

— Content de vous aider.

— Une dernière chose et je vous laisse en paix : vous pouvez me filer maintenant les noms et numéros des directeurs d'enquête, s'il vous plaît ?

Un instant plus tard, Ludivine tentait sa chance auprès du premier, un homme du SRPJ de Versailles qu'elle ne connaissait pas. Elle tomba sur son répondeur et essaya le suivant, directement à la brigade criminelle du quai des Orfèvres. Cette fois le lieutenant Corso décrocha et Ludivine se présenta pour lui exposer son cas.

— Oui, je vois bien de quelle affaire il s'agit, confirma-t-il.

— Vous en êtes où ?

— Nulle part.

— C'est-à-dire ?

— Rien à l'autopsie, rien à la toxico, rien à la scientifique, on va conclure à la mort naturelle

— L'autopsie l'a confirmée ?

Corso souffla dans le combiné et fit attendre Ludivine avant de faire claquer un dossier sous son nez après deux minutes de recherche.

— Alors, dit-il, voyons ça... Oui, c'est ça, le légiste conclut à un arrêt cardiaque soudain.

— La victime était jeune ?

— Un homme de... attendez... cinquante et un ans. Dommage pour lui.

— Et son cœur présentait des lésions, des antécédents cardiaques ?

— Non, rien, je crois. Pas de bol. Premier infarctus, il y passe, ça arrive.

— Je peux vous demander pourquoi la Crim' a débarqué sur les lieux ? On vous voit pas chaque fois que quelqu'un fait une crise cardiaque...

— À cause des cris. Les voisins ont entendu le type hurler en pleine nuit, des jappements de terreur, il paraît qu'ils en ont tous fait des cauchemars terribles après ça. J'ai discuté avec plusieurs d'entre eux, je peux vous dire qu'ils étaient réellement bouleversés. Je ne sais pas à quel point il a gueulé, mais ça devait être moche, parce qu'ils étaient traumatisés.

— Par des cris ?

— Apparemment oui. Je vous dis, presque tous m'ont avoué avoir fait des cauchemars abominables par la suite.

— Et ils n'ont vu personne ?

— Non, on a pourtant son voisin de palier qui a été sonner, mais les cris ont cessé presque aussitôt. Le lendemain matin, il a quand même demandé à se faire ouvrir par la gardienne, c'est là qu'ils l'ont trouvé. Le pauvre mec était pas beau à voir, la tronche déformée par la peur, assis dans son fauteuil. C'est pour ça qu'on est venus, ça semblait un peu bizarre, un homme en pleine forme qui beugle comme un gamin en crise de panique et qui en clamse, mais en définitive, rien.

— Pas d'empreintes, pas de témoins, pas d'ennemis connus ?

— Que dalle. Pourquoi ça vous intéresse comme ça ? Vous avez un biscuit à me donner ?

— J'ai un cadavre du même genre sur les bras.

— Écoutez, si à présent la SR veut se charger des crises cardiaques, je vous transmets le dossier, faites-vous plaisir !

— Ce serait sympa.

— Mais dites-moi, c'est vos gars qui ont levé la colonie de tueurs il y a deux ans, non ?

— Un an et demi, c'était il y a un an et demi, oui.

— Vous les féliciterez pour nous, on en a beaucoup parlé ici, ça, c'était une belle affaire.

— Je ne sais pas si « belle » correspond, mais je leur transmettrai, fit Ludivine sans humour, le cœur battant soudain un peu plus vite.

— Bon, et moi je vous envoie notre crise cardiaque, amusez-vous bien et tenez-nous au courant si un truc nous est passé au-dessus.

Ludivine avait à peine raccroché que Segnon lui demanda :

— Alors ?

— C'est lié, j'en suis sûre. On meurt pas de peur, c'est pas possible normalement, et là trois cas similaires en deux mois ? Il y a quelque chose de louche là-dessous.

— Et comment il ferait ? Si c'est pas possible, Lulu, c'est pas possible. Pourquoi tu veux inventer une connexion qui n'existe pas ?

— Trois victimes retrouvées la gueule déformée par la peur, non, excuse-moi, par la *terreur*, toutes enfermées chez elles, et HPL qui nous conduit droit chez l'une d'entre elles en nous affirmant que c'est le diable qui l'a tuée de trouille ? Et tu sais quoi ? Les voisins d'un des morts à Paris, ils ont tous fait des cauchemars horribles la nuit du meurtre. Tous ! Tu trouves pas ça bizarre ?

— Tu veux qu'on lance un avis de recherche pour un mec avec des cornes et les pieds fourchus ? répliqua le colosse en riant.

— Je déconne pas, Segnon !

— OK, alors tu m'expliques ?

— Je sais pas, mais il y a un lien.

— Il y a eu des cris, c'est ça ?

— Oui, des hurlements terrifiés.

— Cherche pas, tu te fais réveiller par ton voisin de cette manière, ça m'étonne pas que tu fasses des cauchemars ensuite !

Ludivine fit la moue, sceptique. Pas *tous* les voisins. Pas au point de paraître *traumatisés* le lendemain face à un flic de la Crim'.

L'iPhone était encore chaud, Ludivine appela Magali.

— Mag, pour le corps de José Soliz, tu peux demander à Lehmann de faire l'autopsie ?

— T'es sûre ? J'ai pas envie de me coltiner ses blagues à la con, moi.

— T'as qu'à envoyer Ben y assister, Lehmann est un bon. Dis-lui qu'il regarde attentivement le cœur, qu'il nous explique comment est mort Soliz et, s'il y a eu crise cardiaque, qu'il nous dise pourquoi.

— Je suis pas légiste, mais je crois pas qu'on puisse te dire pourquoi le cœur lâche, Lulu. Il va conclure avec son jargon à la con, c'est tout.

— Dis-lui quand même d'être très attentif. Insiste bien, c'est important. S'il y a le moindre détail anormal, même une connerie, qu'il le note et qu'il nous l'explique. Je veux une autopsie chiadée. Qu'il inspecte le moindre centimètre carré extérieur et intérieur de Soliz.

— Je m'en occupe, et je vais bien insister pour qu'il sache que ça vient de toi, il va te pourrir pour ça.

— T'inquiète, Lehmann apprécie qu'on lui dise de prendre son temps avec un cadavre, il va m'adorer.

Lorsque Ludivine et Segnon arrivèrent à la caserne de la SR, en toute fin d'après-midi, une partie des locaux était déjà vide, ne restait plus que le personnel travaillant sur des affaires chaudes. En passant devant la porte des bureaux des Stups, Ludivine entra et attendit qu'Yves ait terminé sa conversation téléphonique.

— Vous avez quelque chose de nouveau sur la bande du go-fast ?

— Non, ils sont tous à la Santé pour l'instant et c'est entre les mains du juge. Par contre, on creuse avec la section de recherches de Lille sur le point d'échange de la marchandise et du fric. Joseph nous a donné précisément l'endroit, une poubelle, et les collègues ont ratissé large autour pour essayer de choper un témoin mais ça n'a rien donné. Maintenant ils exploitent la piste des vidéosurveillances, en espérant que la caméra d'un DAB à la banque d'en face aura filmé un truc le soir du deal. Ils sont sur le coup.

— Ils ne lèvent pas le petit doigt sans nous en référer avant, d'accord ? Le dépeceur, c'est pour nous.

— T'en fais pas, ils marchent main dans la main avec nous. S'ils apprennent quelque chose, tu seras au courant dans l'heure.

— Super, merci Yves.

De retour dans son bureau, Ludivine admira l'œuvre de Guilhem dans la journée : il avait entré toutes les informations dont ils disposaient dans leur logiciel Analyst Notebook, sans obtenir de recoupement pertinent ; il avait tapé toute la paperasse de leurs différentes sorties et constatations pour remplir le dossier, et il avait même commencé à travailler sur le passé de Kevin Blancheux en contactant les différents services psychiatriques qu'il avait fréquentés, tout en harcelant Mouroy, le procureur, pour qu'il leur fournisse les autorisations nécessaires pour faire accélérer les choses. Mais concernant ce qui touchait au secret médical, le procureur s'était montré pessimiste. À part la saisine directe, les professionnels de la santé eux-mêmes n'étaient jamais très enclins à disserter sur leurs patients. En attendant, Guilhem s'était contenté de dates d'admission, de sortie, de liste du personnel soignant à défaut d'avoir accès à celles des visiteurs et des traitements médicamenteux, puis il avait tenté d'obtenir les noms des codétenus qu'il avait pu croiser lors de ses séjours en prison avant l'internement, mais tout prenait un temps fou et, le vendredi après-midi, il était toujours plus difficile d'obtenir un interlocuteur ou des renseignements avant que ne tombe le couperet du week-end.

Peu avant 19 heures, Segnon reçut un appel bref, il se leva aussitôt, enfila son sweat et fit signe à Guilhem d'en faire de même.

– Lulu, on décolle, prévint-il.

– Qu'est-ce qui se passe ?

– Viens, je t'expliquerai en route.

Son visage restait impassible, Ludivine était incapable de deviner s'il s'agissait d'une urgence, d'une situation grave ou juste d'une nouvelle piste qui s'ouvrait à eux, mais elle saisit son Sig-Sauer dans son tiroir et l'enfonça dans son holster avant de prendre sa veste.

Segnon et Guilhem étaient déjà dans le couloir et filaient à toute vitesse dans les escaliers.

20.

Diane avait gagné deux nouveaux amis dans la journée et cela faisait son bonheur.

Elle se connecta de nouveau à son compte Twitter pour vérifier. Neuf personnes la suivaient. Plus sept mais neuf. Et après vérification, il ne s'agissait même pas de gens qu'elle connaissait. De nouveaux « followers », des inconnus qui estimaient que ses messages sur Twitter méritaient qu'on s'abonne à son « fil ». C'était formidable. Devait-elle leur souhaiter la bienvenue ou au contraire jouer l'indifférente pour montrer qu'elle était au-dessus de ça ? Elle demanderait son avis à Priss ce soir.

C'était enfin le week-end et elle avait rarement vécu une semaine si longue. Interminable. Il était temps que les vacances arrivent, elle n'en pouvait plus des cours. Du haut de ses seize ans, elle n'aspirait plus qu'à une chose : travailler ! Gagner son fric, se prendre une colloc' avec Priscilla, qu'elles finissent enfin par vivre leur vie tranquilles. *Bientôt ! C'est pour bientôt !*

Elle envoya un sms à Priss pour la prévenir qu'elle était sur le chemin et remarqua que ses ongles n'étaient déjà plus impeccables. Le vernis, d'habitude parfaitement aligné sur l'extrémité de l'ongle, d'une blancheur immaculée, était écaillé, et sur plusieurs doigts ! Diane détestait ça. C'était un manque de distinction, d'élégance. Une fille sophistiquée se devait d'avoir les ongles nickel ou alors pas faits du tout, mais l'entre-deux, c'était « plouc », affirmaient-elles avec Priss. Et plouc au pays des ploucs, ça devenait honteux, scandaleux même. Ça aussi, il était temps que ça change. Quitter ce trou à rats et migrer sur Lille. On avait beau dire, depuis le triomphe de Dany Boon, que le Nord, c'était la bonhomie, la jovialité, pour elle et Priss leur village n'avait jamais scintillé de glamour ou de paillettes. Ça restait un bled paumé et déprimant.

J'ai les ongles tout niqués, je vais me « dissolver les doigts », se dit-elle selon l'expression consacrée par les deux adolescentes. *Les doigts tout dissolvés ce soir, c'est nécessaire. Tout refaire au propre. Pourvu que Priss ait ce qu'il faut. Oh oui ! Je vais pouvoir lui emprunter son nouveau stylo correcteur !*

Le week-end commençait bien, la soirée chez son amie, demain Jenny, la sœur de Priss, les emmènerait à Lille faire les boutiques, c'était parfait. Comme quoi les horoscopes ne racontaient bien que des conneries. En se connectant sur son site habituel, Diane avait consulté le sien au petit déjeuner ce matin, comme tous les jours, et il lui avait dit d'être attentive ; si la journée ne se déroulait pas comme escompté, elle pourrait néanmoins être témoin d'un moment important, qui pourrait changer des vies. Et de quoi avait-elle été témoin finalement ? De Timothée en train de se faire gicler hors du cours à cause de ses dessins ? De cette pouffiasse de Camélia qui sortait avec Hugo ? Tu parles d'un changement important ! Et puis qui utilisait encore le mot « escompter », franchement ? Il fallait qu'elle change de site, le sien était certainement un horoscope pour les vieux. Elle allait demander à Priss si elle en connaissait un autre.

Diane avait quitté la rue principale du village et, après deux cents mètres elle tourna sur le chemin de halage pour gagner du temps. Elle adorait le printemps, et encore plus l'été. Il faisait encore jour à l'heure du dîner, on pouvait porter tous les décolletés et les jupes qu'on voulait sans se geler, et les mecs devenaient beaucoup plus dragueurs à mesure que le soleil revenait. Ça devait avoir un lien avec l'expression « avoir le sang chaud », supposa-t-elle. Toujours ce putain de soleil, encore et toujours. Ce week-end elles allaient se mettre en maillot dans le jardin de Priss pour se faire bronzer. Une belle peau brune rehaussait n'importe quelle tenue d'un cran dans le glamour et les paillettes.

Diane longeait le stade municipal où jouait une bande de garçons de tous âges. Elle s'assura qu'il n'y en avait aucun qu'elle aimait bien mais ne vit que des ploucs de Ploucland. Rien que leurs maillots bariolés, sans aucune cohérence dans les motifs et les couleurs, les rendaient ridicules, sans parler de leurs shorts immondes. Pas glamour et paillettes, non, pas du tout.

Diane s'éloigna et avait bientôt atteint la rue du Moulin, elle serait chez Priss dans moins de dix minutes. Elle inspecta encore ses ongles. *Doigts tout dissolvés ce soir, faut pas déconner, je ne peux pas aller à Lille comme ça demain.*

Lorsqu'elle releva la tête, elle manqua de buter dans un homme qui lui barrait la route.

– Désolé, fit-il aussitôt. Je m'suis paumé, vous pourriez m'indiquer la route de Solesmes ?

Une camionnette blanche, un vieux modèle en mauvais état, de ceux avec un toit très haut, stationnait sur le bas-côté, presque dans le fossé, portières ouvertes à l'avant et à l'arrière, moteur arrêté. L'homme était grand et costaud, mal rasé, châtain clair limite blond, une casquette vissée sur le crâne, la visière lui tombant en partie sur le visage. Mais Diane remarqua aussitôt qu'il puait. Pour ça, elle était forte. Elle avait toujours eu un excellent odorat. Il était un peu flippant à ainsi surgir de nulle part, le roi des ploucs, qui sentait autant la transpiration qu'il était vilain. Diane eut surtout envie de lui indiquer la direction des vestiaires du stade pour qu'il y prenne une douche mais se ravisa immédiatement. Jamais elle n'aurait osé ce genre de provocation sans ses copines autour d'elle pour en rire et la soutenir. Le courage, si c'en était, ne vient qu'avec l'effet de bande, elle l'avait souvent constaté.

– Ah, oui, Solesmes, c'est pas difficile, vous prenez la prochaine à droite, au bout du chemin, et sur la route vous...

Diane lui indiquait avec un signe de la main, un peu penchée, et cela fut suffisant pour que son attention baisse. D'un geste vif, brutal et sûr de lui l'homme lui plaqua la main sur la bouche et l'attrapa par la taille, en se positionnant derrière elle. C'était si rapide, si violent, si inattendu que Diane ne put que pousser un semblant de cri étouffé, plutôt un reflexe de peur, avant qu'il ne l'arrache du sol.

Réalisant alors ce qui se passait, le cœur battant à tout rompre, les tempes bourdonnantes, Diane fut prise d'un spasme qui lui contracta l'estomac. Elle commença à se débattre mais l'homme la tenait bien et la tira vers l'arrière de sa camionnette.

Non ! Non ! Pas ça ! Non !

L'adolescente ne parvenait plus à réfléchir. Elle n'était que panique, terreur. La force de son agresseur était tellement supérieure à la sienne, et il savait ce qu'il faisait, il était adroit, déterminé, tandis qu'elle n'était qu'une boule d'angoisse aveuglée par l'émotion. Malgré tout, Diane tenta de s'agiter dans tous les sens, sans que cela ne le ralentisse. Il lui bloquait la bouche de son énorme main avec tant de pression que toute sa mâchoire craquait, cela devenait très douloureux, et il ne jaillissait de sa gorge que des jappements effrayés, inaudibles à dix mètres. L'odeur de transpiration s'intensifiait, immonde, et s'y ajouta le souffle chaud, aillé, de l'homme qui respirait contre la joue de Diane.

Le pire était qu'il ne parlait pas. Pas un mot pour lui expliquer, ne serait-ce que pour lui faire croire que tout allait bien se passer, qu'il n'allait pas lui faire de mal si elle se laissait faire, non, rien de tout cela. Il ne se donnait aucun mal pour la rassurer, il n'en avait pas besoin tant le combat semblait gagné d'avance. Il la maîtrisait et l'entraînait vers sa camionnette comme une araignée tire sa proie vers le fond de sa toile avant d'opérer sa terrible besogne avec un naturel glaçant.

L'ombre des portes arrière de la camionnette tomba sur le duo et Diane eut la conviction qu'il ne fallait pas qu'elle y monte. Surtout ne pas y aller. Se battre. Tout donner. Comme une lionne. Quoi qu'il arrive, ne pas rentrer, sous aucun prétexte. La camionnette, c'était la fin.

Mais elle ne trouvait pas l'énergie pour cela. Elle paniquait, son cœur battait trop vite, son esprit était comme anesthésié et ses muscles avaient été remplacés par des filaments de coton.

L'homme grogna en se hissant dans son antre et il grimpa avec sa victime. Dans un accès de lucidité, Diane parvint à saisir le rebord de la porte et serra comme si sa vie en dépendait.

L'homme émit un râle contrarié, mais toujours aucun mot. Il força pour lui faire lâcher prise, mais Diane tint bon. Alors, deux féroces coups de talon s'abattirent sur sa main, de grosses chaussures de chantier très lourdes. La décharge remonta dans tout le bras de Diane qui, curieusement, ne ressentit pas la douleur comme telle, juste un message de son organisme pour lui indiquer qu'elle était *supposée* souffrir. Mais la peur annihilait jusqu'à la souffrance. Le talon tomba encore, et encore, jusqu'à ce que Diane remonte sous ses yeux une purée sanguinolente de phalanges déformées, ouvertes, retournées, les ongles et leurs esquilles pendants, telles les touches d'un piano explosé.

Lorsque l'homme la traîna jusqu'au fond de sa camionnette, dans l'obscurité, la dernière pensée de Diane fut de se dire que, cette fois, elle avait vraiment les doigts dissolvés.

Puis les portières se refermèrent sur sa conscience dans un long cri silencieux.

21.

La chair dégorgeait son jus rouge et chaque coup de couteau produisait un son spongieux. L'odeur se répandait dans toute la pièce, sous les regards avides des spectateurs.

— Je suis désolée, ça n'est ni original ni de la haute gastronomie, prévint Laëtitia, mais mes spaghettis aux boulettes sont délicieux, en toute modestie ! Ludivine, ton assiette.

Les fines bulles du moscato d'Asti crépitaient contre le palais de la gendarme, délivrant leurs saveurs veloutées de pêche et de muscat. Gorgée après gorgée, l'alcool était venu apaiser Ludivine, transformant ce qui était une colère malvenue en un sentiment de culpabilité puis une douce euphorie prit le relais. Segnon l'avait baratinée pour mieux l'inviter à dîner, pour éviter les excuses bidon, les prétextes bancals. Et maintenant qu'elle était là, assise avec tout le monde en définitive, elle se sentait bien. Bien mieux que si elle était rentrée chez elle pour végéter devant la télé ou avec un bouquin dans son lit.

— Vraiment, si j'avais su, s'excusa-t-elle, je ne serais pas venue les mains vides…

— Relax, j'ai cru comprendre que Segnon s'est un peu payé ta tête pour te faire venir et, pour une fois qu'on te voit chez nous, on va pas s'en plaindre.

— C'est pas contre vous, tu le sais bien.

La grande blonde se tourna vers son mari :

— N'empêche, il a raison ce grand couillon-là, tu ne devrais pas rester seule tout le temps. On est là, nous !

— Hey, le couillon il voudrait bien goûter les boulettes de sa femme...

Laëtitia le gratifia d'un regard coquin et d'un sourire qui en disait long sur son interprétation des mots de son mari.

Pendant qu'il saupoudrait son assiette de parmesan, Segnon désigna Guilhem :

— Lui, il a tout compris. Dès que sa femme l'abandonne, il rapplique !

— Fiancée, corrigea l'intéressé. On se marie en septembre.

— Ah oui, c'est vrai ! s'exclama Laëtitia. Faut qu'on s'occupe d'habiller les jumeaux, d'ailleurs.

— Rappelle-moi déjà, elle fait quoi, ta fiancée ? demanda Ludivine.

— Elle bosse dans une boîte de prod' pour des films institutionnels. C'est pour ça qu'elle est souvent en vadrouille pour ses tournages.

— On la voit pas souvent aux soirées, déplora Laëtitia, pourtant ça a l'air d'être une sacrée rigolote, ta Maud. Et toi, Ludivine, tu as un Jules en ce moment ?

Segnon donna un coup de coude discret à sa femme qui répliqua tout haut :

— Eh bien quoi ? Je peux lui demander si elle a un mec, quand même ? Pas vrai, Lulu ? Rassure-moi, tu baises, des fois ?

— Laëti !

Ludivine se fendit d'un sourire un peu gêné.

— Je vis ma vie, ne vous inquiétez pas.

— Et pas de prince charmant en vue ?

— Je suis pas sûre d'en avoir envie de toute façon. Je me sens bien comme ça, avec mon petit quotidien à gérer.

— Je pensais comme toi avant de rencontrer Segnon, j'étais pas du tout du genre à vouloir m'encombrer avec un mari et des gosses, et regarde ce qu'il a fait de moi !

— Je t'ai ouverte au bonheur, corrigea Segnon.

Guilhem pointa sa fourchette vers son collègue :

— C'est drôle de t'imaginer papa quand on te voit sur une arrestation, balèze, autoritaire, qui fait flipper les suspects !

Laëtitia gloussa :

— Tu le verrais avec Nathan et Léo, ridicule ! Gâteux et incapable d'autorité !

Segnon leva les bras en signe de résignation.

— Bah oui, qu'est-ce que vous voulez que je vous dise ? Les grands Noirs aussi ont le droit d'avoir des émotions.

— T'es con, fit Ludivine en riant.

Segnon enchaîna :

— Avant j'étais un bloc, parfaitement autonome, indestructible. Et puis un jour je suis devenu papa.

— Tout est dit, conclut Guilhem.

— C'est pour quand, vous ? demanda Laëtitia.

— Je sais pas, on va y travailler bientôt, je pense, après le mariage, le temps de trouver un appart avec une chambre en plus.

— Pourquoi vous demandez pas à être logés à la caserne ?

— Maud ne veut pas... Elle a peur qu'on soit en vase clos.

Laëtitia se tourna vers l'autre fille du dîner :

— Et toi, Lulu, ça te travaille pas encore, les enfants ?

Ludivine écarquilla les yeux.

— Houlà non !

— Elle a trop à faire avec ses bouquins de crimino, se moqua Segnon.

Saisissant l'occasion, Guilhem embraya, la bouche pleine :

— C'est vrai que c'est Richard Mikelis en personne qui t'a formée ?

Ludivine confirma d'un signe de tête.

— Pendant plusieurs mois je suis allée le voir dans sa montagne.

— Putain, c'est bon ça, s'enthousiasma Guilhem. Formée par le plus grand des criminologues.

— Tu t'étonnes encore qu'elle soit aussi obsessionnelle, maintenant ? fit Segnon. Avec Mikelis, tu fais pas les choses à moitié, c'est à trois cent pour cent à chaque fois. Tu vis ton affaire, tu bouffes ton affaire, tu dors ton affaire, c'est de l'immersion totale et sans garde-fou jusqu'à ce que tu entres dans la tête du tueur.

— C'est pour ça qu'il avait ces résultats, rappela Ludivine.

— Et il a arrêté parce que ça le hantait, c'est ça ?

— Je suppose qu'à terme, ce genre d'immersion complète dans la perversion et la violence n'est pas compatible avec une vie de famille. Pas de cette manière en tout cas.

Guilhem acquiesça, fasciné et intrigué. Après une courte hésitation, il osa aborder le sujet qui lui brûlait les lèvres :

— Quand vous avez enquêté ensemble, sur les tueurs en Europe et au Canada, vous en avez eu plusieurs en face de vous, est-ce que... ils sont particuliers ? Je veux dire : ce sont des putains de serial killers quand même ! Ça fait quoi d'avoir en face de soi un de ces monstres ? Ils dégagent quelque chose ?

Segnon et Ludivine se regardèrent et un silence embarrassé tomba sur la table.

— Non, finit par dire Ludivine, ce sont juste des types parmi d'autres. Certains sont des pauvres mecs au QI pas très élevé, rustiques et violents, la plupart même, mais quelques-uns sont de vrais malins, des pervers manipulateurs assez expérimentés pour se jouer de tout le monde, pour se noyer dans la foule. Tu les croises, tu discutes et tu ne vois rien de spécial.

— Alors ce truc qu'on raconte sur les tueurs en série, l'incarnation du mal, c'est des conneries ?

Ludivine prit une profonde inspiration avant de répondre :

— Le problème vient du fait qu'on ne sait pas expliquer ce qui transforme un homme en tueur en série.

— La violence dans la petite enfance, grosses carences affectives et traumatismes répétés, non ?

— Heureusement non, sinon tous les enfants qui souffrent de ces drames deviendraient des tueurs, ce qui n'est pas du tout le cas, bien au contraire. Et certains tueurs ont reconnu avoir eu une enfance normale. Alors comment expliquer ce qu'ils sont ?

Segnon, qui avait déjà entendu ce discours, termina son assiette avant de resservir tout le monde en vin et croisa les bras sur sa poitrine.

– Et biologiquement il n'y a aucune explication, bien sûr ? demanda Guilhem.

– Non, l'ADN des meurtriers, de la violence, ça n'existe pas ; on peut juste penser que l'homme est programmé pour la violence depuis qu'il est homme, pour survivre, c'est ce qui l'a hissé au sommet de la pyramide alimentaire. Mais les tueurs en série, eux, sont une sorte de quintessence de ça, de l'ultraviolence, de l'ultradomination.

– À t'écouter on pourrait croire qu'ils sont le futur de notre espèce !

– Et pourquoi pas ? interrogea Ludivine, très sérieuse.

– Arrête, ce sont des criminels.

– Après tout, ils sont ce que nous sommes *naturellement* mais en plus poussé, en plus sophistiqué. Des machines de guerre, des brutes de l'évolution qui, selon les lois de la nature, du plus fort, nous sont supérieures, mieux armées pour continuer à progresser dans la pyramide alimentaire. Ils savent mieux se défendre, mieux détruire, mieux régner tant leur désir de domination est obsédant. Selon les codes de l'évolution, ils sont meilleurs que nous, plus aptes à nous survivre ou en tout cas à faire proliférer notre espèce animale.

– Justement, on n'est plus des animaux...

– Ah bon ? Alors qu'est-ce qu'on est ?

– Tu sais bien, tout ça, l'électricité, la science, la philosophie, le capitalisme, les films de cul, la pollution, les armes de destruction massive, bref, la civilisation !

– Rien que des artefacts de notre progrès animal, c'est tout. Quand un chimpanzé utilise un outil pour atteindre sa nourriture, c'est la même chose, laisse-lui quelques dizaines de milliers d'années et il en sera au même point que nous : fourchettes, couteaux et serviette autour du cou. L'évolution, rien d'autre, au gré des hasards de l'existence, des êtres qui s'adaptent le mieux et des plus forts. Si nous sommes aujourd'hui là où nous en sommes, c'est qu'au cours du million d'années qui vient de s'écouler, nous avons été les prédateurs les plus redoutables. Mais un prédateur encore plus redoutable est en train d'émerger au sein des prédateurs.

Guilhem but une gorgée de vin. Tous s'étaient tus, attentifs.

– C'est flippant, dit comme ça.

– Non, tu sais ce qui est *vraiment* flippant ? C'est que le nombre de tueurs en série ne cesse d'augmenter. Encore et encore. La violence engendre la violence, ça c'est vrai. On dit que la nature emprunte toujours le chemin le plus direct et efficace pour propager la vie, pour garantir sa survie. Si c'est vrai, les tueurs en série sont notre avenir à tous.

– Faites des gosses dans ce contexte, lâcha Guilhem, dépité.

Segnon, redevenu sérieux, interrogea Ludivine :

– Ta théorie signifierait qu'il y a une sorte de raison biologique derrière le comportement de ces tueurs, une prédisposition génétique qui se transmet, qui s'accentue au fil des générations, c'est à ça que tu crois ?

– Et si le mal existait réellement ? Ce serait une meilleure explication, non ? Une sorte de virus se propageant à travers la violence…

– Le mal, répéta Guilhem, genre… le diable, les démons, tout ça ?

Ludivine haussa les épaules.

– Le mal, quelle que soit sa forme. Une énergie négative, entropique ou maléfique qui pousse la nature vers la domination, la destruction, une impulsion belliqueuse élémentaire. Un besoin de tuer, de soumettre.

– C'est Mikelis qui avance cette théorie ? demanda Segnon.

– Non. Lui a une autre explication pour les tueurs en série.

– Laquelle ? voulut savoir Guilhem.

– En gros, nos arrière-arrière-grands-pères vivaient pour beaucoup à la campagne, puis est venue l'industrialisation, appelant massivement la population à migrer vers les villes, bouleversant les mœurs, avant que les machines ne débarquent et prennent le boulot de nos grands-parents, qui ont dû s'adapter. De paysans, nos ancêtres sont devenus professeurs, marchands, cordonniers, professions libérales, avant que nous accédions massivement, aujourd'hui, à des métiers fondés souvent sur du virtuel, avec l'économie de masse, Internet, la finance mondiale, les communications... Bref, en à peine plus d'un siècle le monde a été transformé, les gens ont subi cette modification au lieu d'en être les artisans, et Mikelis pense qu'on ne peut autant changer une société, si brutalement, à l'échelle des mœurs, de notre histoire, de nos traditions, de nos fondamentaux humains, sans qu'il y ait de grandes fractures, des plaies nouvelles, surtout psychologiques, à l'échelle collective. Notre mode de vie a nécessité des adaptations si fortes en si peu de temps, une première dans l'histoire de l'humanité, que mentalement nos résistances ont parfois rompu. L'élasticité de notre psyché collective s'est craquelée.

– Si je te suis, intervint Laëtitia, pour Richard les tueurs en série sont les vergetures sur le corps de notre civilisation après l'accouchement de l'industrialisation massive, c'est ça ?

Ludivine sourit.

– Bon résumé. Et ils prolifèrent aussi avidement que le fait le système lui-même. Ils ne sont que le reflet de nos excès de groupe, ils incarnent le déséquilibre de notre développement fou.

Segnon se pencha en avant :

– Mikelis a une expression pour ça, non ?

– La conjuration primitive, confirma Ludivine. Il pense que c'est en nous. L'homme est prédisposé à la violence et celle-ci ne fait que croître, à mesure que nous industrialisons le monde, que tout se mondialise, la violence grandit, tel un virus, elle s'apprête à exploser. La violence est l'avenir de l'homme.

– D'accord, mais ça n'explique pas ce qu'ils sont tout au fond d'eux, ces tueurs en série, pourquoi ils sont ce qu'ils sont, répliqua Guilhem. Qu'est-ce qui explique qu'untel est normal et son voisin un tueur sanguinaire ?

– D'où l'hypothèse qu'il existe une pulsion négative primaire, acquiesça Ludivine. Tout comme le cosmos est construit sur la matière noire, tout comme la lumière ne serait pas sans les ténèbres, l'étincelle de vie n'existe pas sans la pulsion du mal. Ce n'est pas surnaturel en soi, juste un concept opposé, qui a pour finalité la mort des plus faibles pour assurer la survie des plus forts.

— Glauque, dit Laëtitia en se levant pour débarrasser.

— Et ça serait le discours du « maître » dont HPL parle tout le temps ? questionna Guilhem.

Segnon s'opposa :

— Rien ne prouve que ce mec existe, attendez avant de vous engouffrer là-dedans. C'est peut-être juste ce qu'il veut nous faire croire pour se dédouaner de ses responsabilités.

— Il est réel, Segnon, insista Ludivine, crois-moi. Il est le lien entre HPL et le dépeceur, et peut-être bien plus que ça encore.

— Un super-pervers, proposa Guilhem.

— Non, c'est au-delà, ça c'est ce que sont HPL et le dépeceur... Si cet être influent existe bien comme je le pense, alors il est le cœur même de ce déchaînement de violence. Il incarne la pulsion de destruction, de perversion, de mort.

— Le diable, dit Guilhem tout bas.

Segnon renversa son verre de vin sur la table et la tache se répandit aussitôt en direction de Guilhem.

— Merde, râla Segnon en filant vers la cuisine pour prendre de quoi éponger.

Guilhem tendit l'index vers la tache :

— On dirait une tête de mort, tu as vu ?

Ludivine voulut lui répondre qu'il avait trop d'imagination, que c'était à cause de ce qu'elle venait de dire mais elle constata qu'il avait raison. Elle eut un frisson incontrôlable. Elle se sentait un peu comme lorsque, adolescente, elle s'amusait avec ses amies à se raconter des histoires pour se faire peur. Déstabilisée. La tache termina de s'agrandir, face à Guilhem. C'était vrai qu'elle ressemblait à un crâne, avec ses orbites vides et ses dents qui poussaient vers le gendarme.

Le *hasard* faisait parfois bien les choses.

À moins que ça ne soit le *diable*.

22.

L'écrivain japonais Haruki Murakami a un jour écrit que le principe fondamental de la course à pied consistait à se consumer au mieux à l'intérieur de ses limites individuelles, et que c'était à ses yeux une parfaite métaphore de la vie mais aussi de l'écriture.

En cet instant d'anéantissement personnel, de point de rupture mentale et physique, et en repensant aux mots de Murakami, Ludivine eut le sentiment paradoxal d'atteindre l'apogée de sa courte existence et d'être au seuil de sa mort. Pour autant, elle n'avait rédigé aucun pavé de huit cents pages, seulement couru quinze kilomètres sur un tapis roulant dans une salle de sport, à une vitesse trop élevée par rapport à ses habitudes. Mais elle l'avait fait. Elle était allée au bout de ses limites. La sueur l'enveloppait comme le linceul de ses dernières forces.

Merci, Murakami, je me suis bien consumée.

Lorsque son téléphone portable sonna, elle sortait à peine de sa douche, emmitouflée dans une serviette du club. C'était un numéro de portable qu'elle ne connaissait pas.

– C'est Yves. Ça bouge à Lille. On travaille avec eux sur l'affaire, pour gagner du temps. Ils ont exploité les bandes vidéo de la banque, et aussi celles d'une épicerie, assez pour repérer toutes les plaques d'immatriculation dans le créneau qui encadre la livraison-récupération des sacs de peaux. Il y a les véhicules du go-fast, donc ça c'est bon pour mon service, mais les collègues ont aussi checké toutes les plaques avant et après.

– Un nom qu'on connaît ressort ?

– Non, mais dans le lot il y a un type avec un casier intéressant. Cruauté envers les animaux, mutilation et tentative de meurtre. Apparemment le type a des antécédents psychiatriques aussi. Et cerise sur le gâteau, tu sais où il bosse ?

– Dans une morgue ?

– Non, à la boucherie d'un supermarché. Un pro de la découpe.

– OK, il nous le faut. Ils en sont où ?

– Ils ont une adresse, ils veulent repérer les lieux. D'autant qu'une ado a disparu hier dans la région et qu'une camionnette blanche similaire à la sienne a été aperçue non loin. Je peux te dire qu'ils n'attendront pas lundi pour intervenir.

– S'il passe à l'acte dans le week-end, on est mal. Je prends la bagnole et je monte à Lille, tu peux venir ?

– Tu gères avec ton procureur et le colon, moi je sonne le clairon pour faire venir mes hommes, on sera prêts pour 14 heures. Retrouve-nous à la caserne. Je préviens la SR de Lille de faire des provisions de café.

Un paysage de plaines interminables, grises, brunes et ocre, relevées çà et là par un clocher lointain, quelques bosquets ou les angles d'une ferme, courait à l'infini depuis qu'ils avaient quitté les faubourgs de Lille en direction du sud-est. Les gendarmes avaient roulé jusqu'au village de Genech, une petite bourgade tranquille coincée entre l'autoroute A23 et des champs multicolores. De là ils avaient bifurqué vers l'est, pour aller se garer à l'abri d'un bois. Cinq voitures stationnées les unes derrière les autres.

Le major d'Autaing de la SR de Lille les commandait. C'était un petit homme aux yeux gris vifs, aux cheveux déjà blancs et à la voix perchée assez haut mais suffisamment éraillée pour lui redonner la virilité nécessaire à son autorité. Il était accompagné par le responsable des Stups, Jean-Louis Erto, un être cabossé, la tête trop longue, les paupières tombantes, les lèvres trop épaisses et garnies d'un bec-de-lièvre, mais à la gentillesse inversement proportionnelle à son physique disgracieux. Il avait pris soin de tout expliquer dans le détail à Ludivine, de s'assurer qu'elle avait l'équipement nécessaire et il lui avait posé en retour bon nombre de questions sur l'affaire pour essayer de tout comprendre et de proposer son aide au mieux. Ludivine, Segnon et Guilhem avaient fait le chemin depuis Paris en compagnie d'Yves et trois de ses hommes.

En tout, ils étaient un peu plus d'une douzaine de gendarmes en civil à sortir des voitures, pour la plupart vêtus d'un simple T-shirt sous leurs gilets pare-balles bleus.

— Le suspect s'appelle Michal Balenski, expliqua Erto, il habite une ferme de l'autre côté du bois. Apparemment il vit seul.

— Il a quel âge ? demanda Ludivine.

— Trente piges. Il bosse au supermarché d'Orchies, pas loin d'ici. Il a déjà été condamné plusieurs fois, surtout pour torture sur des animaux, et il a été diagnostiqué schizophrène.

— Il a été traité pour ça ?

— Oui, et pas qu'une fois, mais le dernier internement a été le bon, enfin c'est ce qu'on nous a dit.

Ludivine haussa les sourcils. Si c'était bien lui le dépeceur, ses derniers psychiatres risquaient d'en entendre parler...

— On peut s'attendre à de la résistance, intervint Yves.

— C'est pour ça qu'on est tous là, fit Erto.

— Et le lien avec votre disparition, c'est la camionnette ?

— Oui, même description d'après le témoin qu'on a. Mais c'est un modèle courant, ça peut n'être qu'une coïncidence, pour l'instant on ne mise pas trop dessus.

Le major d'Autaing avança vers Ludivine :

— J'ai eu votre colonel Jihan au téléphone, tout est clair pour moi. Le parquet est avec nous. Nous avons le feu vert pour y aller. Nous allons nous positionner mais n'interviendrons qu'à la tombée de la nuit, pour ne pas nous faire remarquer.

Surprise, Ludivine ne put s'empêcher de répondre :

– Et si c'est bien le mec qui a enlevé la gamine ? Si elle est encore vivante en ce moment même ?

– Rien ne prouve que c'est lui, on n'a qu'un témoignage concernant une camionnette. La priorité c'est la sécurité de mes hommes. En plein jour, il nous verra approcher à un kilomètre et aura le temps de riposter pour nous tirer comme des lapins. Je ne veux prendre aucun risque. Nous allons nous positionner et guetter. Bien sûr s'il y a le moindre signe de l'adolescente, nous changerons notre plan. Sinon on attend le dernier moment, quitte à flirter avec l'horaire légal.

Ludivine n'était pas en mesure d'imposer son avis, aussi se contenta-t-elle de baisser la tête et de soupirer.

Ils marchèrent pour contourner les arbres les plus au sud et s'installèrent derrière un talus d'où ils pouvaient distinguer la ferme avec des jumelles.

Ludivine commença à la détailler lentement. Une maison principale tout en longueur, une cour encombrée d'un bric-à-brac d'épaves... Une grange en ruine, un petit hangar en tôle, une caravane délabrée montée sur parpaings, une étable ouverte aux vents, le tout cerné d'arbres tordus et de champs en friche, comme si la nature elle-même avait fini par être contaminée par le mal qui régnait ici.

– Sa voiture est là, la camionnette blanche Peugeot, c'est la même que sur la vidéo, confirma Erto.

Plusieurs corbeaux se mirent à croasser tout autour des gendarmes, spectateurs cyniques et impatients d'assister à l'action.

– Alors ? demanda Guilhem à sa collègue tout en recrachant la vapeur de sa cigarette électronique.

– C'est idéal pour ta nuit de noces.

– Il sort ! prévint un des hommes d'Erto.

– On cherche une preuve qu'il détient la fille ! ne put s'empêcher de prévenir Ludivine.

Elle s'agenouilla à nouveau contre le talus et posa les jumelles contre ses yeux. Michal Balenski traversait sa cour, un seau à la main. C'était une force de la nature, elle pouvait le deviner d'ici. Des avant-bras énormes, un cou de taureau, le buste large, il était châtain clair, dégarni sur le dessus, cheveux longs sur la nuque et pattes qui lui couvraient le bord du visage jusqu'au bas de la mâchoire. Il portait un T-shirt blanc et gris, à moins que ce ne fût la saleté, sous une salopette en jeans et des gros godillots. Elle le suivit jusqu'à une mare où il se pencha pour remplir son seau avant de rentrer dans sa maison. Une véritable caricature. La brute épaisse et crasse tout droit sortie de *Massacre à la tronçonneuse*. L'incarnation du tueur en série de base. Rustre. Loin des génies sophistiqués à la Hannibal Lecter. Ludivine le savait bien, pour un tueur machiavélique et à l'intelligence exceptionnelle il y avait dix idiots, primaires, avec un QI au ras des pâquerettes. *Et heureusement*, songea-t-elle.

Une petite brise vint rafraîchir la jeune femme qui resta un moment à scruter la ferme dans son ensemble. C'était un territoire maussade, triste, encombré de dépouilles agricoles, vieux tracteurs rouillés, ancienne charrue brisée, épandeur renversé, même les bâtiments ne tenaient plus debout que grâce à la crasse, au lierre et aux ronces tant ils étaient vieux, les herbes y étaient trop hautes, la terre boueuse, l'eau sombre... Ludivine pensait aux morceaux de peau qu'ils avaient interceptés. Provenaient-ils d'ici ? Quelles avaient été les dernières heures des victimes ? Elle s'imagina débarquer ici en pleine nuit, choquée par la violence d'un enlèvement, abasourdie par les coups, tremblante de peur face à ce monstre puissant.

Mais tu ne seras jamais sans défense face à un être comme lui, n'est-ce pas ? C'est pour ça que tu t'entraînes aux arts martiaux tout le temps, c'est pour ça que tu tires à t'en faire des ampoules aux doigts, pas vrai ? Pour être toi aussi une machine de guerre. Pour ne pas faillir. Pour ne pas revivre la terreur que tu as expérimentée face à Cyril Cappuccin dans son petit pavillon de banlieue, ou à Val-Segond...

Cyril Cappuccin était mort sous ses balles et elle avait survécu à Val-Segond.

Ces heures d'entraînement, c'est une carapace, tu en es consciente, pas vrai ? C'est ton bouclier pour te convaincre que tu es forte, que tu ne crains rien, mais au fond ça ne fait que prouver que tu es terrorisée. Mais pas ces prédateurs.

— Lieutenant Vancker ? demanda le major en sortant Ludivine de ses pensées. Je vous fais le topo.

Elle se redressa et tira sur son gilet pare-balles pour le réajuster. Tous les gendarmes s'étaient rassemblés en cercle autour du major.

— Le groupe de Jean-Louis passe par l'entrée principale ; Yves, vous et vos hommes sécurisez l'arrière du bâtiment ; lieutenant Vancker, vous et vos deux collègues irez couvrir le hangar, la caravane et l'étable, on ne sait jamais. Dès que le suspect est neutralisé, vous investissez les lieux. Attention aux chiens, avec un bonhomme comme lui on ne sait jamais quel genre de surprise il peut nous réserver. Je serai en retrait pour superviser l'ensemble et je vous retrouve avec les véhicules dès l'arrestation effectuée. Pour l'instant, on surveille la ferme, dès que le soleil se couche on lance l'opération, approche à pied bien sûr, lampes éteintes, on ne veut pas se faire remarquer. C'est clair pour tout le monde ? Des questions ? Non ? Très bien. Jean-Louis, mettez-moi un dispositif de surveillance, on ne le lâche pas.

— Et s'il prend sa bagnole pour se tirer ? demanda Erto.

— Interception sur la route, je ne veux pas qu'il puisse nous filer entre les pattes.

Ils attendirent longuement ainsi, à l'abri de l'orée du bois, à discuter, à écouter la radio, à grignoter, à boire des boissons énergisantes, tandis que les gendarmes se relayaient allongés sur le talus, jumelles à la main, pour surveiller la ferme et en détailler chaque parcelle, jusqu'à connaître l'environnement par cœur. Michal Balenski avait quitté sa maison pour se rendre dans la caravane sur parpaings dont il n'était ressorti qu'assez tard pour retourner dans le bâtiment d'habitation. Au moment où il était entré dans sa caravane, plusieurs hommes, dont Erto, avaient insisté pour lancer l'opération immédiatement, dans l'hypothèse où il serait le kidnappeur de la fille et qu'elle soit encore vivante et détenue dans la caravane, mais le major avait refusé. Pour lui, Balenski était avant tout un dangereux trafiquant de peau humaine, les indices convergeaient dans cette direction, pas dans celle d'un kidnappeur. Le major voulait assurer la sécurité de ses troupes avant tout, qu'ils aient également le temps de se familiariser avec les lieux, de repérer chaque obstacle, tout en guettant leur suspect. Ludivine avait noté les tics nerveux du major lorsqu'il avait argumenté sa position, c'était un choix difficile pour lui.

À peine le jour commença-t-il à s'effacer que les gendarmes s'équipaient de leurs fusils à pompe, vérifiant leurs chargeurs, resserrant leurs gilets et s'assurant que leurs lacets étaient bien serrés. Chaque groupe se rassembla et ils se mirent sur le même canal de radio pour lancer l'assaut. Trois files indiennes s'étendirent à travers champs, les tentacules d'une pieuvre invisible, et se déployèrent à toute vitesse pour cerner la ferme sous le crépuscule.

Ludivine, Segnon et Guilhem fonçaient entre les hautes herbes, respiration saccadée, souffle maîtrisé pour s'éviter le point de côté, pour demeurer concentrés, l'esprit clair, scrutant les ombres du petit hameau, à l'affût du moindre détail, prêts à se jeter au sol ou à dégainer. Le groupe de Jean-Louis Erto se positionna sur le flanc du bâtiment principal et attendit que celui dirigé par Yves soit en position. Derrière, Ludivine leva le poing pour signaler leur présence en face, pour couvrir les autres constructions.

– Segnon, tu gardes un œil sur le hangar, ordonna-t-elle, Guilhem l'étable et la grange, moi je m'occupe de la caravane. On ne bouge pas.

Ils avaient tous le souffle court et cette fois leurs armes étaient serrées dans leur poing, braquées vers la terre, prêtes à jaillir si besoin.

Un des hommes d'Erto se rapprocha d'une fenêtre éclairée et regarda à l'intérieur, puis il hocha vigoureusement la tête en faisant signe à ses camarades de filer vers la porte d'entrée. Une fois en place, Erto attendit le signal de son guetteur qui tenta un nouveau coup d'œil dans la maison avant de lever le pouce. Aussitôt un gendarme ouvrit la porte et Erto se précipita en premier, suivi par quatre de ses hommes qui disparurent en hurlant « Gendarmerie ! », happés par l'antre de Michal Balenski.

Ludivine fixait la caravane obscure dans la pénombre.

Plusieurs coups de feu claquèrent depuis la maison, des détonations en partie étouffées par les murs, accompagnées par des flashs de lumière blanche qui embrasèrent la cour à travers les fenêtres. Puis un silence terrible tomba sur la ferme.

Ludivine prit sa radio à sa ceinture et appela Erto et ses hommes.

Le grésillement du statique lui répondit.

Un nuage se déchiqueta brusquement et la lune, trop curieuse, projeta son immense œil argenté sur eux, éclairant les bâtiments et les champs alentours.

Le silence perdurait.

23.

Un renard se mit à glapir au loin dans la nuit. Un long jappement lugubre, presque un cri de souffrance.

Ludivine se retourna vers Segnon et Guilhem.

— Pourquoi Yves répond pas ? s'inquiéta le colosse.

Ludivine retenta un appel vers Erto puis Yves toujours sans aucun autre retour qu'un grésillement désagréable.

— Merde, lâcha-t-elle. On y va.

Segnon la rattrapa d'une main sur l'épaule.

— Attendons les renforts. S'ils sont tombés dans un piège à neuf, c'est pas à trois qu'il faut entrer là-dedans !

— Et si la fille est là, prise en otage ?

— Ni toi ni moi ne sommes entraînés pour ça, Lulu.

Les yeux blancs de Segnon la fixaient intensément.

— Pourquoi même le major ne répond pas ? intervint Guilhem. T'es sûre que c'est pas un problème de radio ?

À ce moment, deux gendarmes sortirent de la ferme en secouant la tête. Ils n'avaient nullement l'air paniqué ou particulièrement mal en point. L'un d'eux leva le pouce en direction de Ludivine.

— Problème de radio, triompha Guilhem, un soulagement évident dans la voix. Ils l'ont.

— Le hangar, indiqua Segnon, il faut l'inspecter.

– D'abord la caravane, décida Ludivine.

Michal Balenski y avait passé la fin de journée, plusieurs heures sans en ressortir, elle voulait savoir ce qu'il y tramait. Était-ce un établi ? Sa tanière, pleine d'objets d'une collection personnelle et glauque ? Ou pire…

Ludivine se positionna sur le côté de la porte tandis que Segnon prenait la poignée pour l'ouvrir d'un geste sec. D'un appui sur le marchepied Ludivine se projeta à l'intérieur en allumant sa lampe torche, Sig-Sauer braqué sur l'inconnu, prêt à cracher la mort pour la défendre.

La même odeur fraîche et métallique que chez un boucher envahit ses narines, mais en beaucoup plus concentrée, un parfum entêtant, âcre. Sinistre.

La lampe balaya des murs sales, mouchetés de taches sombres, de coulures, d'éclaboussures anciennes et récentes. D'étranges stalactites formaient des spirales irrégulières depuis le plafond et la gendarme réalisa qu'il s'agissait de rubans de papier collant ensevelis sous des agglomérats informes de mouches. Il y en avait des dizaines, un peu partout. Des milliers de cadavres noirs dont certains bourdonnaient encore faiblement sur ces guirlandes dégoûtantes. Depuis combien d'années Michal Balenski collectionnait-il ainsi les mouches pour en avoir attiré autant ?

Au centre de la caravane, une lourde table en hêtre cannibalisait une partie de l'espace, recouverte d'une couche de polypropylène blanc… Le faisceau de la lampe mit en évidence les centaines de sillons qui abîmaient le revêtement, certains étaient imbibés de traces brunes… Ludivine réalisa soudain qu'il s'agissait d'un long billot de boucher. Et il avait beaucoup servi.

La lumière se réfléchit alors dans une collection de lames étincelantes suspendues à une longue patère, couteaux, hachoirs, tranchoirs…

Ludivine retenait son souffle.

Elle continua à pivoter sur elle-même. Des dizaines de flacons de produits chimiques encombraient une étagère, au-dessus d'un plan de travail, et la jeune femme repéra une pile de pochettes plastique avec l'appareil pour les fermer sous vide. De quoi empaqueter sa marchandise.

Au sol, s'amoncelaient des seaux de grande taille rougis par leur ancien contenu.

Ludivine devina une présence à la lisière du halo blanc produit par sa lampe. Une présence qui flottait dans le léger courant d'air. Grande et terrifiante. Le cœur de la gendarme s'accéléra. Elle fit lentement glisser le cône de lumière dessus et découvrit au plafond un rail avec des crocs de boucher suspendus, puis un fil d'acier accroché entre deux murs auquel pendait Diane Codaert.

Ludivine replia son bras armé, pour se protéger de l'horreur, jusqu'à se masquer la bouche dans le creux du coude.

Le visage de l'adolescente n'était plus qu'un masque de peau aux paupières tombantes, sans aucune consistance. Et son corps pendouillait comme un pyjama froissé. Des épaules au haut des cuisses, s'achevant par un bout de toison pubienne, ses seins n'étaient plus que deux poches dégonflées aux tétons roses, deux renflements flasques. Les bras et les jambes séchaient à côté, en plusieurs parties, des bandes plates, luisantes. Diane Codaert, vidée de sa substance, n'était plus qu'un puzzle effroyable, un pantin immonde démembré et écorché méticuleusement.

Ludivine serra le poing et retira son index de la détente pour éviter de tirer sous le coup de la colère.

Cette forte odeur de viande et de sang, c'était celle de Diane Codaert, la fille aux paupières tombantes qui lui adressait un sourire morbide de ses lèvres affaissées.

Ludivine fixait la lune, la tête rejetée en arrière, elle confrontait ses doutes à ce regard borgne. Elle avalait de grandes bolées d'air frais. Diane n'avait été qu'un nom parmi tant d'autres, au milieu de toutes les victimes du TGV, de celles du restaurant… Jusqu'à ce face-à-face lugubre, insoutenable.

Juste une adolescente.

Une gamine insouciante qui n'avait compris la dureté de l'existence qu'à l'instant même où ce monstre lui fracassait le nez, l'emportait dans son antre pour la dévorer.

Ludivine frissonna. Pour la première fois depuis longtemps, une boule d'émotion lui gonflait la poitrine, remontant jusque dans la gorge. Elle n'aimait pas ce sentiment mais il était plus fort qu'elle. Elle n'était décidément pas qu'une machine.

Segnon ressortit de la caravane en se tenant à la porte.

Les voitures de la gendarmerie remontaient à toute vitesse l'allée qui menait à la ferme, phares et gyrophares allumés.

– Ils l'ont eu, rapporta Guilhem après avoir discuté brièvement avec un des hommes du groupe d'Erto. C'est juste nos radios qui ont déconné.

– Comment ça ? demanda Ludivine d'une voix blanche, sans lâcher la lune.

– Il était armé, il a ouvert le feu dès qu'ils sont entrés, Erto a riposté pour se protéger, lui et ses hommes, et sa balle l'a eu en pleine tête.

Cette fois la jeune femme pivota vers son collègue :

– Tu veux dire qu'ils l'ont descendu ?

– Michal Balenski est mort. Ils sont en train d'essayer de le ranimer mais ça sert à rien, il a un trou énorme sur le côté de la tête, sa cervelle est probablement juste de la bouillie.

– Merde, soupira Ludivine du bout des lèvres.

Elle vit alors Segnon qui se tenait penché en avant, les mains sur les genoux.

– Tu vas tenir ? s'inquiéta-t-elle tout bas.

– Je m'habituerai jamais, avoua-t-il en serrant les dents. Tu crois que c'est la gamine enlevée hier ?

– J'en ai peur. La peau… elle… elle semble fraîche.

– Putain, il a passé tout l'après-midi dans sa caravane, si ça se trouve elle était encore viv…

– Non, le coupa aussitôt Ludivine. Non. Ce mec a un problème avec l'apparence, avec nos habits de peau, il ne l'aura pas gardée en vie très longtemps. Si tu veux mon avis, elle est morte en arrivant ici.

— Comment tu le sais ? interrogea Guilhem.

Ludivine se projeta dans ses déductions, s'éloignant de l'affect, et cela lui fit du bien. Elle reprit un peu de force et se redressa.

— Avant de ressortir j'ai vu tout le mur de photomontage qu'il s'est fabriqué. Tu l'as remarqué, Segnon ?

— Hélas oui.

Près de la porte, une trentaine de photos d'hommes et de femmes découpés dans les magazines ou catalogues ornaient toute une paroi, sauf que Michal Balenski s'était amusé à soigneusement recouvrir chaque parcelle de leur corps par des photos de viande prélevées dans des catalogues pour en faire des écorchés vifs.

— Ça colle avec ce qu'il fait de la peau, confirma la gendarme.

— Je comprends pas, dit Guilhem, c'est quoi son délire, à ce taré ?

— Eh bien, si je comprends sa mécanique, il fantasme que nous ne sommes que de la viande, j'ignore comment et pourquoi, mais c'est son obsession. Les êtres humains sont juste de la viande, et il veut nous voir comme nous sommes. C'est pour ça, je suppose, qu'il écorche ses victimes. On n'a trouvé nulle part le corps de la fille.

— Non, confirma Segnon, il n'y avait que sa... peau.

— Il s'en est déjà débarrassé, approuva Ludivine qui se convainquait au fur et à mesure qu'elle devinait juste. Il a sorti la carcasse de Diane Codaert le plus vite possible, pour éviter l'odeur de décomposition et tout le reste. Il l'a fait la nuit dernière ou ce matin.

— Il faut ratisser tout le périmètre, approuva Guilhem, à la recherche de terre fraîchement retournée.

Ludivine secoua la tête. Elle avait une autre idée. Les tueurs font rarement les choses par hasard ; en tout cas quand cela touche à leur fantasme, à leur mode opératoire, il y a une cohérence globale, Mikelis le lui avait suffisamment répété.

– Je ne pense pas qu'on retrouvera son cadavre par ici, exposa-t-elle. Ni celui de ses victimes précédentes.

– Pourquoi ?

– À cause de son mur de photomontage dans la caravane, il y a de la chair partout sur les corps, et parfois il y a aussi des photos de viande sous emballage, avec le cellophane et le code-barres, il les a prises dans un catalogue de supermarché.

– Et alors ?

– Il a fait attention à parfaitement découper les clichés de viande pour qu'ils correspondent aux membres des mannequins qui posent. S'il a pris certaines photos avec l'emballage c'est que ça lui parle. C'est ce qu'il pense. Nous ne sommes que des produits avec codes-barres, déjà empaquetés, en libre-service, une offre de la grande consommation.

– Donc quoi ? Il s'accorde le droit de tuer, il fait ses courses parmi nous, c'est ça ?

– Oh, nom de... C'est pas vrai, lâcha Segnon qui comprenait où voulait en venir leur collègue.

– C'est un peu plus subtil que ça, je pense, corrigea Ludivine. Guilhem, tu te rappelles où Michal Balenski travaille ?

– Dans la boucherie d'un supermarché ? Non... Non, tu ne crois quand même pas qu'il...

– Je te parie qu'il se débarrasse des corps en les mélangeant avec de la viande de ses étals.

– Oh putain... Je pourrai plus jamais remanger un steak...

– Si c'est ça il a forcément une chambre froide quelque part ici, en attendant de pouvoir apporter ses morceaux choisis au supermarché lundi matin.

Segnon désigna la maison où les gendarmes entraient et sortaient à toute vitesse et où d'autres discutaient avec le major sur le perron.

Ludivine et ses deux acolytes les rejoignirent pour expliquer ce qu'ils avaient trouvé de leur côté, et elle entra dans la ferme. La plupart des militaires s'affairaient dans ce qui servait de pièce principale, une cuisine-salon crasseuse, encombrée d'objets, de vaisselle sale et de meubles rafistolés. Les pieds de Michal Balenski dépassaient de derrière un canapé troué, plusieurs gendarmes étaient penchés au-dessus de lui.

Ludivine entra dans une chambre qui sentait le renfermé et la transpiration, la couette, sans housse, à moitié renversée sur le sol, au milieu de vêtements sales, de magazines pornographiques et automobiles. Imaginer que la jeune Diane avait été entre les mains de ce porc la dégoûtait.

Pas d'affect. Pas maintenant.

Ludivine se força à repousser ses émotions, à dresser un mur aussi imperméable que possible entre son ressenti et ses déductions.

Elle poussa plus loin dans le couloir, jusqu'au local qui servait de buanderie. Au milieu des cageots vides, des outils de jardinage et de bricolage, elle aperçut un congélateur coffre.

Elle enfila une paire de gants en latex et attrapa la poignée.

Avant même de l'ouvrir, elle sut qu'elle avait vu juste.

La chair du pantin qu'elle avait découvert dans la caravane se trouvait là, dans l'attente d'être injectée pièce par pièce dans le réseau alimentaire.

Dans l'attente d'être dévorée par de gentils consommateurs affamés.

24.

Les sols vitrifiés, les murs vernis et les vitrines suréclairées rutilaient comme au premier jour. Le centre commercial résonnait des conversations de sa population en transit, du crissement des roues des caddies, du froissement des sacs chargés d'achats et des cris d'enfants.

En ce dimanche après-midi, les allées distribuaient leurs flots de badauds entre les boutiques, les haut-parleurs diffusaient une musique d'ambiance que personne n'écoutait mais qui apaisait, une mise en condition de l'inconscient pour que tout le monde se sente bien ici, sous cet éclairage vif, dans cet endroit propre aux couleurs attirantes et aux messages publicitaires séduisants. La plupart des passants n'avaient pas de véritable raison d'être ici, aucun besoin, ils se promenaient dans un immense hangar climatisé et bruyant comme d'autres choisissent de déambuler dans un parc pour admirer les arbres et écouter les oiseaux. Ils *flânaient* en restant vigilants, au cas où un article leur ferait de l'œil sur son présentoir, pour débusquer la belle promotion ou simplement parce que la foule, le bruit et tous les artifices de la société de consommation les rassuraient davantage qu'une étendue moins domestiquée, une nature qui risquait de renvoyer à une certaine introspection.

Toutefois quelques-uns, souvent moins contemplatifs, fusaient de boutique en boutique, animés par la nécessité d'acheter, de rayer des lignes sur une liste de courses.

Marc les analysait tous depuis l'étage supérieur du centre commercial, accoudé au bastingage de verre qui surplombait le vide central des quatre étages. Il avait une jolie vue sur chaque niveau, sur l'agitation dominicale du temple du commerce, et notamment sur le bassin tout en bas, avec sa petite fontaine et le tas de pistolets à eau multicolores posés sur la margelle. Marc chercha du regard les ballons remplis d'hélium qui s'étaient dispersés un peu partout au plafond des allées mais ne put en repérer aucun, il était trop en hauteur. Il en avait gonflé une dizaine en tout. Il avait pu les sortir du camion de location tous en même temps, une grappe à chaque main qu'il dispersait au fur et à mesure. Au départ, personne n'avait prêté attention à lui – qui se soucie d'un type avec des ballons pour enfants ? – jusqu'à ce qu'un mec de la sécurité vienne rôder non loin de lui. Il faut dire qu'il en avait vraiment mis partout. Le mec de la sécurité avait finalement dû se dire que c'était encore une de ces manifestations improbables et inoffensives destinées à finir sur Internet et il s'était éloigné. Personne ne s'inquiète jamais pour un ballon d'enfant qui flotte au plafond.

Marc regarda sa montre. Le chronomètre indiquait déjà plus de treize minutes. Lors de ses expériences, il n'en avait jamais vu un seul tenir plus de seize minutes.

Il jubilait. Marc avait rarement éprouvé une telle fierté. Il avait passé du temps à préparer son coup d'éclat. Il avait beaucoup cherché sur le Web pour se rendre compte que le mieux demeurait l'expérimentation personnelle. C'était à force de tenter différents procédés qu'il avait eu l'idée de la balle de ping-pong. D'abord il s'était procuré de l'acide sulfurique, un liquide parmi les plus agressifs du monde. Pour cela il s'était adressé à plusieurs laboratoires jusqu'à en trouver un qui avait accepté de lui en vendre à lui, un particulier, à condition qu'il en prenne au moins pour trois cents euros, ce que Marc avait accepté sans se faire prier. Il avait prétexté qu'il était le gardien d'une immense propriété et qu'il avait besoin de traiter à l'acide des graines d'acacia pour augmenter leur pouvoir germinatif, mais à vrai dire le labo ne semblait pas s'en soucier, tout ce qu'ils voulaient c'était vendre. Hélas c'était de l'acide sulfurique concentré à environ cinquante pour cent, ce qui en soi était déjà énorme, pourtant Marc désirait un acide encore plus corrosif. Il avait alors entrepris de le chauffer à feu doux pour obtenir une substance plus dense, mais aussi un acide plus concentré. Extrêmement dangereux.

Injecté dans une balle de ping-pong à la seringue, l'acide mettait une dizaine de minutes à ronger le plastique et surtout à détruire les couches de vernis à ongles puis le scotch épais qui rebouchait le trou de l'injection.

Finalement, le plus long et difficile avait été la préparation de chaque ballon. Il s'était beaucoup entraîné auparavant et il avait fallu une sacrée discipline dans son camion de location ! Enchaîner en vitesse du gonfleur à l'introduction de chaque balle de ping-pong par l'embout avant que l'hélium ne s'échappe, verser un peu d'eau dans le ballon en le regonflant au passage et fermer le tout. Un art périlleux et minuté. Marc en avait prévu plus de trente mais il n'avait pu en faire qu'une petite dizaine dans le temps de sécurité qu'il s'était fixé avant de vite sortir avec son équipement et de le disperser.

Il allait faire comprendre une bonne fois pour toutes à ces cervelles amorphes ce qu'il en coûtait de s'abandonner au capitalisme végétatif de l'accomplissement par la possession. Toutes ces épaves sans personnalité qui gaspillaient leur existence en traînant dans ces lieux de déshumanisation. L'heure de la prise de conscience sonnait. Ces spectres enchaînés au mythe du bonheur par la consommation, il allait leur rappeler qu'ils avaient une réelle substance, une chair fragile, avec une âme à soigner. Oh ! ça oui, ils allaient prendre pleinement conscience de leur chair !

Marc avait si souvent voulu le faire sans oser passer à l'acte. Mais à présent il savait que la société est sourde, trop de décennies à s'abrutir dans ses convictions, à se complaire dans l'illusion de son modèle triomphal, l'avaient rendue trop sûre d'elle, inapte à l'écoute, à la remise en question. Il fallait pour y parvenir frapper là où ça faisait mal, se montrer soi-même inflexible, au nom de la vérité, faire mal à un petit nombre pour le bien du plus grand nombre. C'étaient les mots mêmes de son confident. Lui avait su écouter Marc, le guider. Trouver comment lui redonner confiance, le galvaniser, pour qu'il ose. Marc s'était enfin senti compris. Poussé vers sa destinée. Lui, le lucide parmi les aveugles. Le héros dont on clamerait le nom à l'avenir, le sauveur.

Un claquement lointain le sortit de ses pensées et il se redressa. C'était le signal du départ. Un ballon venait d'exploser. L'acide sulfurique avait rongé le vernis ou peut-être même déjà le plastique de la balle de ping-pong et se répandait dans le fond d'eau, créant une réaction chimique instantanée, faisant chauffer l'eau, exploser le ballon et éclaboussant la foule de ses gouttes brûlantes.

Pourtant il n'entendit aucun cri. Peut-être qu'il était mal tombé. Marc se rassura en se disant qu'il restait encore une dizaine de chances que ça fonctionne.

Et puis ça n'était pas plus mal qu'on évite la panique si vite car, tout en bas, les pistolets à eau n'avaient pas bougé.

Au moment où Marc se penchait pour le vérifier un groupe de jeunes s'en approcha et s'empara des huit pistolets en tout. Marc avait bien fait de mettre un petit écriteau imprimé « Servez-vous, pour le rafraîchissement des cerveaux. » Sur le bord d'un bassin, quoi de plus logique ? Cadeau du centre commercial ?

Les pistolets étaient assez gros, avec des réservoirs d'un litre sur le dessus, et une pompe capable de projeter son jet avec une très bonne pression. C'était parfait.

Sauf que ce n'était pas des enfants mais plutôt de jeunes adolescents. Tant pis, ça marquerait aussi les consciences. Surtout lorsqu'ils commenceraient à se tirer dessus. Ils allaient y aller de bon cœur, tous en même temps, et il faudrait plusieurs secondes pour que les cris de joie se muent en hurlements de douleur, pour qu'ils comprennent qu'il ne s'agissait pas d'eau mais d'acide sulfurique hautement concentré.

Un autre ballon explosa et presque instantanément deux autres suivirent, puis encore deux.

Cette fois une femme poussa un cri terrible, aussitôt imitée par deux autres personnes.

Les ballons explosèrent les uns après les autres en l'espace d'une minute.

Et tout en bas, les jeunes commencèrent à se faire la guerre en s'aspergeant allégrement à l'aide des pistolets.

Le centre commercial se mit à vibrer.

Et il se transforma en un auditorium de la souffrance.

25.

Les unes des journaux n'avaient plus assez de place. Le massacre du TGV occupait encore quelques gros titres, la tuerie du restaurant parisien aussi, et à présent l'attaque à l'acide dans un centre commercial : cela s'était passé sur un temps tellement rapproché que le doute naissait dans leurs esprits. Un mot flottait en lisière de conscience. Et le premier à oser l'écrire fut le journal *Le Parisien*, le lundi matin. « Épidémie. »

Fallait-il croire en l'émergence d'une violence endémique propre à notre nouveau modèle de civilisation ?

Le psychotique coupable de l'attaque du centre commercial avait hurlé ses motivations au moment de son arrestation le jour même, et la presse se questionnait. Elle faisait trembler les lecteurs confortablement installés dans la toute relative sécurité de leur quotidien bien balisé. Fallait-il en craindre d'autres ? En faisant ses courses ? En allant dîner au restaurant ? En prenant les transports en commun ? Et quoi encore ? Quelle serait la suite ? N'y avait-il plus aucune solution sinon de se cloîtrer chez soi ?

C'était dans ce contexte que les chaînes d'information continue sortirent l'affaire du dépeceur de Lille. L'adolescente disparue le vendredi en fin d'après-midi avait été retrouvée morte écorchée vive, et elle n'était pas la première victime de ce psychopathe désormais décédé. Celle ou celui qui avait lâché la nouvelle aux médias avait également précisé que la section de recherches de la gendarmerie de Paris enquêtait sur d'autres meurtres avec l'hypothèse d'une conspiration criminelle. Le téléphone à la SR n'arrêta pas de sonner toute la journée du lundi, et le colonel Jihan passa une bonne partie de son temps à tenter de reprendre le contrôle de la communication autour de leur enquête.

En fin de journée, Magali et Benjamin apprirent à Ludivine qu'une image d'elle et de Segnon tournait en boucle sur BFM, les désignant comme les enquêteurs sur ce qui semblait être une affaire de tueur en série, voire de tueurs au pluriel. Les journalistes avaient tôt fait d'identifier Ludivine Vancker comme étant celle qui avait déjà œuvré lors de l'incroyable traque du groupe « *e » qui avait sévi dans plusieurs pays, un an et demi plus tôt, et ils l'avaient affublée de surnoms idiots comme « la chasseuse de tueurs », « la profileuse des monstres », « l'experte » ou encore « la prédatrice de prédateurs ».

Ludivine était furieuse. Elle détestait travailler avec la pression médiatique sur les épaules, que son portrait et son nom circulent, elle en avait déjà soupé dix-huit mois plus tôt, elle se considérait comme une femme de l'ombre et ne voulait surtout pas être exposée sous les projecteurs de la presse. Cela la rendait malade. Ils allaient l'attendre au tournant, pourchasser le moindre détail, la moindre miette d'information, un faux pas et elle serait crucifiée, une arrestation et elle serait l'éphémère star du jour, dans l'attente d'un nouveau drame qui détournerait leur attention et la ferait retourner dans l'anonymat.

Par chance son numéro de portable n'avait jamais fuité et aucun coup de fil extérieur ne vint la parasiter. Malgré tout, Ludivine mit plus d'une heure à redescendre, à se calmer, pour parvenir à se reconcentrer sur son travail – du mieux qu'elle le pouvait malgré les circonstances. Elle se sentait profondément ébranlée par la découverte de Diane dans la caravane.

Le travail d'investigation à la ferme de Michal Balenski revenait à la SR de Lille, ce qui était une frustration, même si les collègues là-bas se montraient très généreux en renseignements, ne cessant de tenir Ludivine au courant en temps réel de leur travail, et l'essentiel des coups de téléphone du jour provenait de leur groupe. Jean-Louis Erto avait beaucoup à gérer, entre l'investigation elle-même et l'IGGN[1] sur le dos qui allait chercher à clarifier les circonstances de la mort de Balenski, ce n'était pas simple. Erto avait tiré, il était le tueur du tueur. Pour autant, il semblait diriger ses hommes sur le terrain avec une poigne d'acier et une efficacité irréprochable comme en témoignaient toutes les informations qui remontaient jusqu'à Ludivine.

Plusieurs morceaux de viande suspecte avaient été identifiés dans les congélateurs de Balenski, *sous* le cadavre de Diane Codaert. Ludivine demeurait certaine de sa théorie mais elle serait probablement difficile à prouver, à moins de retrouver de la chair humaine dans les chambres froides du supermarché où exerçait Balenski. Il éliminait les corps de cette manière. En les faisant manger par des hommes et des femmes – probablement même des enfants – carnivores qui faisaient confiance au système, sans envisager la faille individuelle.

Les enquêteurs exploitaient toutes les pistes. Ils recherchaient d'éventuels liens entre Balenski et ses victimes, à commencer par Diane, la seule à avoir été identifiée, mais tout portait à croire qu'il avait sélectionné la victime au hasard, et probablement aussi selon ses fantasmes personnels. Diane Codaert avait été au mauvais endroit au mauvais moment. Une victime facile dans un endroit un peu isolé. Balenski avait frappé, comme un félin qui guette l'animal blessé ou un peu à l'écart du troupeau et qui jaillit de la savane au dernier moment, qui mord sa proie, l'immobilise, en partie par la terreur, avant de la traîner dans les hautes herbes et de disparaître pour son festin, sous les regards hagards et désemparés du troupeau qui finit par s'en retourner à son activité quotidienne. Un de moins. Continuons. La vie

---

1. Inspection générale de la gendarmerie nationale : conduit les investigations internes de la gendarmerie.

plus forte que tout le reste. Le nombre reste important, allez, passons à autre chose. Jusqu'à ce que ça les frappe eux-mêmes, dans leur chair, et qu'il soit alors trop tard.

Le colonel Jihan avait raison, approuva Ludivine au fur et à mesure de la journée : elle était obsédée. Par la vérité. Par le besoin de protéger son troupeau. De repérer le prédateur qui rôde dans la savane autour d'eux.

Ludivine avait découpé les titres de plusieurs journaux pour les punaiser sur un mur de leur bureau couvert de panneaux de liège. Le massacre du TGV, la tuerie du restaurant et l'attentat du centre commercial.

En quelques coups de téléphone et emails elle avait obtenu d'accéder aux dossiers des trois affaires, même si pour celle du centre commercial il n'y avait encore pas grand-chose, l'enquête débutait seulement. Il fallait donner un sens à cette barbarie et Ludivine ferait tout pour interroger l'auteur de l'attentat à l'acide, mais elle devait d'abord laisser ses collègues faire *leur* boulot. Ce qu'elle avait en tête ne reposait pas encore sur des faits, et il n'y avait qu'elle pour soutenir pareille théorie.

Ludivine passa son lundi après-midi, accompagnée par Segnon, à rassembler des informations sur ces quatre individus qui avaient brusquement basculé dans la folie criminelle. Elle voulait comprendre qui ils étaient et faire émerger un point commun dans leur existence, prouver qu'il existait un lien. Elle n'avait aucun pouvoir, aucune légitimité directe pour conduire cette enquête, pourtant elle savait que s'ils débusquaient quelque chose, Jihan et le procureur ne pourraient faire autrement que de la lui confier officiellement, au moins pour superviser l'ensemble.

Segnon, bien que sceptique sur l'hypothèse d'un lien, obtempéra et abattit sa part du boulot pendant que Guilhem épluchait les dossiers qui leur arrivaient par email et commençait à rentrer chaque nom, chaque lieu, chaque listing dans le logiciel d'aide à l'enquête, des centaines puis des milliers de données à numériser, à convertir au bon format et parfois même à taper à la main, page après page

En fin de journée, Ludivine s'était mis en tête de rencontrer des témoins de l'attaque du TGV pour les faire parler des deux adolescents, mais tout était compliqué avec les collègues sur l'affaire et les victimes éparpillées un peu partout sur le territoire. Pour ce qui était du centre commercial, elle savait qu'elle devait donner du temps à ses confrères, c'était encore bien trop frais. Alors elle s'intéressa au restaurant et un lieutenant de la brigade criminelle du quai des Orfèvres se montra compréhensif en lui indiquant le nom d'un homme dont la femme avait été tuée sous ses yeux et qui pouvait l'intéresser. L'homme était encore hospitalisé à Bichat et, bien que tenant un discours assez déconstruit, il était bavard et généreux en détails.

Tant qu'elle tenait un enquêteur sympathique qui connaissait le dossier, Ludivine en profita pour demander :

— Le tireur, vous l'aviez dans vos fichiers ?

— Non. Un pauvre mec apparemment, pas de casier mais tout de même des antécédents psychiatriques.

— Lourds ?

— Interné à sa propre demande régulièrement depuis plus de vingt ans.

— Où ça ?

— Je ne me souviens plus, il me semble que la liste est longue.

— Vous pourriez m'en envoyer une copie ?

— Elle est dans le dossier qu'on vous a transmis tout à l'heure.

— Parfait. Et ce type, il s'est tiré une balle en pleine tête dans le restaurant ou il est ressorti pour le faire ?

Ludivine cherchait le détail qui ne colle pas, la faille à explorer.

— Non, il s'est tué sur place, devant les survivants.

— Vous avez effectué des prélèvements sanguins sur lui ?

— J'en ai aucune idée, je suppose que oui si c'est le protocole habituel, mais ça je ne pourrais pas vous le dire. Ce sera dans le dossier aussi avec les rapports du légiste. Pourquoi ?

— Je m'interroge. Trois pétages de plombs si rapprochés, j'ai du mal à croire à la coïncidence. Je voudrais vérifier s'ils ne sont pas tous passés par le même hôpital ou s'ils n'ont pas reçu le même traitement.

– Au point de se transformer en tueurs de masse ? Je ne connais aucune drogue capable de ça, moi. Et pourtant, des stups, on en voit passer sur la capitale !

– Un produit expérimental testé sur quelques cas...

Le lieutenant ne put retenir un rire un peu moqueur.

– Vous avez de l'imagination à la SR, dites donc.

– Je ne néglige aucune piste.

– Les petits gars du TGV, ils ont planifié leur truc, ils se sont procuré des armes, c'est pas un coup de sang sous l'effet d'une drogue, et pour ce que j'ai entendu du centre commercial, c'est pareil, le mec a longuement dû se préparer, c'est pas un pétage de plombs, comme vous dites, c'est l'apothéose d'un esprit dérangé. Vous ne trouverez rien de ce côté-là. Mais si ça vous amuse de perdre votre temps, allez-y.

Ludivine, un peu vexée par sa condescendance, le remercia et raccrocha rapidement. Certes il n'avait pas tort, on ne pouvait pas nier qu'il y avait dans au moins deux des trois affaires un facteur préméditation important, sur plusieurs jours au moins, qui écartait l'hypothèse d'un coup de folie passager. Toutefois, Ludivine n'était toujours pas satisfaite. HPL avait peut-être une grande gueule, il délirait beaucoup avec ses propos sur le diable, toutefois il ne leur avait pas menti, il les avait bien conduits jusqu'à un cadavre. Ludivine ne voulait pas abandonner toutes les hypothèses, y compris les plus farfelues. *Surtout les plus folles, parce que sinon personne d'autre ne les explorera.*

– Je file à Bichat discuter avec un des rescapés du restaurant, dit-elle en se levant.

– Oh, tu fais chier, Lulu ! maugréa Segnon. C'est presque l'heure de dîner, attends demain, sérieux, il va pas s'envoler.

– Tu n'es pas obligé de venir, je suis une grande fille.

– Depuis quand on va sur le terrain sans être en binôme ? C'est à toi qu'il faut que je le rappelle ?

La pique atteignit Ludivine en plein cœur. Alexis était mort de n'avoir pas travaillé en équipe, et elle-même s'était retrouvée face à face avec un déséquilibré, à sa merci, pour avoir commis l'erreur de ne pas sortir avec son binôme. Pourtant, elle balaya l'argument d'un revers de main :

— Il s'agit de parler avec un homme traumatisé sur un lit d'hôpital, je pense que je peux m'en sortir toute seule. Rentre chez toi, tu as une famille qui t'attend. Bonsoir les mecs, à demain.

Et elle s'engouffra dans le couloir avant qu'ils ne lui répondent.

Ludivine avait besoin d'être sur le terrain. Elle, elle n'avait rien d'autre que cette enquête qui l'hypnotisait. Diane la hantait. Elle ne parvenait pas à oublier son costume de peau aux paupières tombantes. Cette image l'empêchait de dormir. Elle était devenue son croque-mitaine dans l'ombre. Et pour l'empêcher d'approcher, elle devait rester éveillée par tous les moyens.

Se tenir loin du monstre.

26.

L'odeur du désinfectant ne laissait planer aucun doute sur la nature des lieux, songea Ludivine en remontant le couloir. Elle détestait les hôpitaux, l'atmosphère moribonde, la lumière jaune et dépressive à en transformer les néons en paupières chassieuses, et Bichat incarnait à ses yeux la quintessence de l'établissement glauque. Trop grand, trop froid, son immense masse posée en bord de périphérique nord comme un bunker pour retenir la maladie à l'écart du monde. Y pénétrer l'avait mise mal à l'aise dès le passage par l'ascenseur.

Stéphane Lembdat occupait une chambre individuelle, il était en train de picorer un plateau-repas froid lorsque la gendarme se présenta. Elle exhiba sa carte et lui expliqua qu'elle venait pour éclaircir certains points. Il affichait une quarantaine d'années environ, une ceinture abdominale bien lestée, des cheveux tirant sur le blond vénitien, mal rasé, le regard triste.

— Je suis navrée de venir vous embêter à cette heure, mais nous ne devons négliger aucun détail et faire au plus vite.

— Il est mort de toute façon, ils sont tous morts, alors quelle urgence y a-t-il ? En même temps c'est dégueu la bouffe ici, vous ne me gâchez rien. Vous savez qu'il paraît que cette enflure ne va même pas avoir de procès ? On ne juge pas les morts ! Donc il va rester innocent pour l'éternité ! Vous y croyez à ça, vous ?

– Même s'il avait survécu, je doute qu'il aurait été jugé responsable de ses actes, vous savez.

– Ça, pour en tenir une couche, il était sacrément couvert...

– Monsieur Lembdat, maintenant qu'il s'est passé quelques jours, y aurait-il un détail qui vous serait revenu depuis vos précédentes déclarations ?

– Un détail ? fit-il en reposant sa fourchette et en regardant Ludivine dans les yeux pour la première fois depuis qu'elle était entrée. Chaque nuit, je revois tout en détail ! Les particules de ma femme qui giclent dans ma bouche, sa tête béante qui tombe dans son assiette, l'odeur de la poudre qui me pique les narines, les coups de tonnerre qui m'explosent les tympans, les cris, la terreur, je revois tout !

Ses prunelles brillaient avec une intensité bouleversante.

– Je suis désolée, monsieur Lembdat. Je suis sincèrement désolée pour ce qui vous est arrivé. À vous et votre femme.

L'homme hocha la tête.

– Esther, oui, Esther. Je la détestais, elle me pourrissait la vie chaque jour et pourtant aujourd'hui elle me manque comme si on m'avait arraché une partie de moi. Parfois je me dis que je ne vais pas y arriver sans elle.

Ludivine, jamais à l'aise avec les émotions des autres, chercha quelque chose à lui répondre et sortit la première banalité qui lui venait :

– Ne dites pas ça, la résilience humaine est au-delà de ce que vous pouvez imaginer pour l'instant. Je sais que c'est le dernier truc que vous voulez entendre maintenant, mais c'est la vérité. Ils vous aident, ici ?

– Avec des tranquillisants, des antidépresseurs et tout le tralala ? Bien sûr. Pourquoi croyez-vous que je sois encore là ? C'est Esther qui a tout pris, pas moi. Moi, je n'ai reçu que de petits fragments de plomb, c'est tout...

– Le tireur, vous l'avez vu entrer ?

– Non. Je ne l'ai remarqué que lorsque ma femme s'est effondrée. Rien avant.

– Je sais que c'est une question difficile mais... Est-ce que vous n'auriez pas vu quelqu'un d'autre derrière lui ? À l'entrée par exemple, ou en retrait...

– Non, je l'ai déjà dit, il n'avait pas de complice, il était seul.

– Personne qui observait ?

Stéphane Lembdat replongea son regard intense dans celui de Ludivine.

– C'était un carnage, vous comprenez ça ? Un enfer. Personne ne regardait, personne n'assistait au spectacle, tout le monde paniquait, hurlait, ça nous est tombé dessus comme l'apocalypse ! On n'a pas compris, nous étions tous en état de choc dès le premier coup de feu.

– Et il n'a rien dit, aucune revendication ?

Cette fois le chirurgien fronça les sourcils.

– Vos confrères n'ont pas mis par écrit ce que j'ai dit ?

– Comment ça ?

– Eh bien ma déposition ! Vous l'avez lue ?

Honteuse, Ludivine bégaya une excuse, elle avait survolé le dossier sans avoir pris le temps de décrypter vraiment les procès-verbaux.

– Il y a plusieurs témoins, monsieur Lembdat, et on m'a justement envoyé vers vous parce que vous aviez quelque chose à dire.

– Le tireur, quand il est passé devant notre table, il parlait.

Stéphane Lembdat avala sa salive difficilement. Son regard partait, il reculait loin dans la mémoire, dans l'émotion, dans le traumatisme.

– Que disait-il ?

– Qu'il était obligé de nous tuer. Pour se libérer, pour gagner sa place.

– Sa place ? Il a dit où ?

Stéphane Lembdat hocha la tête lentement, perdu dans les coups de feu, les cris et sa femme en train de se vider sur lui, caché sous la table.

– Il n'arrêtait pas de le répéter, se souvint-il, qu'il était désolé, que c'était obligé. Il ne pouvait plus continuer à vivre ainsi. Il avait trop souffert, il n'avait pas sa place parmi nous.

L'homme attrapa la main de Ludivine et la serra. Sa paume et ses doigts étaient glacials.

– Vous savez quoi ? Il pleurait quand il tirait sur nous. Oui, il pleurait. Il avait ce... ce regard si désespéré ! Ce n'était pas le regard vide ou démentiel du psychotique qui agit parce qu'il a « entendu des voix », non, pas du tout. Au contraire, on le voyait bien, il savait ce qu'il était en train de faire. Il en était pleinement conscient, c'était une véritable souffrance pour lui et pourtant il pressait la détente, il arrachait des vies, le visage déformé par le dégoût.

Ludivine savait ce qui allait suivre, mais il lui fallait l'entendre pour le croire, alors elle insista :

– Et auprès de qui voulait-il gagner sa place ?

La main froide se resserra encore plus fort sur celle de Ludivine.

– Il nous massacrait pour satisfaire le diable. Pour que Lucifer l'accepte à ses côtés. C'est ce qu'il ne cessait de répéter. Il voulait faire souffrir Dieu. Il voulait lui faire aussi mal que possible. C'est pour ça qu'il nous tuait. Et pour prouver au diable qu'il était digne de lui. Et vous savez quelles ont été ses dernières paroles ?

Stéphane Lembdat avait les yeux noyés par les souvenirs qui meurtrissaient sa chair, son âme et tous ses espoirs en l'avenir, en l'humanité. Ludivine secoua la tête doucement, en gardant sa main sur la sienne.

– Mes oreilles sifflaient, la poudre me brûlait les narines, le sang de ma femme me coulait le long de la colonne vertébrale, il y avait tellement de morts et de poussière qu'on aurait dit qu'il flottait une sorte de pellicule dans la salle, comme une brume rougeâtre. Quand j'y repense, j'ai l'impression que c'était un peu comme si les âmes de tous se rassemblaient avant de partir... C'était abominable. Là, je l'ai entendu parler, pendant qu'il retournait son canon en direction de sa propre bouche. Et il a dit : « Nous t'avons tout donné, Satan, alors montre-nous que tu es reconnaissant. Fais de nous des archanges pour ton retour sur Terre. »

Stéphane Lembdat lâcha la main de Ludivine pour se couvrir le visage et sangloter.

Nous, répéta Ludivine intérieurement. *Nous*.

27.

Tous des victimes possibles.

Chaque passant pouvait y passer. L'homme pressé qui rentre du boulot tard, l'autre qui se hâte de rejoindre un rendez-vous, celui qui porte ses courses, la femme qui file à son atelier théâtre, celle qui promène son chien, même les petits groupes, un couple qui marche lentement, deux adolescents s'échangeant une cigarette, ou plus loin encore ces trois jeunes qui s'échappent vers un cinéma ou une soirée improvisée. Tous étaient susceptibles d'être frappés de plein fouet par la terreur, par le drame, par la mort. La roue du hasard. Et chaque citoyen ne pouvait qu'espérer qu'elle tourne encore et encore et qu'elle ne s'arrête surtout pas sur lui.

Il suffisait d'un regard, d'une attitude, d'un trait physique pour éveiller la convoitise d'un prédateur. Sortir dix minutes plus tôt ou plus tard et croiser son chemin. Ne pas se méfier, ne pas remarquer la présence qui s'engouffre derrière soi avant que la porte de l'immeuble ne se referme, dans une rue déserte, dans un parking souterrain, ou même dans le renfoncement d'un bâtiment. Certains, plus préparés encore, n'avaient besoin que d'une seconde d'inattention pour vous arracher à l'existence en vous attirant par la porte latérale d'une fourgonnette. D'autres enfin choisissaient la foule pour frapper, une file d'attente dans une administration ou une boutique, dans un restaurant ou au cinéma, et ils ouvraient le feu.

Personne n'était à l'abri et personne ne semblait s'en soucier ce lundi soir de mai, dans la douceur du printemps, dans la frénésie de leurs propres tourbillons de vie.

Seule Ludivine ne pensait qu'à ça en remontant le boulevard Bessières, non loin de la porte de Clichy.

Elle n'était plus du tout aussi imperméable qu'elle le pensait. Si le visage déplié de Diane Codaert la faisait toujours frissonner, il y avait plus encore. C'était toute sa sensibilité qui remontait, depuis le début de l'affaire. Et pour s'en protéger, Ludivine n'avait qu'une méthode, toujours la même : ne rien lâcher, foncer, être dans l'action. Jusqu'à l'épuisement.

En sortant de l'hôpital elle avait appelé à la caserne, en espérant que quelqu'un de la cellule 666 soit encore présent, Magali qui veillait parfois tard ou Franck. Finalement c'était Guilhem qui avait décroché, un fond sonore de trash métal derrière lui. Il profitait d'être enfin tranquille pour terminer d'archiver toutes les données sur ordinateur, sa musique favorite à plein volume, une pizza aux pepperoni livrée, c'était mieux que de rentrer chez soi à se morfondre devant la télé pendant que sa fiancée terminait son tournage loin d'ici. À la demande de Ludivine il avait survolé les procès-verbaux concernant Ludovic Mercier, le tueur du restaurant, puis les notes prises par la brigade criminelle à son sujet. Elle voulait savoir qui il était, quel genre d'homme et surtout quels services psychiatriques il avait fréquentés. Avait-il une femme ? Des enfants ? Des amis ? Qui pouvait le connaître, aiguiller l'enquêtrice sur une piste ? Pour comprendre qui pouvaient être les « nous » dont avait parlé Mercier avant de s'injecter trente-quatre grammes de chevrotine en fusion en plein visage.

Guilhem avait dressé un rapide portrait du meurtrier. Quarante et un ans, au chômage depuis deux ans, aucun diplôme, et inconnu des services de police jusqu'à ce sinistre jour. La fouille de son domicile par la brigade criminelle de la DRPJ n'avait rien donné. En revanche, il avait perdu sa femme et sa fille dans un accident de voiture quatre ans plus tôt. Un point de rupture.

Ludivine savait qu'il existait quelques événements capables de faire basculer une psyché humaine, de renverser une personnalité, parfois même de transformer un mouton en un loup aveuglé par la férocité, par la haine. Il suffisait de localiser le point de rupture pour comprendre.

Ludovic Mercier avait tout perdu brutalement.

Guilhem dénicha l'existence d'une sœur demeurant porte de Clichy et, malgré l'heure tardive, Ludivine décida d'y tenter sa chance puisqu'elle était tout près en sortant de Bichat.

Marguerite Mercier vivait dans un immeuble en crépi blanc et briques rouges, coincé entre les Maréchaux et le boulevard périphérique, au cinquième étage, au bout d'un couloir fatigué au sol marron moucheté d'éclats de pierres multicolores qui brillaient sous l'éclairage. Ludivine savait par expérience qu'on avait du mal à croire qu'elle pouvait être enquêtrice de la gendarmerie quand elle n'arborait pas l'uniforme bleu ; peu de gens connaissaient l'existence des sections de recherches et, à cette heure du soir, elle ne voulait pas effrayer cette femme ; alors elle sonna, sa carte de gendarme à la main, bien en vue.

Marguerite Mercier était fanée, son visage s'affaissait sous le poids d'une lassitude palpable. À peine plus âgée que son frère, elle paraissait vingt ans de plus, et son regard n'avait pas plus d'intensité qu'une bougie chauffe-plat en fin de vie. Ludivine se présenta avec un sourire qu'elle espérait chaleureux, rassurant.

— À presque 10 heures du soir ? fit remarquer Marguerite. Vous avez encore une mauvaise nouvelle à m'annoncer ?

— Non, madame Mercier, j'ai...

— Mademoiselle.

— Pardon, mademoiselle Mercier. Je voulais vous poser quelques questions sur votre frère. J'étais juste à côté quand j'ai appris votre existence et je me suis dit que, peut-être, vous seriez chez vous, et...

– Ne vous fatiguez pas, je vis seule et, par les temps qui courent, je ne suis pas contre un peu de compagnie, entrez.

Le regard de Marguerite avait légèrement changé. La flamme de la bougie avait retrouvé un peu de vigueur.

Ludivine entra dans un modeste appartement qui sentait le renfermé, plein de bibelots en porcelaine. Lorsqu'elle dépassa le seuil du couloir, elle comprit que ce n'était pas de la décoration, mais du remplissage. Presque une nécessité pathologique.

Le salon était totalement encadré par des étagères couvertes de petits personnages blancs ou peints, d'objets, d'ustensiles, tous en porcelaine, des centaines sinon des milliers entassés partout, du sol au plafond, seuls la fenêtre et les portes venaient rompre avec l'ensemble. La salle à manger à côté avait subi le même sort.

Une télévision crachait son programme depuis un recoin de l'habitation et Marguerite s'en alla l'éteindre avant de revenir en se frottant les mains répétitivement.

Captant son regard surpris, Marguerite haussa les épaules :

– Je sais, ma collection peut surprendre. Moi, je ne me rends plus compte, ils sont là depuis longtemps, je me suis habituée.

– C'est impressionnant. Vous savez combien vous en avez ?

– Non, j'ai arrêté de compter. Ma mère a débuté la collection en 1967, je crois, et j'ai entamé la mienne à l'adolescence. Lorsqu'elle est décédée, j'ai hérité de la sienne alors forcément ça fait beaucoup maintenant. Vous voulez un café ou un digestif ? J'ai un très bon calvados qui… Ah non, vous ne buvez pas en service, c'est ça ?

– Un café sera très bien.

Ludivine resta debout à admirer l'étourdissante armée de porcelaine qui protégeait Marguerite Mercier. Il y avait une sorte de classement, par personnage, par utilité d'ustensile, par animal… Un véritable rempart entre Marguerite et l'extérieur. Ce n'était plus une passion, c'était une obsession. Ludovic Mercier n'était visiblement pas le seul à avoir souffert de troubles émotionnels.

La collectionneuse revint en portant un plateau avec deux tasses en porcelaine fumantes. Elle ajouta une lichette de calvados dans la sienne et invita la gendarme à s'asseoir en face d'elle autour d'une table à la nappe plastifiée.

– Qu'est-ce que vous vouliez me demander ?

– J'essaye de comprendre votre frère.

– Moi aussi.

Marguerite ajusta ses grosses lunettes sur l'arête de son nez et ses paupières clignèrent nerveusement. Elle ressemblait déjà à une très vieille dame et pas du tout à la quadragénaire qu'elle était.

– Je ne voudrais pas paraître trop brutale avec mes questions, j'ai...

– Ne vous gênez pas. Autant aller droit au but, ce sera moins pénible pour tout le monde.

Ludivine approuva en silence et observa un instant cette femme un peu figée, presque froide.

– Votre frère, vous saviez qu'il pleurait lorsqu'il... lorsqu'il est passé à l'acte ?

Le menton de Marguerite se plissa brièvement.

– Non. Ils ne me l'avaient pas dit. Les policiers qui sont venus n'étaient pas très aimables avec moi. Apparemment à la gendarmerie on a moins de considération pour les proches de... des assassins.

– Ils ne faisaient que leur travail, madame Mercier, ça n'a rien à...

– Mademoiselle. J'y tiens. Je n'ai jamais été mariée.

– Oui, excusez-moi. Votre frère l'a été, lui, à ce que j'ai lu.

– En effet. Pendant presque dix ans. Elle était belle, sa femme, vous savez ? Mon frère n'a jamais été très beau, je suis lucide, et il l'était aussi, il savait que lui et Bianca ne jouaient pas dans la même catégorie et il en était d'autant plus amoureux et fier.

– J'imagine comme ça a dû être terrible pour lui.

– La perdre elle et Mia, leur fille, ça il n'a jamais pu s'en remettre. Vous savez, Ludovic était déjà fragile avant le drame, il a toujours été quelqu'un de très angoissé. Depuis la fin de l'adolescence il alternait les crises et les pics d'euphorie. Aujourd'hui on a un nom pour ça, je ne me rappelle plus lequel...

— Bipolaire ?

— Ah oui, c'est ce nom. Ma mère disait plutôt qu'il avait une éponge à émotions trop grosse pour sa poitrine, et dès qu'il en recevait trop, elle s'imbibait et ça explosait.

— Il a souvent été en établissement à ce que j'ai cru comprendre ?

— Oui, la première fois il devait avoir à peine vingt ans. Il en a épuisé, des médecins ! Il a été partout, à Sainte-Anne bien sûr, il est parti au repos au Pays basque plusieurs fois, dans une clinique privée dans le Vexin, une autre fois il a essayé une hospitalisation dans des bungalows, ou un établissement très reposant près d'un vieux château pas loin de Chantilly, il a même tenté une croisière pour les nerfs il y a quelques années. Ludovic a essayé tout ce qui pouvait lui offrir de l'apaiser.

— Il était volontaire à chaque fois ?

— C'était à sa demande. Il s'effondrait, il devenait incontrôlable, incompréhensible, alors il s'exilait le temps de remonter la pente.

— Des thérapies médicamenteuses ?

Marguerite émit un ricanement étouffé, presque un raclement de gorge.

— Entre nous, je ne crois pas qu'il ait vécu sans l'aide d'antidépresseurs depuis l'âge de dix-neuf ou vingt ans. Il en consommait beaucoup. De plus en plus.

— Il changeait de molécule ? Vous savez s'il a testé des produits nouveaux dernièrement ?

— Vous pensez que les médicaments pourraient l'avoir fait basculer ?

— Pas vous ?

Marguerite fit la moue en réfléchissant.

— Peut-être. Je ne sais pas ce qu'il prenait. Je n'étais pas dans ses ordonnances.

— Vous savez qui le suivait pour ça ?

– Non. Il ne me parlait pas trop de ses médecins ou de ses psychomachins. Je crois qu'il s'en fichait lui-même à force d'en voir, tous étaient interchangeables puisque aucun ne pouvait rien pour le guérir vraiment. Ludovic aurait rêvé qu'on puisse découper une grosse portion de son éponge, au lieu de quoi on le gavait d'imperméabilisants pour qu'elle ne s'imbibe pas trop.

Le silence tomba sur les deux femmes et Ludivine réalisa que l'appartement était particulièrement calme compte tenu de son exposition. Il n'y avait que le tic-tac d'une horloge dans le couloir entre elles et la très vague rumeur de la circulation lointaine. Ludivine avala une gorgée de café chaud.

– Bianca lui a fait du bien, enchaîna Marguerite qui semblait contente d'avoir enfin quelqu'un à qui se confier, elle, la sœur de l'assassin, celle qui ne devait plus oser sortir de son appartement de peur d'être jugée. Pendant les premières années de leur mariage, il n'a plus été hospitalisé, elle lui apportait de l'équilibre. La naissance de Mia a été un peu plus compliquée. Ludovic était terrifié à l'idée de transmettre ses angoisses à sa fille, que ce soit héréditaire.

– Vos parents étaient comment, si je puis me permettre ?

– Notre mère était...

Le regard de Marguerite s'abîma dans son immense collection. Puis elle avala son café en deux gorgées avant de s'essuyer les lèvres avec une serviette, très délicatement.

– Pardon, s'excusa-t-elle. Je suis le portrait de notre mère, voilà qui devrait être plus simple que de longues évocations. Elle était pleine d'amour mais un peu... particulière. Certains diraient étouffante et paranoïaque. Notre père, lui, est mort lorsque Ludovic et moi étions jeunes. Il était dépressif, il s'est jeté sous un train un matin de septembre. Il a toujours haï l'automne.

– Je suis désolée.

Marguerite haussa les épaules.

– C'est la vie.

Un nouveau silence gênant s'installa avant que Ludivine n'ose sa question suivante :

– Marguerite, est-ce que votre frère était quelqu'un de très pieux ?

– Vous n'avez pas remarqué ?

– Quoi donc ?

– Ma collection. Il n'y a pas un crucifix. Pas un seul. Et pourtant Dieu sait qu'il en existe des modèles de toutes les tailles et de tous les styles qui s'intégreraient parfaitement sur mes murs. Mais je refuse. Ludovic et moi nous nous sommes éloignés de Dieu à la mort de Bianca et Mia.

– Au point de vouer une certaine haine à l'image divine ?

– Moi, non. Au point de me dire qu'un monde qui tourne si peu rond ne peut être le fruit d'un être qu'on prétend si bon. Mais Ludovic, oui, il était en colère contre Dieu, c'est vrai. Il a laissé un mot à ce sujet ?

– Pas que je sache.

– Vous savez, les policiers ne m'ont rien dit sur sa mort. Je n'ai appris que quelques détails en lisant les journaux, c'est difficile pour moi, je suis tout de même sa sœur.

– J'imagine. Et j'en suis désolée. Voyez-vous, certains survivants du restaurant affirment que votre frère parlait du diable au moment du drame.

– Du diable ?

Le regard de Marguerite s'était rallumé.

– Oui. Il a dit qu'il *devait* faire ça. Pour le diable. Est-ce que ça vous dit quelque chose ?

Marguerite attrapa sa tasse un peu brusquement et la serra dans sa main comme une enfant s'emparerait de son doudou.

– Mademoiselle Mercier ? insista Ludivine. Est-ce que vous vous sentez bien ?

– Oui, pardon.

– Votre frère entretenait-il une certaine passion pour les choses sataniques ?

– Pour être tout à fait honnête avec vous, Ludovic et moi ne nous voyions plus beaucoup depuis un an, il était devenu très dur, très noir, très sinistre.

— Mais a-t-il déjà évoqué le diable devant vous ?

— Une fois ou deux, lorsque nous nous sommes revus il y a trois mois. Je sais qu'il en avait beaucoup parlé avec son prêtre, ils n'étaient pas d'accord sur le sujet et Ludovic et lui se sont souvent querellés à propos de Dieu et du diable...

— Un ami prêtre ? Vous savez lequel ?

— Oui, une petite église non loin de chez lui, je vais vous écrire le nom. C'est lui qui est venu vers Ludovic le premier. Le prêtre qui a officié pour l'enterrement de sa femme et de sa fille l'avait envoyé en constatant la détresse spirituelle dans laquelle était tombé mon frère. Au début, Ludovic l'a rejeté mais ils ont fini par se voir pour discuter. Je crois qu'ils ont eu quelques échanges houleux, et Ludovic le détestait autant qu'il avait besoin de sa présence de temps en temps.

— Votre frère avait des amis ? Des fréquentations en dehors de ce prêtre ?

— Non. Il s'est détourné de tout le monde après l'accident. Il s'est isolé de plus en plus, même de moi, je vous l'ai dit, nous n'étions plus proches. Ça l'a détruit, vous savez.

— On le serait à moins. Pour autant, les hommes qui vivent un drame aussi dévastateur que celui-ci ne finissent pas tous par aller se venger sur des gens qu'il ne connaissent pas dans un restaurant quatre ans après ?

— Surtout que mon Ludo n'était pas un violent, il ne s'est jamais battu, il n'aimait pas les armes, il a toujours dit qu'il était préférable d'être « lâche mais vivant, les cimetières sont pleins de braves et de courageux », ce n'était pas un belliqueux, non, pas du tout.

— Je cherche à comprendre ce qui l'a vraiment poussé à commettre l'irréparable.

— Est-ce que le désespoir n'est pas la route la plus directe vers la folie ? Parce que, en matière de désespoir, Ludovic n'en manquait pas.

— Les témoins qui ont vu votre frère ce soir-là ne mentionnent pas un homme agissant sous l'impulsion de la démence, au contraire, il semblait très conscient de ce qu'il faisait.

– En tout cas il n'a pas choisi le restaurant au hasard.

– Comment ça ?

– C'était là qu'il avait l'habitude d'aller dîner avec Bianca C'était un peu leur restaurant à eux, pour se retrouver en amou·reux. Je crois qu'il a voulu partir en laissant exploser toute sa rancœur, il s'est sans doute dit que si lui avait perdu son amour, alors les autres ne méritaient pas de vivre le leur... Enfin c'est ce que je suppose.

Marguerite fixa le fond de sa tasse vide et finit par la porter à ses lèvres quand même, comme pour boire le néant dans un geste machinal.

Ludivine s'enfonça dans la banquette molletonnée. Elle n'était pas à l'aise dans cet appartement.

– Je vais aller voir ce prêtre, peut-être qu'il pourra m'en apprendre davantage sur l'état d'esprit de votre frère.

– Attendez, je vais vous noter le nom de l'église et son nom à lui.

– Vous vous en souvenez ? s'étonna la gendarme.

Qu'elle ait gardé en mémoire celui de l'église, pourquoi pas, mais l'identité d'un prêtre qu'elle n'avait jamais rencontré elle-même, c'était plus surprenant.

– Oui. J'ai même lu son livre quand Ludovic m'a raconté qu'ils se voyaient autant.

– Il a écrit un livre sur la religion ?

– Oui. Ou plutôt qui explique ce qu'est le diable pour de vrai.

Ludivine fut parcourue d'un frisson irrépressible.

– Comment ça ?

– Pour ce que je m'en souviens, il affirme que le diable n'a pas besoin de se montrer avec ses pieds fourchus et ses cornes pour contaminer les hommes, il lui suffit de répandre quelques graines de violence et laisser les esprits les plus faibles propager le doute et le chaos. Il explique que le mal est une épidémie propre à l'homme et que c'est lui, et lui seul, qui en est le por-teur. Si vous voulez mon avis, c'est un extrémiste, voilà ce que j'en ai retenu. Mon frère était d'accord avec moi sur ce point d'ailleurs, mais ça ne l'empêchait pas d'aller discuter avec lui.

L'œil de Marguerite s'était embrasé.

– Un spécialiste de la question du mal, répéta Ludivine pour elle-même.

– Un intransigeant qui, indirectement, suggère que le meilleur moyen de lutter contre le mal c'est de détruire tous les porteurs avant qu'ils ne puissent en contaminer d'autres. Ce genre de prêtre qui en plus affirme être un exorciseur. On aura tout vu.

Ludivine était perdue dans ses propres pensées. Il fallait qu'elle le rencontre. Était-il une clé pour mieux comprendre Ludovic Mercier ? Ou peut-être pour déchiffrer chacun des serviteurs du diable qui venaient de frapper... ?

Lorsqu'elle fut dans le couloir, un morceau de papier avec le nom de l'église et du prêtre dans la poche, Ludivine fut retenue par la petite main griffue de Marguerite. Elle avait une poigne bien plus forte que son physique ne le laissait deviner.

– Je sais qui vous êtes, dit-elle en fixant la gendarme sous ses sourcils bruns.

– Pardon ?

– Je vous ai reconnue tout à l'heure sur le palier. Vous êtes cette fille qu'on voit aux informations. Vous êtes la chasseuse de monstres.

Ludivine se sentit brusquement mal à l'aise face à cette femme qui la tenait par le poignet, une main enfoncée dans la poche profonde de son gilet en laine

– Mon frère n'en était pas un, vous savez ? Ce n'était pas un monstre.

Ludivine hocha la tête doucement.

– Je sais, mademoiselle Mercier. Je le sais.

Ludivine tenta de se dégager sans forcer mais n'y parvint pas.

– C'est le désespoir qui l'a fait plonger, ajouta la vieille fille. C'est le désespoir qui tire le monde vers les abysses.

Et cette fois, la bougie au fond de ses prunelles s'était totalement éteinte, il n'y avait plus aucune vie en elle, plus aucune forme d'humanité. Elle était retournée à ses ténèbres.

28.

Deux fines tourelles flanquaient l'église qui semblait perdue au milieu d'une place déserte. Quelques arbres l'entouraient, vigiles naturels dans l'obscurité. Aucun des lampadaires des rues mitoyennes ne parvenait à étendre suffisamment sa clarté pour atteindre l'église qui aurait dû dormir dans la pénombre de la nuit et, pourtant, l'éclat d'une lumière dansante filtrait à travers son œil unique ; la grande rosace qui surplombait la bouche de ce cyclope minéral posait sur le monde extérieur le regard de Dieu. Un Dieu vacillant, fatigué, tremblant.

En parvenant sur le parvis, Ludivine se demanda ce qu'elle fichait ici, à minuit. C'était inutile, elle rognait sur les heures de sommeil dont elle aurait besoin avant de réattaquer une nouvelle journée. Toutefois la rosace illuminée de l'intérieur lui fit reprendre un peu d'assurance et elle sortit le menton du col de sa veste pour faire le tour de l'édifice. Le presbytère consistait en une toute petite maison grise accotée à l'église. Là aussi, une bougie brûlait à la fenêtre près de l'entrée.

Ludivine tenta sa chance et frappa trois coups secs et sonores.

Ne recevant aucune réponse, elle insista. Rien.

Finalement elle recula, un peu déçue. *À minuit, tu imaginais quoi ? Une messe spéciale pour toi ? Pour les victimes ?* Le monde n'était pas à son service, il avait son propre rythme, ses cycles, loin des obsessions de la jeune femme.

Elle longea l'édifice et s'immobilisa devant la grande porte principale. Il y avait pourtant bien de la lumière à l'intérieur et...

Ludivine posa la main sur la poignée et la tourna. L'église était ouverte. Elle enjamba la contremarche et referma derrière elle.

De nombreuses bougies brûlaient de part et d'autre de la nef et, pendant un instant, Ludivine crut que de nombreux fidèles étaient rassemblés pour une prière nocturne, tous tournés vers l'autel, avant de réaliser qu'aucun d'eux ne bougeait. Ils étaient tous figés, regard et posture saisis pour l'éternité. Des hommes, des femmes et même quelques rares enfants dont la tête ne parvenait pas à se hisser plus haut que le dossier des bancs.

Une centaine de statues occupait l'église.

Ludivine emprunta l'allée centrale d'un pas lent, découvrant ces étranges occupants sculptés à échelle humaine ; peints pour la plupart, en plâtre, quelques-uns en bois, d'autres en résine, ils étaient tous disposés entre les bancs, tournés vers le chœur, et représentaient des personnages de la Bible, apôtres, Romains, Rois mages et même Marie. Tous pleuraient.

Ils pleuraient des larmes de sang qui réfléchissaient les flammes des bougies.

Ludivine s'approcha d'un homme en guenilles qui tenait une coupe en bois entre ses mains. Celle-ci avait été remplie d'un liquide rouge. De près, les larmes scintillaient, elles n'étaient pas peintes, il s'agissait bien de liquide qu'on avait posé sous chaque paupière et qui avait coulé.

– Qu'est-ce que c'est que ce cirque ? s'interrogea Ludivine tout haut.

Elle remonta l'allée jusqu'au chœur où les murs étaient recouverts de crucifix de toutes tailles, en bois, en terre cuite et même quelques-uns en porcelaine... Il y en avait pas loin d'une centaine, estima la gendarme, partout, jusqu'au plafond, un empilement géométrique étourdissant.

Encore plus. Beaucoup plus même.

Ce n'était plus de la dévotion c'était un Tetris de monomaniaque.

Quelque chose la frôla et, du coin de l'œil, Ludivine crut apercevoir une silhouette, mais le temps qu'elle se retourne elle avait disparu.

— Il y a quelqu'un ?

Elle remarqua alors quelques gouttes sur elle, sur sa veste et sur ses cheveux. Qui l'avait aspergé ? Et quand ?

Elle reçut à nouveau plusieurs éclaboussures froides qui, cette fois, l'atteignirent au visage. Repensant aussitôt à l'attaque à l'acide du centre commercial, Ludivine fit un bond de côté et se protégea avec le bras tout en sortant son arme de l'autre main.

Les éclaboussures provenaient de derrière une colonne, à moins de deux mètres.

— Qui est là ?

Le vent se leva en même temps, comme pour lui répondre, et vint cogner contre les vitraux que les bougies embrasaient de rubis, d'émeraude et de lapis, donnant vie aux personnages.

Dans le contre-jour timide des bougies, une ombre apparut, lentement. Un petit homme avec une couronne de cheveux blancs, de fines lunettes argentées et un col romain sous sa tenue noire.

Le prêtre se tenait droit face à elle, un calice doré à la main dans lequel flottait encore un peu de liquide translucide. Ludivine tenait fermement son Sig-Sauer contre elle, se gardant de mettre un homme d'église en joue bien qu'elle ne fût pas sûre de ses intentions.

— Souffres-tu du signe de la Bête ? demanda-t-il.

— Qui êtes-vous ?

Ludivine gardait ses distances, prête à braquer son canon sur ce bonhomme étrange et plutôt inquiétant. Pour ce qu'elle en voyait, elle pouvait tout aussi bien avoir affaire à un illuminé qui avait investi l'église dans le dos du prêtre.

– Je suis le père Vatec, émissaire du Saint-Esprit et pourfendeur des ombres. Et toi, pourquoi viens-tu dans la demeure du Seigneur ?

Ludivine ne ressentait aucune brûlure et estima qu'il devait s'agir d'un peu d'eau. *De l'eau bénite.* Vatec était le nom du prêtre que Ludovic Mercier consultait de temps à autre. De sa main libre elle attrapa sa carte de gendarme et la brandit devant elle :

– Je suis adjudant à la section de recherches de Paris. J'enquête sur le massacre du restaurant, vous en avez entendu parler ? Ludovic Mercier, je crois que vous le connaissiez.

À ces mots, le prêtre parut se détendre un peu, ses épaules s'affaissèrent et il prit une profonde inspiration.

– Je vous attendais, dit-il simplement.

– Avec ça ? demanda Ludivine en désignant le calice. Et tout le décor autour de nous ?

Le prêtre sembla se souvenir de ce qu'il tenait entre les mains et le souleva devant lui pour en boire une gorgée :

– Oh, ça, c'est de l'eau bénite, confirma-t-il en s'essuyant les lèvres du revers de sa manche, pour m'assurer que mon interlocuteur est bien ce qu'il prétend être.

– Vous avez peur pour votre sécurité, mon père ?

La tension était retombée d'un cran et Ludivine décida de ranger son arme tout en demeurant vigilante.

– Non, mon âme est immortelle, elle appartient à Dieu, mais ma mission est de vous protéger, vous autres, contre des dangers bien plus sournois que ceux auxquels vous êtes habitués.

– Le diable ?

Vatec inclina légèrement la tête, surpris.

– Oui, exactement.

– C'est pour lutter contre lui que vous avez mis... tout ça ? Les statues, les croix...

– C'est parce que l'heure est grave, mademoiselle, les fidèles de Dieu pleurent leur époque, et notre foi est en train d'être mise à l'épreuve. C'est symbolique, voyez-vous. Mes paroissiens savent que je verse parfois dans le démonstratif, mais je crois qu'il faut savoir s'adapter au monde et j'ai décidé d'user des codes de cette société de communication, d'images.

L'effet de surprise passé, Vatec apparaissait plus fragile et petit que Ludivine ne l'avait vu. L'attitude du prêtre et le vouvoiement subit la rassuraient, elle commençait à se détendre.

— Vous veillez ainsi chaque nuit ?

— Depuis hier, oui. J'ai ouvert mon église parce que je sais que Lucifer finira par m'envoyer ses émissaires. Il est de mon devoir de les affronter.

Rien que ça.

Ludivine était tombée sur un sacré numéro. Manifestement il était à la lumière ce que HPL était aux ténèbres.

— Vous venez de dire que vous m'attendiez ? Pourquoi ?

Le prêtre la détailla de haut en bas avec attention, puis, satisfait, désigna le banc du premier rang pour qu'ils s'assoient.

— Vous avez la beauté tentatrice du démon, mais votre âme est pure, dit-il en prenant place, je le vois bien. Je vous attendais, vous, les gens de la police, à cause de Ludovic. Je le connaissais bien.

— C'est ce que j'ai cru comprendre. C'est vous qui êtes venu le voir, n'est-ce pas ?

— Oui, à la demande du père Caron qui s'inquiétait de le voir dépérir sans parvenir à délier son cœur. La perte de sa famille a été une épreuve terrible pour Ludovic. Elle a remis sa foi en question.

— Vous êtes un spécialiste de la question spirituelle du diable, si j'ai bien compris ?

— Je m'intéresse aux failles modernes que le démon exploite pour corrompre nos fidèles. La mort tragique d'une épouse et de son enfant sont de ces failles les plus béantes, vous l'imaginez bien.

— Ludovic Mercier parlait beaucoup du diable ?

— Les deux premières années, nous ne nous sommes que très peu vus, il refusait ma présence, mais je ne l'ai jamais abandonné.

Je suis resté en périphérie de son existence, me rappelais à son bon souvenir de temps à autre. Puis c'est lui qui est revenu vers moi, il y a un peu moins de deux ans.

– Il vous a dit pourquoi ?

– Non et je n'avais pas à le lui demander, il était là, c'est tout. Il me posait de nombreuses questions sur... *l'âme*. Il voulait savoir ce qu'il était advenu de celles de sa famille. Puis les notions de bien, de mal le tracassaient. Était-il la victime d'un acte du mal ou sa famille payait-elle les conséquences d'actes mauvais ? Nous avons beaucoup discuté à cette période, il était inépuisable ! Et comme je le suis aussi sur ces questions, nous échangions jusqu'au petit matin. En général je le trouvais le soir sur mon palier, et nous bavardions dans ma cuisine, sans pauses. La mort de sa femme et de sa fille a été une souffrance que son cœur n'a jamais pu encaisser.

– Pourquoi, d'autres le peuvent ?

– Oui. Vous savez, nous, prêtres, recevons les confidences des êtres les plus perdus, c'est vers nous que les survivants se tournent pour chercher des réponses à des questions de morale sur la mort. Certains hommes ou certaines femmes se reconstruisent après la perte de l'être cher, je ne dis pas qu'ils redeviennent comme avant, non, bien entendu, toutefois ils parviennent à repartir dans le sillon de l'existence, et quelques années plus tard je les recroise, avec le sourire, et parfois une nouvelle famille. Mais Ludovic, lui, n'était pas capable de ça.

– À quel moment s'est-il mis à vous parler du diable ?

– La dernière année. J'ai senti qu'il basculait. J'ai tout fait pour le retenir, pour le convaincre mais je le voyais s'enfoncer lentement du mauvais côté, la tentation était trop forte. Lorsque l'homme ne comprend pas les actes du Seigneur, il lui arrive parfois de transformer son amour en haine, et c'est alors que le démon apparaît pour chuchoter les mots venimeux. Ceux qui croient en Dieu pour obtenir des réponses sont les plus fragiles car ils convertissent facilement leur dévotion en rancœur. La religion n'est pas une béquille extérieure, c'est une ferveur intérieure. Le démon se niche bien souvent dans ce malentendu.

– Il y a environ un an ?

– Oui.

Ludivine devait mettre à nu la vie de Ludovic Mercier. Tout connaître de ce qu'il avait fait un an auparavant, ses fréquentations, ses déplacements... Et recouper avec ce que Kevin Blancheux avait pu faire à sa sortie d'hôpital psychiatrique en 2012, lorsqu'il avait à son tour basculé dans la frénésie sataniste. Au cours des deux années passées, ces deux hommes partageaient une illumination spirituelle maligne, ils avaient en commun d'avoir fait une rencontre bouleversante. Ludivine devait explorer leur passé, là se trouvait la clé, elle en avait désormais la conviction.

Le vent tournait autour de l'église, sa langue zézayant sous la grande porte de l'entrée.

– Mon père, il ne vous a jamais cité un nom en particulier, quelqu'un qui aurait pu être une sorte de double maléfique de vous, votre alter ego spirituel du côté du diable ?

Vatec se redressa, un rictus à peine visible au coin des lèvres. Ses yeux brillaient dans la douce clarté des bougies tremblantes.

– Vous réfléchissez vite. Oui, acquiesça-t-il en hochant la tête, je suis certain qu'il y avait une autre bouche qui lui murmurait des conseils tout autres que les miens. Un confident de l'ombre.

– Il l'a mentionné ?

– Jamais directement, mais je le sentais. Son influence grandissait au fil des mois. Et Ludovic venait de moins en moins me voir.

– Quand était-ce pour la dernière fois ?

– Il y a environ trois mois. Il était bouleversé. Il m'a demandé si le diable *existait* réellement, pas seulement comme une métaphore, mais s'il était possible qu'il foule la terre pour de vrai.

– Que lui avez-vous répondu ?

Vatec pencha la tête vers Ludivine et vissa ses prunelles bleues dans celles de la gendarme.

– Croyez-vous en Dieu, mademoiselle ?

— Eh bien... assez peu, avoua-t-elle, embarrassée. Non, en fait je ne crois pas.

L'index crochu du prêtre se pointa vers elle :

— Vous ne croyez pas en Dieu et pourtant vous n'êtes pas totalement sûre que le diable n'existe pas, n'est-ce pas ? C'est sa plus grande force, son meilleur tour ! Il est parvenu à se rendre plus familier, presque plus plausible alors qu'ils sont un tout !

— Et à Ludovic Mercier, vous lui avez répondu quoi ?

Le regard du prêtre se fit plus dur, inquisiteur, sondant les tréfonds de Ludivine.

· Que si le diable arpente à nouveau notre terre, c'est qu'il prépare son grand retour. Il a su se faire oublier pendant si longtemps qu'il n'est pas du genre à revenir juste pour flâner.

— Vous l'avez conforté dans son idée que l'homme qu'il fréquentait pouvait être le diable ?

L'index se replia d'un coup.

— Mais qu'est-ce qui vous fait croire que ça ne pourrait pas être lui ? Le diable est un cultivateur, ma chère. Il sème ses graines chaotiques un peu partout, il moissonne le doute, il arrose le désespoir, et il attend sagement, malicieusement, que nous nous en nourrissions. Dès lors que nous succombons, il recommence sur d'autres champs, encore et encore. Qui peut prétendre qu'il n'est pas là, *parmi* nous ? Vous qui pourchassez les pires assassins, n'avez-vous jamais rencontré des hommes terriblement mauvais ? Des êtres qui transpirent le mal ? Qu'aucune explication rationnelle ne peut faire le poids face à leur perversion ?

— Si, quelques pervers parfois, bien sûr, mais ils restent des hommes, pas des dém...

— En êtes-vous si sûre ? Ne dit-on pas des pires criminels qu'ils n'ont plus rien d'*humain* ?

— Je vous concède que dans de rares cas, les plus extrêmes, plus rien n'explique leur monstruosité, pas même leur enfance, pour autant ils demeurent des hommes.

— Croyez-vous le diable idiot, jeune femme ? S'il apparaissait sous une forme fantastique, témoignant de ses pouvoirs abominables, que se passerait-il d'après vous ? Le monde entier, face à la preuve irréfutable de son existence, prendrait garde, deviendrait vigilant et s'allierait pour lutter contre lui ! Alors tant qu'il agit dans l'ombre, insidieusement, en tirant les ficelles du mal subtilement, là il demeure une menace permanente, cachée, plus forte. Le diable est immortel, ne l'oubliez jamais ! Il a appris de ses erreurs passées, il a vu notre monde évoluer et cela a probablement influencé en partie ses développements. Il est là, plus présent que jamais, fomentant le chaos, préparant notre chute et son avènement... Il sait qu'il a pour lui notre nature versatile, nos doutes et la direction qu'a prise notre société. Tout ce qu'il a à faire, c'est semer ses graines et attendre. La patience du diable, mademoiselle, c'est sa meilleure arme contre nous ! Si Ludovic affirme l'avoir rencontré, alors pourquoi ne pas le croire ? Ludovic a toujours été un garçon sensé, intelligent et cohérent, malgré ses fragilités affectives. Ses doutes n'ont fait qu'ouvrir une porte dans laquelle la Bête s'est engouffrée.

— Vous n'avez pas cherché à savoir qui pouvait être cet homme ?

— S'il s'agit bien du diable, je sais qu'il finira par venir à moi. J'ai été son adversaire dans l'oreille de Ludovic pendant plusieurs mois, il a forcément eu connaissance de mon existence. Il viendra car il n'y a rien que le diable aime plus que de confronter l'homme à ses limites, de le tourmenter dans ses convictions, dans sa foi. Il m'a battu dans notre lutte d'influence sur Ludovic, il voudra triompher jusqu'au bout, de moi. Je suis prêt, dit Vatec en embrassant son église de la main.

— Et vous n'avez pas tenté de convaincre Ludovic qu'il se trompait, qu'il ne devait pas sombrer ?

— Lorsque le mal s'insinue en l'homme, c'est un poison qui se distille, il n'est bientôt plus possible de le drainer. Tout ce qu'il faut faire c'est l'écarter au plus vite des autres avant qu'il ne propage son propre venin. Le mal est contagieux, ma chère, et nous en sommes les porteurs.

– Ludovic est mort, mon père. Il a emporté avec lui six personnes et en a blessé gravement encore plus. Et il n'est pas le seul ! Je suis convaincue qu'il y a un lien entre lui et les adolescents qui ont frappé dans le TGV, et certainement avec l'homme du centre commercial.

Vatec glissa subitement sur le banc pour venir se coller tout près de Ludivine, son visage était à présent à quelques centimètres et elle pouvait sentir son haleine chaude contre sa joue.

– C'est une guerre qui vient de débuter, vous ne comprenez pas ? Une guerre qui fera de nombreuses victimes innocentes ! Mais le Seigneur est là pour les accueillir dans l'au-delà. Pour le reste, c'est notre combat à nous, c'est à nous de repousser le Malin, de prouver notre fidélité à Dieu.

Ludivine répondit tout bas, sur le même ton déterminé :

– Je n'ai que faire de Dieu, mon père, je ne sers que la justice, c'est elle qui me guide, et pour ça j'ai besoin de noms, d'hommes, de coupables avec un visage humain.

– Et vous en trouverez. Car le démon est sur terre pour rassembler des troupes. Et ce à quoi vous assistez, c'est son armée qui se lève face à nous. Ils seront nombreux, ils seront légion.

La main de Vatec agrippa l'épaule de Ludivine.

– Vous n'avez peut-être pas foi en Dieu, mais je le vois en vous, vous pouvez être Son glaive. Soyez sans pitié, jeune femme. Car les démons en face n'hésiteront pas une seconde.

Cette fois le vent parvint à s'infiltrer dans l'église. Il siffla entre les bancs et fit trembler les flammes des bougies comme si le diable riait dans le dos de Ludivine.

29.

Conduire une enquête criminelle s'apparentait à reconstituer un puzzle.

Il fallait d'abord en localiser les coins, puis les bords pour dresser le cadre général avant d'identifier les motifs principaux et les répartir en petits tas, séparant chaque figure principale. Ensuite, pièce par pièce, la détailler longuement afin d'évaluer sa position dans l'ensemble. Zone par zone, le puzzle se construisait, d'abord assez imprécis, avant que des images finissent par apparaître et qu'à force de tâtonner, d'essayer, on parvienne à en relier certaines.

Ce mardi 13 mai au matin, plusieurs pièces du puzzle s'emboîtèrent parfaitement pour dessiner l'image du dépeceur.

Lorsque Ludivine arriva à la caserne, vers 10 heures, les cheveux encore mal séchés de sa douche précipitée après un réveil difficile, Segnon tirait une feuille toute chaude de l'imprimante.

– C'est la confirmation ADN du labo : les fragments de peau retrouvés lors du go-fast appartiennent bien à trois personnes différentes, infirma Segnon. Et c'est pas tout ! J'ai eu l'email ce matin en arrivant au bureau, Guilhem vient d'obtenir deux identifications.

Ludivine n'en revenait pas de la bonne humeur de ses collègues. Comme si tout leur avait glissé dessus, comme si l'horreur n'avait pas de prise sur eux. Pourtant elle se souvint de Segnon sur le point de vomir en sortant de la caravane. Il encaissait bien. Mieux qu'elle, même.

Parce qu'il sait compartimenter. Parce qu'il n'en fait pas une affaire personnelle. Parce qu'il sait qu'il peut se rattacher à l'essentiel : sa vie, sa famille.

Toujours la même rengaine.

– Yep ! confirma Guilhem, pas peu fier. Une des victimes était fichée chez nous pour escroquerie et vol, un certain Éric Yahia. Les tatouages sur les bouts de peau, ce sont les siens apparemment. Je viens de checker le garçon, c'était un petit branleur prêt à tout pour se faire un peu de fric facile, mais pas un méchant, pas un dangereux en tout cas. Il a disparu le 26 avril en sortant de discothèque. Pas de témoins sinon pour dire qu'il était passablement éméché quand il a été vu pour la dernière fois. Il y a un canal à côté de la boîte, beaucoup ont pensé qu'il pouvait y être tombé à cause de l'alcool, ce ne serait pas le premier, mais son corps n'y a pas été retrouvé.

– On sait où il a fini, à présent, enchaîna Segnon.

Guilhem fit une grimace dégoûtée :

– T'imagines si par ironie il a fini dans l'assiette d'un des membres de sa propre famille ? Ton fils disparaît et en plus tu le bouffes sans le savoir...

– Et la seconde identification ? fit Ludivine en jetant sa veste sur le dossier de sa chaise.

Segnon attrapa ses notes sur son bureau :

– Une autre des six disparitions recensées dans la région lilloise dernièrement : Camille Vigneron, une fille qui s'est volatilisée un soir de février en rentrant d'une soirée d'anniversaire chez des amis. On n'a retrouvé que son V'Lille abandonné dans la rue.

– Son V'Lille ? C'est quoi ça ?

– Les Vélib' lillois.

– Ah. Pas de témoins, pas de pistes ?

– Rien. Elle est dans le FNAEG parce que sa famille a accepte que son ADN soit récupéré à son appartement pour l'enquête.

Sinon la fille est clean, pas de dossier chez nous. Elle faisait partie des quatre disparitions jugées inquiétantes en moins d'un an.

– Bon boulot les gars. Guilhem, je veux bien que tu me sortes tout ce qu'on a sur les disparitions lilloises et, Segnon, préviens les collègues de Lille qu'on a retrouvé deux de leurs disparus.

À peine la phrase terminée, Guilhem se plongea dans les piles de boîtes en carton entassées derrière lui. Segnon, plus attentif, posa une fesse sur le coin de bureau de Ludivine :

– T'as passé une nuit de merde, toi, pas vrai ?

– Je me suis pourtant maquillée ce matin avant de partir.

– Un peu trop vite, t'as des cernes qui te tombent jusqu'au nombril. Tu veux dîner à la maison ce soir ? On pourrait partir tôt, comme ça tu verras les jumeaux, et Laëti nous fera son poulet basquaise traditionnel, tu...

– T'inquiète, c'est gentil, mais je ne suis pas d'humeur bavarde aujourd'hui.

– Bon. Et hier, à Bichat, ça a donné quoi ?

– Je te raconterai. Pour l'instant on a d'autres priorités.

– Mais tu l'as vu ?

– Oui.

– Et ça n'a rien donné ?

– Chaque chose en son temps.

Segnon demeura silencieux, se mordillant les lèvres, la fixant.

– Tu te cames pas au moins ?

Ludivine ne put retenir un éclat de rire.

– Tu sais quoi ? fit-elle devant le regard inquisiteur de son ami, ce midi je te raconte ma soirée, d'accord ? Et crois-moi, ce n'est pas du tout ce que tu imagines.

À peu près rassuré, Segnon s'en retourna vers le bureau d'en face et commença à passer ses coups de téléphone, tout en gardant un œil sur la jeune femme qui trouvait cela plutôt tendre. Elle avait effectivement passé une nuit difficile, à fuir la peur du croque-mitaine, un sommeil finalement trop court, peuplé de cauchemars avec des visages creux, des êtres aux orbites vides, à la bouche pleine de ténèbres et aux mains prolongées par de longues serres fourchues qui sillonnaient les rues à la tombée du jour pour boire les âmes... Sa soirée de la veille ne l'avait pas laissée de marbre. Pas plus que tout le reste. Mais au moins elle avait acquis la certitude qu'il fallait creuser dans les dix-huit derniers mois de Ludovic Mercier, le tueur du restaurant, tout comme pour Kevin – HPL – Blancheux, et probablement aussi les autres : Balenski le dépeceur ou même les jeunes tueurs du TGV et l'agresseur du centre commercial.

Celui qui prenait le visage du diable pour manipuler ses troupes avait fondu sur ses proies durant les deux précédentes années.

Mais avant cela, Ludivine voulait compléter au maximum la zone du puzzle qui concernait le dépeceur. Elle prit les piles de documentation que lui confia Guilhem et essaya de gagner du temps en filant tout droit aux procès-verbaux qui concernaient les victimes. Circonstances des disparitions, profils psychologiques, témoignages des familles... Après trois heures de lecture, elle se faisait une idée un peu plus précise de qui étaient Éric Yahia et Camille Vigneron. Si le premier était fort en gueule et probablement pas facile à manipuler, la seconde était plus douce et réservée. Mais le premier était particulièrement alcoolisé au moment de son enlèvement, ce qui laissait à penser que le dépeceur, dans tous les cas, n'était pas un grand amateur de risques. Il s'en prenait à des victimes faciles, comme l'adolescente enlevée sur un chemin à la sortie de son village. C'était un opportuniste. Il attendait longuement la bonne situation, il guettait, à la recherche de proies potentielles, cherchant le meilleur moment. Hommes, femmes, d'apparences très différentes. Autant Diane Codaert était une adolescente fine et blonde, autant Camille Vigneron était plutôt bien charpentée et brune. Le dépeceur n'avait aucune obsession physique particulière, ce n'était pas un fétichiste, sinon de la peau de ses victimes. Il était en quête de trophées. Sa vraie jouissance provenait de la mise à mort, une satisfaction quasi divine de pouvoir sur autrui, marque des grands frustrés de l'existence.

Mais cela ne suffisait pas.

On ne dépèce pas un corps humain en entier sans en éprouver du plaisir, pas lorsqu'on le fait plusieurs fois. C'est impossible. Ludivine imaginait sans peine l'insoutenable vision et l'effort que cela représentait, pendant plusieurs heures. Michal Balenski ne pouvait trouver en l'argent une motivation suffisante pour s'infliger cette abomination. Impossible. Aucune psyché humaine ne pouvait le supporter. Il fallait qu'il en retire quelque chose d'autre, de plus personnel, de l'ordre du fantasme. Il fallait pour qu'il découpe si minutieusement la peau de ses victimes un désir profond, qu'il en retire une apothéose émotionnelle.

Balenski s'était mis à prélever la peau de ces hommes et femmes parce qu'il en avait *envie*. C'était pour cela qu'il continuait. Un besoin plus fort que la raison, plus intense que l'horreur.

Alors pourquoi revendre la peau ? Pour l'appât du gain certes, mais si cette peau le faisait autant triper, il ne pouvait s'en débarrasser si aisément...

— Il en garde pour lui, murmura Ludivine.

— Pardon ? demanda Segnon, le téléphone sur l'épaule.

— Non, rien, je me parle à moi-même.

Ludivine en était convaincue. Balenski revendait la peau mais il conservait une partie de ses victimes avec lui. Elle pivota vers Guilhem :

— Les gars de la cellule d'investigations criminelles ont trouvé des reliques des victimes chez Balenski ?

— J'en sais rien. On est partis avant qu'ils ne ratissent toute la ferme. Vu le bordel là-bas, si tu veux mon avis ils y ont passé au moins tout le week-end.

Ludivine se tourna vers Segnon cette fois :

— Tu es en ligne avec la SR de Lille ? Demande-leur ce qu'ils ont trouvé chez le dépeceur, il y a sûrement une trappe quelque part, ou un passage planqué derrière un meuble ou...

— C'était dans un placard de sa remise, confirma Segnon aussitôt, ils viennent de me le dire. Des bocaux remplis d'yeux humains. Au moins une dizaine, l'équipe des légistes est sur le coup depuis hier.

Ludivine serra le poing en signe de triomphe.

Là où beaucoup seraient horrifiés par ces détails macabres, la jeune gendarme jubilait, tout entière absorbée par son analyse psychologique du tueur, fière d'avoir visé juste, oubliant qu'elle avait à nouveau basculé sous sa cuirasse blindée, loin de ses émotions.

Ce que lui confirmait son profilage c'était que Michal Balenski opérait certainement seul. Il revendait leur peau mais pourquoi conservait-il leurs yeux ? Parce qu'ils sont le reflet de nos âmes ? Pour pouvoir contempler ces prunelles mortes, son œuvre ?

Parce que celui qui possède les yeux possède l'âme.

Si le dépeceur était aussi un adepte de Satan, d'une manière ou d'une autre, il y avait de fortes probabilités pour que ce soit sa motivation. C'était cohérent.

Comment HPL et le dépeceur s'étaient-ils rencontrés ?

Il fallait recroiser tous leurs mouvements au cours des deux dernières années.

Ludivine hésita à demander un avis extérieur. Elle pouvait tout expédier dans la journée à son mentor. À celui qui lui avait appris à se plonger dans l'esprit des pervers.

Mais Richard Mikelis refuserait. Jamais plus il ne redescendrait de sa montagne. C'était terminé. Il l'avait justement prise sous son aile pour cela. Après ce qu'ils avaient vécu ensemble à travers l'Europe et au Québec, Mikelis, le jeune criminologue retraité, avait définitivement tourné le dos aux meurtriers. Avec un pincement au cœur Ludivine repensa à lui, à toutes les heures passées ensemble, chez lui, souvent à l'extérieur pour éviter de parler devant ses enfants ou sa femme, à ses interminables randonnées où il la poussait dans ses propres retranchements pour qu'elle saisisse la nature profonde de la violence. Parce qu'il le lui avait martelé au fer rouge : on ne peut traquer le mal sans réveiller sa propre part d'ombre. Nul ne peut prétendre disséquer ce qu'il y a de pire en l'homme s'il ne va pas d'abord chercher loin en lui ce qu'il y a de pire. Pour comprendre les ténèbres, il faut en parler le langage, il faut les avoir traversées, les connaître par cœur. Car celui qui les côtoie sans cesse joue un jeu dangereux, il attise les braises de sa propre violence, de ses propres perversions, non seulement dans l'âtre de son histoire personnelle mais aussi dans les cendres animales de l'espèce humaine, loin, très loin parmi les atavismes de prédateur qui nous ont portés au sommet de la chaîne alimentaire. Le souvenir de ces promenades évoquait un chemin de croix, un pèlerinage nécessaire pour endosser l'habit de profileur, à travers ses propres démons, pour les affronter un à un, et les domestiquer. Et à chaque affaire, Ludivine devrait se servir d'eux, de leur flair, pour qu'ils lui indiquent la bonne piste. Au risque qu'ils l'entraînent sur de mauvaises pentes si elle en perdait le contrôle...

Ludivine secoua la tête. Mikelis était une mauvaise idée. Sa porte resterait toujours ouverte pour recueillir la détresse de la femme, mais plus jamais les affaires de la gendarme. Il lui avait tout donné, il avait failli y rester, et à présent il veillait sur sa famille comme un berger sur son troupeau, loin des hommes, loin des loups.

Une ombre bascula soudain sur Ludivine qui recula un peu précipitamment.

— C'est moi qui te fais peur ? s'alarma Segnon.

— Pardon, j'étais dans mes pensées...

— On va déjeuner ? Si j'attends une heure de plus, je crois que je pourrais dévorer n'importe quoi provenant du frigo de Balenski !

Humour de flic comme une défense contre l'implosion. Mais venant de Segnon, Ludivine avait du mal à apprécier.

— Je suis pas sûre d'aimer ton sens de la vanne.

— C'est du racisme primaire, tu refuses à un Noir de faire de l'humour noir.

— T'as raison, il est temps que tu manges, tu deviens débile, fit-elle en haussant les sourcils.

Guilhem ayant déjà déserté son poste pour aller vapoter et festoyer dans un de ses restaurants chinois préférés du secteur, Ludivine et Segnon prirent la direction de la brasserie de l'autre côté du boulevard. En attendant de traverser, Segnon lui annonça la bonne nouvelle :

– Jean-Louis Erto de la SR de Lille vient de m'informer qu'ils ont remonté une contravention au nom de Michal Balenski. Il a été flashé sur l'A1 mardi 6 mai, le matin. En direction de Paris.

Ludivine se tourna vers son collègue, le visage éclairé par l'excitation :

– Il allait à La Courneuve ! Il était en route pour supprimer HPL. Mais il est tombé sur un fouineur à la place et s'en est débarrassé pour ne pas laisser de témoin derrière lui.

– Pourquoi il irait tuer l'intermédiaire qui lui fait gagner du fric ?

– Parce qu'il savait que le go-fast venait de se faire toper, la peau allait nous conduire à HPL, et HPL jusqu'à Michal Balenski. Il fallait éliminer le seul lien qui pouvait nous conduire jusqu'à lui.

– Comment il aurait su si vite pour le go-fast ?

– Balenski est un type particulier, primaire sur beaucoup d'aspects, mais il a développé une forme d'intelligence, une obsession du détail, pour ne pas se faire prendre. Il vit dans un capharnaüm et pourtant quand il découpe ses peaux, c'est du travail minutieux. Il y a deux Balenski en un : l'homme du quotidien, rustre, et le tueur, précis. À ça tu ajoutes une bonne dose de paranoïa et ça ne m'étonnerait pas qu'il imposait à HPL de le prévenir dès que la marchandise arrivait à La Courneuve. Pour se rassurer. N'ayant pas de retour, il a foncé pour nettoyer toutes traces.

Segnon fit la moue, sceptique.

– C'est un peu rapide quand même...

– Ou alors Michal a décidé que c'était la dernière transaction. Il a voulu éliminer HPL parce qu'il était instable et qu'il risquait à terme de compromettre leur... maître.

– Je pencherais plus pour cette hypothèse...

Ils s'installèrent à une table proche de la baie vitrée qui donnait sur la place et déjeunèrent au milieu des conversations. Ludivine raconta sa longue soirée, en débutant par Stéphane Lembdat à l'hôpital Bichat, et termina par le père Vatec en passant par la sœur de Ludovic Mercier. Elle conclut sur la certitude qu'elle avait acquise : il y avait dans les dix-huit à vingt-quatre derniers mois un facteur commun à tous ces criminels, une rencontre commune, et c'était là qu'il fallait creuser.

Segnon n'avait pipé mot pendant tout le monologue de sa collègue, la main devant la bouche, paume recueillant le menton. Lorsqu'elle se tut enfin, il recula sur sa chaise.

– Je sais pas si je dois t'engueuler ou te féliciter, Lulu. Tu n'aurais pas dû aller voir tous ces gens sans un collègue, on ne travaille pas comme ça. Pas seule, et la nuit, dans ces conditions.

– Je t'ai proposé de m'accomp...

– Il était tard ! Il faut savoir s'arrêter aussi, tu le sais bien. Surtout après le week-end qu'on a vécu. Fais pas semblant d'être une dure à cuire, pas avec moi. Je t'ai vue t'enfermer au fil des mois, te planquer derrière le rôle de grosse dure, arts martiaux, tir et compagnie. Mais tu restes ma Lulu, une petite meuf qu'a pas les épaules très solides en ce moment. T'es mignonne comme un cœur, et là tu es en train de lentement te foutre en l'air. Ça me bouffe, je te jure.

– Les meurtriers, tu crois qu'ils font des pauses ? Et les parents des victimes, tu crois que leur chagrin s'arrête pour dîner et pour dormir ?

Segnon se pencha vers Ludivine d'un coup et, s'efforçant de garder la voix basse, lui dit sur un ton autoritaire et déterminé :

– Pas à moi, Lulu. Me sors pas ce discours à moi, tu veux bien ? J'étais avec toi au Québec, tu te souviens ? Je sais ce que c'est ! Je connais tout ça ! Moi aussi j'ai pas dormi pendant presque un an ! Moi aussi j'ai vu tous ces visages, tous ces morts. Je sais ce que c'est ! J'ai vu le corps flasque de Diane l'autre soir, et depuis j'y repense à chaque fois en m'endormant.

Je suis comme toi. Me la joue pas « le crime ne prend pas de pause, lui », pas à moi s'il te plaît. On a des vies aussi, on est des êtres humains avant tout. Tu dois savoir t'arrêter de temps en temps sinon tu vas voler en éclats.

C'était au tour de Ludivine, cette fois, de s'éloigner tout au fond de sa chaise, les bras croisés sur la poitrine.

– Ne retourne plus sur le terrain seule, insista Segnon. Jamais. Toi et moi savons mieux que quiconque ce que ça coûte parfois.

– Alexis a pris des risques, pas moi.

– Ça, t'en sais rien tant que le ou les coupables ne seront pas clairement identifiés. Imagine que tu aies débarqué chez l'assassin sans le savoir ? Tu veux revivre ce que tu as affronté avec Cappucin il y a un an et demi ?

Ludivine secoua la tête, vexée et émue par les souvenirs qui affluaient à l'évocation de tous ces noms, ces visages. Ils avaient changé son existence.

Soudain elle explosa. Ses défenses cédèrent, les larmes jaillirent comme à travers un barrage qui cède.

Segnon fut à ses côtés en un instant et ses immenses bras l'enveloppèrent. Il la serra sur son torse où elle resta longuement à déverser toutes les larmes qu'elle avait retenues pendant des semaines, des mois.

– J'arrête pas de penser à cette gamine dans la caravane, à ce qu'elle a subi, sanglota-t-elle, j'arrive pas à la sortir de ma tête.

Segnon lui caressa les cheveux.

– Je sais.

– Pourtant c'est pas la première, putain c'est con ! Mais c'est plus fort que moi. Je la revois, j'imagine sa souffrance, sa terreur, et ça me bouffe, Segnon, ça me ronge de l'intérieur.

Le grand gendarme la serra encore plus fort, jusqu'à ce qu'elle se calme et, lorsque Ludivine poussa son dernier sanglot, il lui attrapa le visage pour la fixer.

– Tu vas venir t'installer quelques jours à la maison, d'accord ? Laëti et les jumeaux seront super contents de t'avoir, et moi aussi.

Ludivine prit une profonde inspiration pour évacuer la douleur dans sa gorge. Ses yeux rougis et bouffis par les pleurs la piquaient.

— C'est gentil, bafouilla-t-elle.

— Mais tu ne veux pas, devina Segnon.

— C'est pas le moment. Je peux pas m'effondrer comme ça à chaque fois.

— Lulu, déconne pas, c'est particulier, une enquête de cette nature, peu de flics en vivent dans toute leur carrière. Nous, c'est déjà la deuxième !

La jeune femme s'essuya les joues.

— Ça va aller, tu sais. J'avais besoin de ça. De craquer un bon coup.

Segnon hésita avant de se résigner. Ludivine n'était pas le genre de femme qu'on faisait plier avec des mots.

— Tu me jures que si tu as un gros coup de blues tu débarques, pas vrai ? Même s'il est 3 heures du mat' !

Elle acquiesça et se fendit d'un sourire un peu surjoué.

Son téléphone se mit à vibrer dans sa poche intérieure. Le nom de Philippe Nicolas brillait en lettres digitales, le cocrim en charge de faire le lien entre les enquêteurs et les services d'expertises. Ludivine prit une profonde inspiration, se racla la gorge et décrocha.

— Les résultats des analyses sanguines pratiquées sur le cadavre retrouvé à Brunoy sont tombés. Négatif. Rien de particulier.

Le visage terrifié et dévoré par les vers de José Soliz apparut dans un flash désagréable. Un homme mort en hurlant de peur.

— Comment ça ? demanda Ludivine d'une voix qu'elle aurait voulu plus assurée. Il y a bien un produit toxique, quelque chose !

— Non, j'ai la feuille entre les mains : négatif. Bilan sanguin normal mis à part les merdouilles d'un type de son âge, cholestérol, début de diabète...

— Tu es sûr ?

— Le toxicologue l'est en tout cas.

Ludivine rejeta la tête en arrière.

Elle était convaincue qu'ils trouveraient la preuve dans son sang qu'il avait été empoisonné, qu'une drogue quelconque l'avait aidé à basculer dans la terreur. La preuve scientifique que le diable n'était pas à l'œuvre car elle savait qu'on ne peut mourir de peur. Aucun tueur n'avait ce pouvoir.

Sauf s'il était capable d'entrer dans la tête de ses victimes, d'en extraire leurs pires phobies et de les amener à la vie devant leurs yeux.

Et cela, Ludivine le savait, seul le diable en était capable.

Alors que ce qu'elle traquait, elle, c'était un homme.

Du moins le croyait-elle encore un peu à ce moment de la journée.

Une fois les ombres de la nuit tombées, il en serait peut-être autrement...

30.

Agenouillé face à l'autel de l'église, l'homme semblait prier.

À un détail près : il était entièrement nu, et l'immense croix au-dessus de lui était retournée, en hommage au diable.

Il termina de psalmodier sa litanie étrange et se redressa.

Ses paumes et ses pieds saignaient.

Son sourire dévoila une dentition anormale constituée de longues arêtes effilées presque transparentes, si nombreuses qu'elles formaient une forêt de pointes acérées s'enchâssant parfaitement. Soudain les paupières sous ses yeux s'affaissèrent, dévoilant la chair vermillon du haut de ses joues, et la peau coula comme la cire d'une bougie. Le blanc des yeux s'était brusquement teinté de noir, et ces flaques d'ombre se répandirent peu à peu dans le sillage de la « blessure » jusqu'à lui donner un long regard vertical.

L'homme, ou plutôt la créature qu'il était devenue, poussa un rugissement qui résonna dans toute l'église.

Louis attrapa un pop-corn et s'empressa de le mâchonner pour déglutir. Lorsqu'il était un peu impressionné, c'était sa technique pour avaler sa salive sans éveiller les soupçons. Il ne manquerait plus que la jolie rousse à son bras droit se mette à le suspecter d'être une chiffe molle ! Eva était la plus jolie fille avec laquelle il était jamais sorti, il ne pouvait se comporter comme un naze.

D'un coup d'œil, il s'assura qu'elle aussi était totalement absorbée par le film. Devinant le regard de son ami, elle tourna la tête et lui sourit avant de reprendre le cours du film.

Louis était extrêmement fier d'avoir pu décrocher ce rencard avec elle. Toute l'année il l'avait observée, étudiée, approchée, souvent maladroitement, récoltant les rires moqueurs de ses amis. Mais à l'approche de la fin d'année, il avait réussi à prendre son courage à deux mains pour l'inviter au cinéma.

Elle avait dit oui.

Sans même demander de quel film il s'agissait, elle avait accepté juste pour être en sa compagnie. Louis flottait sur son petit nuage.

Le lycée touchait à sa fin, il était accepté en première S comme il l'avait espéré, cet été il partait en camping en Bretagne et maintenant Eva sortait avec lui. Quelle fin d'année formidable. Il n'en revenait pas. Il allait forcément le payer, c'était sûr. Dans la vic, Louis avait acquis la conviction quc tout sc payait tôt ou tard. Rien ne pouvait être trop beau trop longtemps, il fallait forcément, après un grand bonheur, qu'une série de petits tracas surgisse, ou carrément un désastre. Tout était question d'équilibre. Et compte tenu de ses derniers mois tonitruants, il fallait s'attendre à un retour de bâton colossal . Du moment que c'était à la rentrée, qu'il puisse profiter tranquillement de ces prochaines semaines, Louis était prêt à en découdre avec le destin.

Son pouce gauche s'enfonça dans sa poche de jeans et une petite piqure lui fit retirer sa main aussitôt.

Son couteau ! Quel crétin ! Il avait dû bouger en s'asseyant. La lame normalement repliée dans le manche s'était légèrement délogée de son abri, dévoilant sa pointe dangereuse sur laquelle il venait de s'égratigner. Louis porta son pouce à sa bouche et aspira la petite goutte de sang. Ni vu ni connu.

Il ne voulait surtout pas qu'Eva se rende compte qu'il portait un couteau sur lui. C'était son secret. Ça ne la regardait pas.

Enfin si, peut-être, même si Louis espérait de tout cœur ne pas en arriver là un jour, mais pas maintenant, pendant le film.

Un violent coup sourd fit résonner les murs. Ce n'était pourtant pas leur film. Cela semblait provenir de la salle mitoyenne.

Louis se demanda quel blockbuster y était projeté pour que ça tremble si fort ! Il venait souvent dans ce complexe mais c'était la première fois qu'un film à côté vibrait autant !

Il en profita pour regarder les longues jambes d'Eva, gainées d'un collant opaque. Elle avait la plus belle paire de gambettes de tout le lycée. Et il se murmurait qu'elle avait aussi les plus beaux seins. L'idée de le découvrir lui-même excita tant Louis qu'il ne put réprimer un frisson.

Il suçota une dernière fois son pouce et tendit la jambe pour accéder plus facilement à sa poche. Il fallait qu'il replie le couteau proprement, ne pas risquer de se faire mal. Ce serait tellement stupide de sa part... Trimballer un couteau pour se protéger en cas d'agression et finalement se blesser soi-même, quelle ironie !

Il perçut alors un son étrange, ou plutôt une succession de sons... Des cris. Des hurlements. Encore la salle d'à côté. Puis aussitôt un autre grondement magistral. Quels caissons de basses ils avaient !

Eva aussi l'avait perçu et tournait la tête vers la droite.

– C'était quoi, ça ? demanda-t-elle.

– Je sais pas mais on va demander, faut qu'on aille le voir aussi, celui-là !

Louis voulut prendre un pop-corn mais le pot jaillit de sa main, accompagné par un flash aveuglant et une détonation si puissante qu'elle lui creva les deux tympans instantanément.

Les sièges du cinéma s'envolèrent et on vit des morceaux de corps – bras, pieds et même un tronc – fuser de part et d'autre de la salle.

L'immense écran panoramique se déchira sous la pression et les images diffusées par le projecteur se profilèrent sur la fumée qui envahissait le cinéma.

Une deuxième explosion projeta dans les airs une partie des survivants et éclaboussa le repli de l'écran de longues traînées écarlates.

Lorsque Louis comprit ce qui venait de se produire, il était renversé sur un strapontin, les oreilles sifflantes. À la place d'Eva et du pot de pop-corn, il y avait un trou et beaucoup de vêtements en lambeaux avec de nombreux fragments de corps accrochés.

Les jambes d'Eva étaient toujours posées par terre, le collant avait totalement disparu, comme dévoré par l'explosion, la jupe remontée sur sa culotte rouge. Il manquait tout le reste.

Au-dessus de Louis, le visage immonde et immense du démon riait aux éclats sur la fumée en mouvement.

31.

Le bagel brûlait dans le grille-pain, un filet de fumée blanche s'en échappait à toute vitesse comme pour écrire des arabesques éphémères.

Les lettres confuses du chaos, le langage de l'entropie, songea Ludivine en faisant sauter les bagels dans son assiette.

Était-elle d'une humeur de chien pour penser ainsi dès le réveil ? Non, elle n'en avait pas l'impression. Au contraire même...

Pourtant elle avait passé l'après-midi de la veille à rassembler des informations sur Michal Balenski, les différentes prisons où il avait séjourné, les établissements psychiatriques du nord de la France qu'il avait fréquentés ainsi que la liste des psychiatres qui l'avaient expertisé, avant de récupérer les noms de ses collègues de travail au supermarché. Un boulot fastidieux, des coups de téléphone, des emails, hausser le ton parfois, faire intervenir le procureur lorsque nécessaire, en pressant tout le monde pour ne pas attendre trois jours à chaque fois. Guilhem l'avait aidée à tout rentrer dans leur logiciel.

Et celui-ci n'avait ressorti aucun recoupement avec les autres noms déjà archivés. Rien du tout.

Et pour ce qui était de Kevin Blancheux, ils n'avaient pas trouvé grand-chose non plus. HPL avait vécu une vie en marge depuis sa sortie d'asile presque deux ans plus tôt. Il avait profané un cimetière trois mois après sa sortie, son ADN retrouvé sur place le prouvait, et rien ensuite.

Parce qu'il avait rencontré son mentor à cette époque et que celui-ci lui avait appris à se tenir à carreau, à faire profil bas, pour ne plus se faire pincer.

HPL était retourné dans la cité de La Courneuve où il avait passé le plus clair de son existence lorsqu'il n'était pas interné, et il s'était caché de squat en squat, de caves en immeubles abandonnés.

Au final cela ne donnait aucune nouvelle piste.

Benjamin était rentré en fin d'après-midi avec le rapport de l'autopsie pratiquée sur José Soliz la veille. Le docteur Lehmann avait tout analysé méthodiquement, pour déboucher sur une « autopsie blanche » : aucune cause visible ne pouvant expliquer la mort. Ludivine avait aussitôt appelé le médecin pour avoir son avis, celui plus officieux, qu'il n'oserait pas mettre par écrit dans son rapport. Il ne comprenait pas comment était mort José Soliz sinon d'un arrêt subit du cœur dont les causes n'étaient pas décelables à l'autopsie, ce qui amenait à se demander comment un homme – plutôt en bonne santé, sans aucune malformation cardiaque, ne présentant aucune pathologie manifeste – pouvait mourir brusquement. « Fibrillation ventriculaire », avait concédé Lehmann au bout du fil. « Si vous voulez vraiment mon sentiment, je dirais que son cœur s'est mis à battre si fort qu'à un moment il s'est trop emballé. Un peu comme si vous poussiez votre moteur trop haut dans les tours, jusqu'à ce que, soudain, il casse. Mais je n'ai trouvé aucun élément pouvant le confirmer. »

— Mais comment parvient-on à faire battre un cœur si vite qu'il en déraille ? avait demandé Ludivine.

— C'est ce que je vous dis : je ne l'explique pas. La toxicologie pourra sûrement vous aider.

— La toxico n'a rien donné.

— Alors je n'ai aucune explication.

— Doc, José Soliz est mort de peur et personne ne peut m'aider à comprendre comment ?

– Techniquement, mourir de peur n'est pas impossible, c'est juste extrêmement rare et heureusement difficile.

– Et si je vous dis que j'ai au moins trois cadavres semblables ?

– Je vous répondrai qu'une fois c'est envisageable, mais pas trois fois.

Ils n'étaient guère plus avancés.

L'enquêtrice avait alors rappelé le SRPJ de Versailles pour obtenir des informations sur le premier « mort de peur » que SALVAC lui avait rapporté. Elle était tombée sur un flic sympa qui lui avait tout raconté. La victime avait la trentaine, sportive, vivant seule, retrouvée morte par sa mère à son logement de Taverny, une toute petite maison en bordure de forêt. L'autopsie n'avait rien révélé, pas plus que la toxicologie. Il n'y avait que cette expression de terreur figée sur son visage. Un faciès qui avait marqué les esprits parmi les flics, tout le monde en parlait encore. Le directeur d'enquête avait conclu que la malheureuse faisait partie des rares cas de mort subite, problème cardiaque, et que, se sentant partir, la victime avait été terrifiée par l'idée de sa propre fin.

Ludivine s'était mise à douter. Et s'il n'y avait personne derrière ces décès ? Pourtant Lehmann l'avait dit lui-même : on peut mourir de peur, mais pas trois cas en si peu de temps Cela défiait les probabilités.

Comment peut-on tuer quelqu'un de peur ?

Sans aucun artifice...

La question avait obsédé Ludivine toute la soirée.

Elle étala un peu de confiture de framboise sur son demi-bagel et alluma la radio. Pleurer dans les bras de Segnon lui avait fait du bien. Étrangement, elle avait l'impression que quelque chose s'était reconnecté en elle depuis. Elle se sentait sensible, et terriblement en vie. Un *besoin* de vivre, rire, éprouver du plaisir. Manger en était un. Elle croqua à pleines dents dans la seconde moitié de son bagel. Avec tout le sport qu'elle pratiquait, ça ne porterait pas à conséquence.

Le flash de 7 heures.

Attentat dans un cinéma de Cergy, quatre engins explosifs disposés dans deux salles avaient semé la mort la veille au soir.

Ludivine se raidit sur sa chaise. Elle écouta attentivement le journaliste, aucune revendication, aucun suspect arrêté, plusieurs victimes, de nombreux blessés... Et le reporter de rappeler qu'en à peine plus d'une semaine il y avait eu l'attaque dans le TGV, puis au centre commercial, avant d'enchaîner sur le cinéma. Le monde devenait fou. Encore une fois les mots « épidémie de violence » revinrent.

Il avait oublié la fusillade du restaurant, nota Ludivine.

Il ne pouvait y avoir de lien entre tous ces actes, chercha à se convaincre Ludivine, c'était tiré par les cheveux. Elle se martelait cette affirmation comme pour se rassurer. Sous sa douche elle continua à se répéter que c'était impossible. Personne ne pouvait à la fois recruter une armée de terroristes, de suicidaires, se faire passer pour Satan en personne et, cerise sur le gâteau, tuer rien que par la peur. Personne. Aucun être humain.

En scrutant l'énorme ecchymose en forme de fleur qui lui tatouait la peau, elle effectua plusieurs moulinets du bras et ne remarqua aucune douleur particulière.

Le jet brûlant lui massait les épaules et remplissait la salle de bain de vapeur, opacifiant les vitres de la cabine. Les empreintes des mains de Ludivine apparurent, deux paumes et les doigts, avant que la buée ne les recouvre peu à peu. Son propre spectre se dissipait.

Les deux adolescents du TGV qui avaient joué au ball-trap vivant.

Ludovic Mercier, corrompu par la voix du diable, avant de s'en prendre à des innocents dans un restaurant.

Le déséquilibré du centre commercial et son acide qui avait rongé les visages d'hommes, de femmes et d'enfants.

Et maintenant les bombes du cinéma.

Ne cherche pas un lien, il n'y en a pas.

Tous des déséquilibrés.

La psychiatrie. C'était un lien.

*Sauf qu'on n'a trouvé aucun établissement commun entre eux.
On ne fait pas un lien entre tous les criminels de France sous
prétexte qu'ils ont en commun d'avoir fait de la prison. Il faut
un dénominateur commun flagrant.*

L'eau ruisselait sur Ludivine, des torrents se dessinaient entre
ses omoplates, entre ses seins, dévalaient jusque dans le bac,
formant un tourbillon où sa pensée se concentrait, tournoyante.

La tuerie du train. Le massacre du restaurant. L'attaque du
centre...

Ludivine se redressa. L'eau lui tomba dans les yeux mais elle
ne bougea pas.

Les petits engrenages de l'inconscient embrayaient en premier,
ils enclenchaient la mécanique avant que les vastes rouages de
la conscience ne suivent le mouvement. Ludivine pressentait
quelque chose. Elle *devinait* une prise à saisir dans ces raison-
nements sur lesquels elle glissait.

Les ados du TGV, le désespéré du restaurant, le déséquilibré
du centre commercial... Non ce n'était pas là.

Par flashs, elle se représentait les scènes. Fusillade dans la
rame, hurlements, sang, les deux garçons qui prennent leurs
proies en tenaille avant d'abattre les survivants en rase campagne
tandis qu'ils s'enfuient... Ambiance reposante et détendue du
restaurant qui vole en éclats sous les détonations d'un homme
psychologiquement brisé, convaincu qu'il doit offrir un carnage
au diable pour se voir sauvé, récupéré...

Eux s'étaient suicidés après le passage à l'acte, à la différence
de l'individu du centre commercial...

Les flashs explosaient dans l'esprit de Ludivine.

Les cris, les cervelles qui éclaboussent les visages des rescapés,
les oreilles assourdies par les coups de feu, la panique, le quotidien qui bascule en une fraction de seconde. Le choc dévastateur
pour celles et ceux qui s'en sortiraient, du moins physiquement.

Les...

Les mains de Ludivine se plaquèrent contre la paroi vitrée
de la douche.

Elle avait les yeux grands ouverts malgré l'eau chaude qui coulait dessus.

Une conversation avec Segnon face au poste de télévision d'un café venait de lui revenir en mémoire, en même temps qu'une phrase prononcée par la sœur de Ludovic Mercier dans son petit appartement glauque.

Elle respirait par la bouche, excitée et happée par ses déductions.

Peut-être qu'elle le tenait enfin, son point commun.

32.

L a tanière s'était transformée en ruche.

La caserne, d'habitude préservée des rumeurs extérieures, grouillait d'activité, chaque étage bourdonnait de discussions, de claviers martelés, de sonneries en tout genre... Le colonel Jihan et le commandant Reynaut multipliaient les conversations téléphoniques avec leur hiérarchie, et chaque gendarme pouvait percevoir la tension qui régnait entre les murs.

L'attentat du cinéma avait sonné l'alarme. Plus personne n'était dupe. Là où Ludivine avait vainement tenté de se convaincre qu'il fallait cesser d'y voir un enchaînement imbriqué, les autorités s'étaient résignées à l'évidence : il se passait quelque chose en France, et les secousses crimino-sociologiques qui venaient de réveiller les convictions sécuritaires de chaque citoyen risquaient d'avoir de rapides répliques électorales. Le gouvernement voulait des résultats rapides sur chaque enquête. Et surtout il voulait prouver aux électeurs que tout était fait pour que cela ne se reproduise pas.

Police, gendarmerie, tout le monde était mobilisé.

Pour ne pas ajouter de l'huile sur le feu, il fut décidé que le niveau d'alerte du plan Vigipirate ne serait pas officiellement haussé au maximum. Toutefois, les patrouilles dans les lieux publics s'intensifièrent, tout comme les contrôles et les appels à la vigilance de chacun.

Les transports publics avaient été attaqués, puis les espaces de consommation tout autant que ceux de détente. Le sentiment d'insécurité n'avait jamais été aussi grand depuis les attentats de 1995.

Une tuerie dans un train marquait les esprits. Mais lorsqu'elle était suivie d'une autre dans un restaurant, d'une attaque dans un centre commercial et enfin de bombes dans un cinéma, ce n'était plus du sensationnalisme mais un marquage au fer rouge, un vent de panique soufflait sur les consciences.

Lorsque Ludivine passa devant le bureau de Magali et ses deux collègues, Benjamin secouait la tête de dépit. Il parlait fort :

– Ce matin, un taré a été arrêté à une station-service en banlieue toulousaine, il aspergeait d'essence directement avec la pompe les autres voitures ainsi que toute personne tentant de l'approcher. Ils l'ont chopé au moment où il sortait son briquet de sa poche. Ça aurait pu faire un carnage, il y avait toute une famille dans la bagnole d'à côté. Ça y est, quand le monde se met à flancher, tous les mecs un peu borderline passent à l'acte. On n'a pas fini d'en bouffer, des actes de démence !

– C'est la loi des séries médiatiques, relativisa Franck, le quinqua coiffé en brosse et à la fine moustache grise.

– Non, c'est l'engrenage ! La loi des séries médiatiques, c'est quand un phénomène attire notre attention sur un fait particulier et que du coup on ne voit plus que ça, comme les attaques de chiens, par exemple. Alors que là, c'est vraiment une spirale, un ou deux actes isolés, c'est pas grave, mais la répétition rapide finit par créer un climat général favorable à l'accélération du phénomène. Moi je vous le dis, si on n'enraye pas ça rapidement, ça pourrait nous péter à la gueule !

– Hey, on se détend, les mecs, recadra Magali de sous sa frange noire.

Ludivine leur tourna le dos et pénétra dans son propre bureau où ni Segnon ni Guilhem n'étaient encore arrivés. Plusieurs journalistes faisaient le guet devant la caserne et elle avait dû se faufiler entre eux, tête baissée, pour esquiver les questions.

Elle espérait que ses deux partenaires feraient de même sans se faire agripper par les mange-cerveaux, ces experts en extirpation d'informations.

Elle jeta sa veste en toile kaki sur une chaise et attrapa son téléphone. Elle avait du pain sur la planche. Mais un email dans sa boîte électronique attira son attention et elle reposa son portable.

Les premiers résultats d'analyse des prélèvements opérés à Brunoy sur la scène de crime de José Soliz par la CIC étaient arrivés. Philippe Nicolas, le cocrim, avait rassemblé le tout dans un document détaillé, mais Ludivine se contenta pour commencer de lire sa synthèse. Il n'y avait rien. Les empreintes relevées sur place appartenaient essentiellement à la victime et les autres ne sortaient aucun nom dans la base de données, le FAED, pour Fichier automatisé des empreintes digitales. Il en allait de même avec les prélèvements génétiques opérés sur place. Les techniciens de scène de crime avaient également passé la pièce principale au Bluestar, pour révéler des traces de sang, des gouttes ou des flaques invisibles à l'œil nu, sans rien trouver. S'il y avait eu lutte sur place, personne n'avait saigné et tout avait été soigneusement rangé.

Qui que tu sois, tu es un malin. Un gros malin précaution-neux. Et ce n'est pas ton coup d'essai. Tu t'en prends certes à un homme seul, plutôt âgé, mais tu le fais en pleine ville. Tu aurais pu choisir une victime isolée, une gamine sur le bord d'une route, une prostituée au coin d'un bois, un ivrogne la nuit ou un prome-neur imprudent et pourtant, non, tu choisis d'attaquer un jeune retraité dans son propre pavillon de banlieue. Pourquoi tu as fait ça ? Pourquoi lui ?

Ludivine s'interrogeait sur le hasard. Si le tueur avait choisi José Soliz sur des critères aléatoires, cela prouvait qu'il était non seulement très organisé, mais aussi particulièrement sûr de lui pour prendre le risque d'agir dans une petite rue avec de nombreux voisins. Une forme de provocation. Un défi lancé à la société. L'envie de faire peur, de se prouver qu'il était capable de ça. Un problème d'ego fort. Un homme incapable de dominer ses pulsions de domination, qui ne supporte pas la frustration.

Ou bien Soliz avait-il été supprimé parce qu'il avait un lien direct avec son assassin ? Guilhem avait récupéré les listings téléphoniques auprès d'Orange pour la ligne fixe et de Bouygues pour le portable de la victime et Analyst Notebook n'avait opéré aucun recoupement avec des numéros ou des identités déjà archivés depuis le début de l'enquête. Il faudrait interroger les proches. Mais la plupart étaient loin, ses enfants vivaient du côté de Lyon et ses frères et sœurs au Portugal. Ludivine pressentait la perte de temps.

Soliz avait été tué au hasard. Au gré d'une promenade du tueur cherchant sa proie. Il l'avait repérée dans la rue, ou dans un supermarché, et l'avait suivie pour connaître ses habitudes, sa routine. Pendant combien de temps ? Quelques jours tout au plus, pour ne pas se faire repérer par les voisins. Il avait agi vite. Une prise de risque importante.

Organisé, provocateur, sûr de lui dans le passage à l'acte. Il exerce une profession qu'il ne juge pas à sa hauteur, ça le met encore plus en colère.

Il était parvenu à entrer chez Soliz sans effraction. Personne n'avait entendu crier, ni remarqué quoi que ce soit.

Probablement un beau parleur, capable de noyer le poisson, de se faire ouvrir la porte facilement. Un baratineur. Mythomane de première. Il sait mettre en confiance. Il passe inaperçu quand il le veut, mais sait donner le change. Plutôt un homme qui a un boulot qui le rend affable, qui l'entraîne en fait. Oui, c'est plutôt ça. Un commercial, un technicien à domicile, un installateur...

Soudain Ludivine réalisa que pas un instant ils n'avaient envisagé que ce puisse être une femme, pourtant il n'y avait pas de viol, aucun caractère sexuel sur la scène de crime pour l'exclure.

Non, il a bien fallu le maîtriser...

Pour ce qu'ils en savaient, il se pouvait que le tueur n'ait même pas touché sa victime.

Mort de peur.

Pour autant Ludivine avait du mal à imaginer une femme derrière tout ça. Les femmes criminelles étaient plus sournoises, elles tuaient en toute discrétion, sans mise en scène. Leurs crimes, lorsqu'il s'agissait de tueuses en série, étaient basés sur une profonde frustration et...

... globalement dénué de tout caractère sexuel. Comme à Brunoy. Comme avec la victime dans l'appartement parisien et celle de Taverny. Toutes mortes de peur. Sans effraction.

C'était à devenir fou et Ludivine réalisa qu'elle ne faisait reposer son analyse que sur des suppositions. Tout ça ne tenait pas la route. Ce n'était pas à la hauteur. Un profilage d'amateur.

Mikelis, tu me manques...

Elle avait beau avoir tant lu sur le sujet, avoir passé des heures à se préparer, à apprendre avec le parangon des criminologues, elle devait bien se l'avouer : elle n'était pas à la hauteur. Du moins sur cet aspect-là. Elle s'efforçait de faire de son mieux, de s'immerger au-delà du raisonnable, ses déductions n'étaient pas des plus pertinentes.

On ne s'improvise pas profileur en quelques mois, tenta-t-elle de se rassurer tandis que la lassitude l'envahissait.

Il y a tellement à faire. Tellement d'enquêtes en parallèle. Trop de pistes. On se disperse, la cellule n'est pas assez grande, pas assez d'enquêteurs...

Elle fit craquer ses doigts en s'étirant dans son fauteuil. L'heure n'était plus à l'étude pseudo-psychocriminelle et encore moins à l'abattement mais à la vérification d'informations. Elle avait eu une idée sous la douche, le genre de flash presque romanesque qu'un enquêteur espère parfois, l'éclair de génie, entre l'autopersuasion et la véritable déduction semi-consciente, la révélation qui peut tout changer. Ce pouvait être une erreur de sa part, mais elle le sentait bien, ce coup-là. Elle se pencha et commença à chercher des noms, des adresses et des numéros de téléphone avant de décrocher son combiné.

Lorsque Segnon entra, fredonnant sa bonne humeur, vêtu d'un jogging en coton anthracite et d'un sweat à capuche comme il les affectionnait tant, Ludivine lui lança les clés d'une des voitures banalisées de la caserne.

– T'installe pas, on décolle, fit-elle.

– Où ça ?

– J'ai un lien, Segnon. Entre les ados du TGV et le tueur du restaurant, j'ai trouvé une connexion avec notre affaire.

– Tu déconnes ?

Le visage de Segnon n'était plus du tout détendu. Il oscillait entre l'inquiétude pour sa collègue, pour ses obsessions maladives, et la probabilité qu'elle puisse dire vrai et ses terribles conséquences. Si le TGV et le restaurant, comme le centre commercial et le cinéma, étaient le résultat d'un vaste complot, alors l'affaire les dépassait.

– Tu te rappelles ce que tu m'as dit la semaine dernière lorsqu'on était dans un café, après être passés à l'IML de Paris ?

– Comment tu veux que je m'en souvienne ?

– Tu as dit que les fusils des deux ados du TGV appartenaient à l'un des oncles mais qu'on ignorait comment ils s'étaient procurés les flingues.

– Oui, possible que j'aie dit ça, et alors ?

– Quand je suis allée voir Marguerite Mercier elle m'a dit que son frère détestait les armes. Je doute qu'il en possédait une chez lui. Alors comment il a fait pour débarquer dans un restaurant avec un fusil à pompe à canon scié ?

– Marché noir. Tu sais très bien qu'avec un peu de fric on trouve de tout maintenant.

– Tu l'imagines débarquer dans une cité et aller voir les jeunes en leur demandant s'ils peuvent lui vendre un flingue ? Non...

Segnon connaissait assez sa collègue pour savoir qu'elle avait quelque chose de plus concret en tête.

– Vas-y, crache le morceau, qu'est-ce que t'as trouvé ?

– Pourquoi HPL a-t-il pris le risque de revendre de la peau humaine à deux bandes différentes ? Pourquoi chercher à se faire encore plus de fric alors qu'il en gagnait déjà un peu et qu'il n'a pas de gros besoins ?

– L'appât du gain, Lulu, l'appât du gain.

– C'est pas son genre, il vivait dans un taudis, il devait se faire bien assez de pognon avec la bande de Joseph sans avoir besoin de prendre des risques supplémentaires. Alors pourquoi ?

– Attends que je me refasse le tableau général : HPL connaît le dépeceur qui accepte de fournir le gang de Joseph en peaux. Mais c'est HPL qui fait la liaison entre eux à chaque fois. Pourquoi ?

– Parce que Balenski est un taré, probablement paranoïaque et qu'il n'a confiance qu'en HPL. Il ne veut que de lui comme intermédiaire pour fixer les rendez-vous, et encore, il n'est jamais physiquement présent sur place, tout se fait par dépose de sacs à un endroit convenu. C'est pour ça aussi qu'il impose à HPL de l'appeler pour le prévenir que la marchandise est bien arrivée. Le matin du go-fast intercepté, HPL n'appelle pas, Balenski flippe, il saute dans sa bagnole, roule jusqu'à La Courneuve pour éliminer le seul être capable de remonter jusqu'à lui.

– C'est pas un peu extrême comme réaction ?

– Venant de n'importe quel être normal j'irais dans ton sens, mais tu te rappelles chez Balenski ? C'est un taré. S'il est parano au point de ne vouloir passer par personne d'autre que HPL pour fixer ses rendez-vous, il est capable de flipper au point de courir tuer le seul individu en mesure de l'identifier.

– OK. Et en parallèle, HPL lui achète aussi un peu de peaux pour alimenter son affaire personnelle avec les types des combats de chiens.

– Exact. Mais pourquoi il fait ça ? Pourquoi prendre encore plus de risques ?

Segnon haussa les épaules.

– Je ne sais pas, parfois tout n'est pas logique...

Ludivine hocha la tête vigoureusement :

– Oh si, tout est logique. La bande de Joseph trafiquait de la peau humaine et tu te rappelles ce que nos gars ont trouvé chez eux lors de la perquisition ?

– Des armes, se souvint Segnon.

– HPL revendait de la peau directement auprès de l'autre bande, celle des combats de chiens, pour se faire du fric parce que Joseph ne le payait pas en pognon, mais en armes. Joseph a menti pour couvrir son autre business. Ils ne lui donnaient pas de cash pour faire le lien entre eux et Balenski ! Ce sont des trafiquants d'armes et c'est exactement ce que HPL recherchait. C'est HPL qui a fourni les armes aux ados du TGV et à Ludovic Mercier.

– Merde...

– Comme tu dis.

Segnon posa ses longs doigts de part et d'autre de son nez pour se masser nerveusement. Il mesurait à peine ce que cela impliquait si Ludivine voyait juste, mais il devinait que c'était colossal.

– On va interroger Joseph à la Santé ou directement HPL ? demanda-t-il.

– Non, HPL ne nous dira rien, il s'est bien gardé de nous confier son petit secret, c'est pas pour tout balancer maintenant, et j'ai chargé Yves d'aller causer avec Joseph.

– Alors on va où, nous ?

– Discuter avec les parents des deux tueurs du TGV. S'ils étaient sous l'emprise de quelqu'un, ils sauront peut-être qui.

– C'est pas notre enquête, Lulu, les collègues auront déjà fait le boulot.

– Sûrement, mais ils n'auront pas montré la photo de HPL aux parents.

Ludivine s'engouffra dans le couloir.

– Merde, Lulu, tu fais chier, lâcha Segnon en lui emboîtant le pas.

– Peut-être, mais avoue que je ne lâche rien !

La suite, Segnon se contenta de la murmurer :

– T'es une bête féroce, Lulu. Un charognard du détail. C'est pour ça que t'as pas de vie.

33.

La détresse ne s'embarrasse d'aucune formalité.

La famille de Silas Jourdain habitait un petit immeuble de Boulogne et la mère du jeune tireur accueillit les deux gendarmes emmitouflée dans un peignoir en éponge usée de couleur mauve clair et en pantoufles. La petite quarantaine, elle avait les cheveux sales, maintenus sur l'arrière du crâne par un élastique, sa couleur rousse peu à peu grignotée par les racines noires, et des cernes profonds. Les yeux rouges comme si elle n'avait plus dormi depuis le drame. Dix jours plus tôt.

Ludivine savait par les enquêteurs qui l'avaient déjà interrogée qu'elle n'était que peu bienveillante à l'égard des forces de l'ordre, mais l'autre mère était encore pire : tellement abattue qu'elle ne parlait quasiment pas. Au téléphone, Ludivine avait expliqué qu'elle explorait une piste différente, celle de la manipulation, d'un complot, et Linda Jourdain lui avait aussitôt donné rendez-vous. Pour des parents, le suicide d'un enfant était une épreuve intolérable, mais lorsque celui-ci s'était en plus transformé en assassin sanguinaire dans ses derniers instants, cela relevait de l'inacceptable. Ludivine savait qu'offrir une porte de sortie vers la compréhension, vers un semblant de dédouanement de leurs fils, ferait d'elle la meilleure alliée de ces parents meurtris. À condition qu'elle ne se trompe pas.

Linda Jourdain leur offrit un café tiède dans le living encombré de vieux journaux et de linge à repasser. L'odeur du tabac empestait toute la pièce. Plusieurs photos de Silas ornaient les murs et les étagères des buffets. Un garçon maigre, d'une pâleur inquiétante, un vampire aux cheveux d'or mi-longs qui fixait l'objectif avec un sourire emprunté, le regard absent.

Après quelques politesses, Ludivine se fit violence pour entrer dans le vif du sujet :

– Votre fils fréquentait beaucoup de monde ? Il avait des amis ?

– En dehors de Pierre, vous voulez dire ?

Pierre Galinet, l'autre tueur du TGV.

– Oui.

– Silas était un solitaire. À part sa musique, ses livres et Pierre, il n'avait rien d'autre dans la vie.

Ludivine sortit une photo de Kevin Blancheux prise lors de son arrestation.

– Est-ce que cet homme vous dit quelque chose ?

– Non.

– Vous ne l'avez jamais vu avec votre fils ?

– Jamais. Il a... un look original, je m'en souviendrais. Mais Silas ne voyait personne en dehors de Pierre. Vous pensez qu'il pourrait avoir approché mon fils ?

Ludivine marchait sur des œufs, elle ne voulait pas trop en dire, elle savait que cela risquait de se retrouver dans les journaux le soir même, sauf si elle jouait la carte de la manipulation avec assurance.

– Nous explorons toutes les hypothèses.

– Qui est-ce ?

– Un homme lié à un trafic d'armes, nous cherchons à comprendre comment votre fils et Pierre ont pu se procurer leur matériel.

– Vos collègues m'ont déjà posé la question, je n'en sais rien. Silas n'avait pas beaucoup d'argent, nous ne sommes pas une famille très riche, vous savez ; il avait un peu d'argent de poche épisodiquement, mais la plupart du temps il devait en gagner lui-même. Il faisait parfois les marchés le dimanche matin. Mais jamais il n'aurait pu économiser assez pour se payer des armes.

— Et Pierre ?

— Je ne crois pas, il était toujours fauché, celui-là, Silas lui payait tout. Elle est veuve, vous savez, la mère de Pierre. Elle a perdu son mari l'année dernière. Si elle n'avait pas sa fille, je crois bien qu'elle se tuerait... Nous, nous n'avions que Silas...

Linda Jourdain étouffa un sanglot en écrasant son poing contre sa bouche. Ludivine éprouva alors une empathie immense pour cette femme qui venait de tout perdre, et elle lui passa la main dans le dos, se retenant de la serrer contre elle.

— Madame Jourdain, pardonnez-moi d'insister mais je dois comprendre la relation qui unissait votre fils et Pierre Galinet, dit-elle tout bas après un moment de flottement. Pierre était du genre à emprunter de l'argent à votre fils ?

Elle acquiesça le temps de se reprendre et prit une cigarette dans le paquet froissé qui traînait sur la table.

— Pierre était une sangsue, fit-elle après avoir inspiré à pleins poumons. Il collait notre fils, c'est lui qui lui a mis ces idées folles dans la tête, j'en suis sûre. Silas était un bon garçon avant, peut-être un peu trop renfermé, mais au moins il n'aurait pas fait de mal à une mouche.

— Pierre était plutôt extraverti ?

Ludivine savait que dans les duos criminels il y avait presque toujours un dominant et un dominé. Leur association s'opérait dans la complémentarité. Lorsqu'il est volontaire et prémédité, l'acte de tuer requiert une énergie et une détermination que le moment de sa concrétisation ébranle aisément à moins d'obéir à une pulsion incontrôlable, un fantasme puissant ou une motivation exceptionnelle. Autant d'éléments qui ne se partagent que très difficilement. À moins de s'entraîner l'un l'autre. Un dominé trouvant en l'autre un repère, un mentor, une figure rassurante qu'on accompagne partout, jusque dans le pire, et un dominant se sentant galvanisé dans ses excès, poussé à se dépasser par la présence de l'autre, jusqu'au point de non-retour. Mais Ludivine savait aussi que certains dominés inversaient les rôles, jouant de cette relation, cherchant au contraire à jouer les victimes pour mieux manipuler l'autre en retour. Des grands pervers tout aussi redoutables que les dominateurs tyranniques.

— Je ne dirais pas extraverti, mais en tout cas une sacrée tête de lard. Une grande gueule. Quand il me disait bonjour il me narguait, je le voyais bien.

— Pourquoi? demanda Segnon qui était demeuré silencieux jusqu'à présent, presque effacé malgré son imposante carrure.

— Parce que j'ai essayé d'éloigner Silas il y a un an et demi de ça. Je sentais que son influence n'était pas bonne pour mon fils.

Nouveau sanglot contrôlé. Puis deux bouffées de tabac pour calfeutrer le tout.

— D'après vous, Pierre a eu une mauvaise influence sur votre fils? insista Ludivine.

— Oui. Très mauvaise. J'aurais dû insister, mais c'est là que Pierre a perdu son père, qu'est-ce que vous vouliez que je fasse? Je ne pouvais pas interdire à Silas d'aller aider son ami. Si j'avais su...

— Votre mari est absent?

— Il est chez son frère. Pour eux aussi c'est dur, ils adoraient Silas. Ils l'ont élevé quand il avait six ans et que mon mari et moi avons dû déménager en Allemagne pour son travail. Ça n'a duré que huit mois, mais c'était en pleine année scolaire, nous n'avons pas pu l'emmener avec nous. Ça a été difficile.

— Je voudrais lui présenter la photo que je vous ai montrée.

— Laissez-la-moi, je lui demanderai, mais ça m'étonnerait qu'il en sache plus, il travaille beaucoup et n'est pas souvent là.

— Nous repasserons, ce sera mieux. Que fait votre mari dans la vie?

— Il travaille pour une entreprise qui vend des composants électroniques.

Ludivine la regarda tirer à nouveau sur sa cigarette.

— Pourrions-nous voir la chambre de votre fils?

Le regard fatigué de Linda Jourdain se posa sur celui de Ludivine et s'y accrocha comme s'il était la seule prise dans le vide de son univers. Puis elle se leva et se traîna jusque devant une porte balafrée d'autocollants de marques, de groupes de musique et de stickers provoquants comme « Ma chambre, mes règles, sinon dégage, connard. »

Linda poussa la porte et se tint sur le seuil, prenant soin de ne pas entrer.

Le lit était défait, des piles de magazines musicaux renversées sur la moquette avec quelques CD et des livres, plusieurs tiroirs de la commode encore ouverts, vêtements mélangés comme pris dans une tempête. Les murs étaient couverts de posters de films, *Le Seigneur des anneaux*, *Paranormal Activity* ou *Django Unchained*. En découvrant le bureau mal aligné contre le mur, la colonne d'étagères branlantes et le lit un peu décalé de son alignement normal, Ludivine comprit que c'était là le résultat d'une fouille méthodique. Personne n'avait osé entrer ensuite pour remettre un peu d'ordre là-dedans. Au nom des flics qu'elle représentait, elle en éprouva de la honte. Il était parfois difficile dans son métier de ménager tout le monde, de traquer le coupable, de tirer tous les renseignements possibles de la victime tout en la ménageant au passage. Ils n'étaient pas formés pour ça.

– Je ne vous dirais pas de ne rien toucher, dit Linda. Comme vous pouvez le constater, vos prédécesseurs ne se sont pas gênés.

Ludivine doutait pouvoir trouver quoi que ce soit d'intéressant, les collègues avaient déjà fait le boulot. Toutefois, il était intéressant de s'imprégner de l'univers de Silas pour tenter de comprendre son passage à l'acte. Prenant soin de regarder où elle marchait, Ludivine s'avança et se pencha au-dessus des livres. Elle trouva les deux premiers *Harry Potter*. Avait-il abandonné la saga en cours de route ? Puis le livre de Raymond Domenech ainsi que celui de Zlatan Ibrahimovic. Amateur de football, donc. Un autre roman, *L'Attrape-cœurs*, de Salinger, attira l'attention de la gendarme. Il était tout froissé. Elle le prit et le feuilleta.

— C'était son préféré, fit sa mère depuis le seuil, aux côtés de Segnon.

Une histoire difficile de passage à l'âge adulte, un récit désillusionné sur l'adolescence. Un texte de circonstance, songea Ludivine. Silas lisait donc. Il y avait aussi des boîtiers de DVD éparpillés sous une petite télévision, près d'une Playstation. Des films d'action essentiellement, mais aussi quelques comédies. Aucun jeu vidéo en revanche.

— Il n'avait pas de jeux ? Je vois pourtant une console...

— Vos confrères les ont saisis. C'étaient des jeux de sport pour la plupart, mais aussi quelques-uns de guerre.

Et voilà, songea Ludivine. Ils allaient encore y avoir droit. Les jeux violents comme bouc émissaire. Ils n'étaient qu'un symptôme dans le pire des cas. Aucun jeu ni aucun film, pas plus qu'un roman n'avait la capacité de dévaster une psyché humaine et de la distordre jusqu'à y implémenter des traumatismes, des perversions, des lacunes majeures. Ludivine détestait cet amalgame propagé par quelques incompétents désireux de se rassurer facilement et de dédouaner la société de ses travers.

Ludivine fit un tour sur elle-même.

Rien dans sa chambre ne laissait entrevoir la rage, la fureur qui lui avaient été nécessaires pour ouvrir le feu sur des dizaines de voyageurs. Son profond désir de semer la mort et la terreur ne transpirait nulle part dans le cocon qui lui avait pourtant servi de boudoir pour méditer sur ses terribles plans. Pierre avait-il une telle influence sur lui qu'il avait imprégné Silas de ses propres fantasmes de mort ?

Pour cela il fallait que Silas soit particulièrement influençable. Un être fragile à la personnalité facilement malléable. Un écorché vif en quête de repères, de modèles, ou tout simplement désireux d'être guidé pour être sauvé. Était-il à ce point vulnérable ?

— Votre fils avait-il déjà tenté de se suicider, madame Jourdain ?

Happée par ses déductions, Ludivine avait oublié d'y mettre les formes, elle s'en rendit aussitôt compte et pivota, confuse, prête à présenter ses excuses, sous le regard courroucé de Segnon. Mais Linda répondit du tac au tac, trop absente pour se formaliser :

– Non. Enfin pas que je sache. Mais l'année dernière mon mari a découvert des traces de scarification sur ses avant-bras, des dizaines de traits, des coups de cutter. Mon mari l'a enguirlandé. Nous n'avons pas su comprendre que c'était un appel à l'aide...

Elle porta sa main sous son menton tremblant et aspira une bouffée de son pernicieux agent corrupteur. La fumée se répandit en elle et la calma comme s'il n'y avait plus que le tabac pour maintenir un semblant de cohésion dans ce corps épuisé, à bout de forces.

– Vous savez de quoi ils parlaient lorsqu'il était avec Pierre ? Ils se voyaient ici ?

– Non, la plupart du temps ils traînaient dehors.

– Il mentionnait souvent son ami ? Il se confiait à vous au sujet de Pierre ?

– Non. Silas savait que je ne l'aimais pas. Souvent il m'en faisait le reproche. Ce qui n'est pas très juste parce que c'est moi qui le conduisais pour aller le voir lorsqu'il était à l'hôpital.

– Pierre a eu un accident ?

– Pas tout à fait. Après le décès de son père, il a eu un... *passage à vide.*

Elle l'avait prononcé du bout des lèvres, comme s'il s'agissait d'une expression honteuse et Ludivine songea que ce n'était pas étonnant que Silas ne se soit jamais confié sur son mal-être auprès de ses parents s'ils étaient aussi fermés sur la question. Elle s'en voulut aussitôt de les juger sans les connaître. Cette femme était dévastée, elle tenait à peine debout et venait de perdre ce qu'elle avait de plus précieux au monde. Son existence s'était soudain transformée en un véritable cauchemar, sans porte de sortie. Elle avait embarqué sur des montagnes russes trop violentes pour elle, et qui ne s'arrêteraient jamais.

Linda enchaîna, sans se rendre compte de rien :

— Il a été soigné dans une clinique spécialisée dans le nord.

— Vous voulez dire dans un établissement psychiatrique ?

— Une maison de repos, oui.

— Quand vous dites « dans le nord », vous voulez dire du côté de Lille ? fit Ludivine avec une pointe de triomphe en songeant au dépeceur.

— Non, pas si loin heureusement, dans le Val-d'Oise ou l'Oise, je sais plus bien, entre l'Isle-Adam et Chantilly, ce coin-là. La clinique de Saint-Martin-du-Tertre. C'est moi qui ai conduit Silas voir son ami une à deux fois par semaine pendant six mois. Si j'avais su ce que ça donnerait...

Nouvelle taffe salvatrice.

Ludivine vit les épaules de Segnon retomber tandis que son espoir s'estompait.

— Vous assistiez à leurs conversations à ce moment-là ? insista Ludivine.

— Non. Ils restaient dans la chambre de Pierre ou sortaient dans le parc. Moi, je restais dans la salle d'attente avec mes magazines.

— Votre fils, il avait changé d'attitude ces derniers mois ?

— Depuis cinq ou six mois il n'était plus tout à fait comme avant, c'est vrai. Plus renfermé encore, il s'isolait tout le temps et nous parlait peu.

— Il était croyant ?

— Je ne sais pas.

— Il ne mentionnait pas Dieu ou le diable ?

— Non.

Ludivine jeta un dernier coup d'œil à la chambre et ressortit.

— Vous devriez aller voir la mère de Pierre, c'est à elle qu'il faut parler.

— Pourquoi ? fit Segnon.

— C'est la faute de son gamin, tout ça. Il a corrompu mon Silas. C'est lui qui l'a entraîné là-dedans.

Il n'y avait pourtant aucune méchanceté dans le ton de la pauvre femme. Elle était trop vide pour encore en éprouver. L'humanité avait longtemps cru aux vertus de l'alchimie en cherchant à transformer du plomb en or alors que l'unique alchimie de ce monde était plus cruelle. L'amour se transformait en une souffrance incommensurable sitôt que la mort le faisait passer dans son alambic sinistre. Le néant résiduel pour témoigner de la substance même de l'amour.

– Et Pierre ? demanda Ludivine. Vous pensez qu'il aurait pu être sous influence lui-même ?

Linda prit vraiment le temps de réfléchir à la question.

– J'aimerais le croire mais je n'en suis pas sûre. C'était juste un sale gamin, c'est tout.

Quelques minutes plus tard, tandis que Ludivine et Segnon marchaient sur le trottoir pour regagner leur voiture, le colosse soupira :

– Je suis désolé, je ne savais pas quoi dire. J'étais mal à l'aise. Je crois pas qu'on devrait se pointer comme ça chez ces gens. Franchement, Lulu, à quoi ça sert ? Je ne suis pas chaud pour aller rencontrer la mère de ce gamin.

– Ça tombe bien, c'est pas là qu'on va.

Segnon s'immobilisa au milieu du trottoir.

– T'arrêtes avec tes énigmes ? On va où encore ?

– Tous nos criminels ont un passé d'internement, Segnon.

– Logique. Quand un taré flingue tout le monde autour de lui, il a forcément un passé psychiatrique. C'est plutôt rassurant que monsieur Tout-le-Monde, sans aucun signe préalable, ne puisse pas devenir un tueur de masse. Ces gars-là ont une montée en puissance, un passif compliqué. Donc oui, ils ont presque tous un historique d'internement, comme les criminels lourds ont souvent un passé de taulard. C'est une conséquence logique, ça n'a rien de concluant.

– Je me suis dit la même chose. Sauf que la plupart de nos tueurs ont multiplié les séjours dans des établissements différents. Hôpitaux, cliniques privées, maisons de repos...

– Et alors ? On a déjà vérifié ça, je crois, rien n'est ressorti.

– Sauf que nous n'avons pas eu accès à leurs dossiers à cause du secret médical, nous n'avons que les noms des établissements révélés par l'enquête, il nous en manque certainement un paquet.

– Bon, tu craches le morceau...

– Marguerite Mercier m'a dit que son frère est passé par différents établissements. Elle en a cité plusieurs dont un près de Chantilly. Ça te rappelle pas quelque chose ?

– La clinique où allait Linda Jourdain et son fils pour voir Pierre...

– Saint-Martin-du-Tertre. Je doute qu'il y en ait plus d'une dans ce secteur. La chronologie pourrait coller. Ludovic Mercier a pu rencontrer là-bas celui qui lui chuchotait à l'oreille. Et d'après Linda Jourdain, son fils s'est encore plus enfoncé dans sa solitude lorsque Pierre est sorti de l'établissement, il y a six mois.

Les yeux de Segnon se plissèrent à mesure qu'il comprenait ce que cela impliquait.

– Après les armes fournies par HPL, ajouta Ludivine, ce serait pas la connexion qui nous manquait, ça ?

Segnon était livide.

– Putain, Lulu... Si c'est vrai alors... Tu imagines ? S'il y a *vraiment* un lien entre toutes ces affaires ? Attends, on peut pas se pointer comme ça, c'est trop gros.

– Simple visite de courtoisie. Je veux voir. Si leurs fichiers ne comportent aucune trace de Ludovic Mercier ou de HPL, alors je te jure que j'abandonne mes obsessions de complot.

Ludivine tira sur la poignée de la portière qui était encore fermée : les clés étaient dans la poche de Segnon.

– Mais je suis déjà certaine de ce qu'on va trouver là-bas, ajouta-t-elle en attendant que son collègue ouvre.

34.

Le vent s'était levé brusquement. Avec cette promptitude propre au climat estival, le ciel avait changé en une poignée d'heures seulement pour se couvrir de nuages menaçants. On avait tiré un rideau occultant sur le monde, pour prolonger les ombres, pour faire frémir la végétation et rendre nerveux les animaux. Les premières gouttes, éparses, tombèrent sur le pare-brise de la 206 en fin de matinée, tandis qu'elle épousait la trajectoire des petites routes de cette campagne repliée derrière les faubourgs de Paris.

Saint-Martin-du-Tertre était avant tout un village tranquille avec ses façades blanches et grises plus ou moins anciennes du centre-ville et quelques pavillons plus récents tout autour. Mais un peu à l'écart, en bordure de forêt, une immense grille digne de Versailles délimitait l'accès à une vaste propriété dominée sur sa colline par un château de style néorenaissance à la façade austère et aux hautes fenêtres noires. Avec le plomb des cieux qui l'entouraient tout là-haut telle une couronne de cendres, l'édifice régnait sur le paysage à l'instar d'un suzerain fatigué, posant sur son domaine de multiples regards menaçants.

Ludivine sortit de la voiture pour aller sonner à l'interphone et détailla les bâtiments qui ceignaient l'entrée, probablement d'anciens communs. Les rideaux aux fenêtres témoignaient de leur réhabilitation.

Il n'y avait aucun panneau pour signaler la clinique et c'était cela le plus étrange. Ludivine se présenta au gardien en déclinant son identité et sa fonction et à peine commençait-elle à préciser le motif de sa visite que le lourd portail en fer forgé s'ouvrait tout seul. Le système automatisé contrastait avec la vieille pierre de son arche.

Les grilles se refermèrent immédiatement derrière la 206 et un homme au physique de bûcheron s'avança à leur rencontre.

Segnon baissa sa fenêtre pour pouvoir dialoguer.

— Vous connaissez le chemin ? demanda le gros barbu.

— Non.

— Pas difficile : suivez la route. Contournez le château et ignorez l'ancien sanatorium, vous finirez par déboucher sur la clinique.

Segnon le remercia d'un signe de tête et accéléra sur le mince ruban d'asphalte qui s'enroulait à flanc de colline, sous les yeux d'ébène du vaste manoir. Pendant qu'ils le contournaient à vitesse réduite, Ludivine songea qu'il ressemblait à une version maléfique de Moulinsart, le célèbre domaine de son idole de jeunesse, Tintin, avant de se rendre compte que les fenêtres étaient des trompe-l'œil. D'immenses panneaux en bois parfaitement peints les recouvraient. Tous les accès semblaient fermés. Quelques racines et du lierre grimpaient depuis ses fondations. Ludivine comprit qu'il n'était plus qu'une coquille creuse, un lieu abandonné qui veillait sur la région tel un leurre. Ce n'était pas un vieux tyran assoupi mais un cadavre maintenu par des bouts de bois.

La route redescendait en pente douce vers une longue étendue herbeuse ponctuée çà et là de chênes et de hêtres isolés, mais surtout ils découvrirent que le château était en fait adossé à un long complexe plus récent, début XXe, tout en briques jaunes et à l'interminable toiture de tuiles orange. Le bâtiment ressemblait à une sorte de paquebot échoué ici par hasard, et l'absence de carreaux à nombre de ses fenêtres ne laissait planer aucun doute sur sa vétusté. Plus personne n'y vivait ni même n'y travaillait depuis un bon moment déjà. Cette association architecturale avait quelque chose de troublant, entre l'ancien château faussement dominateur et ce qui avait autrefois été un sanatorium, comme caché derrière son ancêtre, à l'abri des regards que la forêt entourait par-derrière, comme prête à le dévorer.

Ludivine jeta un regard sur le reste du domaine et s'aperçut qu'il était à peine entretenu, juste ce qu'il fallait pour que la nature n'inonde pas tout, mais les herbes étaient trop hautes, les buissons trop nombreux, les ronces encadraient une partie du paquebot. Elle distingua d'autres bâtiments, à l'écart, beaucoup plus petits, tout aussi ensevelis, oubliés.

Enfin, au loin, tout au bout de la route, un autre immeuble de briques jaunes se profilait entre les silhouettes des arbres, complètement à l'écart, loin du monde. Ils roulèrent jusqu'à la clinique, laissant derrière eux les monstres endormis de l'ancien temps, et se garèrent sous les fenêtres plus vivantes de l'établissement.

Ludivine claqua sa portière tout en observant les lieux.

— Pour une « maison de repos », tu ne peux pas être plus au calme. Tu te verrais effectuer un séjour ici ?

— Moi ça me ferait flipper d'y dormir. Je trouve le coin glauque, évacua Segnon d'un geste de la main.

De grosses gouttes tombaient de temps en temps.

Ils se présentèrent à l'accueil et demandèrent à parler au chef de l'établissement. Le hall était particulièrement calme, silencieux, et il sentait un peu le renfermé. Les murs, jaunis, n'arboraient aucune affiche, aucun panneau indiquant les différents services. L'homme derrière son comptoir les fit patienter une dizaine de minutes sans un sourire, sans leur proposer un café ou un gobelet d'eau, avant qu'un individu en blouse blanche vienne à leur rencontre.

— On m'a dit que vous étiez gendarmes, fit-il en leur tendant la main, l'air un peu décontenancé. Euh... j'ai dû mal à comprendre...

– Section de recherches, confirma Segnon en exhibant sa carte.

– Ah. C'est la tenue... décontractée qui m'a surpris. Je m'attendais à voir des uniformes bleus.

Ludivine lui serra la main, une poigne molle. Il l'avait secouée du bout des doigts. Elle détestait ce genre de salut, comme s'il rechignait au contact physique.

– Section de recherches, ça veut dire quoi ? Parce que nous, nous n'avons perdu personne.

Ludivine ignorait s'il cherchait à faire de l'humour, d'autant qu'il ne se fendait d'aucun sourire, elle enchaîna :

– Vous êtes le directeur de l'établissement ?

– Le chef de service. Docteur Brussin.

Ludivine frémit. La cruauté du hasard, se força-t-elle à relativiser aussitôt. Le même nom que l'assassin qu'ils avaient traqué dix-huit mois plus tôt. Il était assez grand, le crâne passablement dégarni, ne restaient que de fins épis poivre et sel, le nez large, pratique pour supporter les montures marron de ses lunettes. Ludivine lui donnait environ quarante-cinq ans.

Comme elle ne réagissait pas, Segnon dégaina :

– Dans le cadre de notre enquête nous aurions besoin d'accéder aux listes des patients qui sont passés par votre établissement les deux dernières années.

Les bras de Brussin se refermèrent sur sa poitrine immédiatement.

– Une enquête sur qui ? Sur quoi ?

– Plusieurs crimes commis par des déséquilibrés.

– Comme ça, s'ils sont passés par chez nous, ça va encore être la faute des psys, c'est ça ?

– Non, docteur, intervint Ludivine qui s'était reprise, mais cela nous permettrait d'opérer des recoupements et, peut-être, de remonter jusqu'au coupable.

– Je croyais que vous les aviez déjà arrêtés.

– Une partie seulement.

– Écoutez, l'essentiel de notre travail consiste à créer un climat de confiance entre patients et praticiens. Si je trahis le secret professionnel, alors autant changer de métier.

– Nous ne demandons pas à accéder aux dossiers médicaux, expliqua Segnon, seulement aux listings des entrées. Seulement les noms.

Brussin demeura inflexible.

– J'ignore si c'est légal ce que vous me demandez là, je suis désolé, je ne peux vous obéir comme ça. Venez avec un juge ou une commission rogatoire, un document qui me dédouane de toute responsabilité, et là nous pourrons peut-être discuter, mais en l'état je ne peux satisfaire à votre demande.

– Le directeur de la clinique est ici ? fit Ludivine qui perdait patience.

Brussin la fixa par-dessus ses montures. Il finit par acquiescer.

– Si c'est ce que vous voulez…, capitula-t-il, suivez-moi.

Le médecin les entraîna dans des coursives aux murs crème tirant sur le jaune, puis dans des couloirs marron, qui laissèrent bientôt place à un rose douteux. Certaines fenêtres, plus opaques, filtraient la pâle lumière du jour à travers les films beiges qui les recouvraient, et heureusement tous les néons étaient allumés. Ludivine fut à nouveau frappée par le calme qui régnait dans l'établissement.

– C'est toujours aussi silencieux chez vous ? demanda-t-elle.

– Nous disposons de près de cent lits mais seulement une soixantaine de patients sont répartis dans les deux ailes. Ceux qui sont ici à leur demande, en repos, dans la partie est et les SDT[1] ou les SDRE, en gros ceux qui n'ont pas demandé à venir mais qui sont internés à la demande d'un tiers ou à la demande de l'État, dans l'aile ouest.

– Vous êtes une unité pour malades difficiles ?

– Pas à proprement parler. Lorsque nous diagnostiquons des cas vraiment extrêmes, ils sont transférés vers une UMD adaptée,

---

1. Soins psychiatriques à la demande d'un tiers.

et nous les récupérons une fois qu'ils vont mieux. Mais nous avons toutefois quelques numéros bien gratinés qui n'ont rien à faire ici mais que nous gardons faute de place ailleurs si c'est ce que vous voulez savoir. Ça arrive, c'est vrai. Nous avons notre lot d'agitation hebdomadaire !

– Difficile de le croire quand on circule ici.

– Nous, nous ne manquons pas d'espace, tout ce petit monde est parfaitement dispatché à travers les différents étages ; il faut bien avoir des avantages à travailler au fin fond du monde.

– Nous avons été impressionnés sur le trajet par les anciens bâtiments. Qu'est-ce que c'était ?

– Un duc a vécu dans le château au XIXe siècle, il est mort sans descendance et a fait don à la ville de Paris de son domaine, qui l'a transformé en hôpital. Pour traiter les tuberculeux, ils ont ajouté l'aile qui s'appuie derrière le château. Le bâtiment dans lequel nous sommes, plus moderne, fut construit lorsque la maladie a reculé et que les progrès de la médecine ont permis de soigner le bacille de Koch plus simplement, pour anticiper la reconversion de l'établissement. Au final tout a été abandonné sauf notre édifice : son isolement, son cadre bucolique et sa taille l'ont imposé comme un lieu parfait de maison de repos et d'institution psychiatrique.

– Il y a des gens qui viennent ici *volontairement* ? s'étonna Segnon.

La remarque amusa Brussin qui sourit pour la première fois.

– Une vingtaine en ce moment, oui. Nous n'offrons pas d'hospitalisation partielle, ici ce n'est que du temps complet, avec soins variés.

– Quels genres de soins ? interrogea Ludivine tandis qu'ils montaient un escalier.

– Classiques, psychothérapies individuelles ou de groupe, activités thérapeutiques comme l'ergothérapie ou l'art-thérapie, et thérapies médicamenteuses bien entendu.

– Pas d'électrochocs ? plaisanta Segnon.

– Si, bien sûr, répliqua Brussin tout à fait sérieusement. Nous appelons ça sismothérapies, c'est moins barbare, ou ECT pour électroconvulsivothérapie.

– Vous déconnez ?

– Non, pas du tout. Vous savez, notre rôle est de soigner, pas de torturer. Les électrochocs ont mauvaise réputation à cause du passé, mais la technique a évolué.

– Ça ne consiste plus à poser des électrodes sur le crâne d'un individu pour lui griller le cerveau ?

Outré, Segnon donnait dans la provocation.

– Il s'agit de choquer le cerveau par le biais d'une ou, en général, de plusieurs décharges électriques. Cela permet de déclencher une crise d'épilepsie et de développer la production de substances neurotrophiques. C'est le meilleur moyen de faire travailler la plasticité du cerveau.

– Sérieux ? Au XXIe siècle, on utilise encore les électrochocs en France ?

– En dernier recours, oui. Lorsque les thérapies médicamenteuses restent inefficaces ou lorsqu'il y a une détresse psychologique grave, un risque de suicide important par exemple. Les schizophrénies délirantes ou les psychoses aiguës sont également traitées par plusieurs séances hebdomadaires d'ECT.

Si Ludivine n'était pas aussi surprise que son collègue – elle savait que le domaine de la psychiatrie demeurait encore très obscur sur ses pratiques auprès du grand public – elle devait bien s'avouer qu'imaginer des électrochocs dans un lieu comme celui-ci n'avait rien d'engageant.

– Et il n'y a pas de séquelles ? demanda Segnon.

– Hélas rares sont les traitements qui n'en laissent aucune. La mémoire est parfois altérée, mais, comme tout, il faut évaluer le rapport bénéfice-risques avant de juger. Des cas désespérés sont parfois récupérés grâce à l'ECT.

– Et il y a des patients volontaires pour s'infliger ça ?

– La sismothérapie n'est appliquée que sur la base du volontariat.

– Oh ! bah merde, lâcha Segnon, dépassé.

– Et dans le cas d'un schizophrène qui n'est pas en mesure de donner son avis ? s'enquit Ludivine.

– Sa famille le fait pour lui. Et s'il n'en a pas, c'est le personnel médical qui prend la décision, collégialement.

Brussin s'immobilisa devant une porte blanche verrouillée et exhiba son badge pour que la serrure magnétique s'ouvre. C'était le premier sas de sécurité qu'ils franchissaient, réalisa Ludivine. Il n'y en avait même pas à l'entrée principale.

Il faut que ça reste un établissement de repos pour ceux qui viennent ici volontairement...

Le couloir était cette fois tapissé d'un lino jaune et l'écho de voix distantes résonnait en même temps qu'une musique douce qui tombait du faux plafond. Ils passèrent devant une baie vitrée qui donnait sur un poste de contrôle dont un homme en tenue blanche sortit pour les saluer sous le couinement de ses sabots en plastique. Il rendait une tête à Segnon, pourtant très grand, et était tout aussi large avec son cou de taureau. Son regard clair se promena immédiatement sur le corps de Ludivine qui se sentit mal à l'aise. Ce n'était pas seulement son air libidineux qui la dérangeait, mais aussi ses grosses lèvres avec des particules blanches de salive aux commissures des lèvres, sa tête trop large et ses mains gigantesques.

– Je vous présente Loïc, notre responsable sécurité.

– On a des nouveaux ? s'enthousiasma l'armoire à glace. Je peux faire la visite et une formation personnelle très poussée si vous voulez, ajouta-t-il à l'attention de Ludivine.

– Loïc, ces messieurs dames sont de la gendarmerie, le calma Brussin.

Le responsable de la sécurité se crispa, un tic nerveux secouant sa joue droite, et son regard salace sur Ludivine laissa place à une certaine forme de défiance, voire de haine. La jeune femme remarqua sa peau gibbeuse au niveau du cou, une ancienne trace de brûlure qui lui descendait sur le torse. Le Loïc en question avait tout pour plaire, songea-t-elle en lui passant devant.

– Ouvrez-nous, commanda le psychiatre, nous allons voir le directeur.

– Son bureau est au milieu des chambres des patients ? s'étonna Ludivine.

– Non, mais à cette heure il est avec eux. C'est un grand psychiatre, vous savez.

Loïc retourna dans sa guérite et actionna le dispositif d'ouverture d'une autre porte sécurisée.

– C'est pire qu'une prison, murmura Segnon.

– Nous sommes dans l'aile ouest, expliqua Brussin. Sur les trente-trois patients internés ici, une dizaine sont relativement imprévisibles, et tous sont retenus entre ces murs contre leur gré, alors oui, c'est un peu comme une prison. Mais la vraie détention pour ces hommes et ces femmes est là, fit-il en pointant son index contre sa tempe.

– C'est mixte ? demanda Ludivine.

– La partie centrale. Toutefois nous disposons de deux blocs séparés pour les cas les plus instables, lorsqu'il est nécessaire d'isoler certains patients masculins notamment.

Ils approchaient d'un groupe d'individus habillés tout à fait normalement, pour la plupart en jogging et T-shirt, lorsque le téléphone portable de Segnon sonna. Machinalement Ludivine contrôla le sien. Elle avait trois appels en absence de la caserne et un dernier du colonel Jihan.

Segnon décrocha et acquiesça avant de tendre l'appareil à Ludivine.

– C'est Jihan.

– Colonel ?

– On en a un nouveau.

– Pardon ?

– Un cadavre. Avec la même expression de terreur.

– Merde. Où ça ?

– Forêt de Saint-Germain.

– La cellule d'investigations criminelles est sur place ?

– Ils viennent d'arriver.

– Très bien, ils vont geler la scène le temps d'effectuer tous les prélèvements, ça nous laisse bien deux heures.

Ludivine regarda sa montre.

– On sera là vers 15 heures, colonel.

– Vancker ?

La voix de Jihan était étrange. Moins assurée que d'habitude.

– Oui ?

– Vous aviez raison.

– Comment ça ?

– Ce sont des meurtres. Il n'y a plus aucun doute.

– Vous avez trouvé quelque chose ?

– Venez, ça sera plus efficace.

Ludivine jeta à nouveau un coup d'œil sur sa montre. Elle ne voulait pas repartir de la clinique bredouille. En allant droit au but elle pouvait espérer ressortir dans moins de vingt minutes.

– Disons 14 h 30, colonel.

– Magnez-vous. Je pense que vous ne voulez pas rater ça.

Jihan s'était voulu autoritaire, mais quelque chose dans son intonation trahissait son désarroi.

35.

L'uniformité était tout ce qui séparait les « fous » des êtres normaux.

Ceux qui étaient censés se trouver du bon côté de la barrière mentale portaient tous des blouses ou des tenues d'infirmier blanches, tandis que les patients internés de force déambulaient dans la grande salle en jogging, shorts ou jeans, surmontés de T-shirts, polos ou quelques rares chemises, souvent boutonnées jusque sous le menton. En somme, pensa Ludivine, ceux qui se coulaient dans le moule, tous pareils, étaient considérés comme respectables, et on enfermait les autres. Bien que tiré par les cheveux, ce raisonnement lui rappelait celui de Mikelis et de la question de la normalité : tant que les pervers seraient minoritaires nous continuerions à les enfermer. Mais si un jour leur nombre venait à croître au point de devenir une faction importante de la société, alors nous ne pourrions plus nous contenter de les écarter du système. Et si peu à peu, ils venaient à prendre l'ascendant, alors bientôt les gens sans déviances finiraient à leur tour enfermés. C'était déjà le cas parfois. Il suffisait de repenser à l'arène des combats de chiens à Argenteuil. La foule, galvanisée par l'adrénaline, par l'excitation, par les hormones, par l'appel du sang et l'effet de meute s'était massivement et progressivement mise à hurler, à encourager, à *désirer* la mort. Celles et ceux qui demeuraient en retrait, ceux qui étaient parvenus à se préserver un peu de cette folie contagieuse, ceux-là, dans ce groupe, étaient non seulement minoritaires mais dangereusement marginalisés.

Je suis une légende, de Richard Matheson. Qui sont les vrais monstres ? Qui pose les critères de l'acceptable ? Les plus sains ? Ceux qui détiennent la vérité ? Non... les plus nombreux. Rien que les plus nombreux, peu importe leur état mental.

Le docteur Brussin s'approcha d'un homme de taille moyenne qui observait des patients avec deux autres confrères. Cheveux courts, grisonnants, l'homme inclina la tête pour écouter Brussin avant de se tourner lentement. Il avait le visage taillé à la serpe, carré, fine mâchoire parfaitement dessinée, menton un peu proéminent, un trait pâle en guise de lèvres, nez aquilin, pommettes marquées et front haut. Deux rides profondes, presque des cicatrices, lui barraient les joues verticalement. Il avait un regard bleu, froid, distant.

Sa poigne contrastait avec celle de Brussin, sèche et puissante. Et ses mains étaient glaciales, nota Ludivine. Un homme de pouvoir. Charismatique. Il suffisait de regarder la déférence des autres médecins à son égard pour constater son aura.

– Docteur Malumont, se présenta-t-il, je suis le directeur de la clinique. On m'a prévenu de votre présence.

Sa voix confirma la première impression, il s'exprimait avec assurance, intonations graves et posées. Ludivine et Segnon expliquèrent brièvement la raison de leur venue. Ils n'avaient plus le temps de faire dans le détail s'ils voulaient rallier Saint-Germain-en-Laye avant le milieu d'après-midi.

– Je leur ai dit que nous ne pouvions pas trahir le secret professionnel, insista Brussin d'un air un peu comploteur. D'autant qu'ils n'ont pas de recommandation officielle, pas de commission rogatoire, ils sont seuls, sans juge, sans rien.

Malumont affichait un air sévère, les yeux baissés, mais dès qu'il les redressa sur son interlocuteur, inconsciemment, ce dernier changea de ton, moins catégorique. Un vrai chef de bande, songea Ludivine. Elle ne put s'empêcher d'aussitôt éla-

borer un scénario macabre avec Malumont en gourou psychopathe et Brussin en parfait sbire paranoïaque. C'était une idée
folle qui ne reposait sur rien, un délire à peine acceptable dans
un film de série B. Et pourtant Ludivine savait que ça s'était
déjà produit. Elle en était le témoin. Pestilence et Val-Segond.
Deux lieux rayés de la carte, rayés des livres, rayés des mémoires
pour la décence de l'espèce humaine. Les médias eux-mêmes ne
parlaient plus beaucoup de ces affaires, comme si l'inconscient
collectif s'en était mêlé, préférant vite oublier. Mikelis, Segnon
et elle les avaient pourtant parcourus, ces abysses. Ils les avaient
affrontés.

Malumont s'écarta du groupe de ses confrères et invita les
deux gendarmes à le suivre jusque dans un renfoncement couvert
de dessins dont la plupart étaient à peine du niveau d'un enfant
d'école primaire. Brussin s'invita également au conciliabule.

Malumont planta ses prunelles dérangeantes de clarté dans
celles de Ludivine et elle eut le sentiment qu'on la fouillait.
Puis il pivota vers Segnon qui se lança :

– Monsieur Malumont...

– Docteur, corrigea Brussin au nom de son supérieur.

Malumont posa une main sur l'épaule de Brussin et de l'autre
lui indiqua ses collègues en blouse.

– Érica voulait s'entretenir avec vous d'un problème d'emploi
du temps, je crois.

Le message était clair et Brussin, s'il était vexé, n'en laissa rien
paraître sinon un léger grognement en guise d'acquiescement,
et il s'éclipsa en direction d'une brune à lunettes qui n'avait pas
lâché du regard les deux gendarmes depuis leur arrivée. Ludivine
observa Brussin la rejoindre et aussitôt répondre tout bas à ses
questions pressantes. Manifestement leur présence faisait jaser.
La femme médecin avait les yeux vairons, s'aperçut Ludivine.

– Nous ne voulons pas de détails sur vos patients, seulement
des noms, enchaîna Segnon. Si vraiment vous voulez qu'on
revienne avec l'aval du procureur on le fera, mais ça n'aura

servi qu'à nous faire perdre du temps, et il y a des vies en jeu
là, dehors.

D'un geste du bras Malumont éluda le problème.

– Dites-moi qui vous intéresse et je confirmerai ou infirmerai
leur présence entre nos murs, concéda le directeur. Je ne suis
pas à l'aise avec l'idée de vous laisser nos registres sans une
requête officielle pour me couvrir, vous le comprendrez, mais
je peux vous aider.

– Nous cherchons des noms qui remontent à plusieurs mois,
voire plusieurs années, précisa Ludivine qui s'impatientait.

Elle luttait contre le désir de foncer directement sur la scène
de crime de Saint-Germain-en-Laye. Le ton dans la voix du colonel Jihan l'avait alarmée. Pour autant, maintenant qu'ils étaient
là, il fallait au moins qu'ils repartent avec la confirmation qu'elle
était venue chercher. De toute façon, les techniciens de la CIC
étaient en train de bosser autour du cadavre, ce n'était pas le
moment de débarquer, au moins tout le boulot préliminaire
serait déjà effectué lorsqu'ils arriveraient, se rassura-t-elle.

Le directeur lui répondit placidement, sûr de lui :

– Je suis en poste ici depuis onze ans, je pense que ça ne
devrait pas poser de problème. J'exerce en tant que psychiatre,
j'ai connu chaque homme et chaque femme qui sont passés
par chez nous.

– Pierre Galinet, lança la gendarme.

S'il réfléchissait, Malumont n'en laissa rien paraître.

– Le nom m'est familier mais, il fallait bien que vous me
rappeliez à un peu plus d'humilité après une telle déclaration
de ma part, je ne suis pas sûr de m'en souvenir.

– Un adolescent, environ seize ans lorsqu'il était ici, il serait
resté pas loin de six mois en repos, ressorti en fin d'année
dernière.

Cette fois Malumont hocha la tête.

– Oui, ça y est, je vois. En effet, il était dans l'aile est, j'y
suis moins présent, je pensais que vous étiez intéressés par nos
patients internés sur demande.

– Vous l'avez eu en soins, je veux dire, personnellement ?

– Très peu. Il faisait beaucoup d'ergothérapie si je ne dis pas de bêtises. Un garçon très perturbé par un décès, son père je crois.

– C'est ça.

– Vous vous rappelez s'il recevait beaucoup de visites ? demanda Segnon.

– Non, je ne gère pas cet aspect des patients, surtout ceux de l'aile est.

– Les visites sont très contrôlées, je suppose, reprit Ludivine, surtout avec la grille à l'entrée et le gardien.

– Sur rendez-vous uniquement, en effet. Un autre nom peut-être ?

Ludivine dégaina sa seconde cartouche :

– Ludovic Mercier ?

Malumont la fixa comme si c'était dans sa mémoire à elle qu'il cherchait la réponse. Il avait le regard vif, brillant d'intelligence.

– Un autre patient de l'aile est ?

– A priori oui, il enchaînait les séjours dans des établissements de repos à sa demande.

– Je crois bien qu'il a fait partie de nos hôtes, confirma le directeur, ce nom m'est aussi familier. Je suis navré de ne pouvoir vous renseigner davantage, à vrai dire je connais surtout nos pensionnaires de ce côté-ci de la clinique. J'aurais mieux fait de me taire en prétendant avoir la mémoire pour vous aider.

– Est-il possible de vérifier ?

Malumont se fendit d'un léger sourire face à l'insistance polie de Ludivine. Il hocha la tête.

– Oui, je pense que j'ai la solution pour ça. Venez.

Il les entraîna à travers les couloirs où ils repassèrent par le sas. Loïc, le responsable de la sécurité, examina Ludivine sous toutes les coutures, l'œil lubrique et cette fois chargé de provocation, avant qu'ils ne grimpent à l'étage supérieur jusque dans un vaste bureau bordé de centaines de livres sur des bibliothèques en verre trempé noir.

– Vous excuserez le désordre de mon bureau, je n'ai guère le temps de m'en occuper. Je partage mon temps entre les tâches administratives et ma fonction de psychiatre, ça ne me laisse aucun répit.

Malumont tira un lourd fauteuil en cuir sur roulettes et s'installa face à son ordinateur portable, après avoir désigné les autres sièges aux gendarmes, et il se mit à pianoter à toute vitesse. De l'autre côté du bureau, Ludivine ne pouvait voir ce qu'il faisait mais elle le trouvait plutôt agile avec l'informatique pour un psychiatre débordé à la quarantaine bien tassée. L'homme était du genre à s'investir dans tout ce qu'il faisait. Ne supportant pas la médiocrité.

– « Mercier », comme ça se prononce ? M-e-r-c-i-e-r ?

– Oui.

Malumont finit par hocher la tête.

– Il est passé par chez nous en effet. Je ne vous donnerai pas les dates précises par respect pour le secret médical qui nous lie à lui, mais il était là. Est-ce un problème pour mon établissement ? demanda-t-il en serrant les mâchoires.

Les deux profondes rides verticales de ses joues se creusèrent un peu plus, soulignant la dualité étrange de cet homme, austère et glaçant physiquement et pourtant relativement bienveillant à leur égard. Ludivine devinait une carapace épaisse. Soudain elle comprit ce qui la fascinait chez lui.

C'est un Richard Mikelis en puissance. Le même genre. Le cuir épais, un physique qui en impose, impressionnant, et là-dessous une intelligence humaine hors norme, un malin qui ne s'embarrasse pas d'être aimé ou non, qui sait ce qu'il est, ce qu'il veut, ne se souciant pas du reste. Avec un regard perçant qui vous transperce, qui vous lit.

Segnon regardait Ludivine, lui laissant choisir sur quel terrain elle voulait s'engager avec le psychiatre.

– Non, aucun problème en vue, le rassura-t-elle. Mais un progrès certain pour notre enquête.

– Ces deux-là ont fait quelque chose de grave ?

Les deux tueurs du TGV étant mineurs, ni leur photo ni leur identité complète n'avaient encore filtré dans les médias. Quant à Mercier, son nom passait encore un peu inaperçu au milieu de tous les faits divers qui saturaient les journaux depuis dix jours. Aussi, Ludivine ne trouva pas improbable que ni Malumont ni son personnel n'aient encore fait le rapprochement avec ces anciens patients qui avaient séjourné entre leurs murs plusieurs mois auparavant.

– Vous accueillez beaucoup de monde ? demanda-t-elle.

– Notre capacité est d'une centaine de lits, mais nous ne l'atteignons jamais. Le *turnover* dans la partie « repos volontaire » est important, il l'est nettement moins parmi nos hôtes internés sur demande. J'en déduis donc que la réponse est oui : ils ont fait quelque chose de grave mais vous ne souhaitez pas en parler.

– Ils ont assassiné plusieurs personnes, lâcha Ludivine.

Pour la première fois, un soupçon d'émotion s'afficha sur le visage du psychiatre dans un frémissement de sourcils.

– C'est en rapport avec ce qui s'est passé dans le TGV la semaine dernière ?

– Entre autres.

Malumont se recula dans son fauteuil dont le cuir crissa sous son poids.

– Savez-vous s'ils étaient agités pendant leur période ici ? demanda Ludivine en pointant un doigt vers l'ordinateur comme s'il recelait tous les secrets de la clinique.

– C'est délicat. Cela concerne les patients eux-mêmes, je ne peux pas vous répondre comme ça. Il faudrait plutôt vous adresser aux familles. Je suis navré. Comprenez que je dois protéger la réputation de ma clinique, je ne peux livrer des renseignements confidentiels dans la relation psychothérapeute-patient aux premiers venus.

– Nous sommes lieutenants de gendarmerie saisis dans le cadre d'une enquête criminelle, le coupa Segnon, je pense qu'en termes de légitimité vous ne trouverez pas mieux.

Les yeux de glace glissèrent en silence sur le grand gaillard en sweatshirt.

– Vous savez très bien ce que je veux dire, se contenta de répliquer le directeur.

Ludivine plissa le nez pour marquer son agacement et poursuivit :

– Pourriez-vous regarder le nom de Kevin Blancheux également ?

– Le nom ne me dit rien en tout cas, fit Malumont en tapotant sur ses touches de clavier. Non, nous n'avons personne d'enregistré sous cette identité.

– Vous prenez les pseudonymes lorsque vos patients refusent de décliner leur véritable nom ? interrogea Segnon.

– Ça n'arrive pas. Les volontaires de l'aile est n'ont aucune raison de vouloir se cacher de nous et les autres nous arrivent sur décision de justice la plupart du temps, donc leur identité est déjà constatée.

– Essayez avec HPL, on ne sait jamais, ou Howard Lovecraft, insista Ludivine.

La recherche ne donna rien.

– Segnon, comment s'appelle le type qui a été arrêté au centre commercial ?

– Marc Van Doken.

Le directeur essaya avec cette identité avant de secouer la tête.

– Alors Michal Balenski, demanda Ludivine.

Malumont haussa les sourcils.

– Dites, c'est une armée que vous recherchez ? Non, aucun Balenski n'est passé par ici.

De frustration Ludivine fit claquer sa langue contre son palais. Le temps filait et ils devaient partir sans plus tarder.

– Déjà deux, c'est pas anecdotique, la rassura Segnon.

La gendarme pivota sur sa chaise et examina le bureau distraitement. Il y avait des livres partout, la plupart portaient sur la psychiatrie, beaucoup en anglais, mais elle repéra aussi des beaux ouvrages sur le vin, le whisky et sur les voitures de collection. Quelques objets de décoration ornaient les étagères, des masques africains, un minuscule jardin japonais dans un bac en plastique, un éléphant en bois de santal, un crâne jaune et bleu mexicain, autant de souvenirs de voyages. Malumont était un bon vivant derrière son armure impénétrable. *Comme Mikelis...*

Elle se tourna à nouveau pour faire face au psychiatre et vérifia s'il portait une alliance et en trouva une, ancienne, en or, sur l'annulaire gauche. Elle repéra un cadre en biais sur le bureau. Ludivine ne pouvait pas bien distinguer la photo mais elle devina une femme, blonde, et une petite fille souriante, aux côtés de Malumont. Elle regretta que le cadre ne soit pas mieux orienté pour pouvoir distinguer le visage du psychiatre, elle aurait aimé percevoir ce qu'il dégageait en famille.

Soudain, Ludivine se pencha vers le directeur.

— Si je vous donnais un dossier complet lié à une affaire criminelle, vous pourriez m'établir un profil psychologique de l'auteur des faits ?

— Pardon ? Je crois que vous vous trompez de personne. Je ne suis pas profileur, comme vous dites dans votre jargon.

— Mais vous êtes psychiatre, avec de l'expérience, et vous avez vu passer deux de nos suspects. Vous pourriez avoir un regard neuf que nous n'avons pas sur ces affaires, peut-être établir des liens psychologiques qui nous échappent, remarquer des détails dans leurs agissements. Ça ne coûte rien d'essayer.

— Si, du temps, fit-il remarquer. Et le risque de vous aiguiller dans de mauvaises directions.

— Je prends le risque. Il y a quelque chose en vous qui me dit que je dois le tenter.

Malumont ne sourit pas même au compliment. Il étudiait Ludivine de son regard glacé.

— Tout ça restera entre nous, bien entendu, ajouta-t-elle.

Le psychiatre enchevêtra ses doigts devant le bas de son visage et inclina légèrement la tête.

— N'attendez rien de concluant de ma part, dit-il froidement.

— Au point où nous en sommes...

Les deux gendarmes se levèrent pour prendre congé, Ludivine en tête. Elle voulait encore passer par l'accueil et obtenir la liste de tout le personnel soignant qui travaillait à la clinique, mais le directeur les interpella alors qu'ils atteignaient le seuil de son bureau :

– Je ne peux pas vous donner accès aux dossiers médicaux, c'est contre ma déontologie, ni vous laisser parcourir mes listes de patients. En revanche, tout à l'heure, vous m'avez demandé s'ils recevaient des visites. Je vous suggère de vous arrêter auprès du gardien en repartant et de faire quelques photocopies. Lui n'est pas médecin, et il conserve les noms de tous les visiteurs qui sont entrés sur le domaine.

Cette fois, le bleu de ses prunelles crépitait d'une lueur excitée. Ludivine en fut ravie.

Il se prenait déjà au jeu.

36.

La terreur les avait fait fusionner.

Un homme et une femme, même pas la trentaine, serrés l'un contre l'autre, les doigts tétanisés agrippant les vêtements du partenaire de toutes leurs forces pour qu'aucune molécule ne puisse leur échapper.

Les tendons de leurs cous saillaient comme autant de cordes de piano prêtes à rompre. Les lèvres horriblement retroussées sur des gencives devenues pâles, les dents luisantes dans la clarté grise qui filtrait à travers la frondaison des arbres. Les paupières relevées sur des pupilles dilatées par la peur, énormes, comme si ce qu'ils avaient vu pour la dernière fois avait ouvert un puits vers les ténèbres même, avant de les boire. Tout leur visage était encore congestionné dans un hurlement silencieux qui les avait figés à jamais.

Il exhalait de ce couple quelque chose de terrifiant, songea Ludivine en les examinant. Ils avaient vu le visage de la mort, ils avaient compris que tout était terminé et ce qu'ils avaient contemplé dans leurs derniers instants les avait ravagés.

Ludivine repensa à Diane Codaert et elle s'enfonça les ongles dans les paumes. Après l'innocence de l'adolescence, venait le tour de jeunes amoureux. *Tu n'en sais rien, attends avant de tirer des conclusions.*

Ils étaient recroquevillés sous un grand marronnier qui marquait un carrefour de chemins en pleine forêt de Saint-Germain-en-Laye. Des bandes de ruban jaune étaient tendues entre les arbres à cinquante mètres de tous côtés pour réglementer le passage, et une douzaine d'enquêteurs s'étaient amassés en plus des techniciens de scène de crime de la police nationale dont la camionnette était le seul véhicule autorisé à approcher.

Les ASPTS[1] de l'Identité judiciaire rangeaient leur matériel quand Ludivine retrouva le colonel Jihan et un jeune homme, brun plutôt séduisant malgré ses quelques kilos en trop, un peu engoncé dans sa veste en cuir.

– Sébastien Vasseur, se présenta-t-il d'une voix familière, on s'est déjà parlé au téléphone, je suis du SRPJ de Versailles.

– Ah oui, c'est vous que j'ai eu hier, se souvint-elle en cherchant à se donner un maximum d'aplomb.

Elle n'était pas aussi sereine que d'habitude, encore un peu sous le choc des cadavres.

– Les collègues de Poissy ont débarqué les premiers lorsqu'un joggeur a découvert les corps ce matin. Nous avons été prévenus dans l'heure suivante et, compte tenu de l'état des corps, c'est moi qui ai hérité de l'affaire. Ça ressemble trop à la fille de Taverny sur laquelle j'ai bossé et dont nous avons parlé hier. En les voyant j'ai tout de suite pensé à vous et j'ai appelé votre SR, conclut-il en désignant le colonel.

– Merci, c'est bien que vous ayez pensé à nous.

– La première fois, à Taverny, j'ai trouvé la fille plutôt dérangeante, le genre de vision qu'on n'oublie pas, mais là c'est carrément flippant. Il y en a eu d'autres, c'est pour ça que vous êtes sur le coup, pas vrai ?

– Oui. Trois précédentes victimes. Au moins.

Vasseur enfonça une cigarette entre ses lèvres en observant les deux corps enlacés.

– Comment c'est possible, d'après vous ? demanda-t-il en l'allumant.

------

1. Agent spécialisé de la police technique et scientifique, équivalent des TIC de la gendarmerie.

– C'est tout le problème, je ne sais pas.

– On dirait qu'ils... sont morts de peur.

Il ne faisait pas froid et pourtant le colonel Jihan resserra ses bras le long de ses flancs et enfonça ses mains dans ses poches comme s'il frissonnait.

– Le proc de Pontoise ne devrait plus tarder, prévint-il, et le juge qui chapeaute l'enquête de Taverny aussi, ça va faire des étincelles s'ils n'arrivent pas à trouver un terrain d'entente.

– Que ce soit clair : je garde la main sur l'affaire, répliqua Vasseur, je veux bien qu'on bosse ensemble mais c'est ma juridiction, donc mon enquête. Tout doit passer par moi.

Jihan guetta la réaction de Ludivine qui acquiesça.

– Ça me va, nous sommes pas mal chargés nous-mêmes en ce moment, confirma-t-elle, donc ça m'arrange en fait. Donnez-moi votre portable, le reste c'est l'affaire du proc et du juge.

Ils s'échangèrent leurs numéros avant que Vasseur s'en aille discuter avec deux de ses collègues et un technicien de scène de crime en les pressant de terminer les constatations – il craignait qu'une grosse pluie ne surgisse. Jihan se rapprocha de Ludivine :

– Vous aviez raison, Vancker. C'est une série. J'aurais dû vous écouter.

– Je ne peux pas dire que je ne me sois pas sentie soutenue, si ça peut vous rassurer. Vous avez accepté la constitution de la cellule 666. C'est pour ce genre de... massacre, qu'on l'a créée.

– J'aurais dû mettre le paquet dès le début. À l'avenir, rappelez-moi de vous faire davantage confiance. Même si ça m'emmerde.

– Comptez sur moi.

– Vous savez que ça va être la guerre entre Mouroy qui supervise le mort de La Courneuve, le procureur de Pontoise qui va gérer ces deux cadavres et le juge d'instruction qui bosse avec le SRPJ. Si vous voulez que votre cellule fasse le lien entre tous, en résumé si vous voulez avoir la main sur toutes les enquêtes, je vais tenter de voir ce qu'on peut faire avec...

— Inutile, contra Ludivine. C'est bien comme ça. On va déjà avoir beaucoup à faire.

Jihan parut surpris.

— Qu'est-ce qui vous arrive, Vancker ?

Ludivine se mordilla les lèvres et se décida à balancer à son supérieur sur le lien entre les deux tueurs du TGV et le tireur fou du restaurant et sur le fait qu'elle supposait que la bande de Joseph avait fourni en armes HPL. Elle parla durant plusieurs minutes.

— À vrai dire, conclut-elle, c'est plus qu'une supposition, j'ai eu Yves sur le chemin, il sortait de la Santé où il a pu s'entretenir avec Joseph. Ce dernier a refusé d'admettre qu'ils trafiquaient des armes mais il a reconnu à demi-mot qu'ils n'avaient jamais donné un centime à HPL pour ses contacts avec le dépeceur. Yves est tout aussi convaincu que moi à présent que c'est Joseph et les siens qui ont fourni des armes à HPL, avant que lui-même ne les donne aux deux ados et à Ludovic Mercier, ou à un intermédiaire qui pourrait être celui que HPL appelle le diable.

Jihan, s'il était sous le choc, n'en montra rien, se contentant de se dévorer l'intérieur des joues en réfléchissant. Puis il fixa son enquêtrice.

— On m'avait dit que vous étiez une acharnée, à raison, dit-il. J'aurais dû vous soutenir plus encore au tout début, Ludivine, on aurait peut-être avancé plus vite.

L'intéressée nota l'emploi de son prénom à la place de son patronyme et apprécia.

— Vous l'avez fait, colonel, tout va bien. Maintenant il faut qu'on prouve le lien avec les autres affaires.

— Le centre commercial ?

— Peut-être même le tordu arrêté hier à Toulouse, celui qui voulait faire cramer les voitures, voire les trois affaires que j'avais mises en avant, surtout l'empoisonneur du lait en début d'année.

— Vous croyez vraiment qu'il pourrait y avoir un lien entre toutes ? s'alarma Jihan, d'habitude imperturbable.

– Vous savez quoi ? Je l'espère. Sinon ça signifie qu'on a une épidémie de violence en pleine diffusion.

Le visage de Jihan se contracta.

– Je vais élargir la cellule 666, vous attribuer d'autres enquêteurs, je vais en prélever parmi les hommes de Thomas et ceux d'Yves. Préparez-nous un topo complet pour demain matin.

– Le procureur Mouroy voudra en être.

– Non, pas pour l'instant. Je prends sur moi. Autant je sais que rien ne filtrera de la SR autant le bureau d'un procureur ou d'un juge est aussi étanche qu'une passoire. Avec la pression médiatique et politique qu'on va avoir quand ça se saura, ça va devenir intenable. Idem avec le SRPJ, vous limitez les informations vers eux au strict minimum, j'ignore s'ils savent tenir leur langue.

– Ça va pas aider les relations gendarmerie-police nationale.

– Rien à foutre.

Jihan, habituellement tout en retenue, parfait officier militaire propre sur lui, surprenait Ludivine par son attitude.

– Tout va bien, colonel ?

Il la regarda comme si elle posait une question idiote :

– Vous trouvez ? C'est la merde. À partir de maintenant je veux être tenu au courant chaque jour de votre enquête, je veux tout savoir, les gens que vous allez interroger, les recoupements, les déductions, je ne veux rien manquer, tout valider avec vous.

Ludivine haussa les sourcils. Puis elle aperçut la grande silhouette dégingandée du docteur Lehmann au milieu de Segnon et Guilhem.

– Qu'est-ce qu'il fait là, lui ?

– Le légiste des flics tardait à se libérer, j'ai proposé le nôtre en leur vendant que c'était le meilleur, et Lehmann était dispo.

Ludivine allait s'en approcher lorsque le colonel la retint par le bras d'une poigne un peu trop ferme à son goût :

– Vancker, c'est énorme ce qui nous tombe sur le coin de la gueule, vous réalisez ?

– Oh oui, colonel, croyez-moi, je suis en première ligne.

– Je sais que vous avez du cran. Mais ne merdez pas sur ce coup-là. C'est votre carrière qui se joue. Non, *nos* carrières à vrai dire. Et je suis sérieux, tenez-moi au courant de tout. J'insiste : de tout.

Il serra encore un peu plus fort, faisant mal à Ludivine, et la fixa d'un regard un peu vide. Le téléphone portable de la gendarme se mit à sonner et elle se dégagea pour décrocher en s'éloignant, non sans jeter un dernier coup d'œil vers son supérieur qui la guettait.

– Ludivine ? C'est Yves.

Un peu déboussolée, elle mit cinq secondes à comprendre de qui il s'agissait alors qu'elle venait d'en parler avec Jihan.

– Oui, pardon. Tu es rentré ?

– Écoute, Joseph n'en a pas dit plus, maintenant que son frère est plutôt bien parti pour s'en sortir, il ne veut plus faire la balance, mais ses camarades, apprenant qu'il bave sur eux, se lâchent à leur tour. Je viens d'en voir un, qui a refusé de reconnaître qu'il participe à leur trafic, ils sont tous innocents. Mais il charge Joseph. À ce rythme-là, j'aurai toute l'histoire d'ici la semaine prochaine. Tu en veux une bonne ?

– Tu as toute mon attention.

– Il dit que le dernier *deal* que Joseph a passé avec le Chelou, c'était en échange d'explosif.

– Merde. Ça pourrait être celui qui a servi dans les cinémas ?

– Non, j'ai entendu dire que ce sont des bombes artisanales qui ont pété dans le ciné. Là, on parle de pain de plastic, plus pratique, plus efficace surtout. Du C-4 exactement.

Ludivine s'immobilisa et fouilla aussitôt sa mémoire. Elle se souvenait que le C-4 était extrêmement stable. C'était déjà un bon point. Il ne pouvait exploser qu'avec des détonateurs, cela leur épargnerait l'accident en pleine foule si le taré qui le possédait décidait de se balader partout avec. Et puis Ludivine chercha à se rassurer en songeant qu'il fallait encore que celui qui détenait le C-4 se procure des détonateurs. Ce n'était pas le plus compliqué mais pouvait leur octroyer encore un peu de temps.

– Quelle quantité ? demanda-t-elle.

– Il n'a pas voulu entrer dans les détails, il dit qu'il n'est pas au courant, je crois surtout qu'il veut se couvrir. Toute la bande commence à comprendre que ça sent mauvais pour eux, que ça les dépasse, ils vont charger Joseph à mort. Le mec m'a dit qu'il devait y en avoir au moins assez pour faire sauter tout un immeuble.

Ludivine ferma les paupières.

Non seulement ils avaient une armée de détraqués potentiels en action, mais en plus ils disposaient de moyens de destruction massive.

– Et la très mauvaise nouvelle, ajouta Yves, c'est que Joseph a aussi fourni des détonateurs. Celui qui détient les explosifs peut s'en servir à tout instant.

37.

Le docteur Lehmann portait le même costume un peu élimé qu'il arborait à La Courneuve une semaine plus tôt et son abondante toison bouclée noire sur le crâne n'avait probablement pas été coiffée depuis. Il se moucha bruyamment dans un mouchoir en tissu qu'il referma soigneusement avant de l'enfouir dans sa poche de pantalon.

Il se tenait face au couple qui hurlait en silence.

— Vous avez chopé la crève en plein mois de mai, doc ? se moqua gentiment Ludivine.

— Pour un toubib, ça la fout mal, je sais.

— Qu'est-ce que vous avez pour moi ?

— À l'examen externe rien de plus que pour celui de Brunoy.

— Ils sont morts quand ?

— J'en sais rien.

— Bon. Et je suppose que vous ne pouvez pas non plus me dire de quoi ils sont décédés ?

— En effet.

— Des traces de coups apparentes ?

— A priori non, à part des griffures et ecchymoses superficielles

— OK, merci d'être venu, doc, votre assistance nous a été d'une précieuse aide.

Sans relever l'ironie, Lehmann continuait d'observer le couple. Plus haut, sur une branche du marronnier, deux corbeaux les épiaient également, fixant leurs globes oculaires goulûment, comme s'il s'agissait d'œufs mollets prêts à la dégustation.

– La rigidité cadavérique est bien marquée, dit le légiste comme s'il se parlait à lui-même, mais ces deux-là étaient tellement agrippés l'un à l'autre que ça n'a pas suffi pour qu'ils se décollent. En même temps, il n'y a aucune trace d'insectes en masse, donc non, ils ne sont pas morts depuis plus de quarante-huit heures. Mon iPhone me dit qu'il n'a pas fait frais cette nuit, donc ça n'aura pas ralenti la rigidité, par contre ça aura influencé leur température, à prendre en compte lors du calcul pour déterminer l'heure du décès. Leurs nuques sont dures, l'articulation du coude aussi, et c'est pire pour les membres inférieurs, pour ce que j'ai pu en vérifier sans les déplacer. Je pense qu'en gros, ils sont morts il y a... dix à dix-huit heures minimum. Bon, c'est totalement à la louche, hein, on est d'accord. Attendez que j'ai les mains dedans pour affiner cette fourchette. C'est comme ça, c'est jamais fiable de toute façon. Bref, ça c'est pour vous, d'accord ? Je ne l'écrirai pas.

– La nuit dernière donc.

– Oui. Et si je devais écouter mon instinct et mon expérience je dirais en milieu de nuit plutôt qu'en début de soirée, mais je ne le défendrai pas devant un tribunal. Pur feeling personnel.

– Vous n'avez pas pu regarder les lividités, je suppose, pour savoir s'ils ont été déplacés ?

– Pas encore, mais pas besoin d'être légiste pour vous affirmer qu'ils ne sont pas morts ici. Regardez les traces parallèles de roues que les techniciens ont balisées là-bas.

– C'est quoi ? Un chariot ?

– Sûrement. Roues lisses. Le type n'a pas pris le risque de venir jusqu'ici en voiture et d'attirer l'attention en pleine nuit.

– C'est désert ici à trois heures du mat', c'est plus probablement pour ne pas laisser d'empreintes de pneus sur la terre. Les techniciens ont remonté les traces du chariot ?

– Jusqu'au bord de la route, et ils ont effectué tous leurs prélèvements mais ils ne semblaient pas très optimistes, aucune marque de pneus.

– C'est une mise en scène alors ? Jamais ils n'auraient pu être transportés dans cet état et rester ainsi collés...

– Détrompez-vous. Si le tueur a attendu que la rigidité les saisisse, au contraire, c'était plus facile pour lui de conserver leur... cette apparence. Ils étaient figés l'un contre l'autre, fixés par la rigidité de leurs membres intriqués.

Les deux corbeaux croassèrent l'un après l'autre, un long raclement de gorge presque moqueur. Leurs billes noires ne perdant pas de vue les yeux des morts, ce festin tendre qui n'attendait que le départ des hommes pour démarrer.

– Et pas d'empreintes de pas dans la terre ?

– Si plusieurs, anciennes, rien à voir certainement, mais ils ont celles de celui qui a apporté les corps jusqu'ici, trouvées entre les sillons des roues du chariot. Le mec est malin : semelle lisse. On ne pourra pas en tirer grand-chose.

– Une pointure ?

– Le technicien avait l'air de dire qu'on se payait leur tête. Faudra demander à la Scientifique. Moi, j'ai noté des ongles cassés sur les deux victimes, et pas mal de crasse sous les autres. Il y a aussi le pantalon du garçon, ouvert au niveau du genou gauche, petites écorchures au même endroit, comme de la pierre frottée sur son jeans.

– Il s'est blessé en cherchant à s'enfuir ?

– On dirait bien. Il a aussi des coupures aux paumes, il a posé les mains sur des débris de verre. À mon avis, vous trouverez une fenêtre cassée chez eux, par laquelle il a cherché à se barrer.

– Et la fille ?

– Plusieurs ecchymoses superficielles sur les jambes, genoux éraflés aussi, mains sales et des marques de poussière et de terre à plusieurs endroits sur ses vêtements, elle aussi a tenté de ramper ou de se faufiler par un passage étroit avant de se faire reprendre.

– Agression sexuelle ?

Lehmann tendit la main vers le couple fusionnel comme s'il s'agissait d'une évidence :

– Là, comme ça, je ne peux pas vous dire. S'il y en a eu une, alors on l'a bien rhabillée ensuite.

Un des deux corbeaux poussa un cri ininterrompu, marquant son impatience, rapidement imité par son comparse. Cela ressemblait à un rire lugubre. Lehmann leur jeta un regard mauvais.

– Nous verrons bien sur la table d'autopsie lorsque je lui fourragerai le vagin, ajouta-t-il.

Ses mots glacèrent le sang de Ludivine qui avait déjà assisté à des autopsies et qui savait que l'appareil génital féminin finissait en général ouvert comme un gant découpé sous le regard du légiste. Habituellement l'humour très particulier du docteur Lehmann la faisait plutôt sourire, mais cette fois elle n'en éprouva que dégoût. Son blindage était fissuré de partout, réalisa-t-elle sans plus savoir si c'était une bonne ou une mauvaise nouvelle.

Deux gouttes tièdes s'infiltrèrent à travers les mailles de la forêt et tombèrent sur le front de Ludivine, rapidement suivies par le crépitement de la pluie sur les feuilles. Derrière, les ASPTS et les flics du SRPJ s'empressèrent de prendre leurs dernières notes tandis qu'on dépliait une grande bâche bleue pour protéger les corps avant qu'arrive l'équipe en charge de les transporter vers l'institut médico-légal.

– Vous pensez toujours qu'on ne peut pas tuer quelqu'un en lui faisant peur ? demanda Ludivine en contemplant ces faciès terrifiés.

– Je vous ai dit que c'était possible, de mourir d'une très grande peur, mais pas de le contrôler, on ne peut pas forcer quelqu'un à mourir juste parce qu'il a la trouille.

– Eh bien docteur, voici les quatrième et cinquième personnes qui vous prouvent le contraire.

Lehmann hocha doucement la tête, incrédule.

– Celui qui est capable de ça sait quelque chose que moi et tous les médecins du monde ignorent, alors. Et c'est ça qui, à *moi*, me fiche sacrément les jetons.

Cette fois, même les corbeaux ne riaient plus.

38.

L'après-midi du 14 mai, un employé au tri d'une blanchisserie industrielle près de Saint-Étienne prit en otage son directeur financier ainsi que le patron de l'entreprise au motif que la fermeture prochaine de l'usine allait le laisser, lui et beaucoup d'autres « miséreux », sur le carreau, et que cette fois, c'était la fois de trop. Il avait déjà subi trois licenciements, déménagé à deux reprises à travers le pays pour retrouver du travail et, à cinquante-quatre ans, ne se faisait plus guère d'illusions sur son avenir. Il ne chercha pas à marchander quoi que ce soit, sinon à convoquer la presse au pied du préfabriqué où il détenait ses deux otages. Lorsqu'une demi-douzaine de journalistes furent présents, il ouvrit une fenêtre pour se faire entendre et affirma que le monde était devenu fou, l'obsession du rendement et la désincarnation industrielle au nom d'un capitalisme assoiffé de profits qui niait l'aspect humain du travail l'avaient poussé à agir ainsi. Il ne l'avait pas voulu, il le déplorait plus que tout, mais il fallait bien que quelqu'un se sacrifie pour que le monde réagisse. Car, insista-t-il, le monde ne daignait prêter attention aux petits que lorsqu'il y avait du spectaculaire en vue, lorsque le sensationnel était de mise. L'homme regretta tout haut que son directeur financier et son patron soient également les victimes de cette folie, pour autant, il fallait bien que quelqu'un paie.

Après quoi, on entendit deux coups de fusil de chasse avant que les gendarmes ne forcent la porte. Pas assez rapidement pour empêcher l'homme, qui venait de recharger son arme, de se délivrer d'une décharge de chevrotine en plein visage.

Les trois occupants du préfabriqué furent déclarés morts presque aussitôt.

Pendant ce temps, à Marseille, un père de famille prit en otage la professeur de mathématiques de son fils sous des prétextes obscurs d'abandon scolaire, de système incompétent, mais l'intervention du proviseur et de la propre femme du preneur d'otage permit de dénouer la situation en quelques heures et moins dramatiquement.

Ce mardi-là, dix établissements scolaires durent fermer leurs portes à cause d'appels anonymes menaçant de faire exploser les bombes déposées entre leurs murs. Aucun engin explosif ne fut retrouvé sur place. Dans un lycée, ainsi que dans deux restaurants d'entreprise, cent quatre-vingt-deux personnes furent hospitalisées en urgence à cause d'une intoxication alimentaire provoquée volontairement par une des salariés du groupe de restauration collective qui les fournissait. La femme en question voulait se venger de son employeur pour une sombre raison de stagnation professionnelle et de harcèlement.

Les agressions dans les administrations publiques et envers les fonctionnaires de police battirent tous les records en une seule journée. Un homme fut arrêté après avoir lancé des sacs contenant des excréments contre la façade du palais de l'Élysée, et les standards téléphoniques du SAMU furent saturés comme une nuit de jour de l'An.

Lorsque Ludivine entendit la plupart de ces informations à la télévision, le soir même, elle préféra couper son poste

Ce n'était pas une coïncidence.

La détresse croissante qui plombait la France comme la plupart des nations industrialisées depuis plusieurs années avait atteint son apogée avec la succession de coups d'éclat criminels sur lesquels Ludivine travaillait. Elle en était convaincue.

La tuerie du TGV, celle du restaurant, le centre commercial, le cinéma, les empoisonnements de lait, tout ça en si peu de temps, sans compter l'arrestation d'un tueur en série dépeceur – tous ces traumatismes avaient fait sauter le bouchon du réservoir.

La société ne pouvait plus en encaisser davantage. Tous ceux qui frôlaient la saturation, l'explosion, la frustration extrême, confrontés à ce monde qui vacillait, aux derniers repères qui s'effondraient, tous ces gens-là franchissaient la ligne jaune. Ce n'était que des mots de trop pour la plupart, quelques gestes pour certains, mais il y avait une poignée d'individus au bout du rouleau qui allèrent plus loin.

Lorsqu'un homme ou une femme est confronté systématiquement au manque, à la peur du lendemain, qu'il ou elle est mis sous pression de tous côtés, se devant de surcroît d'être un parangon de vertu, de réussite, un modèle digne, et qu'au bout du bout, ce même système s'effrite dans ce qu'il a de plus rassurant . garantir la sécurité de chacun, alors ces hommes et ces femmes n'ont plus de raison de contenir la pression qui a grimpé pendant tout ce temps. Ils explosent. D'une manière ou d'une autre. Et pour certains, c'est à travers la violence.

C'était exactement ce qui se produisait, comprit Ludivine.

Diluées sur l'année, ces affaires pouvaient encore passer. Mais en si peu de temps, dans un tel contexte, les esprits les plus fragiles ne savaient plus résister. La violence appelant la violence. Le modèle de société autrefois sécurisant était ébranlé, les barrières tombaient, les interdits avec. C'était un appel inconscient à se laisser aller. À se faire emporter par l'élan. Pris dans la vague de violence, quand on n'a plus rien à perdre, pourquoi s'y refuser ? Pourquoi empêcher la libération ? L'explosion devenait irrémédiable.

Et si les choses ne changeaient pas rapidement, ce serait de pire en pire. La grogne sociale allait prendre de l'ampleur, la morale se fissurer, le pacte tacite de la civilisation risquait de voler en éclats. Petit à petit, les actions désespérées de certains se mélangeraient aux coups de force des autres.

Des guerres civiles avaient débuté ainsi. Le chaos naissait de cette confusion.

Ludivine repensa au discours du père Vatec dans son église. Le diable n'avait plus besoin de se manifester, il lui suffisait de semer ses graines de discorde et d'attendre. Surtout ne pas se montrer, ne pas fédérer contre lui, au contraire laisser le doute s'insinuer, le scepticisme gangrener les âmes. Bas les mœurs ! Sa force résidait dans son apparente absence. Qu'on finisse par l'oublier. Que nos défenses contre lui s'affaiblissent, que nous ne protégions plus nos flancs. Le diable était désormais au mieux un fantôme, un reliquat de nos folklores passés, au pire l'ancien nom donné à nos vices, aux pulsions. Merci Freud, l'addition et à la prochaine ! songea Ludivine avec amertume.

Maintenant que le monde s'était globalisé, que tout le système était interdépendant, qu'une épidémie financière ou sociale en France ou aux États-Unis pouvait se propager en un rien de temps à travers toute la planète, alors il pouvait agir. Tirer les ficelles qu'il avait si soigneusement mises en place. Pour proliférer, le chaos n'avait eu qu'à attendre. Le meilleur tour du diable avait été de se ranger dans l'ombre de notre évolution et d'attendre. Et maintenant qu'une poignée de dingues se rassemblait pour semer la terreur, la patience du diable allait payer. Car la planète n'était plus qu'un vaste jeu de dominos.

– Voilà que je me mets à penser comme s'il existait, se morigéna la jeune femme à voix haute en posant sur la table de la cuisine les sacs du restaurant chinois où elle avait acheté son dîner sur le chemin du retour du bureau.

Elle qui n'était pas croyante pesait toutefois l'importance de ce discours. Comment maintenir une moralité forte, une éthique individuelle saine dans une société dont le vernis de la cohésion se morcelait ? La religion avait longuement pallié ce problème, lorsqu'un système, aussi injuste ou peu rassurant fût-il, ne se suffisait plus à lui-même pour maintenir la paix sociale et l'adhérence du plus grand nombre, alors demeurait la crainte du sort de son âme : la nécessité d'être bon avec autrui, de suivre des règles, d'obéir, de respecter, de vivre avec des principes dans la peur de l'au-delà, de la suite... Mais maintenant que le monde tanguait, que la religion ne suffisait plus à imposer des codes de vie en communauté, que pouvait-il arriver ?

Ludivine préféra ne pas se l'imaginer. Ils n'en étaient pas là, du moins pas encore. Elle l'espérait.

Après son repas, elle jeta ses barquettes presque vides de riz cantonnais, de salade au poulet et de porc à la sauce aigre-douce dans le sac plastique, fit un nœud avec les poignées et, après avoir hésité, opta pour le descendre directement aux poubelles communes pour éviter de se réveiller le lendemain avec une odeur de plats chinois dans tout l'appartement.

Elle chaussa ses baskets et attrapa ses clés reliées par un écusson des New York Giants, souvenir d'Alexis. Elle eut un pincement au cœur en repensant à lui et sortit précipitamment, dévala les marches quatre à quatre avant de traverser l'arrière-cour pour se débarrasser de son sac.

Il pleuvait encore et elle enfonça son menton dans le col de son large pull en coton, celui qu'elle enfilait pour « traîner » chez elle, en même temps que son bas de pyjama rose Victoria's Secret, le seul truc qu'elle ait jamais acheté dans la célèbre boutique de lingerie américaine. Un pyjama, trop grand d'au moins une taille, là où la plupart des filles s'empressaient d'investir dans des soutiens-gorge push-up ou à dentelle et dans des strings affriolants ou des bustiers sexy.

Ces connasses ont un mec pour en profiter, c'est ça le secret.

À l'abri sous le local des poubelles, Ludivine guetta la pluie qui tombait dru. La nuit commençait à encrer le ciel comme s'il s'agissait d'un immense coloriage, sans s'embarrasser de nuances, en débordant allègrement, noyant les étoiles les plus éloignées, tombant sur la ville, et la jeune femme supposa que la nuit devait être un enfant en bas âge.

*C'est pour ça que l'homme n'a jamais été à l'aise après le cré-
puscule. Il a trop peur de se faire écraser. Nous ne sommes que des
microbes insignifiants sous ses coups de crayon répétitifs. Un trait
de trop, une bavure et le cosmos avalerait l'humanité tout aussi
facilement qu'un bébé marche sur une fourmi.*

Décidément, elle était d'une humeur joyeuse ce soir !

La pluie n'allait pas se calmer de sitôt, aussi Ludivine traversa
la cour à grandes enjambées pour remonter s'enfermer chez elle.

Elle lança la bouilloire électrique, se prépara une tisane et fit
couler l'eau chaude de son bain.

*Est-ce que boire une tisane avant de se coucher fait de moi une
vieille fille ?*

Ludivine s'en amusa. Non, tant qu'elle ne vivait pas seule
avec un chat, des peluches sur son lit, toute la collection de
Whitney Houston et le DVD usé des *Oiseaux se cachent pour
mourir*, elle s'estimait protégée. Pour l'heure, elle n'était qu'une
énième catherinette de bientôt trente-trois ans.

C'était préférable à aller s'imbiber d'alcool pour finir par
ramasser le premier mec mignon qui passait et se réveiller avec
la gueule de bois. De toute manière elle n'était absolument pas
d'humeur à s'habiller et à sortir.

Elle pouvait aussi retourner à la caserne et tirer le *Necronomicon* de son tiroir pour le lire plus en détail mais cette idée lui
déplut. Elle n'avait pas le courage. Pas ce soir. Et puis à quoi
bon ? C'était un baragouinage incompréhensible et elle n'avait
pas du tout envie d'aller se plonger dans la tête nébuleuse de
HPL. Elle avait bien assez fait parler le livre, il n'était désormais
plus qu'une pièce à conviction parmi d'autres et il allait falloir
l'archiver.

Elle ingurgita sa tisane et fila jusque dans la salle de bain.
Elle hésita à prendre son téléphone portable pour se promener
sur Twitter puis renonça, rien que l'eau chaude et la mousse
pour la détendre. Ses vêtements formèrent un tas informe à
ses pieds et elle plongea un orteil dans le bain pour s'assurer

qu'elle n'allait pas s'ébouillanter. La chair de poule souleva le fin duvet blond de ses cuisses.

Lorsque tout son corps s'immergea, un frisson d'euphorie la parcourut et déjà les premières vertus du bain l'inondèrent. Sa tête se posa sur le rebord et ses muscles se délassèrent comme par magie.

L'eau coulait toujours, son bouillonnement produisant encore plus de mousse. L'odeur de la vanille envahissait les narines de Ludivine.

Le visage déformé par la terreur des deux amoureux lui revint en mémoire.

C'est plus le moment. Il faut que j'apprenne à me réserver des zones de confort mental, des bulles rien qu'à moi.

Elle repoussa ces images entêtantes. Finalement elle regretta de ne pas avoir pris son téléphone avec elle. Elle avait recréé un compte sur Twitter après avoir effacé le sien l'année précédente, estimant les réseaux sociaux trop chronophages, avant de finalement céder à nouveau à la tentation, mais avec plus de modération qu'auparavant. Où était son téléphone déjà ? Dans la chambre, trop loin. Tant pis...

La forêt dansait sous ses paupières mi-closes. Avec le cri de ses corbeaux gourmands. L'agitation de tous les flics. Et les deux morts.

Putain, lâche du lest, détends-toi un peu !

Elle ne parvenait pas à décrocher. Elle tournait en boucle.

Le tueur n'avait pas fait les choses à moitié. Il avait pris le risque de transporter ses victimes plutôt que de les abandonner chez elles ou dans un fossé, loin de tout regard. Non seulement il était sûr de lui, mais en plus il voulait qu'on le sache bien. Il voulait exister. C'était son coming-out officiel. Jusqu'à présent il s'était toujours exercé dans son coin, tuant chez ses victimes mais cette fois il donnait dans la démonstration. Pire, il narguait les autorités. Lorsque Ludivine était allée interroger les ASPTS pour savoir ce qu'ils avaient relevé comme indices, ils lui avaient expliqué que le tueur se fichait d'eux. D'abord, il avait pris soin de porter des chaussures à semelle parfaitement lisse pour ne laisser aucune empreinte identifiable, mais en plus il en avait deux de tailles différentes, pour empêcher qu'on découvre sa véritable pointure. Et, cerise sur le gâteau, il avait laissé des traces de pas de... cerf. Ludivine n'avait pas tout de suite compris ce que les agents lui racontaient avant qu'ils ne précisent : des empreintes d'animal longeaient le chemin du chariot aux côtés des marques humaines. L'un des techniciens avait d'abord songé à celles d'un chevreuil avant que son collègue ne lui fasse remarquer que c'était trop gros, ça ne pouvait être qu'un cerf.

Sur le coup, cela n'avait pas parlé à Ludivine. Mais c'était là un signe étrange. Pourquoi le tueur s'était-il amusé à marquer le sol ainsi ? En soi, ce n'était pas très compliqué à faire, un bâton bien taillé en forme de sabot à deux ongles et le tour était joué, il suffisait de le planter dans la terre meuble en marchant. La raison d'un tel stratagème intriguait Ludivine tout en la dépassant.

Maintenant qu'elle y repensait, l'hypothèse du cerf s'éloignant, un autre animal lui vint à l'esprit.

Un bouc.

Ne dit-on pas que le diable a les pieds fourchus ?

C'était tout de même un peu tiré par les cheveux... Pourquoi s'embarrasser d'une telle mise en scène ? Il savait bien que personne ne serait dupe.

Pour aller jusqu'au bout de son rôle. Pour semer le doute dans les esprits les plus fragiles. N'est-ce pas ce qu'il fait depuis le début ?

Il y avait du vrai là-dedans...

Il aime les artifices, il veut donner corps à la légende. Le diable a assez attendu en coulisse, à présent il veut remonter sur le devant de la scène.

Brusquement Ludivine comprit le message du tueur.

Le diable accompagne *un homme. Il marchait* à côté *du porteur de cadavres. Il est celui qui chuchote à l'oreille des tueurs.*

Mise en scène jusqu'au bout.

L'eau coulait encore, emplissant la salle de bain de vapeur, couvrant les miroirs d'une pellicule trouble.

Ludivine se rendit compte que les bienfaits de son bain allaient s'envoler avec ses pensées. Elle devait se forcer à décrocher. Avisant son vieil iPod posé avec ses écouteurs sur une étagère entre deux flacons de produits Lush, Ludivine tendit le bras, dans un équilibre précaire, et parvint à l'attraper avant de se rallonger.

Le casque en place, elle pressa le bouton de lecture et *Sing for the Moment* d'Eminem se déversa dans ses oreilles. Une chanson de circonstance. C'était parfait.

À mesure que le rappeur de Détroit crachait ses rimes et que la musique montait en puissance, Ludivine se laissa glisser plus encore dans l'eau chaude. Le robinet continuait de remplir la baignoire mais elle ne l'entendait plus, elle ne la voyait plus non plus. Elle s'abandonnait enfin au repos. Elle vagabondait loin dans la musique, dans les protestations de sa chanson, le *beat* comme un métronome hypnotique, les riffs de la guitare tel un souffle qui l'expédiait loin, très loin.

Loin du grand miroir qui surplombait le lavabo.

Ce même miroir à travers lequel apparut lentement, très lentement, une immense tache noire.

Celle-ci s'étira jusqu'à dépasser le miroir, et *sous* la couche de buée qui le recouvrait, elle se mit à bouger.

Elle entrait dans la salle de bain, sans un bruit.

Et elle s'approcha de Ludivine.

Mais la jeune femme ne pouvait la voir, elle lui tournait le dos, les paupières fermées, l'esprit emporté par la musique.

La tache déplia ses bras, et quelque chose dans l'ombre s'étira jusqu'à former un croissant de lune.

L'ombre souriait.

39.

La musique retombait peu à peu.

Ludivine devina à nouveau le bruit de l'eau qui coulait dans son bain, elle sentait les remous sur sa main droite, immergée, et la mousse qui continuait de grimper sur ses seins, dépassant ses épaules.

Chanson suivante. *Again*, d'Archive. Exactement ce dont elle avait besoin.

Ludivine sentait le délassement s'installer, les prémices du sommeil fourmiller depuis ses membres jusqu'à sa conscience.

Une silhouette se tenait juste derrière elle dans la salle de bain.

Probablement un homme, vêtu de noir, lèvres retroussées en un sourire pervers sous la capuche tendue sur son crâne. Il leva les mains, les agita lentement au-dessus de la tête de la jeune femme.

Ses doigts frôlèrent ses mèches de cheveux blonds.

Le sourire s'élargit encore. Au comble de l'excitation.

Une main descendit tout doucement le long de son cou, sans la toucher, elle s'arrêta un instant et fit mine de serrer pour étrangler, puis reprit sa route, à plat, jusqu'à passer sur la poitrine de Ludivine. Là, la main remonta, à peine à quelques centimètres de sa peau, effleurant les pics de mousse, et enveloppa le téton comme si les doigts s'apprêtaient à le pincer.

D'un geste brusque, la main fit semblant de le presser et de le retourner à l'instar d'une clé qui bascule dans une serrure pour ouvrir un verrou.

Le cœur de Ludivine était déverrouillé.

La jeune femme gardait les yeux fermés, tout entière absorbée par les arpèges de guitare et les premières notes de basse, envoûtantes, qui apparaissaient. Elle ne devinait rien, trop épuisée, trop enfoncée dans sa quiétude, isolée du monde par le casque sur ses oreilles.

Et l'homme prenait soin de ne pas se mettre entre les spots du plafond et le visage détendu de sa proie.

Sa main resta un moment au-dessus du cœur de Ludivine, avant de poursuivre sa descente.

Et lentement, très lentement, elle plongea à travers la mousse tiède, puis dans l'eau chaude, pour prolonger la caresse. Il glissa juste au-dessus du nombril, manqua de toucher le ventre de Ludivine avant de continuer jusqu'à la naissance des poils de son pubis. Là, ses doigts se crochetèrent comme pour saisir la jeune femme par son sexe et la main ondula délicatement pour mimer une flatterie étrange et obscène.

L'individu était d'une discrétion exceptionnelle. Il prêtait attention à chaque détail de la lumière, aux mouvements de son bras, à la position de son visage pour que son souffle, qui s'accélérait, ne puisse atteindre Ludivine.

Lorsqu'il s'estima satisfait, l'homme recula furtivement et fit tomber ce qui lui servait de veste, capuche comprise. La peau de son torse nu luisait sous l'éclairage moite de la salle de bain.

Le sommeil envahissait progressivement tout l'être de Ludivine, son cœur battant de plus en plus calmement, sa respiration se faisant plus posée, mais malgré tout, elle ne partait pas. Était-ce le danger potentiel que représentait le bain ? On lui avait toujours dit que s'endormir dans sa baignoire était à proscrire. Était-ce vrai ? Pourtant elle se sentait si bien...

Ses narines s'étaient habituées au parfum de vanille du bain moussant, cependant quelque chose de nouveau capta son attention. Une odeur plus forte, plus... désagréable.

Un parfum fort, acide. Agressif. Celui d'une allumette qui vient de s'embraser...

Le soufre.

Ludivine, interloquée, ouvrit les yeux.

Il était là, juste au-dessus d'elle.

Le diable.

Ses yeux flambaient d'une lueur ardente et ses crocs se devinaient à travers le rictus qui la dominait.

Il transpirait, des flammes dansantes sur les bras. L'odeur de soufre devint alors insupportable.

Le cœur de Ludivine subit une accélération féroce, lui dévorant toute la poitrine, provoquant une douleur terrible. La jeune femme voulut jaillir de son bain mais ses membres étaient figés. Par la surprise, par la peur. Elle voulut crier mais une main chaude se plaqua contre sa bouche et le visage du diable s'approcha, avec ses yeux comme des braises dangereuses.

Il ouvrit la bouche et un fourneau apparut, tout au fond de sa gorge. Le foyer de l'enfer crépitait. Son haleine soufreuse l'étourdit quand il lui murmura d'une voix gutturale :

– Laisse-toi aller à moi, laisse ton instinct te commander, obéis à tes vices, ils sont ce qui fait de toi un être humain et non un animal, écoute-les. Tes vices te rendent supérieure.

Ludivine hurla. Au moins intérieurement.

La peau du diable brillait, elle scintillait, couverte de mille diamants.

Et dans sa poitrine, la jeune femme sentait son cœur se tordre de douleur tant il accélérait.

Le diable posa alors un index terrifiant sur ses lèvres et dit :

– Non, pas maintenant. Il n'y a pas de gagnant sans adversaire, pas de spectacle sans spectateurs. Tu dois rester. Mais tu m'appartiens désormais. Tu seras à moi. Bientôt.

Ludivine voulut se débattre et elle ne parvint qu'à éclabousser les murs en cherchant à sortir de l'eau, projetant des nuages de mousse dans toute la salle de bain.

Le diable se redressa. Ses cordes vocales vibraient comme si elles provenaient d'un autre monde, lointain, sinistre :

– Je suis en toi. J'ai ouvert ton cœur, j'ai flatté tes entrailles. Tes vices sont ma porte. Tu m'appartiens. Ne l'oublie jamais.

Il recula et Ludivine puisa dans ses forces pour jaillir hors de l'eau, toutes griffes dehors. Sa poitrine n'était plus qu'une caisse de résonance à la douleur. Elle se consumait de l'intérieur, elle s'embrasait.

Elle tituba sur deux mètres avant de glisser sur le carrelage trempé.

Lorsque le monde bascula brusquement, tout ce qu'elle vit fut le diable qui reculait dans les ténèbres, un sourire terriblement cruel sur ses dents effilées.

Ludivine heurta violemment le rebord du lavabo et s'effondra.

Dans l'obscurité du couloir, deux lueurs brillaient d'un rouge ardent.

Les paupières du diable clignèrent et les flammes s'évaporèrent.

40.

Les pires cauchemars sont ceux que l'on vit éveillé. Ludivine hurlait. Un cri silencieux.

Elle se débattait avec son propre corps pour qu'il lui obéisse, pour en reprendre le contrôle. Tout son esprit mobilisé, parfaitement conscient, emprisonné dans son enveloppe de chair, elle assistait à son agonie sans parvenir à l'en empêcher.

La jeune femme respirait de moins en moins bien et la chaleur lui cuisait les pieds. Les flammes rongeaient son appartement, elles gagnaient en intensité.

Elles ondoyaient furieusement, des danseuses infernales détruisant tout sur leur passage, trémoussant leurs courbes ardentes de mur en mur, enjambant les meubles, léchant la moquette et le carrelage. Leur lumière était presque envoûtante, d'un carmin tirant sur le pourpre qui coffrait un cœur d'or. Et de leurs bras tendus vers les cieux jaillissait leur offrande à la mort : une chevelure d'encre qui tapissait les plafonds jusqu'à redescendre délicatement le long des angles pour saturer chaque pièce de leur létale présence.

Les flammes étaient des Gorgones, comprit Ludivine, envoyées par le diable.

Malgré tous ses efforts, la jeune femme ne parvenait pas même à bouger une main. Rien. Elle était totalement paralysée.

Et aveuglée. Quelle lumière. Quelle flamboyance.

Quelque chose tomba dans son dos, là où le feu n'était pas encore parvenu. Elle n'était pas seule. Le diable n'avait pas quitté les lieux ! Elle devina sa présence le long de son échine, il se penchait sur elle. Toutes les images les plus absurdes qu'elle avait de l'intrus lui revinrent en mémoire, sa perfidie, sa lubricité, et elle comprit qu'il allait profiter d'elle. Elle gisait nue, couchée sur le ventre, contrainte par son pouvoir, et il allait la violer. La déchirer. Répandre sa perfidie en elle, planter sa semence comme le père Vatec l'avait prophétisé, pour que la graine germe, pour corrompre l'âme de Ludivine, pour que lentement elle bascule sur sa voie, qu'elle sème à son tour le chaos, qu'elle serve ses sombres desseins.

Le cœur de Ludivine battait la chamade, elle manquait d'air.

Et brusquement, les flammes disparurent. En un clin d'œil, elles s'envolèrent, son appartement vacilla et Ludivine perçut la tiédeur de son propre sang sur son visage.

Elle ouvrit difficilement les paupières, aveuglée par les spots de la salle de bain.

Elle grelottait de froid. Combien de temps était-elle restée ainsi ?

Comprenant qu'elle s'était assommée en sortant de sa baignoire, elle eut pour premier réflexe de se recroqueviller, pour se protéger.

Le sol était glacial. Ça devait faire un long moment qu'elle gisait là. Ses tempes bourdonnaient Immédiatement elle se concentra sur son corps, ses sensations, en particulier au niveau du ventre. De son sexe. L'avait-il violée ?

Elle ne ressentait rien.

Un spasme la fit se cambrer et grimacer. Cette fois, d'une voix rauque, elle poussa un grondement incontrôlé puis elle attrapa le rebord de l'évier pour se relever.

Son visage apparut progressivement dans le miroir.

Le sang lui dessinait un masque guerrier d'où émergeaient ses yeux et sa bouche. Sa tempe gauche était un amas de cheveux et de caillots séchés.

Il ne l'avait pas tuée. Non.
Le diable l'avait épargnée.

La respiration profonde de Segnon l'apaisait.
Ludivine se concentra sur le souffle de son ami.
Elle se tenait assise sur le rebord du lit, vêtue de son pantalon Victoria's Secret, de son pull en coton, et sa tête bourdonnait, une poche de glace calée contre la tempe.
– J'ai appelé Lehmann, confia Segnon tout bas. Je me suis dit que tu préférerais que ce soit quelqu'un que tu connais qui t'ausculte.
– Pas besoin, ça va aller.
– Lulu, fais pas l'idiote.
Dans leur dos, plusieurs collègues de la SR se relayaient pour inspecter l'appartement, Magali et sa frange brune en tête, Benjamin le quadra dégarni et Franck à la moustache grise en retrait. Philippe Nicolas, le cocrim, était venu en personne, à 1 heure du matin, pour effectuer les prélèvements scientifiques dès qu'il avait appris la nouvelle, et il badigeonnait le contour de la baignoire avec sa poudre noire et son pinceau à la recherche d'empreintes. Il n'avait pas pris la peine de revêtir une blouse de travail et arborait une de ses chemises colorées habituelles, cachemire Bompard deux fils sur les épaules, lunettes de soleil dépassant de la poche de poitrine comme s'il était midi sur la Côte d'Azur. Tous ces visages familiers rassuraient Ludivine. Elle en avait bien besoin.
– Il..., commença Segnon, mal à l'aise, il t'a...
– Non. Je crois même qu'il ne m'a pas touchée du tout. Peut-être l'index sur les lèvres, mais je ne suis pas sûre. Putain ! ce que j'ai mal au crâne.
– Et tu ne te souviens pas du tout de son visage ?
– Non. Rien.
– À aucun moment il n'a été face à toi ?

– Si, mais il portait un masque, je crois. Je ne sais plus trop. Je crois que... le coup sur la tête. Je suis désolée.

Ludivine ne trouvait pas les mots pour décrire ce dont elle se souvenait *vraiment*. Pouvait-elle réellement parler du diable ? Ils la prendraient pour une folle et accuseraient le coup sur la tempe d'en être responsable. Auraient-ils tort ? Ludivine ne savait plus quoi penser. Elle était au bout du rouleau. Épuisée, mal partout. Était-ce l'effet d'une drogue ? Elle ne se sentait pas bien, nauséeuse, comme un lendemain de beuverie, un goût désagréable sur la langue. Pourtant les analyses toxicologiques sur les cadavres étaient formelles : aucune anomalie et de toute façon il n'y avait aucune trace de piqûre, le docteur Lehmann l'avait certifié et il en irait de même avec elle. Non, ce n'était pas une drogue. Alors quoi au juste ? Qu'avait-elle vu ?

Ludivine ne croyait pas au diable. Pas plus qu'en Dieu.

Pourtant elle n'avait aucune explication.

– Tu sais comment il est entré ? demanda Segnon.

– Il a crocheté la serrure, annonça Magali sur le seuil de la chambre. Il y a des éraflures sur le bord du barillet.

– Et en bas ? Pour franchir le digicode, il n'a pas pu rester dix minutes à s'acharner sur la porte sans que quelqu'un ne le remarque, espéra Segnon tout haut.

– Tu parles ! Comme tout bon pervers, il aura acheté une clé T-10 sur Internet, les clés de facteur qui ouvrent toutes les portes d'immeubles, ou un badge Vigik, s'il est débrouillard, c'est pas difficile. C'est comme le crochetage, avec tous les manuels et le matos qu'on trouve en vente sur Internet, c'est le paradis des voleurs.

– Philippe a inspecté les montants au niveau de la porte ? s'enquit Segnon.

– Oui, c'est fait. Pas mal de traces, on verra si elles n'appartiennent pas toutes à Ludivine. Lulu, tu te souviens s'il portait des gants ?

– Non, je ne crois pas. Il était... torse nu, il me semble. Je me souviens plus très bien, c'est que des images un peu... floues.

Et de fait, elle n'avait aucun souvenir précis, seulement un film à la bande usée, sautant, comme si sa mémoire ne parvenait pas à faire le point.

Une drogue aurait pu me donner cette impression...

Pas de produits dans le sang des morts. Pas de trace de seringue.

Ou un choc sur la tête, une altération de la mémoire.

Choc post-traumatique. Cela perturbait souvent les souvenirs d'une agression chez les victimes.

Ludivine se rendit compte qu'elle réagissait par analyse, presque avec une certaine distance vis-à-vis d'elle-même. Ses émotions étaient confuses, en partie enfouies sous un bloc résistant de déni. Elle ne réalisait pas *tout à fait* ce qu'elle venait de vivre. Elle en était simple spectatrice, pas vraiment actrice. Et pourtant elle ne se sentait pas bien du tout.

Magali entra dans la chambre et s'agenouilla pour être au même niveau que sa collègue.

– Tu as fait un tour des lieux, il t'a rien piqué ?

Ludivine secoua la tête.

– Non, rien, il est juste venu pour moi.

– On va se le faire, certifia Segnon, et je peux te dire que l'interpellation sera musclée, qu'il le veuille ou non. Il va trébucher contre les murs.

Magali insista :

– Tu es sûre ? C'était toi qu'il voulait ?

– Oui.

– Putain de pervers. Je vais tout de suite demander au Quai des Orfèvres s'ils ont eu un violeur nocturne ces derniers temps.

– Cherche pas de ce côté, fit Ludivine en la retenant. C'est pas ça. C'est *lui*, Magali. C'est le type qui est derrière toute notre enquête.

Magali et Segnon se regardèrent. Lui semblait nettement moins surpris qu'elle.

– Tu crois pas que ce serait un peu... je sais pas, *too much*? fit la brune. Il n'a aucune raison de venir te provoquer à ce point, c'est un risque beaucoup trop grand.

– Il aime le risque, c'est le piment de son existence. Il nous l'a déjà prouvé avec ses crimes. C'est le même mode opératoire : il est entré sans rien casser, il m'a surprise et...

Ludivine serra les mâchoires pour retenir une bouffée d'émotion qui remontait de très loin au fond d'elle. Elle attendit qu'elle passe, de refermer les écoutilles, pour finir sa phrase :

– Il m'a foutu une peur de tous les diables.

Des larmes voilaient sa vision.

– Mais on t'a pas retrouvée morte, le visage congestionné par la terreur, fit remarquer Segnon.

– Je crois qu'il ne voulait pas me tuer. Il me semble qu'il a dit quelque chose dans ce genre. C'était...

– Une sorte d'avertissement ? proposa Magali.

Ludivine approuva en reprenant le contrôle, en étouffant les sentiments qui lui vrillaient les intestins.

– Plutôt une provocation. Un défi. Prouver qu'il nous est supérieur. On dit souvent que les tueurs en série finissent par commettre une erreur, presque volontairement, se faire attraper, parce qu'ils ont besoin qu'on reconnaisse ce qu'ils ont fait, leur « génie ». Beaucoup de chasseurs qui collectionnent les trophées ne le feraient pas si personne ne pouvait les contempler. Il y a un peu de ça chez certains tueurs. Souvent les plus égocentriques, les plus sûrs d'eux. Ils finissent par avoir besoin d'étaler leur force, leur intelligence mais comme ils ne veulent pas se faire pincer non plus, ils jouent avec les flics ou les journalistes. C'était le cas de Jack l'Éventreur ou du Zodiac. Je crois que c'est un peu ça avec lui. Il ne veut pas qu'on l'arrête, pourtant il veut exister, alors il vient directement me provoquer, chez moi.

– Comment saurait-il que c'est toi qui conduis l'enquête ? s'étonna Magali. Tu n'as fait aucune conférence de presse. Au mieux le tueur peut savoir que c'est la SR de Paris qui le traque, c'est plutôt le colon qui devrait être sa cible, le patron.

– Non, comprit Segnon, des photos de Lulu ont circulé à la télé, sur BFM et i-télé. Les médias ont fait le rapprochement avec l'enquête sur Brussin et compagnie. Après, c'est pas très compliqué de retrouver son nom. Avec un peu de jugeote, tu remontes jusqu'à elle et tu peux trouver son adresse.

– Il y a une autre hypothèse, songea Ludivine à voix haute

– Laquelle ?

– Que ce soit quelqu'un que j'ai rencontré lors de l'enquête.

Les trois gendarmes s'observèrent en silence.

Segnon finit par poser la main sur le genou de sa partenaire et, d'un air déterminé, il affirma :

– On va le choper, Lulu.

Ludivine approuva d'un hochement du menton. Ses tempes pulsaient douloureusement.

– Il vient toujours, Lehmann ? interrogea-t-elle.

– Il ne devrait plus tarder. Tu veux qu'on t'emmène à l'hôpital pour aller plus vite ? s'alarma Segnon.

– Non, non, ça va aller. J'ai un service à lui demander.

Sur le seuil de la chambre, Philippe Nicolas apparut, les cheveux toujours impeccablement lissés en arrière.

– Euh, les amis, j'ai un problème.

– Tu as quelque chose ? s'impatienta Magali.

– On peut dire ça. Une empreinte au sol. Il l'a laissée en marchant dans l'eau, sur le carrelage de la salle de bain. C'est une belle trace de pas.

– Et tu ne peux pas la relever ?

– Si, ça devrait pas être compliqué.

– Alors c'est quoi le souci ? demanda Segnon.

– C'est la nature de l'empreinte. Ce sont deux grosses virgules parallèles, longues comme un pied humain. En fait, je crois que c'est une énorme empreinte de chèvre.

Ou de bouc, pensa Ludivine.

41.

Le monde perdait la foi.

Ça se voyait à l'attitude des gens dans la rue. Plus personne n'avait de bonté pour son prochain. On laissait moins souvent passer son voisin de caisse sans rechigner. On ne tenait plus beaucoup les portes. On ne se faisait plus cadeau de quelques centimes chez les commerçants lorsqu'il manquait le compte. L'amabilité dans la rue n'était plus ce qu'elle était autrefois. Il suffisait de prendre le métro à Paris pour s'en rendre compte, une véritable bataille pour sortir, les usagers cherchant à s'engouffrer sans même laisser les autres sortir. Et au volant c'était pire encore ! Et que dire du manque de sourires ou d'actes purement gratuits, purement altruistes ! Non, vraiment, le père Simon Vatec en était convaincu, au-delà du dépeuplement des églises, les réactions du quotidien le prouvaient, la France et certainement beaucoup d'autres nations industrielles avaient de moins en moins la foi. Les gens se repliaient sur eux-mêmes, sur leur égoïsme. Sur leur peur.

Cette peur dangereuse, berceau de toutes les folies, des pires tentations, source des désespoirs, des extrémismes.

Le père Vatec en voulait encore pour preuve l'embrasement qui ne cessait de guetter le pays et qui agitait ses premiers signes depuis plusieurs jours. Cette nuit encore, plus de voitures avaient flambé que durant la Saint-Sylvestre, toutes les radios en parlaient. Les « banlieues », disaient-ils, glissaient sur cette vague d'indignation, ces actes de déraison, et les « jeunes » sortaient allumer leurs incendies, autant de signaux de détresse. Vatec, avec son esprit chrétien, considérait le vandalisme comme un appel à l'aide masqué, et en cela, il le savait, nombre de ses fidèles ne partageaient pas sa clémence.

Il marchait en longeant les façades. À son âge, il était préférable de ne pas trop s'approcher de la chaussée, une maladresse était vite arrivée et il n'avait pas très envie de passer sous les roues d'un autocar. Il vérifia qu'il avait bien emporté dans son cabas la liste de ses commissions. Les premiers boulistes du square André-Ulmann se rassemblaient déjà, insatiables, partageant leur bonne humeur matinale de leurs voix sonores. Vatec parvint au boulevard Berthier en même temps que la foule des heures de pointe et son trafic sauvage. Les piétons étaient aussi nombreux que les voitures et les cyclistes sur leurs vélos formaient eux aussi une cavalerie immense dont il fallait se méfier en regardant à droite et à gauche avant de traverser. Personne ne respectait plus les sens uniques et les limitations de vitesse.

Le père Vatec repensa à cette jeune femme blonde qui était venue le voir en pleine nuit dans son église. Une policière. Non, une gendarme. Une fort jolie gendarme, qu'il aurait aisément pu confondre avec une tentation envoyée par le diable s'il avait eu quarante ans de moins. Mais Dieu avait bien fait les choses : si en vieillissant il devenait plus aisé de résister aux tentations c'est parce qu'elles n'avaient plus beaucoup d'emprise sur le corps. C'était la preuve qu'il existait une âme bien distincte du corps. C'était l'âme qui donnait à l'homme sa supériorité sur les animaux, cette même âme qui lui conférait sa spiritualité tandis que la chair, elle, concentrait toute la nature bestiale de l'humain. Finalement, ce que l'homme avait de plus imparfait, de plus faillible, c'était son enveloppe. C'était pour elle qu'il se perdait parfois dans les plaisirs, dans les vices. L'âme, elle, survolait cela. Il le constatait à présent, avec l'âge. La luxure, pour un prêtre, est un combat de tous les jours au début, qui perd en vigueur au fil des années, le corps vieillissant. Il en allait ainsi avec la majeure partie des péchés capitaux. Toutefois, Vatec se devait d'être honnête avec lui-même, la gourmandise demeurait, chez lui, une tentation encore régulière. Il en fallait bien une.

Lieutenant à la section de recherches, se souvint alors le prêtre. Mais il ignorait son nom. Le lui avait-elle seulement communiqué ? Il n'en était pas sûr...

Vatec espérait qu'elle comprenait ce qui se passait en suivant les informations. Que son discours résonnait en elle. C'était important.

Avait-elle trouvé les hommes qu'elle recherchait ? Les serviteurs du malin...

Vatec s'immobilisa devant un passage piéton. Le bonhomme était rouge et il se demanda s'il fallait y voir un signe.

De l'autre côté du boulevard, un homme déambulait d'une démarche erratique, le nez en l'air. Il ne semblait pas dans son assiette, songea le prêtre.

Le trafic, toujours aussi intense, empestait.

Vatec vit alors l'homme en face bifurquer et s'engager sur la rue tandis que les voitures circulaient. La densité du trafic ne leur permettait pas d'aller à vive allure, toutefois c'était déjà bien assez pour le faucher et Vatec leva le bras en criant pour attirer l'attention du malheureux.

L'homme ne le voyait pas. Un individu aux cheveux tirant sur le roux, un peu dégarni, avec des bouclettes au-dessus des oreilles et une barbe d'une semaine au moins. Sa tenue n'était pas très académique, un gilet de laine sur une chemise dont les pans dépassaient de son pantalon de jogging et des baskets non lacées.

Une voiture freina au dernier moment en le voyant surgir et se mit à klaxonner frénétiquement. L'homme s'immobilisa face à la conductrice. Il pencha la tête bizarrement, comme s'il voyait une voiture pour la première fois, puis s'approcha lentement de la portière. La conductrice semblait l'insulter mais elle ne baissa pas sa vitre et l'homme commença à gratter le carreau avec ses ongles comme s'il voulait passer les doigts au travers. C'était tout à fait étrange, s'étonna le père Vatec. De là, il pouvait le voir, cette façon d'écraser le bout de ses doigts, de faire crisser ses ongles sur la vitre, n'avait rien de naturel. C'était même très dérangeant, et il devinait sans peine le grincement horripilant que cela devait produire.

En avisant le regard rougi de l'homme et sa tête penchée sur le côté, Vatec comprit qu'ils avaient affaire à un drogué. Assurément.

La conductrice sembla en prendre conscience et se tut en cherchant à réenclencher une vitesse pour partir, mais entre-temps un camion avait déboîté pour prendre place devant elle et un feu rouge plus loin créait un embouteillage, l'empêchant d'avancer.

L'homme continuait à gratter le verre de la fenêtre et Vatec se demanda s'il n'allait pas finir par parvenir à l'éroder, non sans s'ouvrir la pulpe des doigts au passage.

Puis un homme en costume passa à leur niveau sur son vélo et dut ralentir. Il ne devait pas avoir plus de trente ans et une sacoche lui ceignait le torse.

Le drogué eut un surprenant réflexe pour quelqu'un dans sa condition. Il saisit le cycliste au passage en le prenant par les épaules et la bandoulière et le fit tomber sur le côté. Probablement choqué, le jeune cycliste ne cria pas et à peine tenta-t-il de se redresser que le drogué lui enfonçait ses doigts dans les orbites.

Cette fois, le jeune cadre hurla tandis que son œil droit cédait dans un bruit mou et qu'un sang grumeleux s'écoulait sur son visage.

Le drogué grognait comme une bête tout en secouant la tête du malheureux dans tous les sens : un rugissement de rage et de satisfaction mêlées.

Vatec, comme tous les autres passants, demeurait figé par la stupéfaction.

Le drogué se pencha et mordit à pleines dents la joue de son prisonnier qui tenta vainement de se défaire de l'étau qui l'enserrait.

Lorsque le drogué rejeta sa victime en arrière, du sang lui dégoulinait sur le menton, un fragment de chair entre les dents, et une expression démente lui déformait les traits. Il attendit un moment en regardant autour de lui, comme halluciné, puis il se jeta sous les roues du bus qui passait près de lui.

Le choc résonna dans toute la rue, un son sec, celui d'une multitude d'os qui craque au milieu de muscles tendus et d'environ cinq à six litres de liquide.

Vatec avait fait quelques pas en arrière sans même s'en rendre compte.

Cette fois il n'y avait plus aucun doute.

L'heure de l'apocalypse avait sonné.

42.

a meilleure arme contre la peur est l'action.

C'était la conviction de Ludivine.

Elle refusait de rester inactive, cloîtrée dans son appartement à se « reposer », en réalité ruminer encore et encore ce qu'elle venait d'affronter. Ou plutôt de subir. C'était cela le pire pour elle. Avoir été passive. Incapable de résister, d'affronter son adversaire. Et sans les cachets laissés par le docteur Lehmann, Ludivine savait qu'elle en aurait fait des cauchemars jusqu'au petit matin.

Mais cinq heures de sommeil chimique plus tard, avec Benjamin comme garde du corps étalé sur le sofa du salon, Ludivine se sentait un peu mieux. Certainement pas la grande forme, mais prête à retourner au boulot. Pourtant, elle dut perdre deux heures et demie pour effectuer une visite de contrôle à l'hôpital Bichat, escortée par Benjamin sur ordre du colonel Jihan. Un examen rapide, pour s'assurer qu'elle était apte, physiquement, à reprendre du service. Tension, check-up extérieur et radio du crâne lui furent imposés : tout allait bien.

Esquiver les journalistes qui guettaient en bas de la caserne fut plus simple qu'éviter ses collègues. La nouvelle s'était vite propagée.

Le colonel Jihan fut le plus problématique. Il était autant inquiet que fou de rage à l'idée qu'on ait pu s'en prendre à l'un des membres de son équipe. Et il fulminait encore plus de ne pas avoir été prévenu la nuit même. Ludivine refusa de déménager provisoirement et s'opposa catégoriquement à une escorte en bas de chez elle, mais ils conclurent : Benjamin veillerait sur elle en squattant son salon. Les autres membres de la cellule 666 avaient tous des familles qu'ils ne voulaient pas quitter, surtout pas après la nuit dernière. Jihan évoqua un court moment l'idée de se dessaisir de tous les dossiers pour protéger ses équipes, avant de revenir en arrière. Chacun veillerait sur les siens et, en accord avec la police locale, ils allaient multiplier les rondes en bas des immeubles de chaque gendarme qui n'était pas domicilié dans la caserne, soit quatre personnes de la cellule. La gendarmerie ne pouvait pas reculer face au premier déséquilibré venu, même s'il s'en était pris à l'un d'eux. *Encore plus* s'il les attaquait. Jihan voulait à présent que la moitié des effectifs de la SR travaille à temps complet pour la cellule 666.

La réunion prévue pour le matin même fut reportée au lendemain et Ludivine mit vingt minutes à gagner son bureau, obligée d'écouter les mots de soutien de chacun.

Segnon la prit dans ses bras sans rien dire et Ludivine se laissa aller à l'étreinte. Venant de lui, c'était un geste qu'elle pouvait accepter. Plus encore, il lui fit du bien.

Guilhem, les pieds sur son bureau, jouait avec sa cigarette électronique quand elle entra.

– Je crois que je commence à te connaître, alors sache que ce n'est pas de l'indifférence vis-à-vis de ce que tu viens de vivre, bien au contraire, mais je crois que tu préféreras que je fasse comme si de rien n'était, pas vrai ? Donc je vais juste te parler boulot. Et si tu veux en causer, je suis là. OK ?

Ludivine se contenta de lever le pouce et se laissa tomber sur sa chaise. Elle était harassée alors qu'il n'était même pas midi.

Étrangement, elle ne se sentait pas aussi mal qu'elle l'aurait pensé. Ses souvenirs de l'agression demeuraient flous. Certes elle n'était pas en grande forme, il lui arrivait de frissonner sans raison, d'avoir des flashs glaçants, mais la phase de choc et de prostration était passée. Une force la maintenait debout. Une colère.

La rage d'avoir subi.

Et cette dernière maintenait les émotions à distance pour la laisser agir. Pour chercher vengeance. Pour régler ses comptes. *Et ensuite ?*

Ludivine préféra ne pas y penser. Tant qu'elle tenait debout, tant qu'elle pouvait bosser, le reste ne l'intéressait pas.

Elle appela Sébastien Vasseur au SRPJ de Versailles pour faire le point sur le couple de la forêt de Saint-Germain-en-Laye.

– L'identité n'a pas été longue à tomber, commença-t-il. Frédéric Niclot et Albane Poqueton, vingt-neuf et vingt-sept ans. On a trouvé leurs papiers sur eux à leur arrivée à l'institut médico-légal de Garches.

– Quand les autopsies auront-elles lieu ?

– Ils sont un peu saturés en ce moment, donc pas avant lundi, je pense.

– Tenez-moi au courant pour les résultats de la toxicologie.

– On devrait y trouver quelque chose pour expliquer leur mort ?

– J'ai bien peur que non, mais dites-moi si jamais il y a une bonne surprise.

– Je croise les doigts. Nos deux tourtereaux ont disparu depuis cinq jours, semble-t-il, au moins. Les collègues de Pontoise ont enregistré la plainte des parents de la fille pour disparition inquiétante, compte tenu de l'absence des deux jeunes, de leur voiture présente à leur domicile et du chien qui était resté enfermé dans la cuisine, ce qui n'est pas du tout leur genre. Ils ne se sont plus présentés à leurs boulots respectifs depuis samedi, lui devait travailler chez Décathlon samedi après-midi et elle ne s'est pas présentée à son poste de serveuse samedi soir. Vus pour la dernière fois jeudi soir par un couple d'amis. Le lendemain, ils ne travaillaient pas, donc personne ne sait s'ils ont disparu vendredi ou samedi.

– Quel genre de chien ?

– Je sais pas, c'est pas précisé. Sinon leur identité était déjà entrée dans le FPR[1].

– Vous en savez plus sur eux ? Est-ce qu'ils pratiquaient un sport ? Une activité ensemble ?

– Laissez-moi un peu de temps. Je peux au moins vous dire qu'ils n'avaient pas de casier. Mes collègues sont en route pour annoncer le décès aux familles, et moi je vais aller à leur domicile. Ils vivaient à Ennery, un bled du Val-d'Oise. Je vous dirai pour le chien. Sûr que si c'est un pitbull, ça limite les probabilités qu'on soit venu les agresser chez eux.

– Je prends aussi toutes les infos sur leur domicile : isolé ou pas, impasse ou route passante, alarme...

– Vous en faites pas, je suis du genre méticuleux. Je vous expédie la copie de toutes mes notes.

Ludivine le remercia et alluma son ordinateur. Elle vit, posée sur son bureau, la liste du personnel de la clinique de Saint-Martin-du-Tertre qu'elle était parvenue à gratter au réceptionniste avant de partir et la confia à Guilhem pour qu'il l'archive. Dans sa boîte email, les dernières avancées sur les enquêtes du TGV et du centre commercial étaient arrivées également. Là aussi, elle transféra le tout à Guilhem et les imprima pour se plonger dans l'affaire du centre commercial. Il fallait qu'elle en sache plus pour découvrir s'il existait un lien avec les autres ou s'il s'agissait seulement d'un déséquilibré isolé, d'une coïncidence.

Elle lisait depuis deux heures les dizaines de pages des procès-verbaux, un crayon à papier vissé entre les lèvres pour éviter de se les ronger de nervosité, lorsque Segnon agita le bras devant elle. Il coinçait son téléphone contre son épaule.

– Professeur Colson pour toi, tu prends ?

– J'attendais son appel. C'est le patron du labo de toxicologie de Paris. Transfère-le sur mon poste.

La voix était un peu éraillée, témoignant d'un âge avancé :

---

1. Fichier des personnes recherchées.

– Mademoiselle Vancker ? Le docteur Lehmann m'a demandé de vous joindre.

– Merci d'appeler. Il vous a transmis les prélèvements sanguins ?

Le crayon à papier se mit à battre la mesure rapidement entre les doigts de Ludivine.

– Oui, il y a une heure à peine. Il me l'a demandé comme une faveur personnelle donc je vais les traiter moi-même, rapidement.

– J'apprécie, professeur. Est-ce que vous pourriez me dire s'il est possible de dissimuler une drogue à des analyses sanguines ?

– Non, a priori ce n'est pas faisable.

– Même en la masquant derrière d'autres produits ?

– C'est impossible, ça ne marche pas comme ça.

– Il ne peut y avoir de faux-négatif ?

– Pas avec les drogues.

– Vous êtes certain ?

– Écoutez, je fais ce métier depuis plus de quarante ans, je pense que je sais ce que je dis.

Ludivine lança son crayon contre le mur de frustration. Tous ses espoirs s'envolaient d'un coup.

– Donc s'il y a quoi que ce soit dans ces échantillons, vous le verrez ? C'est certain ?

– Attendez, c'est un peu plus subtil que cela tout de même. Qu'est-ce que vous voulez comme analyses ?

– Je veux tout. Je veux que vous regardiez ce sang et que vous me disiez ce qu'il contient.

Le professeur Colson siffla dans le combiné avant que Ludivine ne comprenne que c'était un rire.

– Qu'est-ce que j'ai dit ? demanda-t-elle.

– Vous êtes déjà venue au laboratoire ?

– Non pourquoi ?

– Vous devriez, à titre de curiosité et pour votre culture personnelle. Vous savez comment nous travaillons ?

– Professeur, je sais que c'est rudimentaire, que vous n'avez ni le personnel, ni le matériel, ni le temps, je sais tout ça, je l'entends à longueur de journée, venant de tous les services avec lesquels nous travaillons, mais...

– Non, ce n'est pas ce que je dis, mademoiselle. Est-ce que vous savez en quoi consiste une analyse toxicologique ?

– Éclairez ma lanterne.

– Globalement, nous confrontons nos échantillons à tout un tas de réactifs et selon la réaction des échantillons, nous affirmons ou infirmons la présence de telle ou telle substance.

– Vous voulez dire, un par un ?

– La plupart du temps, oui. Donc il faudrait m'en dire un peu plus sur ce que vous voulez que je recherche dans ce sang.

– Et il est possible avec cette méthode d'obtenir un résultat négatif alors qu'il y a bien une substance agressive dans le sang ?

– Je vois ce que vous voulez dire. Disons que si vous ne savez pas exactement ce que vous recherchez et si vous ne faites qu'un seul test, alors oui, d'abord parce que les produits en question ont une durée de vie souvent courte dans le sang ou une concentration insuffisante, ensuite il arrive que l'on constate une absence de réponse aux tests immunochimiques, et plus souvent qu'on ne le croit, d'où le recours à des contre-expertises par les avocats au moment des procès, et ainsi de suite... Comme vous le constatez, c'est loin d'être aussi aisé et fiable que dans les séries télévisées ! Mais globalement, on s'en sort plutôt bien.

– Et vous n'avez pas une machine qui vous sorte la liste de tout ce que le prélèvement sanguin contient ? Un appareil efficace ?

– Si, ça s'appelle un chromatographe, en phase gazeuse la plupart du temps, liquide dans d'autres cas, et il est couplé à un spectromètre de masse qui...

– Professeur, lorsque vous faites l'analyse toxicologique d'un corps après autopsie, vous passez par ce chromatographe ?

– Tout dépend des cas. C'est une méthode coûteuse, et vous savez que nos budgets sont...

Ludivine s'était redressée sur sa chaise. Elle le coupa :

– Et en ce moment, avec tous les corps qui vous parviennent des attentats et massacres, vous n'avez pas le temps et les moyens de procéder avec le super matos, n'est-ce pas ?

– C'est hélas vrai. Où voulez-vous en venir ?

– Quand vous confrontez vos échantillons à des réactifs, vous testez avec tous les réactifs possibles ?

Le professeur Colson siffla encore.

– Vous vous doutez bien que non. Il y en a beaucoup trop, il nous faudrait des tubes et des tubes de sang et le temps qui va avec.

– Donc vous limitez aux plus... basiques ?

– On peut dire ça, oui. Nous suivons un protocole.

– Est-il possible que, dans ce cas-là, vous passiez à côté de produits particuliers ?

– Vous savez, en matière de toxicologie, on ne peut trouver que ce que l'on cherche.

– Donc si vous ne cherchez pas la bonne drogue par exemple, vous pouvez rendre un rapport indiquant qu'il n'y a rien de suspect ?

– Oui, dans ce cas-là, c'est en effet envisageable. Maintenant, entendons-nous bien : si le légiste trouve des marques d'aiguille sur un corps, ou des éléments probants à l'autopsie pouvant suggérer la présence de drogue dans l'organisme, nous vérifions, bien sûr. Tout comme l'alcoolémie qui, elle, est systématiquement contrôlée, il y a des essentiels.

– Donc, si le légiste ne mentionne pas de traces de piqure, ni de bave aux lèvres ou je ne sais quoi d'autre, vous ne testez pas systématiquement les prélèvements avec des réactifs aux drogues.

– Vous avez compris. Et encore moins quand nous sommes débordés ou que nos budgets sont serrés, c'est-à-dire la plupart du temps, soyons honnêtes.

– Et peut-on envisager une autre méthode d'absorption de la drogue que l'injection ?

– Vous les connaissez aussi bien que moi, par le nez, par la bouche, certains se l'injectent directement dans l'anus pour plus d'effet... Une overdose laisse des traces évidentes, quelle que soit la méthode d'absorption et le légiste en trouve toujours des signes significatifs.

Ludivine avait déjà tout passé en revue depuis hier. Elle n'avait pas été piquée, n'avait rien sniffé et il était impossible qu'on lui ait dissimulé de la drogue dans son repas puisqu'elle l'avait acheté elle-même au restaurant chinois du coin et ne l'avait pas quitté des yeux un seul instant avant de l'avaler.

— Et par un spray, ce serait possible ?

— Euh... Oui, probablement. Il faut une cartouche de gaz, une drogue volatile et, mais quel intérêt si...

— Professeur, je peux vous demander de passer les échantillons que le docteur Lehmann vous a confiés au chromatographe ?

Elle l'entendit soupirer.

— Ça ne viendrait pas de lui je vous dirais bien d'attendre votre tour comme tout le monde, mais je suppose que c'est important.

— Vital.

— Oh, vous savez, s'il y a bien une certitude que j'ai acquise avec l'expérience, c'est qu'avec le sang des morts, il n'y a plus rien de vital.

— Ce n'est pas le sang d'un mort, professeur. C'est le mien. Et ce que vous tenez entre vos mains est peut-être la clé qui sépare la folie de la vérité.

Ludivine n'avait jamais cru au diable.

Ce n'était pas maintenant qu'elle l'avait rencontré que ça allait changer.

43.

Les cartes s'étalaient sur la table de la cuisine ; la multi-tude de routes rouges et bleues les faisait ressembler à un étrange réseau sanguin. Il y avait trois grandes cartes Michelin dépliées, une de l'IGN et une ving-taine de feuilles imprimées directement depuis l'ordinateur pour obtenir des vues satellites via Google Maps. Les marqueurs qui avaient servi à minutieusement séparer chaque route en rouge ou en bleu gisaient encore, exsangues, au centre de la table aux côtés d'un double décimètre.

Patrick Mahon souleva sa vieille casquette Coca-Cola et se gratta le crâne ; ses mèches trop longues retombèrent devant ses yeux avant qu'il ne les balaye d'un geste agacé.

Il avait tout fini et en éprouva une certaine fierté. C'était un travail fastidieux, précis, qui lui avait demandé de nombreuses heures de préparation, autant de vérification sur le terrain, et à présent il en contemplait le fruit, avec satisfaction.

Cela faisait très longtemps que Patrick n'avait pas été fier de lui. Une éternité même.

Il poussa un soupir de contentement.

L'odeur du vieux lino lui chatouilla les narines et il plissa le nez. Il ne la supportait plus, cette odeur. Un remugle de moisissure, de vieux, semblable à un champignon ou à de la moutarde pas fraîche. Enfin, Patrick supposait que ça venait du

lino. En dix ans, il n'avait jamais réussi à en être certain. Jamais.
Et ce n'était pourtant pas faute d'avoir cherché, s'attaquant au
réfrigérateur, puis au congélateur, tous deux d'antiques modèles
aux joints jaunis dont auraient pu provenir des *odeurs*. Mais
nada. Ensuite il s'était occupé des placards, et il y en avait neuf
si on ne comptait pas les cinq près de la porte de la cave, il
avait été jusqu'à décoller les façades en formica. Mais ça n'était
pas ça non plus. Le four avait suivi, puis le chariot à tiroirs en
plastique près du mur d'où pendait sa collection de laisses pour
chien. Patrick avait vraiment tout contrôlé, palpant avec ses
doigts avant d'y coller son nez, en quête d'une particule suspecte,
sans rien trouver. Certes, il n'avait pu s'y atteler en continu, pendant dix ans, parce qu'il avait alterné avec ses *voyages* – Patrick
adorait les voyages, il en effectuait au moins tous les trois ans,
davantage quand il pouvait se le permettre – mais tout de même,
il y avait consacré du temps et beaucoup d'énergie avant de finir
par conclure que cela venait du lino, ce vieux lino rouge sombre
supposé imiter des tomettes. Une fois, lors d'un voyage particulièrement long, Patrick avait été pris d'un affreux doute. Il
avait craint que l'odeur de moisissure ne provienne de sa collection de laisses. L'idée de devoir s'en séparer l'avait empêché
de dormir pendant six jours. Pas une heure de sommeil, rien
que des angoisses terribles. Toutes ces laisses qu'il avait accu-
mulées difficilement depuis son adolescence... Tous ses chiens
qu'il avait vus passer dans son existence... Tous ces souvenirs.

Qui n'étaient pas tous bon car, en matière de chiens, Patrick
n'avait jamais eu beaucoup de chance. Ceux qu'il avait croisés au
gré du hasard, de ses *promenades*, ainsi que ceux qu'il avait été
chercher lui-même, qu'il avait *adoptés*. Pour autant, il lui suffisait
de regarder n'importe quelle laisse au milieu de sa collection
pour se souvenir de la gueule du bâtard. Car la plupart n'étaient
pas de race pure, encore que ceux qu'il *adoptait*, ceux-là l'étaient
tout de même souvent, il devait être honnête là-dessus.

Mais depuis son dernier voyage, Patrick n'approchait plus les
chiens. Il avait compris que c'était mauvais pour lui. Cela ne

lui rendait pas service. Non, plus jamais, c'était plutôt un nid à ennuis, à vrai dire. Leur mort n'était jamais une délivrance. Le plaisir qu'il éprouvait à les entendre glapir ne l'avait jamais fait jouir au sens strict du terme, c'était un fait. Par contre, il en avait eu, des soucis, ensuite. Trop, beaucoup trop.

À la place, il s'était lentement lancé dans son autre passion : la conduite.

La conduite en camion.

C'était comme ça que lui était venue l'idée des routes rouges et des routes bleues. La plupart, à cause de la technologie moderne, étaient rouges, mais heureusement, Patrick, en étudiant attentivement les trajets possibles, en avait défini quelques-unes qui restaient accessibles, et il les avait surlignées en bleu. La couleur de la mer et du ciel. Des couleurs de liberté.

Patrick remit sa casquette sur son crâne et se colla l'index sous le nez – l'index est le doigt le plus odorant, celui qui sert le plus, qui collecte donc le plus de parfums – mais il ne perçut aucune odeur en particulier pour recouvrir celle du lino qui commençait à lui taper sur le système. Alors il enfouit sa main dans son pantalon, passa sous l'élastique de son slip et se frotta la jonction entre les testicules et la cuisse. Il avait remarqué que c'était là que l'odeur était la plus forte, pas du tout sur le pénis, ni sur les couilles elles-mêmes, mais bien dans ce repli où macérait l'écume d'une bonne journée de marche. Même le fond d'un nombril bien profond ne pouvait rivaliser.

Cette fois l'index remplit son rôle : il sentait assez fort pour masquer la moisissure. Il passa et repassa son doigt sur sa lèvre supérieure avec une application toute étudiée – on aurait cru qu'il cherchait à étaler une substance invisible sur ce qui lui servait de tartine à odeurs –, et, lorsqu'il fut rassuré, il se claqua la bedaine, par-dessus son T-shirt. Son gros ventre rebondit mollement.

Patrick était décidément content. Tout était prêt comme convenu, il n'avait pas de retard. Il connaissait ses itinéraires

possibles par cœur, dans leur moindre détail et, s'il fallait impro-
viser, il le pourrait sans aucun problème.

Même s'il préférait ne pas avoir à le faire.

Patrick aimait la planification.

La surprise et l'inconnu le stressaient.

Et pourtant il avait dû changer le point de départ au tout
dernier moment et avancer le plan de cinq jours ! Ce n'était
pas sa faute, c'était celle de l'autre, du GO avec qui il avait eu
cette idée un peu folle et en même temps si formidable ! C'était
le GO qui avait exigé de modifier le plan ! Heureusement, il
n'avait pas fallu tout recalculer, sinon ça aurait été impossible,
seulement le point de départ et les premiers kilomètres. En définitive, ça n'avait pas bouleversé grand-chose, Patrick devait bien
le reconnaître, mais cette modification dans son plan méticuleux
l'avait d'abord contrarié, avant que le GO ne trouve les mots
pour le rassurer. Il le faisait toujours.

À présent Patrick savait exactement ce qu'il allait faire.

Sa journée commencerait tôt demain, très tôt. D'abord le
dépôt pour *réquisitionner* son camion. C'était le premier point.
Il fallait procéder étape par étape.

Quel voyage cela allait être !

Patrick souleva l'amas de cartes et le chrome d'un revolver
étincela sous l'ampoule nue de la cuisine. Ça, c'était le passe
pour la politesse. Pour qu'on ne lui dise pas non.

Puis, à côté, il vit le costume pour le paradis.

Celui-là, c'était pour qu'il n'ait pas à forcer les gens.

Pour qu'ils lui disent tous oui. Pour qu'ils l'accompagnent.

Il avait toujours rêvé d'un voyage organisé.

44.

Les trois chiffres placardés sur la porte accueillirent le retour de Ludivine dans le bureau après sa pause déjeuner : 666.
Ils ressemblaient à un numéro d'urgence.
Une provocation, corrigea-t-elle *in petto*.
Elle ignorait si c'était à cause des cachets prescrits par le docteur Lehmann ou simplement le fait de reprendre le boulot, mais elle ne se sentait pas du tout dévastée ou abattue malgré l'agression. Bien sûr, à mesure que les heures passaient, elle réalisait à quel point sa vie s'était jouée à un coup de poker, au bon vouloir d'un psychopathe, et cela la faisait trembler, mais finalement ce n'était pas le pire. Le pire c'était l'intrusion. Il était venu *chez elle*. Cette ordure avait pénétré son intimité pendant qu'elle prenait son bain. Il l'avait vue nue, ramper sur le carrelage. Il avait pu se promener dans son appartement, toucher ses affaires, faire comme s'il était chez lui et ça, c'était le plus insupportable. Ludivine ne parvenait à se l'expliquer, c'était ainsi. Avoir frôlé la mort l'effrayait, mais c'étaient les actes qui entachaient le quotidien de sa vie qui la perturbaient le plus.
Non, elle n'était pas traumatisée. Juste un peu fragile.
Guilhem rentra de déjeuner un peu après tout le monde, un sourire jusqu'aux oreilles, il venait de partager son repas avec sa fiancée et Ludivine ne sut si elle l'enviait de planer sur son

petit nuage ou si autant de mièvrerie l'accablait alors qu'ils affrontaient les pires horreurs. Elle préféra ne pas se prononcer, craignant de réaliser qu'elle était jalouse. Elle ne s'était jamais vue ainsi, comme une romantique, et ce n'était sûrement pas dans ces circonstances que ça changerait.

Elle rappela Sébastien Vasseur au SRPJ de Versailles, il la traita d'acharnée avant de lui promettre de lui envoyer un dossier rédigé dans l'après-midi. Puis elle mit son nez dans les différentes pochettes colorées qui encombraient les murs de leur bureau. Il y en avait partout, des dossiers de quelques dizaines de pages et d'autres si épais qu'il fallait plusieurs tas avec élastiques pour les maintenir côte à côte. Elle s'accroupit pour faire défiler les couvertures roses, bleues, jaunes, ou vertes, lisant rapidement les intitulés, avant de s'arrêter sur le dossier qui traitait de leur intervention le soir du 10 mai chez Michal Balenski.

Ludivine songea une fois encore à Diane Codaert et, cette fois, plus qu'une profonde tristesse pour ce qu'avait subi l'adolescente, une empathie terrifiante lui creusa le ventre. Ludivine savait ce que c'était que d'être face à son bourreau sans pouvoir se défendre, et de réaliser que rien n'est possible, que tout est fini.

Des larmes inattendues montèrent et Ludivine serra le poing devant sa bouche pour les faire taire. Ce n'était pas le moment.

Elle était plus vulnérable que ce qu'elle croyait. Finalement cet enfoiré avait réussi son coup...

Ludivine saisit la pochette et s'installa sur son siège pour se plonger dans la lecture. D'un coup d'œil discret elle s'assura que ni Segnon ni Guilhem n'avaient remarqué son désarroi. Ils étaient tous les deux absorbés par l'écran de leurs ordinateurs. Elle capta néanmoins un bref regard de Segnon. Il faisait comme si de rien n'était mais n'en perdait pas une miette...

Les comptes rendus étaient assez détaillés, groupe par groupe, et celui qui les concernait, rédigé par Guilhem, ne dérogeait pas à la règle.

Ludivine s'attarda sur le procès-verbal de Jean-Louis Erto.

Michal Balenski n'était pas une âme tranquille. Il vivait avec une arme chargée à proximité de lui en permanence. Dès qu'il avait entendu hurler « Gendarmerie ! » et sa porte d'entrée claquer, il s'était précipité dessus. Erto avait essuyé le premier tir, qui l'avait rasé au niveau de l'épaule gauche et de la tête, manquant de peu l'homme qui le suivait. Il avait avisé la présence de Balenski derrière un fauteuil à haut dossier et, craignant pour sa vie et pour celle de ses hommes qui étaient à peine en train d'entrer dans le vestibule, tous totalement à découvert, Erto avait riposté. Comprenant que Balenski réarmait pour les tirer comme des lapins, Erto n'avait pas pris le temps de parfaitement ajuster sa cible. C'était lui ou ses hommes, et il avait pressé la queue de détente, Balenski en ligne de mire, espérant le toucher à l'épaule pour le mettre hors d'état de nuire, mais si sa balle devait heurter la poitrine, « ainsi soit-il », avait rédigé Erto en personne. Il avait cueilli Balenski en pleine tête.

Deux de ses hommes avaient également ouvert le feu, par réflexe, pour couvrir leur entrée, dès qu'ils avaient perçu les déflagrations qui les menaçaient. Ces balles s'étaient logées dans le mur du salon, sans toucher personne.

C'était fort regrettable, s'agaça Ludivine. Michal Balenski était un profil tout à fait différent de Kevin Blancheux, moins dans le fanatisme, beaucoup plus tourné vers ses fantasmes personnels, un égocentrique brutal, un pervers narcissique. Avec ce genre d'individu, Ludivine se demanda s'il n'aurait pas été plus aisé d'obtenir des informations sur celui qui l'avait mis en contact avec Kevin Blancheux pour le trafic de peaux...

Était-ce en prison qu'ils s'étaient rencontrés ? Non, Ludivine écarta cette hypothèse immédiatement, tout comme l'hôpital psychiatrique. Ils en avaient fréquenté, mais jamais le même établissement. Le personnel y tournait parfois, un maton pouvait effectuer quelques années dans une maison d'arrêt puis changer... Non, Guilhem était responsable de ce genre de recoupement avec Analyst Notebook, et si l'homme était perméable à l'erreur, l'informatique, elle, ne l'était pas. Aucun membre du personnel des établissements fréquentés par Kevin Blancheux et par Michal Balenski n'avait travaillé auprès des deux hommes. Leur rencontre ne s'était pas faite là-bas.

Alors où ? Le milieu de la délinquance ? C'était assez peu probable : mis à part dans le grand banditisme, il n'existait pas de réseau organisé, sauf par le biais des prisons, justement. Et Guilhem avait été vigilant à ce propos. Il avait soigneusement répertorié les quelques séjours de l'un et l'autre, dressé une liste de leurs codétenus pour s'assurer qu'il n'existait pas de lien possible. Rien.

Quant au milieu du grand banditisme, ni Blancheux ni Balenski n'avaient le profil et l'historique pour l'avoir fréquenté.

Ludivine s'attarda sur le matin du go-fast. Tout avait été très vite. Balenski avait débarqué à La Courneuve en catastrophe... Était-il à ce point torturé ? Prêt à flinguer son « complice » à tout moment ? Si HPL manquait son coup de fil de confirmation d'arrivée de la marchandise, Balenski se précipitait pour aller lui régler son compte ? Oui. Sans aucun doute. Michal n'était pas net, c'était le moins qu'on puisse dire. Et puis c'était la seule possibilité pour expliquer sa vitesse de réaction après l'interception du go-fast.

À moins d'une fuite au sein même de la SR...

Non, c'était une aberration. Il n'y avait que des gendarmes, tous se connaissaient, et personne ici n'était susceptible de vendre des informations à des criminels. Pire, une taupe au service de Balenski ne pouvait être que liée à l'enquête sur le go-fast, donc parmi les hommes d'Yves, et cela aurait impliqué que Balenski et donc celui qui se faisait passer pour le diable *surveillaient* déjà la SR, comme s'ils avaient pu anticiper que ce serait la section de recherches de Paris qui conduirait un jour une investigation sur eux ! Impossible.

Mais une taupe aurait également expliqué que le diable sache à qui s'en prendre, qu'il sache où habitait Ludivine et qu'elle vivait seule...

Non, impossible là aussi. De toute façon, ce n'était pas un secret, elle était même passée à la télé, son visage n'était pas inconnu, trouver son adresse n'était pas compliqué avec un peu de ruse et un coup de fil à EDF, par exemple, on pouvait aisément récupérer n'importe quelle adresse. Les chargés de clientèle des grands groupes de fournisseurs de services n'étaient pas formés pour se méfier, mais pour aider. Et les malins savaient s'en servir.

Et puis Balenski était paranoïaque. Il n'y avait qu'à relire le procès-verbal d'Yves pour s'en assurer : l'homme vivait avec une arme sous la main. Obsessionnel, tueur sans pitié, en fait, c'était assez logique maintenant que Ludivine y réfléchissait vraiment. Chaque livraison était un moment difficile pour lui. Non seulement se séparer de son travail, mais en plus s'ouvrir sur l'extérieur, faire confiance, patienter... Autant de choses pas du tout naturelles pour un type comme lui. Il devait être sous pression à chaque fois. Guettant le coup de fil de HPL avec anxiété, dans l'attente d'être rassuré. Oui, Balenski ne devait pas dormir les nuits de go-fast. Au petit matin, faute de nouvelles, suivant un protocole bien huilé dans sa tête, il avait foncé pour « régler » le problème. Presque une délivrance, estima Ludivine. S'il n'y avait eu le fric, Balenski aurait probablement tout arrêté depuis longtemps. Mais comme tout criminel, il n'était pas insensible à l'argent « facile ».

Guilhem tapota sur l'écran de son ordinateur avec son stylo pour attirer l'attention de Ludivine.

— J'ai fini d'éplucher le listing des visiteurs que vous m'avez rapporté de la clinique de Saint-Martin-du-Tertre.

Ludivine préféra ne pas s'emballer.

— Et ?

— Aucune anomalie, rien qui m'ait sauté aux yeux. J'ai entré tous les noms dans la machine, ça n'a rien donné non plus à part Linda Jourdain et son fiston, comme tu m'avais prévenu.

— Ils venaient voir Pierre Galinet, l'autre tueur du TGV. Quelque chose de particulier dans la récurrence de ces visites ?

– Non, toutes les semaines pendant cinq mois.

– Et rien d'autre.

– Non, que dalle. Désolé.

Ludivine poussa un soupir de découragement.

L'évocation de la clinique lui fit penser au docteur Malumont. Il y avait une présence singulière en lui, au-delà de son aura, une certaine dualité qui avait interpellé la gendarme. Elle avait peu souvent rencontré des personnages aussi atypiques et était sûre de ne pas se tromper mais était incapable de s'expliquer cette certitude, toutefois elle le *sentait*. Malumont était de ces rares individus capables de l'aider. Un être entre deux mondes. Vivant pleinement parmi les siens mais conscient des ténèbres qui nous bordent, apte à y poser les yeux de temps à autre, voire à s'y plonger brièvement. Malumont était un excellent psychiatre, elle n'en doutait pas une seconde. Parce qu'il comprenait la folie, il connaissait la matière des pires fantasmes, il parlait le langage de la perversion, même s'il ne la pratiquait pas lui-même. Il avait plongé dans ces zones d'inconfort, il s'était mesuré à ce qu'il y a de plus mauvais en l'homme et, à la différence des autres, Malumont en avait rapporté de la matière. Pour explorer sa propre part d'ombre tout d'abord, mais surtout pour traiter ses patients. Malumont ne se contentait pas de survoler leurs territoires mentaux en friche, non, il s'y aventurait, pour les accompagner, pour les comprendre, les rassurer, tenter de les soigner, leur montrer comment reconstruire ces champs de ruines qu'était leur psyché. À la différence de ses confrères, Malumont était un explorateur des ténèbres.

Soudain Ludivine réalisa qu'elle allait très loin dans ses explications, trop loin. Elle projetait ce qu'elle avait perçu et compris avec ces rares individus qui dégageaient la même énergie, la même aura que Malumont.

Il était comme Richard Mikelis. Comme cet homme, ce détective privé très étrange qu'elle avait fugacement croisé au Québec, ce Joshua Brolin.

Et comme elle en définitive. Ces êtres que Ludivine appelait des Veilleurs. Ceux qui gardaient un œil sur les ténèbres du monde. Pour en préserver les autres.

Et même si elle se faisait un film, Malumont était extérieur à l'enquête, il aurait un regard neuf. Elle avait lancé une bouteille à la mer avec le toxicologue, Colson, et allait en adresser une au psychiatre.

Pendant trois heures elle constitua un dossier complet sur tout ce qu'ils avaient, meurtre par meurtre, tuerie après massacre, elle y ajouta ses propres notes et plongea le tout dans une boîte en carton qui servait normalement à contenir les ramettes de papier pour imprimante. Puis elle décrocha son téléphone et appela la clinique. Après plusieurs transferts d'appel, la voix du psychiatre résonna dans le combiné :

– Lieutenant Vancker, fit Malumont, comment allez-vous ?

Ludivine éluda la question.

– J'ai de la lecture pour vous, je peux vous envoyer un coursier ?

– Vous n'avez pas abandonné l'idée de vous servir de moi ?

– Non.

– Mais vous savez que ce n'est pas du tout mon domaine d'expertise, j'ai bien peur de ne vous être d'aucune utilité, voire de vous orienter dans de mauvaises directions.

– Je prends le risque.

– Très bien. Je vais faire au mieux alors. J'y passerai la soirée.

– Vu l'épaisseur du dossier, prévoyez le week-end.

– S'il le faut. Lieutenant, puis-je vous poser une question ?

– Allez-y.

– Pourquoi moi ? Pourquoi pas un expert, un criminologue ou un de vos profileurs ?

– Parce que vous êtes extérieur à tout ça.

Malumont expira dans le combiné et garda le silence quelques secondes.

– Je ne suis pas le seul. Pourquoi *moi* ?

– Votre regard, docteur. À cause de votre regard. Je sais où vous avez été, je sais quel genre d'être vous êtes. Je sais que ce qu'il y a dans ces dossiers vous parlera. Le tueur que je traque, docteur, est une créature entre deux mondes, dont le langage est la souffrance et la perversion et, pour bien le cerner, j'ai besoin d'un bon traducteur.

Le silence du psychiatre perdura encore un peu.

– Je suis flatté que vous ayez une vision si repoussante de moi, lieutenant Vancker, avoua Malumont sur le ton de la plaisanterie. Et vous vous en doutez : pour un homme comme moi, c'est une rare opportunité de me sortir de mon quotidien. Mais encore une fois, n'attendez pas de miracle.

– Un miracle, non, juste un petit coup de pouce, cela suffira. Contentez-vous de me donner votre avis.

Malumont raccrocha.

Il fallait mettre toutes les chances de leur côté. Ludivine le pressentait depuis cette histoire de C-4 en liberté, un compte à rebours égrenait les jours au-dessus de leurs têtes à tous.

En espérant que ça ne soit pas les heures.

45.

La frange de Magali ressemblait à un rideau se levant sur deux comédiens en pleine performance. Une lueur d'intense excitation brillait dans son regard lorsqu'elle passa son minois par l'entrebâillement de la porte.

Ludivine terminait de récupérer les pages imprimées expédiées via email par Sébastien Vasseur du SRPJ de Versailles et les rangea dans une chemise cartonnée.

— Tu as quelque chose ? demanda-t-elle.

— J'ai eu les gars de la PJ qui sont sur l'affaire du centre commercial. Marc Van Doken, le mec qui a fait ça, reconnaît ne pas être seul.

Cette fois, Ludivine se figea, toute son attention captivée.

— Il a donné un nom ?

— Non, il parle de son meilleur ami, les flics sont sur le coup sauf que le Marc en question était du genre asocial, pas d'amis connus.

— Et les témoignages confirment un second individu à ses côtés avant l'arrestation ?

— Non, pas plus que les bandes vidéo qui montrent toutes Van Doken seul, depuis sa camionnette de location sur le parking jusqu'au moment où les flics débarquent. Il n'a parlé avec personne, et son téléphone portable n'a pas délivré plus d'infos, il ne s'en sert que pour appeler des numéros pornographiques, aucun appel entrant.

— Qu'est-ce qu'ils en pensent à la PJ ?

— Ils ne ferment aucune porte. J'ai parlé au capitaine Tion qui dirige l'enquête, pour l'instant il envisage que ce meilleur ami est soit un copain imaginaire, et compte tenu de la psychologie de Van Doken ce n'est pas à exclure, soit un autre déséquilibré qui l'aurait encouragé. C'est ce que laisse entendre Van Doken.

— C'est plus que probable, c'est un réseau, Mag, tout un réseau d'individus avec un grave passé psychiatrique et criminel pour certains, et ils communiquent entre eux.

En prononçant ces mots Ludivine frissonna. Elle repensa à ces pervers qu'ils avaient affrontés avec Alexis. À Pestilence. À Val-Segond. Ce n'était pas la même démarche, mais il y avait tout de même beaucoup de ressemblances.

Non, cette histoire est terminée. Ils sont tous tombés. C'est semblable, mais ce n'est pas la même chose. Impossible. Et puis eux cherchaient à se cacher. Cette fois il y a une volonté de choquer, de se montrer, de faire mal à la société, de l'entraîner dans leur chute...

— Via Internet peut-être ? proposa Magali. Vous avez exploré la piste du forum de malades mentaux qui se rassemblent pour frapper ?

— J'ai déjà un peu creusé dans cette direction, confirma Guilhem, les pieds sur son bureau, clavier sur les cuisses. Mais c'est trop vaste, il ne suffit pas de taper « forum de psychopathes » sur Google pour tomber dessus.

Ludivine était fébrile. Elle avait du mal à se sortir de ses souvenirs. Elle s'efforça de tout repousser loin dans les tréfonds de sa mémoire et enchaîna à l'adresse de Magali :

— Tu restes en contact avec la PJ, et pour Brunoy tu as du neuf ?

— *Nada*. La Scientifique n'a rien d'intéressant à me donner pour l'instant, et les enquêtes de voisinage ne sont pas concluantes. Si c'est bien un homicide, alors il est vraiment prudent, malin et organisé.

– Je te confirme que c'est exactement tout ce qu'il est. Reste attentive, il y a forcément un détail quelque part qui nous échappe.

– Et si ce n'est pas le cas ? Si le mec ne fait aucune erreur ?

– Il en fera forcément.

– Tu sais très bien que vingt pour cent des homicides ne sont jamais élucidés, donc deux tueurs sur dix n'en commettent pas.

– Pas dans le cadre d'une série. On va le choper.

Magali se départit de son scepticisme d'un coup, comme si elle se remémorait soudainement ce que venait de vivre sa collègue.

– Et toi ? demanda-t-elle. Comment ça va ?

– Plus motivée que jamais pour me le faire, comme tu l'imagines, trancha Ludivine en retournant s'asseoir pour clore la conversation.

– T'es vannée, Lulu, fit remarquer Segnon. Tu devrais rentrer. Tu veux que j'appelle Ben ?

– Non, pas encore.

– Ben moi, je me tire. J'ai une famille et je voudrais en profiter un peu. C'est fini pour aujourd'hui. De toute façon on a fait le tour.

– Tu as raison, file.

– Tu es sûre que tu ne veux pas venir avec moi ?

– Catégorique. J'ai besoin de solitude.

– Tu ne renvoies pas Benjamin, hein ! Il dort sur ton canap' ! C'est juré ?

Ludivine leva la main en guise de promesse. Segnon lui déposa une bise sur la joue, salua Guilhem et s'éclipsa. Le clavier de ce dernier se remit à cliqueter aussitôt.

– T'es une machine, se moqua Ludivine en attrapant la chemise du couple retrouvé mort dans la forêt de Saint-Germain-en-Laye.

– Parfois j'ai l'impression d'être votre secrétaire...

– Tu n'aimes pas venir sur le terrain.

– C'est vrai.

Le débat tué dans l'œuf, Ludivine lut en diagonale les premières constatations dressées par l'équipe du SRPJ.

Ils n'avaient rien trouvé de particulier, aucun témoin de l'agression du couple, aucun suspect. Mais pour ce qui concernait leur domicile, un des flics avait mis en évidence des éraflures sur la serrure. Peut-être crochetée.

Cette probabilité creusa une boule dans le ventre de Ludivine.

Le chien, quant à lui, n'était qu'un petit bâtard craintif, il n'était pas significatif en soi, retrouvé enfermé dans une pièce de la petite maison occupée par le couple. Sébastien Vasseur avait bien fait les choses, admit Ludivine en lisant son rapport. Il détaillait leur domicile avec précision, un lieu relativement isolé, avec seulement deux voisins qui n'avaient rien remarqué d'anormal. Mais si l'agression avait eu lieu à 3 heures du matin, qui le pouvait ? La maison n'avait pas d'alarme, dans une rue calme, non loin d'un axe plus passant. Idéal pour le tueur, le bon compromis entre ne pas être dérangé et garder un moyen de fuir rapidement si besoin.

Ludivine repensa au mort parisien dont elle s'était entretenue avec un officier du Quai des Orfèvres. C'était un homme seul, en plein Paris. Le tueur devenait plus prudent. Était-ce parce qu'il avait failli se faire prendre ? Non, les flics n'avaient rien trouvé, aucun témoin...

Un couple. Il s'est attaqué à deux personnes en même temps. Et comme il est intelligent, s'il corse la difficulté question victimes, il baisse le curseur concernant l'environnement. Il n'est pas fou. Au contraire...

Vasseur avait ensuite disposé quelques photos des deux victimes pour étayer un autre rapport. Ludivine décida de s'épargner les clichés, ce qui n'était habituellement pas son genre. Mais aujourd'hui, elle ressentait comme un trop-plein d'horreur.

Vasseur concluait sur la chronologie. Puisque les deux amants ne s'étaient pas présentés à leurs travails respectifs le samedi, leur disparition remontait au plus tard au samedi matin. Mais leur mort était estimée à la nuit du mardi au mercredi suivant. De plus, il mettait en avant les plaies aux mains, les genoux écorchés, les traces de terre et de pierre sur les vêtements pour renforcer l'hypothèse d'une séquestration. Il attendait les résultats de l'autopsie, notamment des prélèvements sous les ongles. Il devait espérer récupérer un peu d'ADN, celle de leur bourreau s'ils s'étaient défendus.

Il n'y en aura pas. Le tueur est trop organisé pour ça. Même s'il n'est pas parvenu à les maîtriser immédiatement, ce qui semble peu probable, il leur aura nettoyé les ongles s'ils se sont battus.

Enfoncée dans son siège, Ludivine se massa les tempes. Sa tête était encore douloureuse. Elle ne pouvait croire qu'on ne l'avait pas droguée d'une manière ou d'une autre. C'était la seule explication.

Le diable n'existe pas.

Pourquoi avait-on gardé Frédéric et Albane vivants pendant plusieurs jours ? Il n'y avait aucune trace de sévices physiques, aucune agression. Était-ce par curiosité ? Pour *voir*. Plus probablement une forme de sadisme. Pour les écouter gémir, se gorger de leur peur. Après tout, n'était-ce pas ce que le diable faisait depuis le début ? Se repaître de leur terreur. La souffrance des autres était sa nourriture.

Il a à sa disposition un lieu tranquille pour y entreposer ses victimes et les écouter. Ce doit être loin de tout, isolé. Parce qu'il n'aura pas voulu les bâillonner. Non. Les entendre pleurer, essayer de marchander leurs vies, chuchoter entre eux pour vainement tenter de se rassurer, tout ça devait être du petit-lait pour lui. Leur parlait-il ? Probablement. Il l'a bien fait avec moi. Sauf que moi il m'a laissée vivre. Il devait s'adresser à eux pour les effrayer encore plus. Ou peut-être seulement faire du bruit, taper contre la porte pour qu'ils comprennent qu'il était bien là, hurler et rire pour les terrifier, et même, j'en suis sûre, leur annoncer ses plans. Il leur a dit qu'il comptait les tuer. Il a joué avec ça. Jusqu'à ce que leurs cœurs explosent. Il a fait monter la pression, heure par heure, dans l'attente qu'ils n'en puissent plus. Et lorsqu'ils ont été mûrs, il leur a montré son vrai visage.

C'était sur ce dernier point que Ludivine ne savait que penser. Elle se repencha sur les notes du flic pour examiner ses conclusions.

Vasseur penchait pour une bande. Il ne croyait pas une seconde qu'un homme seul puisse immobiliser un couple et les enlever. Ludivine l'avait pourtant déjà vu. Les grands pervers intelligents en étaient largement capables. Au contraire même, cela renforçait leur excitation.

Ne jamais sous-estimer le pouvoir d'une arme sur des individus en état de choc, de sidération.

Il suffisait qu'ils soient réveillés en pleine nuit par des coups, par des menaces, totalement surpris, hébétés, face à un intrus quant à lui en pleine possession de ses moyens, rompu à ce genre de situation, braquant une arme sur eux, et ils n'avaient rien pu faire d'autre que de se laisser entraîner. Lors des agressions, les gens s'accrochent au moindre espoir, et l'obéissance est souvent le premier réflexe. La résistance est un acte de mort. Une prise de risque, d'insoumission, qui n'est pas naturelle lorsqu'on est en état de choc. Non, Ludivine n'était pas d'accord avec les premières conclusions de Vasseur, il n'y avait pas plusieurs hommes mais bien un seul. Un être redoutable, qui prenait de plus en plus goût à ce qu'il faisait. Au point d'avoir besoin de le partager avec ceux qu'il estimait capables de prendre la pleine mesure de son « talent ».

Celui qui s'était invité chez elle la veille.

Le diable en personne.

Une silhouette se tenait sur le seuil du bureau et prolongeait son ombre jusqu'aux pieds de Ludivine.

Benjamin.

– Je peux me rendre utile ? demanda-t-il. Tout le monde est parti, à côté. T'es encore là, Guilhem ?

Guilhem regarda sa montre. Il était 20 heures passées.

– Oh merde, j'essaye d'esquiver les préparatifs du mariage, ça me gonfle de choisir entre le rose et le mauve pour les rubans qui vont entourer les couverts du dîner, mais là faut quand même que je rentre.

Il fila comme une tornade, sans embrasser quiconque, l'iPhone rivé sur l'oreille, des torrents d'excuses prêts à se déverser.

Le jeune quadra au crâne presque rasé pour masquer sa calvitie agita son paquet de Marlboro Light.

– J'ai besoin de m'en griller une, tu me rejoins ou tu veux rester encore là ?

– Vas-y, j'arrive.

– Ce soir, tu veux bouffer quoi ? Je connais un libanais super qui livre…

– Parfait.

Ben était encore sur le seuil, à la fixer comme s'il attendait autre chose.

– Tu sais, ce week-end, si tu veux prendre un peu de recul, ma mère m'a légué sa maison dans l'Oise, c'est pas grand mais c'est au milieu de la forêt, peinard, avec un petit étang pour pêcher, personne pour savoir qu'on est là, tu seras en sécurité, et pour se ressourcer je connais pas mieux.

– Ça va aller, Ben, je te remercie, j'ai pas envie de quitter Paris.

– Comme tu veux.

Il montra à nouveau son paquet de cigarettes et s'éloigna.

Un week-end entier enfermée avec Ben dans une bicoque de l'Oise, manquait plus que ça ! L'idée même de passer la soirée avec son garde-chiourme la faisait désespérer. Pourtant elle ne se sentait pas de le congédier, il faudrait des miracles de persuasion pour y parvenir et elle avait promis à Segnon de n'en rien faire. Elle se mit à regretter de ne pas être rentrée avec lui. Mais Segnon avait une famille, c'était plus compliqué, elle ne voulait pas leur imposer ça. Benjamin, lui, était célibataire, content de lui rendre service, elle le savait.

Elle éteignit son ordinateur, mit un peu d'ordre sur son bureau et s'apprêtait à descendre rejoindre Benjamin lorsque le téléphone sonna.

– Je ne pensais pas vous trouver à votre bureau, mais j'ai bien fait de tenter ma chance.

La voix grave et parfaitement placée du docteur Malumont.

– Vous avez accompli un miracle ?

– Si l'on considère que j'ai tout lu en moins de cinq heures, et pris des notes pour en faire une synthèse, alors oui.

– Vous vous sentez inspiré par ce que je vous ai envoyé ?

– Eh bien... Plus que je ne l'aurais pensé. Est-ce que je pourrais passer vous voir avec votre équipe, disons... lundi midi ?

– Pourquoi pas ce soir ? C'est moi qui viens avec un collègue.

– Vous avez vu l'heure ? Vous ne vous reposez jamais dans la gendarmerie ?

– Je suis un modèle unique, une vraie machine d'après ce que mes collègues racontent.

– Non, j'ai besoin de mettre un peu d'ordre dans mes notes et je ne vous cacherai pas que, moi, je n'en suis pas une, de machine. Venez plutôt demain, avec vos propres experts si vous le voulez, je n'ai pas peur de la contradiction.

– Vous avez dressé un profil ?

– En quelque sorte.

– Et qu'est-ce que ça dit ? Sans utiliser de jargon psychiatrique que je ne comprendrai pas, si c'est possible...

– Je n'ai pas dans l'intention de ruiner ma réputation au téléphone en trente secondes. Venez demain à la clinique, je tâcherai d'être concis. Mais je peux déjà vous dire une chose au risque de me ridiculiser : je m'étais juré en acceptant votre demande de ne surtout pas être catégorique ou précis dans mes jugements. Rester vague est le talent des imposteurs, ou de ceux qui ne veulent jamais se mouiller. Pourtant, si je devais parler de conviction personnelle, d'après moi, celui que vous recherchez est un médecin.

– Pardon ?

– Il sait se faire écouter, il a un grand sang-froid, c'est un être malin, c'est un fin psychologue, assez pour manipuler, il est à l'aise avec les corps, et personne n'inspire autant confiance, même en pleine nuit, qu'un médecin, sauf peut-être les pompiers ou les policiers, et encore. À cela, j'ajouterai, d'un point de vue plus psychologique, que sa volonté de se faire passer pour le diable, d'inspirer la terreur, est de l'ordre du fantasme de domination, de plein pouvoir, de vie ou de mort certes, mais témoigne surtout d'une volonté d'emprise mentale très connotée. Le diable dans la psychologie courante, c'est la représentation des forces obscures, donc de l'inconscient, de ce qui est refoulé. Il se donne le rôle de maître de ces forces, et ses crimes ne témoignent pourtant pas de perte de contrôle, de barbarie particulière, il domine toutes ces pulsions noires chez lui, il les assume, mais fait ressortir celles de ses victimes qui en meurent. Il les *soigne*, d'une certaine manière.

– Il les soigne, dites-vous ?

– Oui. Il fait surgir ce qu'il y a de plus refoulé en eux, et si cette matière noire est trop grosse, alors cela les tue. Je pense qu'il doit attendre de rencontrer *la* victime qui n'en mourra pas, parce que la quantité de forces obscures, son refoulement révélé, ne sera pas plus important que, disons, la « lumière » en elle.

– Pour quoi faire ?

– Peut-être parce qu'il cherche l'être parfait, digne de lui ? Ou tout simplement et donc plus probablement parce qu'il veut laver le monde de son obscurité. Il cherche à nous révéler à ce que nous sommes *réellement*.

Comme le dépeceur écorchait ses victimes pour les montrer telles qu'elles étaient sans le maquillage de la peau, sans le fard de la civilisation. Comme les deux tueurs du TGV avaient voulu faire payer au système ses mensonges en le frappant massivement. Comme Ludovic Mercier qui était retourné dans son restaurant fétiche pour se venger des autres, parce que la société était responsable de la mort de sa fille et de sa femme. Et ainsi de suite... Le diable n'était qu'un emblème de la vérité, une revendication du droit à la différence, un symbole de la lutte contre la tyrannie du mensonge. C'était exactement ce qu'avait affirmé HPL lors de sa garde à vue.

– Ça correspondrait en tout cas à la plupart de ses disciples.

– À cela j'ajouterai encore qu'il n'y a aucune considération sexuelle dans son passage à l'acte, ce qui est tout de même exceptionnel chez un tueur en série, surtout lorsqu'il est organisé. Ce n'est pas un psychotique, pas du tout, mais bien un sociopathe ou psychopathe. Il a un rapport à sa victime qui est froid, dépassionné. C'est inattendu et surtout rare avec ce type de criminel. Asexué, je dirais. Son regard sur eux, sur leur chair, est semblable à celui du médecin sur le corps de son patient. Ce n'est pas courant parmi la population normalement constituée. Pour toutes ces raisons, rapidement évoquées, je penche pour un médecin ou une profession de ce type.

Ludivine réfléchissait à toute vitesse, elle opérait les déductions qui s'imposaient dans son petit esprit où s'accumulaient des centaines de données sur tous les crimes. Elle réalisa qu'un silence s'était installé entre eux.

– Je suis allé trop loin ? demanda placidement Malumont.

– Non, non, pas du tout.

– Je tâcherai de clarifier mon point de vue demain, en vous expliquant point par point, précisément, toute mon analyse.

– Un médecin, répéta tout haut Ludivine qui n'était déjà plus tout à fait là.

– Oui. C'est en tout cas mon avis. Ou, compte tenu de sa grande connaissance des procédures scientifiques policières, pourquoi pas un criminologue, bien sûr.

46.

Tout était parfaitement cadré, planifié, presque à la minute. Si la journée se passait comme prévue, si rien ne débordait, si rien ne dérapait, alors elle allait être un excellent avant-goût du week-end, un vendredi idéal.

Laëtitia énuméra une fois encore son emploi du temps pendant qu'elle nouait le ruban autour de ses cheveux blonds.

10 heures : le cours de Pilates à la Villa Thalgo. 11 h 15 : massage. 12 h 30 : déjeuner avec sa copine Louise qui revenait de Londres pour trois jours. 14 heures : UV. 15 h 15 : elle passait à la librairie récupérer les livres des enfants – le libraire avait laissé un message hier, ils étaient arrivés. Et à 16 h 30 elle serait à la sortie de l'école pour récupérer les monstres.

Mais avant cela il fallait qu'elle dépose les jumeaux.

– Nathan ! Léo ! Vous avez mis vos manteaux ?

– Mais maman, il ne fait pas froid !

Ça c'était Léo, le rebelle, devina-t-elle.

– Qu'est-ce qu'on a dit avec papa hier ? On arrête de râler tout le temps. Habille-toi, dépêche ! Si vous ratez la sortie de fin d'année, ce sera votre faute !

En réalité, ils ne risquaient pas de la manquer, Laëtitia comptait bien s'en assurer, elle n'avait pas programmé sa journée pour rien.

Vérifiant que les jumeaux étaient en train de mettre leurs chaussures, elle prit la direction de la chambre à coucher.

– Et prenez vos sacs avec le pique-nique !

Que c'était épuisant d'être une mère de famille ! Penser à tout, tout le temps, gérer l'organisation de chacun, celle de l'appartement, les courses, et se ménager sa propre parenthèse de femme dans ce maelström. Chaque soir, elle ignorait comment elle y était parvenue, et pourtant elle atteignait son lit sans désastre, quotidiennement.

Un jour à la fois.

Elle poussa la porte de la chambre encore plongée dans l'obscurité.

Et maintenant être une épouse digne de ce nom.

Éreintant.

– Chéri, fit-elle tout bas, j'emmène les jumeaux.

– OK. Viens, embrasse-moi, répondit Segnon de sa voix enrouée du matin.

Elle se pencha au-dessus du lit et il essaya de l'attirer à lui.

– Je suis à la bourre, gros nigaud !

– Tu reviens vite ?

– Je fais l'aller-retour.

– Cool. Je sens que je ne vais pas passer par la salle de sport avant d'aller à la caserne.

Il lui caressa les fesses pour ne laisser planer aucun doute quant à ses intentions lubriques.

– J'aurai pas le temps, pas ce matin, je dois traverser tout Paris pour ma séance de Pilates et mon massage.

– Oh chérie, sérieux ?

Elle sentait tout son désespoir de mâle, le paradoxe de l'homme en rut : entre l'enfant frustré et la bête sous pression hormonale.

– On est prêts ! clamèrent les jumeaux dans le couloir.

Laëtitia pointa le pouce par-dessus son épaule :

– Fallait réfléchir avant de faire des gosses !

– Tu vas quand même pas me laisser dans un état pareil ?

Il en faisait des caisses.

– Je verrai ce que je peux faire en cinq minutes.

Elle l'embrassa et fila. Le timing était serré.

Mais lorsqu'elle vit Mme Lemine devant les grilles de l'école De Brousse, Laëtitia sut immédiatement qu'il y avait un problème et que rien n'allait se passer comme prévu.

– Madame Dabo ! s'écria-t-elle. C'est la cata !

– Qu'est-ce qui se passe ? La sortie est repoussée ?

– Il nous manque un parent d'élève ! J'ai eu deux annulations de dernière minute. J'ai pu remplacer M. Turpin, mais il me manque encore quelqu'un !

Laëtitia prit sa tête la plus catégorique et secoua les mains :

– Non, je suis vraiment navrée mais c'est impossible pour moi.

– Vous êtes notre dernière chance, je viens d'épuiser toutes mes listes.

– Une autre fois j'aurais pu m'arranger, mais là…

Laëtitia voulait se montrer intransigeante. Elle savait combien ce n'était pas sa force. C'était une de ses résolutions chaque année, parvenir à se faire respecter, réussir à dire non et s'imposer.

– Madame Dabo, si j'avais une autre solution je vous épargnerais ça, mais là, nous avons fait le tour, nous sommes coincés. Il me faut une dernière personne pour nous accompagner, c'est obligatoire légalement, sinon je serai contrainte d'annuler la sortie de fin d'année des enfants.

Nathan et Léo fixèrent leur mère aussitôt.

– Maman ! s'exclama Nathan.

– Non, non, ne commencez pas.

Un petit attroupement commençait à grossir autour d'eux, des enfants principalement.

– Personne ne peut venir, insista la professeur des jumeaux, je suis confuse de vous prendre en otage, mais c'est ça ou nous devrons rester ici.

– Non ! protesta Léo. Maman, viens !

Laëtitia s'apprêtait à argumenter qu'une journée de jeux improvisés dans la cour de l'école n'était pas mal non plus

lorsqu'elle vit les regards suppliants des copains de classe de
ses enfants.

– Oui, surenchérit Nathan, on partagera notre pique-nique
avec toi, j'ai pas très faim, je te jure.

Pas aujourd'hui ! Pas ma journée !

– Madame Dabo, implora la professeur avec un air de chien
battu.

Laëtitia soupira.

Tous les regards autour d'elle s'illuminèrent, reprenant espoir.

– C'est vraiment pas le bon jour, répéta-t-elle.

Mais il était déjà trop tard et son ton résigné le trahissait

– Oui ! triompha Léo. On va au zoo ! On va au zoo !

Mme Lemine se laissa aller à prendre Laëtitia dans ses bras.

– Vous êtes formidable !

Laëtitia songea plutôt qu'elle était pathétique, une fois encore.

Mais les enfants hurlaient de joie après avoir entraperçu le
spectre de l'annulation, et c'était en soi déjà un spectacle récon-
fortant.

– Mettez-moi un peu à l'écart pour le début du voyage,
exigea tout de même Laëtitia auprès de la professeur, je dois
annuler mes rendez-vous.

Lorsqu'ils montèrent dans le bus, les enfants trépignaient
d'impatience et leur excitation les rendait bruyants et intenables.
La sortie promettait d'être épuisante et Laëtitia regretta encore
plus ce qui aurait dû être un vendredi reposant.

Pas une seconde, elle ne prêta attention au chauffeur du bus.

Lui, pourtant, reluquait ostensiblement son postérieur sous sa
casquette Coca-Cola.

47.

Deux nouvelles bombes explosèrent dans un cinéma. Le même modèle artisanal que dans les salles précédentes. Et cette fois, il y eut plus de morts encore que dans le film projeté sur l'écran, pourtant un film d'action hollywoodien.

Dans le même temps, un homme débarqua dans le hall de TF1 avec un fusil de chasse et ouvrit le feu en direction des écrans en hurlant qu'il était temps que le règne manipulateur des médias s'interrompe. Il fut heureusement maîtrisé avant de faire des victimes et on retrouva sur lui plusieurs boîtes de cartouches ainsi que l'adresse de France Télévision, BFM et des rédactions du *Figaro*, de *Libération* et du *Monde*.

Cette nuit-là, des centaines de voitures brûlèrent dans les banlieues des grandes villes de France, et les appels à Police-Secours, au Samu ou aux pompiers se multiplièrent bien plus qu'à l'accoutumée.

La flambée de la violence ne faisait plus aucun doute.

La crise. L'angoisse. Le mal-être. Autant de combustibles dangereux. Et la multiplication des actes graves, spectaculaires, venait d'allumer la mèche.

Néanmoins, ce vendredi matin, lorsque Ludivine arriva à la caserne, elle se sentait bien mieux que la veille. À tel point qu'elle en éprouvait presque une certaine forme de... joie. Elle se méfiait du contrecoup de son agression, elle savait mieux que quiconque combien l'effet post-traumatique pouvait engendrer des réactions inattendues, avant de se révéler et d'exploser avec les pires conséquences. Mais elle n'allait pas non plus se contraindre à la déprime au nom de ce qu'elle venait de subir !

La soirée avec Benjamin s'était mieux déroulée que ce qu'elle avait d'abord craint. Discret, il ne l'avait pas ennuyée, ils avaient même un peu discuté en dînant avant de se coucher chacun dans son coin, épuisés. Ludivine avait du sommeil en retard et, pour la première fois depuis plusieurs jours, elle dormit d'une traite, sans cauchemars, sans même se réveiller une seule fois.

Segnon, lui, ne partageait pas sa bonne humeur.

— Ça va pas ? demanda Ludivine en s'installant à son bureau.

— Si, je suis de mauvais poil, c'est tout.

— J'espère que ça va vite passer parce qu'on retourne à Saint-Martin-du-Tertre ce matin, j'ai pas envie que tu fasses la gueule pendant tout le trajet !

— Qu'est-ce que tu veux contrôler là-bas ?

— Le docteur Malumont a dressé un profil plutôt intéressant, il va nous l'exposer en détail.

— Rien qu'on puisse faire au téléphone ?

— Il a consacré cinq ou six heures hier à ça, et a dû passer une partie de la nuit à préparer son exposé, ça lui tient à cœur de nous présenter ses conclusions de visu. Et à mon avis, mordu comme il a l'air de l'être par l'enquête, on pourra peut-être le cuisiner davantage sur ses patients. Mon petit doigt me dit qu'il sera moins ferme sur le secret médical.

Ludivine préféra ne rien révéler de ce que lui avait déjà confié Malumont pour ne pas lui ruiner ses effets vis-à-vis de Segnon, et surtout parce qu'elle n'en avait encore rien déduit de particulier. Un suspect médecin, voire criminologue, ils n'en avaient aucun. Sauf à prendre en compte les psychiatres qui avaient d'une manière ou d'une autre côtoyé certains des criminels, comme Malumont lui-même, Brussin ou le docteur Karchan à Villejuif, mais aucun n'avait de lien avec *tous* les dingues en question. Et il en fallait un qui fasse la jonction. Ludivine avait retourné la question dans tous les sens, aucun docteur dans les listes qu'ils avaient établies ne pouvait correspondre, aucun médecin n'était au cœur du maillage complexe. Et encore moins un criminologue ou un expert de la police scientifique.

Guilhem entra en trombe.

– C'est la panique chez les patrons, dites donc.

– Ah bon ? s'étonna Ludivine. Pourquoi ?

– Je sais pas, j'entendais Jihan et le commandant répondre au téléphone en s'agitant. Je crois que ça gueule en haut lieu à cause de la situation générale, la panique de l'opinion publique. Faut s'attendre à ce qu'on soit tous mis sous pression.

– Comme si on avait besoin de ça...

Elle griffonna l'adresse de la clinique du docteur Malumont sur un Post-it pour pouvoir l'entrer dans le GPS, s'assura qu'elle avait bien sa carte de la gendarmerie avec elle – par acquit de conscience – et fit signe à Segnon de la suivre.

– Guilhem, tu es sûr qu'une petite sortie ne te ferait pas du bien ? demanda-t-elle en se souvenant de leur brève conversation de la veille.

Il désigna les deux piles de documents qui l'attendaient à côté de son clavier.

– Quand vous arrêterez de me refiler des tonnes de données à analyser, peut-être.

Mais au fond, et il ne pouvait prétendre le contraire tant ça se voyait sur son visage, il était très content ainsi.

Ludivine allait sortir lorsqu'elle manqua de s'encastrer dans un petit homme en costume vert d'eau, chemise jaune et nœud papillon rouge. Il avait de courts cheveux blancs, une moustache bien taillée et des lunettes écailles de tortue.

– Je cherche mademoiselle Ludivine Vancker.

– C'est moi-même.

Il lui tendit la main avec un sourire franc, le regard pétillant

– Professeur Colson. Le toxicologue.

– Oui, bien sûr… Je ne m'attendais pas à votre visite, bafouilla Ludivine, prise de court.

– Hier je me suis permis de vous demander si vous étiez jamais venue à notre laboratoire et j'ai réalisé que je n'étais moi-même jamais venu à la section de recherches de Paris. Alors comme j'ai quelque chose pour vous, j'ai préféré vous l'apporter en mains propres.

Il brandit une feuille pliée qu'il venait d'extraire de sa poche intérieure de veste.

– Les résultats ? demanda aussitôt Ludivine.

– Vous m'avez dit que c'est votre sang que j'ai analysé, n'est-ce pas ?

– Oui.

– Et vous vous sentez bien ?

– C'est positif ?

– Je l'ai passé à la chromatographie liquide couplée à la spectrométrie de masse et…

– Professeur ! insista Ludivine.

– Oui, oui, c'est positif.

Ce seul mot, « positif », résonna tel un coup de gong. Un soulagement sans fin inonda Ludivine. Elle n'était ni folle, ni face au diable…

– À quoi ? voulut-elle savoir.

– Oh, c'est là que je m'inquiète pour votre santé. Kétamine. À la base un anesthésiant mais s'utilise aussi pour déclencher des hallucinations, des « trips », avec des risques de problèmes cardiaques ; triméthoxyamphétamine, un hallucinogène très puissant, une dose trop importante d'adrénaline était aussi dans votre sang, trop pour que ce soit votre organisme qui l'ait produit tout seul. Et pour finir j'ai aussi retrouvé des traces de LSD.

– Wouah, siffla Guilhem. Rien que ça ?

– Il faut l'hospitaliser ? s'inquiéta Segnon.

Le professeur Colson désigna Ludivine de sa main libre .

– Apparemment elle s'est remise. Le taux général de ces produits était faible, très faible même, heureusement sinon vous n'auriez pas survécu, votre cœur aurait lâché, mais tout de même, vous êtes une solide. Et l'effet sur votre cerveau a dû être... explosif.

— Faible au point qu'une méthode d'analyse moins poussée que le chromatographe ne les aurait pas révélés ?

— Probablement pas, en effet.

Ils y étaient. La réponse à l'une des principales questions qu'ils se posaient depuis le début : *comment* faire mourir de peur ? Le diable était un apprenti chimiste. Elle repensa aussitôt aux mots du docteur Malumont. Le diable voulait faire ressortir la matière noire de chacun, les confronter à ce qu'ils refoulaient, provoquer un « trip ».

Et elle y avait survécu.

Parce qu'il m'a injecté une petite dose. Il n'a pas pris de risque, il voulait me garder en vie, pour avoir un témoin privilégié de ses actes, de son succès.

Parce que le chasseur qui n'a personne à qui montrer ses trophées est malheureux.

— J'avoue qu'en lisant les résultats je me suis fait du souci pour votre santé, mademoiselle Vancker, confia le toxicologue avec un sourire sincère.

Il avait un côté « vieux monsieur » assez touchant.

— Lulu, commença Segnon, tu devrais aller à l'hosto.

— Déjà fait, mon cœur et ma tête vont bien.

— Au moins prendre un peu de repos.

— Surtout que la plupart de ces produits peuvent « remonter » à la surface après coup, ils peuvent encore avoir quelques effets. Et quoi qu'il en soit, ils altèrent certainement votre comportement, votre jugement. Vos réactions et votre humeur seront potentiellement impactées pendant encore un jour ou deux.

Éludant le problème, Ludivine continua sur sa lancée :

— C'est un cocktail diffusable en spray ?

La bouche du professeur Colson forma un O et ses sourcils se soulevèrent sous ses lunettes tandis qu'il réfléchissait un court instant.

– Ma foi, j'imagine qu'avec un peu de bidouille, c'est vaporisable mais il faudrait un sacré concentré pour ne pas trop perdre de l'effet actif de chacun.

– Et ces produits, on peut les trouver où ? interrogea Segnon.

– En milieu médical, et encore, le LSD c'est plus compliqué, comme vous l'imaginez.

Surtout s'il est médecin, comme l'a suggéré le docteur Malumont.

– Mais avec un peu de détermination rien d'impossible, coupa Ludivine qui devinait que la piste de l'obtention des drogues serait certainement une impasse, le diable était trop malin pour ne pas l'avoir brouillée. Professeur, je peux encore vous demander un gros service ? Vous pourriez tester d'autres prélèvements ? Le docteur Lehmann vous les fournira dans la journée.

– Je présume que je n'ai pas trop le choix ?

– Ceux-là sont morts, mais j'ai besoin d'une confirmation pour notre enquête.

Ce n'était qu'une formalité, devinait Ludivine. Ils avaient trouvé le mode opératoire du diable, mais elle ne pouvait faire l'impasse sur une confirmation écrite, pour le dossier. José Soliz, la fille de Taverny, l'homme dans son appartement parisien tout comme Frédéric et Albane dans la forêt de Saint-Germain-en-Laye avaient été empoisonnés par le même cocktail. Pendant un instant, elle hésita à faire expertiser aussi la couverture du *Necronomicon*, après tout, ce soir-là, lorsqu'elle l'avait parcouru, elle avait cru entendre des voix dans les couloirs... Le livre était-il imbibé de drogues hallucinogènes ? Probablement, mais ce n'était pas une priorité.

Soudain, une idée en chassant une autre, Ludivine fit claquer son majeur contre son pouce.

– Professeur, une dernière chose : est-ce que ce genre de cocktail peut se retrouver dans le sang d'un homme vivant plusieurs jours après son assimilation ?

– Peut-être pas tout, ça dépend, cependant, avec des prélèvements sanguins et des mèches de cheveux, je peux essayer. Vous saviez que vos cheveux sont le journal de bord de votre organisme ? En les étudiant de près, je peux savoir tout ce que vous avez absorbé depuis qu'ils poussent ! Avec des cheveux longs comme les vôtres, je dirais que j'ai l'historique de votre vie depuis au moins cinq ans !

Ludivine fit la grimace pour être polie, mais son esprit était déjà ailleurs.

Elle devait faire prélever quelques mèches de cheveux et un peu de sang à plusieurs personnes. Les noms de chacun défilèrent dans sa mémoire.

48.

Les enfants chantaient tous ensemble dans le bus. Sous la baguette de Mme Lemine, professeur en fin de quarantaine, bouclettes brunes et robe florale ample pour dissimuler ses kilos en trop, ils enchaînèrent les comptines, sans réelle passion, puis les chants traditionnels populaires avec un peu plus d'allant. Ils n'allaient plus tarder à aborder le répertoire des chansons à la mode. Là, Laëtitia était curieuse de voir ce que ça allait donner. Mme Lemine était-elle aussi experte en la matière sous ses airs de vieille fille un peu coincée ? Une fillette proposa Matt Pokora et tout le bus s'enthousiasma sauf Mme Lemine, et ils se mirent finalement à chanter une chanson de... Jean-Jacques Goldman que Mme Lemine ne fut pas la dernière à reprendre.

Laëtitia avait fini par se résoudre à son sort et, après une première demi-heure placée sous le signe de la mauvaise humeur, elle avait remonté la pente et affichait un sourire qui n'était pas feint. Après tout, elle accompagnait des enfants dans une sortie qui leur tenait à cœur, il faisait beau, l'ambiance générale était agréable, Nathan et Léo étaient à ses côtés, elle avait connu pire !

Seul le conducteur du bus la dérangeait.

Il roulait trop vite.

Mme Lemine le lui avait déjà fait remarquer une première fois avant que Charles, le sexy père de Rachel Lehanin, n'en remette une couche et que le conducteur ralentisse. Mais maintenant qu'ils avaient quitté l'autoroute, il reprenait ses mauvaises habitudes et cela exaspérait Laëtitia qui était à deux doigts d'y aller à son tour.

Charles Lehanin devait être connecté sur ses pensées parce qu'il se leva de l'arrière du bus où il supervisait les garçons les plus agités et approcha du chauffeur.

– On vous a dit de rouler plus doux, bon sang ! s'énerva-t-il d'un coup.

Laëtitia en fut aussitôt admirative. Elle avait toujours trouvé séduisant une pointe d'autorité chez un homme. Et s'il était charmant, bien fait, les tempes grisonnantes, le sourire ravageur, alors c'était encore plus appréciable.

Cela faisait des années que Laëtitia ne s'interdisait plus d'être sensible à la beauté d'un homme. Après tout, comme le disait le dicton, ce n'est pas parce qu'on sort de table qu'on n'a pas le droit de regarder la vitrine. Elle savait aussi que cela ne portait pas à conséquence. Segnon était son mari, c'était lui qu'elle aimait et elle avait toujours été une fille droite.

– Si vous appuyez encore sur le champignon, prévint Charles Lehanin, je vous signale à votre direction. Il y a des enfants à bord.

Lorsqu'il repassa dans l'allée pour retrouver sa place, il croisa le regard de Laëtitia et son expression courroucée se transforma immédiatement en un ravissant minois, toutes dents dehors.

Toi, mon coco, si j'étais une femme infidèle, je mise un petit billet que je serais dans ton lit en moins de deux !

Il y avait pourtant une Mme Lehanin, Laëtitia l'avait déjà vue aux réunions de parents d'élèves. Une splendide rousse avec des seins comme des ogives et un cul rebondi qu'elle devinait plus ferme qu'un trampoline. Un parc d'attraction pour hommes, cette femme-là.

Manifestement, le parc est en maintenance...

Charles avait faim, ça se voyait dans son regard.

Laëtitia avisa les autres femmes embarquées dans l'aventure, Mme Lemine et Mme Bertheau, deux professeurs aussi austères l'une que l'autre. Non, elle ne pouvait pas partager ses commérages avec elles, tant pis.

Mme Lemine, qui se tenait au premier rang, devant Laëtitia, se pencha vers le chauffeur :

– Excusez-moi, mais ce n'est pas la route de Thoiry, là, je ne reconnais plus.

– Je sais.

– Mais nous devons aller à Thoiry !

Le chauffeur, planqué sous sa casquette Coca-Cola, agita une main un peu brusquement au goût de Laëtitia :

– Vous me voyez donner les cours à vos élèves ? Non. Eh bah moi, je vous vois pas conduire mon bus à ma place, alors chacun son travail.

Pour le coup, Laëtitia était contente qu'il y ait un homme avec eux dans le bus, pour en imposer un peu plus au chauffeur qui commençait à devenir exaspérant.

Après un temps, le conducteur sembla vouloir faire amende honorable :

– Je connais bien la région. Je prends un raccourci pour éviter les travaux sur la départementale, sinon on en a pour deux heures avec les feux alternés.

Mme Lemine acquiesça, manifestement vexée.

Mais après quinze minutes de plus, le bus continuait à filer sur des petites routes de campagne, de plus en plus désertes. La professeur se pencha à nouveau :

– Je crois vraiment que vous vous trompez, dit-elle.

L'homme à la casquette leva le doigt devant lui.

– Je vais m'arrêter un peu plus loin et on va en discuter.

Il connaissait en effet bien la région car, de fait, la route révéla un coude assez large après cinq cents mètres et le bus s'engagea sur une bande de terre blanche qui ressemblait à une aire abandonnée pour les pique-niques.

Dès que le véhicule fut immobilisé, le conducteur se leva.

Il avait un gros ventre qui tendait son polo à rayures rouges et blanches, un jeans informe, et surtout son visage rond et presque poupin apparut réellement pour la première fois à Laëtitia. Couperose aux pommettes et sur les ailes du nez, sourcils broussailleux, regard clair et dents jaunes de travers, détailla la jeune femme. Tous les hommes ne naissaient pas égaux, et certains ne faisaient rien pour arranger les choses...

Il ajusta sa casquette rouge et blanche, apparemment son association de couleurs préférée, et il tira sur son sac à dos derrière son siège pour en extraire un objet chromé que Laëtitia ne reconnut pas tout de suite, surprise par les exclamations presque excitées des enfants.

Le chauffeur tenait une arme de poing.

– Allez la casse-couilles, tu dégages, tu sors, dit-il sous le regard halluciné de Mme Lemine. Et vous aussi, derrière, tous les adultes, vous descendez.

Le sang de Laëtitia ne fit qu'un tour et elle se raidit sur sa place.

– Magnez-vous ! aboya le conducteur tandis que les enfants commençaient à prendre peur.

– Mais... Mais, balbutia Lemine.

– Ta gueule ! Tu descends ou je te flingue là, devant les mômes !

Une colère froide l'animait. Bien plus effrayante que s'il avait été hors de lui. C'était au contraire la rage d'un être réfléchi, conscient de ses actes. Un homme ayant soigneusement pesé le pour et le contre, ayant tout préparé avec attention.

Bertheau, l'autre professeur, approcha de la sortie, suivie par Charles Lehanin qui ne bronchait plus.

Le conducteur actionna le mécanisme et la porte s'ouvrit dans un chuintement électropneumatique.

Mais au moment de descendre les marches, Charles Lehanin rassembla tout son courage et s'approcha du conducteur :

– Qu'est-ce que vous faites ? Il y a des enfants à bord !

– C'est bien ça l'idée. Sortez, vite.

– Écoutez, laissez au moins sortir ma fille, elle...

– Trois secondes. C'est tout ce qu'il te reste.

– Vous êtes fou ou quoi ? Vous ne pouvez pas..

– Et puis merde.

La détonation claqua dans l'habitacle et Charles Lehanin fut projeté hors du véhicule par une balle de gros calibre tirée en pleine poitrine. Cette fois, tout le bus résonna des pleurs et des hurlements des quarante-deux enfants de huit à onze ans.

L'homme à la casquette n'avait pas manifesté la moindre émotion. Il pivota vers Bertheau et Lemine.

– Dehors, ordonna-t-il froidement.

Laëtitia se tourna vers ses deux fils. Ils étaient terrorisés, ne comprenant pas ce qui se passait sinon qu'il s'agissait de quelque chose de grave. De très grave. Gagnés eux aussi par la panique générale. Laëtitia ne pouvait pas abandonner ses fils à ce malade. C'était impossible.

Elle prit sa décision en un instant.

Elle saisit la tête de Nathan, y déposa un baiser, avant d'en faire de même avec Léo, puis se précipita vers le chauffeur et fut accueillie par la gueule d'acier du canon. Au pied du bus, le corps de Charles convulsait dans une flaque de sang.

– Oh, doucement, ma belle, tu sors calmement, sans geste brusque.

– Je ne peux pas. Je ne peux pas abandonner...

– Comme tu voudras.

Elle comprit que ses dernières secondes étaient venues, et pourtant Laëtitia, par amour pour ses deux garçons, fut incapable de se taire ou de chercher à se protéger. Elle continua, raide comme un piquet, s'attendant à sentir la violence de l'impact la terrasser, et mobilisa toute son énergie à ne pas céder à l'hystérie :

– Non ! Non ! Vous aurez besoin de moi pour les calmer ! Les enfants vont hurler. J'ignore vos plans mais si vous voulez rouler avec eux à bord, il vous faut quelqu'un pour les apaiser, pour les tenir. Je peux le faire, je peux m'en occuper pour vous.

Le conducteur qui, un instant plus tôt était sur le point de presser la queue de détente, se ravisa et parut sensible à l'argument. Il plissa les lèvres et finit par hocher la tête.

– Très bien. Mais s'il y en a un qui gueule, c'est toi qui prends, on est clair ?

Laëtitia acquiesça vigoureusement et l'homme se tourna vers les deux professeurs.

– Toi, dit-il à Lemine, tu restes aussi pour l'aider. La vieille, tu descends.

Lemine toisa Laëtitia avec désespoir alors que Bertheau sortit du bus presque à regret, en jetant un dernier coup d'œil vers les enfants. Les deux professeurs semblaient prêtes à échanger leur rôle.

Mais Bertheau n'eut pas le temps d'ouvrir la bouche que son crâne explosait et que sa cervelle partit se répandre dans l'herbe pour nourrir les oiseaux.

Cette fois, tous les enfants se turent.

49.

Tous les drames du monde pouvaient bien frapper à la porte de la SR de Paris, pour Guilhem, ce n'était rien, car lui connaissait la véritable agonie du monde. Il avait contemplé son visage et, chaque jour, il encaissait la souffrance, la peur, le doute et le vain espoir. Rien, non rien, il en était convaincu, ne pouvait rivaliser avec l'horreur du plan de table.

Les préparatifs du mariage avançaient, lentement, semaine après semaine, mais ce fichu plan de table demeurait inachevé, il était le spectre qui planait sur son union avec Maud. Le squelette dans le placard de leur intimité. Il revenait sans cesse sur la table – et c'était son expression préférée pour en parler avec ironie. Il leur restait encore du temps, mais chaque jour, après maintes tentatives, le combat leur semblait une fois encore perdu d'avance. Il fallait être diplomate, stratège, devin, vicieux et expert international en Rubik's Cube pour y parvenir – ou comment aligner chaque face des deux familles sans commettre d'impairs.

À côté de cette torture, tout le reste lui paraissait nettement plus agréable. Même entrer des kyrielles de données dans un logiciel, jour après jour, analyser des rapports, chercher des recoupements possibles, établir des schémas liant les différents protagonistes lorsque c'était possible, à chaque fois appeler les opérateurs téléphoniques pour se faire expédier des pages et des pages d'appels à contrôler, tout ça était un vrai bonheur face au casse-tête que représente le fait de trouver l'emboîtement magique pour le dîner de son mariage.

Toute la matinée, il avait vu Ludivine et Segnon s'activer pour obtenir qu'on fasse des prélèvements sanguins et capillaires sur Kevin Blancheux dit le Chelou et sur le type du centre commercial. Ils s'étaient battus auprès du procureur de la République pour qu'il ordonne d'en faire autant sur les cadavres des deux adolescents du TGV et sur celui de Ludovic Mercier. La théorie que défendait Ludivine – que toutes les affaires étaient liées – allait être prouvée par la toxicologie. Elle était convaincue que celui qui se faisait passer pour le diable droguait tout le monde, même ses disciples, ou du moins les moins barrés. Probablement avec un cocktail moins puissant que celui qui lui servait à tuer, mais avec un mélange qui devait les plonger dans un état second, docile ou au contraire excité, hors de tout contrôle, selon ses besoins.

Et par chance, c'était le professeur Colson lui-même qui avait rappelé en fin de matinée. Un juge d'instruction avait déjà ordonné un contrôle toxicologique précis sur les corps des deux tireurs du Paris-Hendaye. Analyses effectuées par le laboratoire de toxicologie de la préfecture de police de Paris, là où se trouvait également l'Institut médico-légal, et Colson, en découvrant les résultats, avait appelé Ludivine.

C'était un assemblage puissant. Similaire à celui qu'il avait relevé dans le sang de Ludivine mais sans l'adrénaline et avec des dosages différents. Kétamine en moindre quantité, pour préserver le cœur probablement, le LSD aussi était plus doux. En revanche, il y avait de la méthamphétamine, et surtout beaucoup de benzylpipérazine, plus connue sous le nom de « sels de bain », aux États-Unis notamment, une drogue qu'on tenait pour responsable de nombreuses crises de démence, qui avait entraîné des massacres, des actes de cannibalisme et nombre de suicides, là-bas, où elle était populaire.

Ludivine venait de prouver qu'il existait bien un lien entre certains des massacres et attentats perpétrés depuis presque deux semaines.

Le colonel Jihan parut accuser le coup. Il fallait tout revoir, tout réorganiser, en informer ses supérieurs. C'était colossal. Particulièrement dans les circonstances actuelles, dans le climat d'insécurité totale qui frappait le pays. Coordonner non pas une vaste enquête mais pas loin d'une dizaine au sein de la même cellule.

Ludivine, fidèle à elle-même, n'attendit pas que le colonel lui dise quoi faire. À midi, elle avait déjà embarqué Segnon à la clinique de Saint-Martin-du-Tertre pour écouter enfin le fameux psychiatre.

Guilhem avait épluché tous les numéros de téléphone fournis par le SRPJ de Versailles dans l'affaire du couple retrouvé dans la forêt, et il avait vérifié qu'aucun ne renvoyait vers une personne citée dans leurs propres dossiers. Ensuite il avait lu un à un tous les noms apparaissant dans le rapport du SRPJ, toujours par acquit de conscience.

Depuis une heure enfin, il entrait des identités dans son logiciel, ligne par ligne, sans même vraiment y prêter attention, un peu de musique vissée sur les oreilles.

Soudain Analyst Notebook réagit et une case apparut en surbrillance.

Le cœur de Guilhem tressauta dans sa poitrine.

Il se pencha sur son écran et cliqua pour voir le déroulé du recoupement.

Peu à peu son visage se décontracta. Le casque glissa sur son cou.

Après des dizaines et des dizaines d'heures de saisie, des milliers de pages avalées, des centaines de données archivées, Guilhem se leva et tendit les bras vers le plafond.

En un instant, le logiciel venait de donner un sens à son acharnement.

Un nom était ressorti. Un recoupement que des humains auraient probablement mis des semaines, sinon des mois à effectuer.

Et ce nom n'était pas n'importe lequel.

Guilhem sauta sur son téléphone.

Il fallait qu'il prévienne Ludivine immédiatement.

Elle filait droit vers lui.

Pourtant il n'en eut pas le temps. Le colonel Jihan entra en trombe dans le bureau.

– Le lieutenant Dabo, il est où ?

– Segnon ? Euh, sur la route avec Ludivine... Pourquoi ?

Jihan transpirait et toute sa sérénité habituelle s'était évaporée. Il n'était pas besoin d'être un génie pour comprendre qu'une catastrophe était survenue.

– Je viens d'être informé qu'un bus a disparu avec une quarantaine de gosses à bord, et un cycliste a trouvé deux cadavres qui pourraient être ceux des accompagnateurs. J'attends encore confirmation.

– On est sur l'affaire ?

– Indirectement, parce que les gamins enlevés viennent de l'école de Brousse, dans notre quartier, on nous a demandé de bosser là-dessus. La directrice de l'école vient de me transmettre la liste des gosses et des personnes qui assistaient la sortie, et elle contient le nom de la femme et des enfants de Segnon. Le commandant et moi-même venons de l'éplucher, a priori c'est le seul membre de la caserne concerné. Je veux le faire revenir ici en vitesse avant qu'il ne l'apprenne. Je ne veux pas d'un militaire d'un mètre quatre-vingt-quinze furieux et désespéré avec une arme à la ceinture dans la rue.

Jihan attrapa le téléphone sur le bureau de Segnon

– Vous avez son numéro de portable ?

50.

La Peugeot banalisée de la gendarmerie venait de dépasser Roissy lorsque Segnon décrocha.

Il écouta sans un mot la voix autoritaire au bout du fil et Ludivine sentit une tension se dessiner sur les traits de son partenaire.

– Qu'est-ce qui se passe ? chuchota-t-elle depuis le fauteuil passager.

Segnon avait refusé qu'elle prenne le volant après ce qu'avait expliqué le professeur Colson sur les effets latents des drogues qui lui avaient été administrées.

– C'est Jihan, articula-t-il en posa le pouce sur le micro du téléphone, il veut que je rentre tout de suite à la caserne.

– Pourquoi ?

– Je sais pas, il ne veut rien dire.

Segnon écouta encore, argumenta avant de finir par obéir.

– Très bien, colonel, on fait demi-tour.

Il allait raccrocher lorsque le colonel l'informa que Guilhem voulait lui parler. Ludivine, penchée pour coller son oreille au combiné, lui fit signe de lui donner le téléphone :

– File, à moi il va peut-être baver ce qui ne va pas. Guilhem ?

– Attends, fit la voix de leur collègue. C'est bon, Jihan est parti.

– C'est quoi ce bordel ? Pourquoi faut qu'on rentre ?

– Je peux pas te le dire au téléphone, c'est compliqué. Magnez-vous, c'est tout.

– Vous avez chopé un suspect ?

Son cœur s'était brusquement emballé.

– Non, rien à voir. Rentrez, c'est tout.

– Guilhem, je veux pas qu'on nous mette sur le carreau, si c'est une décision politique à la con pour que la SR...

– Laisse tomber, je te dis.

Elle devina à sa voix que ça n'allait pas et s'imagina tout de suite que la cellule 666 était démembrée pour confier tout leur travail à d'autres, plus nombreux, dans des services plus proches du pouvoir, plus contrôlables.

– Mais il y a une bonne nouvelle, ajouta Guilhem. J'ai peut-être trouvé le lien entre tous les sociopathes qui foutent le bordel.

– Quoi ? Et c'est maintenant que tu me le dis ?

– Je dois vérifier, t'emballe pas, c'est peut-être une erreur de saisie mais j'ai un nom qui revient entre Saint-Martin-du-Tertre et une unité psy près de Lille où Michal Balenski a séjourné longuement il y a peu de temps.

– Qui ?

– Le docteur Serge Brussin.

Oh putain... Brussin, encore ce nom.

Fallait-il croire en la loi des séries ? Après Gert Brussin le fanatique, Serge Brussin le diabolique. Ça faisait beaucoup en moins de deux ans, beaucoup trop de Brussin même pour toute une vie.

– Tu es sûr de toi ?

– Non, je te le dis, je vais d'abord m'assurer que c'est pas une connerie, ça arrive, mais le logiciel a tout de suite tilté. J'étais en train d'entrer le listing du personnel de la clinique que vous m'avez rapporté l'autre jour, et à peine le nom de Brussin enregistré qu'Analyst Notebook me l'a balancé comme étant déjà dans une autre liste d'intervenants extérieurs dans une unité psy près de Lille. Liste qui nous a été communiquée par la SR de Lille lors de l'enquête sur Balenski et son passé.

C'était trop gros pour être une coïncidence. Bien sûr l'hypothèse d'une erreur de saisie était possible, ça se produisait souvent, toutefois Ludivine pressentait qu'ils étaient sur la bonne voie.

Médecin, comme l'avait pronostiqué Malumont.

Elle se souvenait d'un type acariâtre, très sûr de lui. Assez grand, probablement sportif. Sa poignée de main lui revint en mémoire, lâche, du bout des doigts, comme s'il rechignait au contact.

Ou comme si nous n'étions pas, nous enquêteurs, dignes de le toucher.

Il avait été remercié un peu sèchement par Malumont, renvoyé comme un gamin auprès des autres dans la cour d'école. Se sentait-il rabaissé au travail ? Nourrissait-il des frustrations à cause de son patron ? Frustrations qu'il répercutait sur ses victimes...

Soudain elle réalisa que c'était le jour de sa rencontre avec Brussin qu'elle avait été agressée, le soir même, et elle sut qu'ils tenaient le bon.

Nous sommes venus chez toi, alors tu es venu chez moi. N'est-ce pas ? Tu l'as pris contre toi, personnellement, comme une menace, alors tu as voulu me rendre la pareille.

Elle n'avait plus aucun doute.

– Lulu, t'es encore là ? Allô ?

– Oui. Fais les vérifs, mais je crois que c'est le gros lot.

Elle raccrocha et, remarquant que Segnon était sorti de l'A1 au niveau de l'aéroport pour chercher à prendre l'autoroute dans l'autre sens, elle lui indiqua la file de droite.

– Tu veux prendre un avion ? s'étonna-t-il.

– Non, tu me déposes au premier terminal venu.

– Qu'est-ce qui se passe, Guilhem te l'a dit ? Ils me font flipper, ces cons. Pourquoi le colon s'adressait à moi comme si ça me concernait ?

– Il sait qu'il n'aurait pas réussi à me convaincre, moi, alors il joue sur la corde sensible.

— Ouais. J'espère que c'est ça. T'as mon portable ? Appelle Laëtı quand même.

Obsédée par ses propres idées fixes, Ludivine n'en fit rien.

— Je ne sens pas Jihan sur ce coup. Ils vont nous entuber avec l'enquête. Les politiques, si tu veux mon avis. Mais je ne vais pas laisser tomber.

— Ah, commence pas avec ça. File-moi mon portable.

— Ils vont nous la retirer.

— Mais non, la SR est parfaitement adaptée à ce genre de gros barnum. C'est déjà arrivé, tu te rappelles ?

— C'est colossal, Segnon, ça prend des allures d'affaire d'État. Le ministère de l'Intérieur va vouloir prendre la main pour rassurer l'Élysée, et Jihan n'est pas dans les petits papiers de la place Beauvau. Non, ils vont nous la prendre.

— Stop. C'est de la paranoïa. On rentre.

— Toi, tu rentres, tu diras que je t'ai planté.

— Lulu, arrête. Et t'es pas en état de conduire.

— Je vais *bien*, OK ? Je ne peux pas prendre le volant mais on me laisse porter une arme sous ma veste ? Sérieux ? Déconne pas, Segnon, je te dis que je suis opérationnelle.

— T'es une emmerdeuse, tu sais ça ?

Elle lui rendit son téléphone.

— J'ai besoin d'aller voir à la clinique, d'écouter Malumont et de m'assurer de quelque chose.

— Quoi donc ?

Ludivine savait qu'à l'instant où elle lui confierait la découverte de Guilhem, il l'empêcherait d'aller à la clinique toute seule. Même si elle lui expliquait qu'elle n'avait pas l'intention d'approcher Brussin, même si elle l'assurait qu'elle se sentait en pleine forme, que son jugement n'était pas altéré. Il verrouillerait les portes et conduirait droit jusqu'à la caserne où Jihan leur annoncerait en grande pompe que l'enquête passait dans des mains « plus compétentes », du moins politiquement. Arrestations, interrogatoires, satisfaction et sentiment du devoir accompli seraient pour les autres.

Et Ludivine avait besoin, sur cette affaire plus que n'importe quelle autre, d'aller jusqu'au bout. Elle avait un compte à solder. Un face-à-face en attente. En plein jour, avec des dizaines de témoins autour d'elle, elle ne risquait rien.

Sa décision était prise. Elle n'approcherait pas Brussin, mais devait boucler le dossier, et elle savait exactement comment procéder.

— Tu me déposes ici, ordonna-t-elle, je vais louer une bagnole pour la journée. Et tu arrêtes de discuter avec moi. Je serai rentrée en fin d'après-midi. Alors Jihan pourra m'annoncer qu'ils refilent le bébé.

Mais d'ici là, elle aurait la preuve qu'ils avaient identifié le bon coupable.

Segnon, trop préoccupé par ses propres pensées, ne chercha pas à combattre. Il savait de toute manière qu'avec Ludivine tout affrontement était perdu d'avance.

51.

Il avait de beaux yeux bleus, extrêmement translucides. Pourtant une lueur inquiétante y brillait, tout au fond, tel un avertissement qui scintillait autour de la glace. Car son regard en soi, lui, était terrifiant d'inhumanité. Aucune vie. Aucune émotion. En fait, seule la couleur de ses iris était remarquable.

Et Laëtitia avait eu le temps de s'en rendre compte. Le conducteur ne cessait de les observer, elle et Simone Lemine. Il guettait la moindre de leurs réactions par le gros rétroviseur intérieur qui lui offrait un panorama complet sur le bus, et les deux femmes étaient maintenant assises, à sa demande, au premier rang, à sa droite, pour qu'il ne puisse rien manquer de leurs faits et gestes.

Les premières minutes, les deux femmes avaient pu se concentrer sur les enfants, les faire asseoir, les calmer, leur faire comprendre qu'ils devaient se taire. Plusieurs pleuraient à chaudes larmes et Laëtitia avait dû s'employer à les canaliser, sous la menace du revolver chromé. Mais à présent que tous les enfants s'étaient pelotonnés sur leurs sièges, elles avaient tout loisir de stresser, de sentir la panique et la terreur les envahir.

Au début, Laëtitia avait craint que Simone Lemine n'ait pas le cran nécessaire, surtout après l'assassinat de sa collègue, mais lorsqu'il avait fallu se charger des enfants, Simone avait aussitôt retrouvé ses instincts de professeur, de femme, et elle avait assuré. Laëtitia s'en était voulu de l'avoir entraînée là-dedans mais compte tenu du sort que le conducteur réservait à ceux qu'il débarquait, sans doute ne fallait-il pas éprouver de regrets. Ne lui avait-elle pas sauvé la vie, au contraire ?

Les jumeaux la perturbaient. Déjà que vivre ce cauchemar était éprouvant, une horreur de chaque instant qu'il fallait surmonter, pour survivre, et pour les enfants, mais le faire en sachant ses propres fils embarqués avec elle, cela relevait de la torture mentale.

Pourtant, dès qu'elle avait commencé sa mission auprès des petits, Laëtitia avait su ce qu'elle devait faire. Elle avait commencé avec Nathan et Léo, et en les serrant contre elle, elle leur avait chuchoté à l'oreille qu'ils ne devaient pas dire qu'elle était leur mère. Elle le leur avait ordonné. Parce qu'elle se doutait que si le conducteur l'apprenait, tôt ou tard il saurait s'en servir contre elle. Ne pas lui donner trop de billes, il en avait déjà bien assez.

La situation était déchirante et Laëtitia jetait de furtifs coups d'œil en arrière de temps à autre pour vérifier comment ils allaient. Nathan pleurait en silence, blotti contre son frère qui guettait la route, comme la plupart de ses compagnons.

C'était insupportable de croiser une voiture en sens inverse et de ne rien pouvoir faire. Le chauffeur était armé, costaud, et même en s'y mettant à deux, elles n'étaient pas sûres d'avoir le dessus. Une balle perdue dans un bus rempli d'enfants était la dernière chose qu'elles pouvaient se permettre.

Le bus roulait toujours sur des itinéraires secondaires, peu fréquentés, voire déserts par moments. Le conducteur savait où il allait, cela ne faisait aucun doute.

Parmi les pires angoisses qu'éprouvait Laëtitia, il y avait celle de ne pas comprendre. Le conducteur n'exigeait rien sinon le calme. Il n'avait rien expliqué non plus.

Il avait fallu presque quarante minutes à la jeune femme pour qu'elle se décide à passer à l'action. Lentement, sans lâcher le rétroviseur du regard pour épier les réactions du chauffeur, Laëtitia avait extrait son téléphone portable de la poche intérieure de sa veste en daim. Elle n'usait que de gestes doux, sans jamais baisser les yeux sur ce qu'elle faisait, prenant soin de garder une main sur l'appareil pour qu'il demeure invisible. Dès qu'elle le tint assez fermement, son premier réflexe fut d'actionner le mode silencieux pour couper la sonnerie. S'il se mettait à chanter, Laëtitia ne donnait pas cher de leur peau. Lorsque Simone Lemine s'en aperçut, elle donna un petit coup de coude à sa complice et fit « non » de la tête.

Avaient-elles un autre choix ? Simone était partisane de la soumission totale, de l'attente. Elle en était réduite à espérer un sursaut d'humanité dans la chose abjecte qui pilotait le bus vers l'enfer et à prier pour que les flics s'aperçoivent à temps de l'enlèvement et fassent intervenir le GIGN. Cela relevait presque de la science-fiction ! En somme, Lemine s'en remettait à Dieu. Mais Laëtitia le savait, Dieu était là pour ceux qui perdaient toute chance de s'accomplir sur terre, il les accueillerait aux portes du paradis, mais il n'interviendrait jamais de leur vivant, ce n'était pas sa politique, il ne fallait pas être naïf.

Non, Laëtitia en était convaincue, sa vie, celle de ses fils et de tous ces gamins reposaient sur sa capacité à agir. À faire les bons choix. Et elle avait pris sa décision. Aussi folle et risquée soit-elle.

Simone tenta vainement de l'arrêter avec une main posée sur la sienne, mais elle ne put faire plus sans risquer d'attirer l'attention du conducteur.

Laëtitia avala sa salive avec nervosité. Il fallait qu'elle parvienne à écrire un sms à son mari sans regarder l'écran.

Elle connaissait son portable, elle le connaissait par cœur, elle en était tout à fait capable. Malgré son assurance, elle hésita. La peur et le stress la firent douter. Elle ne savait même plus où était l'application pour écrire les textos.

Bien sûr que si, en haut a gauche.

Elle posa le doigt sur ce qu'elle estimait être le bord supérieur gauche de son écran et appuya.

Est-ce que c'est bon ?

Elle allait oser un coup d'œil rapide lorsque les deux icebergs du conducteur inondèrent le rétroviseur intérieur et la frigorifièrent de leur intensité malsaine.

La respiration de Laëtitia s'accéléra. S'il l'avait surprise en train de regarder entre ses cuisses, il aurait pu se douter qu'elle préparait un mauvais coup. Elle ne devait pas regarder.

Pourtant, elle était perdue, elle ignorait si c'était le bon menu. Ses pupilles s'abaissèrent. Juste un instant.

Seulement deux secondes, le temps de faire le point, de reconnaître l'écran des sms, et elles se redressèrent sur la route, sur le rétroviseur.

Les deux icebergs flottaient vers l'horizon.

Son cœur battait encore plus vite.

Elle savait qu'elle était sur la case du destinataire. Elle connaissait le clavier parfaitement pour avoir tapé des milliers de sms dans sa vie et elle fit courir ses doigts en silence pour écrire « doudou ». C'était le nom de son mari dans son répertoire.

Puis elle eut un nouveau doute. Suffisait-il de presser « Entrée » pour accéder au texte du message ou fallait-il poser le doigt sur le cadre ?

Avec le doigt, c'est tactile.

Cela signifiait regarder ce qu'elle faisait, il était impossible d'appuyer au hasard sur l'écran, la fenêtre de rédaction était trop petite.

Nouvelle inspiration pour prendre son courage. Coup d'œil dans le rétroviseur. Et Laëtitia baissa les yeux.

Une seconde.

Elle repéra le cadre.

Deux secondes.

Son pouce se déplia et s'écrasa au bon endroit pour faire apparaître le clavier virtuel.

Trois secondes.

Essai raté, le bord du pouce n'appuyait pas comme il le fallait. *Trop long !*

Laëtitia releva les yeux et les planta dans le rétroviseur au moment même où le conducteur levait les siens pour les observer.

Déglutition non contrôlée, de peur. Trahie par sa nervosité.

Mais le chauffeur se reconcentra sur la route, sans changer d'attitude. Laëtitia respira à nouveau.

Elle pressa le pouce plus fort contre l'écran et osa un nouveau coup d'œil.

Le clavier virtuel était là.

Dieu merci !

Aussitôt ses doigts s'élancèrent pour rédiger un texte. Court et efficace.

« Sommes pris en otage. Sérieuse. Fou. 2 tués. Avons quitté autoroute pdt 1 hr, sais pas où. Routes campagne. »

Laëtitia attendit avant d'envoyer le message. Il lui fallait un panneau. Elle s'en voulut aussitôt de n'y avoir pas pensé plus tôt, cela faisait plus d'une demi-heure qu'elle n'avait que ça à faire et elle s'était laissée obséder par la peur.

Mais la chance lui souriait, un rectangle blanc et noir indiquait « Orgerus 4 ».

Ses deux pouces ajoutèrent le nom du village.

Elle n'avait pas tout à fait terminé qu'une voiture en contresens qui arrivait un peu vite dans le virage fit piler le conducteur du bus et tous les passagers durent s'agripper à ce qu'ils purent pour ne pas se cogner.

Surprise, Laëtitia lâcha le téléphone qui tomba à ses pieds dans un choc sourd.

Le conducteur jura après avoir redressé la trajectoire de son véhicule et ses mains s'ouvrirent et se fermèrent sur son volant tandis qu'il grognait. Il n'avait rien remarqué.

Le téléphone avait glissé entre les jambes de Simone et il était sur le rebord, prêt à basculer dans les marches. Un nouveau nid-de-poule fit cahoter le bus et, au moment où le téléphone allait tomber, le pied de Simone se posa dessus pour le maintenir.

Laëtitia la remercia du regard.

Il fallait encore se pencher pour le ramasser sans se faire voir. C'est alors qu'il se mit à vibrer.

Putain de vibreur !

Il résonnait terriblement fort sur la barre de fer du rebord.

Le bus pila brutalement.

Laëtitia eut à peine le temps de se retenir au garde-fou devant elle, de comprendre ce qui se passait que le bus était immobilisé au milieu d'une route de campagne déserte et que le conducteur se tenait sur le côté, la dominant de toute sa masse.

Les vibrations continuaient, immanquables.

Simone, terrifiée, souleva son pied. Laëtitia vit que c'était Segnon qui l'appelait. Elle hésita à se jeter dessus pour hurler, pour implorer qu'il les sauve.

Mais elle se ravisa in extremis. Elle ne pouvait pas se sacrifier pour rien.

– Vous vous foutez de moi ! explosa le chauffeur.

Et comme le pied de Simone s'éloignait du portable, le canon chromé se rapprocha de son front.

L'homme se pencha pour saisir le portable, le visage rouge de colère. C'était le moment ou jamais, songea Laëtitia en le voyant juste devant elle. L'occasion rêvée de le frapper, d'essayer de lui arracher son arme.

Pourtant elle ne parvint pas à se ruer sur lui. La peur la retint et ce fut trop tard, il était de nouveau debout à côté d'elles.

– Oh ! vous voulez jouer à ça, hein ? dit-il, essoufflé par la rage. Vous voulez *vraiment* jouer à ça ?

Il fit tomber le portable et le fracassa à coups de talon. Puis le revolver surgit à nouveau devant Laëtitia.

Le coup de feu claqua juste devant son nez et quelque chose de chaud et de moite fut projeté sur elle.

Puis le quelque chose se mit à dégouliner dans ses cheveux, sur son bandeau, dans son cou et son épaule droite.

Les enfants hurlaient, ça Laëtitia pouvait l'entendre au loin, à travers le sifflement douloureux de ses tympans.

Elle vit le canon pivoter vers elle et sa gueule fumante s'approcher de son œil.

Elle comprit que le conducteur lui parlait, qu'il était en colère mais elle n'entendait rien. La détonation l'avait rendue, temporairement, elle l'espérait, sourde.

Alors elle le vit ouvrir en grand son sac, derrière son siège de chauffeur, en sortir un curieux gilet qu'il enfila et referma par deux clips latéraux. Un fil courait le long du gilet, fil que l'homme entoura le long de son bras avant d'enrouler du gros scotch gris autour de sa paume de main pour en fixer l'extrémité.

Lorsque Laëtitia comprit qu'il s'agissait d'un petit bouton, désormais rivé à portée de pouce, prêt à s'enfoncer à la moindre pression, alors la jeune femme réalisa que le gilet était en fait une ceinture d'explosifs.

Le conducteur désigna tout le bus, puis le cadavre de Simone Lemine et enfin Laëtitia.

Elle ne comprit pas ce qu'il cria mais elle sut qu'il allait tous les faire sauter. Sans l'ombre d'un doute

52.

L e flat-six de la Porsche Boxster S ronfla et Ludivine remonta la pente pour contourner le château abandonné qui masquait le domaine de Saint-Martin-du-Tertre.

Les pneus dérapèrent sur le gravier d'un virage, elle allait vite, pressée qu'elle était de rejoindre la clinique tout au fond de la forêt. Elle ne maîtrisait pas encore bien le dosage de l'accélérateur. Le loueur avait déjà des réservations sur tout ses véhicules pour le week-end lorsque Ludivine avait surgi au comptoir de Roissy, il ne lui restait plus que des « véhicules de prestige » et la gendarme n'avait pas de temps à perdre à essayer tous ses concurrents qui risquaient de lui donner la même réponse. Elle s'était fait une raison, tant pis pour la facture.

Le freinage carbone stoppa la Porsche juste au pied de l'entrée du long bâtiment. Le moteur cliquetait de satisfaction.

Ludivine s'empressa de signaler au docteur Malumont qu'elle était enfin là. Elle ne voulait surtout pas tomber sur Brussin, ne pas éveiller ses soupçons car elle n'était pas certaine d'être assez forte pour ne pas flancher. Avec un prédateur tel que lui, elle le savait parfaitement, le moindre signal serait aussitôt intercepté. Ces êtres avaient des antennes pour ça. Ils *sentaient* la faille chez les autres, c'était leur porte d'entrée. Comme un lion repère la proie la plus faible dans le troupeau et l'isole avant de la dévorer Et après ce qu'elle avait enduré chez elle,

Ludivine n'était pas certaine de pouvoir affronter son regard sans se trahir. Elle avait trop de haine, trop de colère au fond d'elle-même, et aussi trop de terreurs potentielles prêtes à jaillir

Mais la silhouette filiforme du docteur Malumont vint l'ac cueillir en premier. En le revoyant Ludivine fut rassurée. Il avait quelque chose de cet acteur anglais, Ben Kingsley, en un peu plus jeune et plus froid peut-être. *À cause de ses yeux d'un bleu intense.* Et des deux canyons qui lui barraient les joues de haut en bas, deux cicatrices naturelles presque effrayantes.

Une blouse blanche ouverte sur un pantalon en toile beige et un polo Lacoste parme témoignaient d'une certaine décontraction. Lui aussi se sentait presque en week-end et Ludivine imagina sans peine son sac de golf glissé dans le coffre de sa voiture, prêt à passer récupérer sa femme et sa fille en fin d'après-midi pour les emmener en week-end à Deauville.

– Je sais que je vous ai fait patienter toute la matinée, s'excusa Ludivine, merci de m'accorder ce temps.

Il leva les mains comme si c'était naturel, sans même souligner qu'il avait décalé tous ses plans pour elle, en parfait gentleman. Ils empruntèrent un escalier de service pour grimper dans les étages.

– Belle voiture, les salaires de la gendarmerie ont été augmentés à ce que je constate.

– Hélas, ce n'est qu'une location.

– Vos collègues ne vont plus tarder ?

– Non, une urgence les a retenus, je serai seule.

Malumont parut contrarié, un peu déçu à l'idée de faire son exposé si minutieusement préparé devant un seul responsable de l'autorité, mais son aplomb naturel refit surface aussitôt.

– Eh bien si je n'ai pas l'adrénaline de la foule pour me galvaniser, je tâcherai au moins de vous convaincre et de vous impressionner par la rigueur de mon analyse. Venez, entrez.

Ils passèrent dans son grand bureau à la moquette et aux bibliothèques noires, et plutôt que dans les fauteuils autour de son ordinateur il l'invita à s'asseoir sur un canapé en cuir et prit place en face d'elle. Un carnet à grosse reliure était posé sur la table basse, faite dans le même verre trempé que tous les autres meubles, un stylo plume Montblanc posé sur la couverture.

Il se lança sans plus de cérémonie et exposa ce qu'il avait déjà expliqué dans les grandes lignes la veille au téléphone, argumentant cette fois chaque point avec des considérations psychiatriques que Ludivine estima intéressantes pour terminer de convaincre un jury de cour d'assises, mais elle n'avait pas besoin de tout ça. Les arguments essentiels lui suffisaient amplement.

Toutefois, par respect pour le temps et l'implication qu'il y avait mis, Ludivine l'écouta attentivement.

Parce que au fond, elle savait déjà qu'il avait vu juste.

Il s'agissait bien d'un médecin. Pire même, c'était un de ses collègues.

Le docteur Serge Brussin.

Ludivine reçut un appel de Guilhem qu'elle préféra refuser. Il insista deux fois et Ludivine hésita à couper son téléphone mais elle devait s'assurer que ce n'était pas important. Elle s'excusa auprès du médecin et tapa un sms en vitesse : « Peux pas parler Confirmation pour Brussin ? »

La réponse fusa : « Rentre. Urgence »

Ludivine insista : « CONFIRMATION ??? »

Cette fois Guilhem, en véritable geek à la dextérité dactylographique hors pair, répliqua en un pavé textuel rédigé en trente secondes : « Avons gagné le gros lot. Brussin est bien un intervenant dans l'unité psychiatrique où Michal Balenski a effectué son dernier séjour, il consulte également à Sainte-Anne où était Kevin Blancheux, ainsi que dans trois autres établissements dont un où est passé Marc Van Doken, le taré du centre commercial. Un vrai mercenaire des âmes fragiles. Je continue investigation mais c'est le jackpot. J'attends ton feu vert pour communiquer à Jihan et lancer interpellation. »

Cette fois Ludivine allait éteindre lorsque Guilhem ajouta « Tu dois rentrer vite. Urgence ici. »

Ludivine n'avait pas envie qu'on lui gâche son plaisir en lui annonçant que toute l'affaire partait vers d'autres cieux. Elle savait très bien où voulait en venir son collègue et cette fois elle coupa complètement son portable.

Malumont termina son exposé :

– Au fil des années, je me suis spécialisé auprès des patients dits psychopathes, ou sociopathes, j'en ai vu passer quelques-uns qui avaient tué, plusieurs fois. Toutefois, je me suis tout de même documenté hier sur les tueurs en série. J'ai notamment lu qu'ils aiment les professions liées à l'autorité, policier en est une qui revient régulièrement. Je suis convaincu que s'ils avaient la capacité intellectuelle nécessaire, nous en verrions tout autant parmi les médecins. Oh, ne vous formalisez pas, lieutenant, je ne dis pas qu'il faut être bête pour devenir policier, pas du tout.

– Appelez-moi Ludivine et, rassurez-vous, je ne suis pas susceptible.

– Ce que je dis c'est que ces êtres déviants n'ont pas la faculté de concentration sur le long terme, la patience, pour tenir tout le long du cursus médical.

– Je suis d'accord avec vous. De toute façon la plupart des tueurs en série sont des pauvres mecs au QI très bas. Par contre, la poignée qui reste, ceux-là sont des êtres à l'intelligence hors norme. Avec ce genre de pervers, c'est tout ou rien. Et il y a eu, parmi ces derniers, quelques médecins, c'est vrai, et en général c'est à eux qu'on attribue le plus grand nombre de victimes de tous les tueurs en série ! Le docteur Petiot, en France, qui en revendiqua plus de soixante et, plus récemment, le docteur Shipman en Angleterre qui aurait tué plus de deux cent trente personnes selon les dernières estimations.

– Il faut dire que le pouvoir détenu par un médecin a quelque chose de fascinant pour un être psychologiquement déconstruit. Il est l'autorité humaine suprême en matière de vie et de mort, il voit passer les corps entre ses mains et diagnostique la survie, ou le décès, il a potentiellement le pouvoir d'intervenir pour changer le cours des vies de ses patients. C'est tout ce dont peut rêver un pervers ayant le désir de jouer à Dieu.

– Ou au diable, corrigea Ludivine.

Du plat de la main, Malumont confirma.

La jeune femme s'avança dans son canapé pour resserrer le cercle de leur conversation :

– Docteur, si je vous demandais de me parler de votre camarade Serge Brussin, que pourriez-vous me dire ?

Un sourcil se leva sur le visage du psychiatre et ce fut là toute l'expression de sa surprise.

– Vous soupçonnez Brussin ?

– Qu'en pensez-vous ?

Les mâchoires de Malumont roulèrent sous ses fines joues tandis qu'il cherchait une réponse satisfaisante, non sans paraître un peu embarrassé.

– Tout d'abord, je préférerais que vous soupçonniez quelqu'un qui n'est pas de *mon* établissement, soyons clairs.

– Mais si j'insistais ?

Malumont s'enfonça dans son siège, bras sur les accoudoirs et mains jointes par l'extrémité des doigts en suspens devant lui.

– Serge est un élément important de notre clinique, il est dévoué à son travail et compétent.

Ludivine fit la moue et secoua la tête :

– Là, vous ne vous mouillez pas beaucoup, si je peux me permettre. Il est marié ? Des enfants ?

– Oui.

Cela n'arrangeait pas Ludivine mais n'était pas non plus la preuve d'un équilibre psychique l'innocentant. Nombre de tueurs en série menaient une double vie, avec femme et enfants.

– Colérique ? voulut-elle savoir.

– Il a son caractère, mais il est tout en retenue. S'il s'énerve, c'est à l'intérieur, ça n'explose jamais.

Il emmagasinait ainsi de la frustration permanente.

– Vous le connaissez bien ? Au-delà de vos rapports professionnels ?

– Bien, non, mais il travaille ici depuis longtemps. Il y était déjà quand je suis arrivé à la tête de la clinique, et personne n'a jamais eu à se plaindre de son attitude.

– C'est un psychiatre compétent ?

– Oui, je le pense.

Parce qu'il sait ce qui se passe dans la tête d'un pervers, il parle le même langage qu'eux.

– Docteur, je ne vais pas vous mentir, si je suis venue ici, en plus d'écouter votre profil qui sera un élément clé pour notre dossier, c'est parce que nous avons tout lieu de croire que Serge Brussin est le tueur manipulateur que nous recherchons.

Malumont n'eut aucune réaction, il se contentait de fixer Ludivine de ses saphirs perçants.

– En tout cas, il a fréquenté ou fréquente encore presque tous les établissements par lesquels sont passés chacun des individus malades que nous avons arrêtés ou qui ont tué.

Cette fois Malumont, perturbé, plissa les yeux.

– C'est confirmé, vous en êtes sûre ?

– Oui.

Un long soupir s'échappa de la poitrine du psychiatre, qui changea de position pour croiser les jambes.

– Vous êtes venue pour l'arrêter ? Toute seule ?

– Non, la précipitation n'est jamais une bonne idée en matière d'enquête criminelle. Toutefois, nous ne pouvons risquer qu'il récidive. Nous allons bétonner notre dossier contre lui aujourd'hui et je pense que nous l'interpellerons à son domicile, demain matin à l'aube. Nous aurons ensuite quarante-huit heures pour lui présenter une à une toutes les pièces du puzzle et essayer de le faire avouer. Si la perquisition de sa maison n'apporte aucun élément concret, il faudra faire avec ce que l'on sait, des recoupements, et rien d'autre. Je préférerais donc en avoir le plus possible.

– Je comprends.

Malumont, bien que parfaitement maître de lui, ne parvenait pas à dissimuler un certain malaise

– C'est pourquoi je suis venue pour obtenir son emploi du temps, le plus précis possible, pour le comparer avec certains crimes.

– Je vais pouvoir vous fournir ça.

– Y a-t-il un endroit ici qu'il aime tout particulièrement ?

– Son bureau.

– Nous le fouillerons demain également. Pas de vestiaire quelque part, pas de casier, pas de garage ? S'il a une famille, je doute qu'il entrepose chez lui ses drogues et son matériel d'effraction.

– Non, rien de tout ça, seulement son bureau.

Ludivine doutait que Brussin puisse agir avec un complice, il était venu seul chez elle. Il aimait manipuler les autres criminels mais lorsqu'il passait lui-même à l'acte, il avait tout du psychopathe solitaire.

Le visage brûlant du diable apparut en flash devant les yeux de la gendarme, avec ses pupilles de lave, son haleine soufreuse et ses grandes griffes menaçantes.

Ludivine cilla et porta une main à son front.

– Vous n'êtes pas bien ? Vous désirez un verre d'eau ?

– Non, ça va, ça va...

Elle prit une inspiration profonde et se redressa avec un sourire de composition.

– Juste un vertige.

Elle bloquait sur son idée de complice. Hypothèse fort peu probable, toutefois il ne fallait rien négliger, après tout il avait amené HPL avec lui à Brunoy, même si Ludivine pensait que ça pouvait être une sorte de rituel de passage, pour l'impressionner, s'assurer sa fidélité.

– Il s'entend bien avec une personne en particulier ?

– Avec tout le monde.

– Quelqu'un qui serait vraiment un ami ? L'autre jour, je l'ai trouvé assez proche du responsable de la sécurité.

Un type repoussant au regard lubrique, se souvint Ludivine, il lui avait fait très mauvaise impression.

– Loïc ? Non, pas plus que ça. Et l'homme que vous recherchez ne partage pas ses fantasmes, si vous voulez mon opinion. Il aime dominer, commander, certainement pas s'abaisser au niveau de ceux qu'il manipule. Il a des adeptes mais pas de partenaire. Ici personne n'est « soumis » à Serge, ce n'est pas le genre.

Ludivine acquiesça avec un rictus. Ils étaient d'accord sur ce point. Elle insista pour obtenir l'emploi du temps de Brussin et ils le comparèrent point par point avec l'enlèvement du couple à Ennery, puis avec la nuit de leur meurtre. Brussin était en repos vendredi après-midi dernier et tout le week-end. Puis elle sortit les dates des meurtres de la fille de Taverny, de l'homme dans son appartement à Paris et enfin celui de José Soliz à Brunoy.

Tout concordait : à chaque fois Brussin était de repos, ou les crimes avaient été commis les nuits où Brussin ne travaillait pas le lendemain matin.

– Mercredi, lorsque nous sommes venus avec mon collègue, Brussin a terminé tard ? Il était de service de nuit ?

Cette fois, Malumont n'eut pas besoin de consulter les pages de l'agenda du personnel, il secoua la tête.

– Non, il n'était pas d'astreinte. Je crois même qu'il est parti tôt, peu après vous.

On n'était plus dans le domaine des coïncidences.

Ils le tenaient.

– Il est présent aujourd'hui ? demanda-t-elle.

Malumont comprit où elle voulait en venir et son visage se contracta, ses deux rides verticales se creusèrent.

– Oui. Mais est-ce une bonne idée que d'aller le voir ? Brussin est un garçon intelligent et fin observateur, s'il...

– Je sais, le coupa Ludivine.

Pourtant, au fond d'elle, elle brûlait soudain de le confronter, juste elle et lui. Ils seraient nombreux autour de lui pour l'empêcher de fuir. Elle était armée. Et déterminée. C'était fou et irresponsable de sa part, et même si elle ne se sentait pas dans son état normal, elle doutait que ce soit l'effet latent du cocktail de drogues qui traînait encore dans son sang. Ce n'était que l'aboutissement de son obsession.

Contempler son expression lorsqu'il comprendrait qu'il était démasqué. Que tout était terminé.

Et que c'était elle en personne qui lui apportait sa sentence.

Elle respira à pleins poumons pour s'oxygéner le cerveau.

Elle avait pris sa décision.

53.

Un mauvais pressentiment c'est un peu comme se tenir debout en équilibre sur une barque instable, au milieu d'une eau glaciale tout en essayant de rejoindre la rive en sachant que les vagues sont de plus en plus fortes.

Segnon se sentait non seulement mal sur cette embarcation, mais en plus le vent se levait et le repoussait vers le large.

C'était instinctif, la certitude qu'il se passait quelque chose de terrible, que cela le concernait et que personne ne voulait le lui dire.

Il avait tenté de joindre Laëtitia plusieurs fois. La première, le téléphone avait sonné dans le vide puis il était tombé directement sur la messagerie. Il savait comme cette improvisation l'avait contrariée, peut-être qu'elle lui faisait la gueule. C'était encore elle qui devait se sacrifier et pas lui…

Sa femme et ses deux fils, c'était tout ce qui le préoccupait. À côté, le reste n'était pas important.

Même s'ils lui retiraient l'enquête comme le craignait tant Ludivine.

Maintenant qu'il y repensait, il avait fait une connerie en la laissant filer là-bas seule, mais que pouvait-il faire face à une furie déterminée ? La menotter comme une criminelle et la faire rentrer de force à la caserne ? De toute façon, elle avait promis de se tenir à distance de Brussin et Ludivine tenait toujours parole.

Sauf si les effets secondaires de la drogue venaient à perturber son jugement...

Segnon secoua la tête, il fallait lui faire confiance. Elle serait de retour avec ce qu'elle voulait en fin d'après-midi. Pour l'heure il avait d'autres chats à fouetter.

Lorsqu'il parvint à la caserne, les regards catastrophés de ses collègues ne firent que confirmer l'intuition de Segnon. L'eau noire et froide qui l'entourait devint infestée de requins en un instant, et il monta les marches trois par trois, à la recherche du colonel Jihan.

Il était avec les autres, toute la cellule 666, tous rassemblés dans la salle de réunion, la plus grande, bloc-notes, iPad, téléphones portables sur la table, en pleine réunion. Segnon détecta de l'appréhension sur leurs traits, un soupçon de panique, une gravité qui n'était pas habituelle. C'était une réunion de gestion de crise.

Jihan voulut le faire asseoir mais Segnon refusa. Il comprit que cela allait au-delà de l'enquête, que ça le concernait. Guilhem, Magali, Franck et Benjamin approchèrent tandis que le colonel essayait de trouver les mots pour ce qui ne pouvait être dit.

Lorsqu'il prononça le prénom de sa femme et ceux de ses fils, puis les termes « disparition » et « enlèvement », Segnon vit le monde basculer et il plongea dans l'eau noire la tête la première.

Une eau tourbillonnante, peuplée de toutes les pires créatures, de courants sournois cherchant à l'entraîner vers les abysses

Une eau si froide qu'elle endormit ses sens

Segnon mit dix minutes à réagir. Tout le personnel autour de lui s'inquiétait, Jihan avait même fait appeler un médecin. Mais le colosse finit par se redresser de sa chaise.

— Comment c'est arrivé ? demanda-t-il sans la moindre émotion dans la voix.

— Le zoo a appelé l'école pour savoir pourquoi ils avaient tant de retard. Le directeur de l'école a alors essayé de joindre ses professeurs mais ils n'ont pas répondu, et après deux heures il nous a prévenus. C'est d'abord la brigade de Maule, près du zoo, qui est intervenue, avant qu'ils ne fassent le rapprochement avec deux cadavres retrouvés une heure plus tôt pas très loin sur le bord d'une route. Leurs papiers d'identité ont tout de suite permis de confirmer qu'il s'agissait d'une des professeurs et d'un accompagnant.

– Pas ma femme ?

– Non, pas Laëtitia, confirma Jihan d'un ton aussi doux qu'il pouvait.

– Et le bus ?

– Disparu. Plusieurs escadrons sont déjà déployés dans toute la région pour tenter de le retrouver.

– Mais... mais un bus ça se perd pas, bredouilla Segnon, sous le choc.

– Tout le monde est mobilisé pour rassembler des témoignages, pour circuler de village en village, pour interroger le moindre passant en bord de route, la SAPN et toutes les autres sociétés d'autoroute sont prévenues, les caméras de surveillance ne rateront rien, les péages également. Nos motards sillonnent les nationales et les départementales à leur recherche.

Segnon se prit la tête entre les mains. Tous dans la pièce se sentaient mal de ne rien pouvoir faire de plus.

Guilhem assistait au désespoir de son partenaire avec la frustration insupportable de celui qui sait qu'il n'y a rien à faire. À l'heure qu'il était, des centaines de gendarmes et de flics se mobilisaient pour mettre la main sur le bus, c'était une question de minutes ou d'heures, tout au plus, avant qu'ils n'y parviennent. Un fou qui prenait en otages quarante-deux enfants d'un coup ça ne passait pas inaperçu très longtemps.

Pourtant, peu à peu, se dessinait le profil d'un acte préparé. La traque ne faisait que démarrer et nul ne savait si c'était le hasard ou un plan parfaitement étudié mais le bus n'apparaissait plus sur aucune caméra depuis sa sortie de l'A13. Les gendarmes étaient partout, ils agissaient avec une célérité exceptionnelle, saisissant toutes les bandes vidéo possibles, les visionnant sur place lorsque nécessaire, et rien ne remontait.

– Est-ce que vous avez relevé les numéros de téléphone des accompagnants ? demanda soudain Segnon qui sortait de sa stupeur. Pour les localiser grâce à leur portable !

– C'est déjà fait, mais ça ne donne rien, confirma Magali presque sur le ton de l'excuse. Les téléphones sont soit éteints soit détruits.

– Toutes les familles sont prévenues ?

– Non, ça fait du monde, on est un peu débordés, mais ça va commencer.

– Et le bus n'a pas de balise ou de GPS, n'importe quoi pour que l'entreprise qui le gère puisse le localiser ?

– Non, ils n'ont rien de tel.

Segnon serra les poings et se leva pour marcher dans la salle. Il avait besoin de bouger pour libérer la pression qui s'accumulait.

– Qui coordonne l'enquête ? Nous ?

– Pour l'instant, oui. En tout cas, nous centralisons toutes les informations des groupes sur le terrain, expliqua Jihan, une oreille collée à son téléphone portable. Nous travaillons avec absolument tout le monde, flics compris.

– Et c'est quoi le plan ?

Jihan avait lâché la conversation pour répondre à son interlocuteur téléphonique. Ce fut Magali qui intervint :

– Pendant que les recherches continuent, des gars de la PJ sont en train de dresser le profil du conducteur avec le peu qu'on a, c'est-à-dire sa présence au dépôt de bus. Ils regardent s'il apparaît sur les bandes vidéo pour qu'on ait sa gueule, et la Scientifique recherchera des empreintes partout où ils pourront le voir poser les mains. S'il ne portait pas de gants, bien sûr...

– Et quoi d'autre ?

Segnon s'impatientait, et chacun le guettait du coin de l'œil, tout en passant des coups de fil, sans qu'aucun n'ose lui dire de sortir, que, compte tenu de son implication personnelle, il n'avait pas sa place ici, c'était trop sensible.

Guilhem se leva et prit son collègue par les épaules pour l'entraîner dans le couloir jusqu'à leur bureau.

– Segnon, je sais que ça te rend fou ce qui se passe, et il y a de quoi, mais écoute-moi : laisse bosser toute l'équipe. Ils sont compétents, tu les connais. Maintenant, pose ton cul là, je vais tout te dire, tout ce qu'ils n'osent pas te raconter pour pas te faire flipper. D'accord ?

Segnon tourna un instant sur lui-même, véritable félin surexcité pris au piège, et il finit par se laisser tomber sur son siège.

– On est en train de dresser la chronologie. Ce qu'on sait, c'est qu'à 7 h 50 il a tué le vrai chauffeur au dépôt, et il a planqué le corps dans un réduit pour gagner du temps, ce qui a fonctionné puisqu'il n'a été retrouvé qu'en fin de matinée. Avant ça, personne dans la compagnie n'avait rien remarqué de suspect. À 8 h 35, il est arrivé devant l'école. À 8 h 50 environ il en est reparti avec les enfants et cinq accompagnants adultes, dont Laëtitia. Ils devaient aller au zoo de Thoiry comme tu le sais, sauf que le mec n'a pas pris l'itinéraire prévu initialement, c'est-à-dire par le sud, via la N12, il a filé par le nord, pour rejoindre l'A13.

– Pourquoi il a pris *ce bus-là* ? Hein ? Pourquoi il fallait que ce soit celui avec *mes* gosses ?

– Ce qui nous intrigue, c'est que non content de voler un véhicule, il effectue tout de même la course qui va avec. C'est là qu'on ne pige pas. Il savait où devait aller le bus et à quelle heure. Il a préparé son coup ou alors le vrai chauffeur lui a parlé avant de mourir et notre gugusse a décidé de lui *voler* sa vie, en quelque sorte.

– C'est quoi *ton* feeling ?

– Mag pense qu'il…

– Non, je me fous de l'avis de Mag, je veux entendre le tien, celui de notre analyste.

Guilhem se rongea l'intérieur de la lèvre inférieure et prit son inspiration avant d'avouer simplement :

– Je n'en ai pas, Segnon, pour l'instant c'est trop confus, il nous faut plus de matière.

Le géant écrasa une fois encore sa tête entre ses mains, désespéré.

– Je suis désolé, fit Guilhem.

Ils restèrent ainsi une longue minute pendant laquelle Guilhem sentit l'air se raréfier dans la pièce. Puis, pour tenter de changer de sujet, et aussi parce qu'il savait qu'elle serait la plus à même de calmer leur collègue, il demanda :

– Elle est où la reine du bal ?

Segnon sembla soudain se souvenir de son existence et serra les dents.

– Elle est allée à la clinique.

– Putain, pour Brussin ?

Segnon leva un sourcil interrogateur :

– Pour voir Malumont. Pourquoi tu me parles de Brussin ?

– Ludivine ne t'a rien dit ! Le logiciel d'analyse a fini par faire ressortir un nom commun à tous les établissements psychiatriques qui nous intéressaient : Serge Brussin. Je pense qu'on tient notre homme. Le bus est tombé entretemps, j'ai juste mis Jihan dans la confidence. Il veut me voir dans l'après-midi pour étudier ce qu'on a contre Brussin, décider si ça vaut une garde à vue. J'ai peur qu'elle se mette à déconner là-bas.

– C'est une impulsive, mais pas une conne. Au pire elle va réapparaître bredouille et furieuse, au mieux elle aura l'emploi du temps de Brussin pour qu'on vérifie s'il a des alibis valables.

Mais Segnon serra les dents et parut encore plus contrarié.

– Si Jihan apprend qu'elle est partie seule à la clinique, il nous coupera les couilles, grommela Guilhem.

– Il a autre chose à foutre pour l'instant. La presse est au courant pour le bus ?

– Pas encore, mais ça devrait sortir d'un instant à l'autre.

Les voix dans la grande salle s'animèrent brusquement et Segnon bondit de son siège pour les rejoindre.

Les flics venaient de mettre un nom sur le preneur d'otages.

Patrick Mahon, quarante-sept ans, sans emploi, domicilié à Noisy-le-Grand. Il était connu pour des petits cambriolages dans sa jeunesse, recel, attentats à la pudeur, violences volontaires puis acte de cruauté envers des animaux à plusieurs reprises, fraude à l'assurance, escroquerie, tentative d'homicide, suspecté dans plusieurs affaires d'incendies criminels et pour un viol au moins. Il avait alterné la prison et les centres psychiatriques sans que ni les experts ni les juges ne sachent jamais bien où était sa place.

– Les collègues ont visionné les bandes vidéo du dépôt de bus, expliqua Magali tout haut à la dizaine d'hommes rassemblés autour elle. On y voit notre gars, j'attends une photo extraite d'un arrêt sur image. Il ne porte pas de gants et a posé ses grosses pattes un peu partout, ce sont les empreintes qui ont parlé.

– Ils sont déjà chez lui ? demanda Segnon.

– Sur la route.

– Il a de la famille ? demanda Franck. Femme ? Enfants ? Quelqu'un qui pourrait en savoir un peu plus sur ses intentions ou au moins son état d'esprit ?

– Je sais pas, mais la PJ est aussi là-dessus, j'imagine.

Le portable de Magali sonna à nouveau. Elle décrocha et écouta attentivement avant de demander confirmation. Elle fronçait les sourcils.

– Patrick Mahon a ciblé son attaque, rapporta-t-elle. D'après les vidéos on le voit attendre et laisser passer deux conducteurs avant de s'en prendre à sa cible. Il cherchait quelqu'un en particulier. Il ne s'en est pas pris à ce mec par hasard.

– La PJ a quoi sur le chauffeur mort ? questionna Jihan. On a son identité au moins ?

Magali chercha dans ses notes avant de lire :

– René Dauvert, pas de casier, rien à signaler à première vue.

– En tout cas, Mahon lui en voulait particulièrement, résuma le colonel. Yves, je vous veux sur ce Dauvert, tant pis si la PJ bosse déjà dessus. Je veux tout savoir de lui, de ses fréquentations, de ses lieux préférés, de ses maîtresses, tout. Il a forcément contrarié très fortement notre preneur d'otages pour qu'il décide de s'en prendre à lui personnellement et de lui piquer son job. Ça va au-delà de la petite querelle de bar. Et qu'on s'assure de mettre la main sur les proches de Dauvert. Si Mahon lui a volé son boulot, il voudra peut-être lui piquer sa famille s'il abandonne le bus quelque part !

– C'est parti, répliqua Yves en entraînant deux de ses hommes avec lui.

Jihan fit claquer ses mains :

– Capelle, vous prenez vos gars et vous venez avec moi, on file dans les Yvelines. Tout le département est bouclé, sous surveillance, le bus est forcément encore là-bas, je veux qu'on soit au plus près. Commandant Reynaut, vous gardez la baraque.

Segnon se dressa devant Jihan.

– Je veux en être, colonel.

Jihan le toisa avec toute l'assurance de son grade et de son expérience, et finit par acquiescer.

– Mais considérez-vous hors service, Dabo, compte tenu de votre état vous n'êtes qu'observateur.

En un instant la salle entière se vida, laissant Guilhem seul avec ses idées qui s'entortillaient les unes aux autres dans un amas d'informations qui lui firent tourner la tête.

54.

Parvenir à lutter contre sa nature est ce qui sépare l'homme normal du pervers.

Le premier est en lutte permanente avec ses désirs mais il a appris à ne pas y céder systématiquement et à mettre sous cloche les plus extrêmes, tandis que le second se laisse déborder quand il ne s'abandonne pas volontairement tout entier à ce qu'il a de pire en lui.

C'était ce que se répétait Ludivine en cherchant le trou pour enfoncer la clé de contact et démarrer. Elle était parvenue à maîtriser ses pulsions, ses envies, parce qu'elle savait que ce n'était pas bon. Ne pas confronter Brussin seule. Le laisser croire encore quelques heures qu'il passait au travers des mailles pour mieux l'attraper demain matin au réveil.

Elle trouva finalement le trou à gauche du volant et se souvint qu'elle s'était pourtant déjà fait la remarque en prenant la Porsche à l'aéroport.

Le moteur rugit, un vrombissement de bienvenue, sans agressivité, rien qu'un feulement grave qui se calma immédiatement mais qui n'attendait qu'un signal du pied droit pour monter dans les tours et hurler toute sa rage, démontrer la férocité de ses aigus. Cela plut tout de suite à Ludivine qui enclencha la marche arrière avec l'intention de se faire plaisir sur le chemin du retour. Elle lança l'ouverture de la capote électrique et, tandis qu'elle se mettait doucement en route, le ciel se découvrit à elle.

La jeune femme se sentait bien. Malgré le traumatisme de l'agression qu'elle venait à peine de subir, elle éprouvait un sentiment de jubilation qu'elle n'avait plus ressenti depuis longtemps. Ils allaient lui faire payer. C'était sa vengeance, sa réponse. Même si Jihan lui annonçait qu'ils n'avaient plus la main, Ludivine serait présente au moment de l'arrestation, elle l'avait décidé, personne ne pourrait lui refuser ce plaisir. Personne.

Elle savoura la fraîcheur du vent pendant qu'elle remontait la piste, longeant un alignement de hêtres, une longue clairière à sa droite en contrebas. Elle pressa l'accélérateur et la Porsche répondit immédiatement, prête à jouer. Ludivine relâcha la pression, ce n'était pas le moment de s'encastrer dans un tronc d'arbre.

Elle observa la clinique qui rapetissait dans le rétroviseur central, puis sa façade disparut, ne laissant deviner sa présence qu'à la bande orange de ses tuiles au milieu de la cime des hêtres.

Une autre façade se profila, au détour d'un virage, celle de l'ancien sanatorium désormais oublié, un interminable monstre de briques jaunes, formidable matrice à poussière, nourricière d'araignées. Voir ce lieu blotti contre la forêt, niché dans le creux d'une colline, éloigné de toute vie et même dissimulé derrière le dos du château, fit frémir Ludivine sans qu'elle puisse se contrôler. Elle s'imagina tous ces tuberculeux qui échouaient entre ces murs, avec l'impression désagréable d'être entassés loin des regards, mis au banc de la société. Combien étaient-ils à avoir dévoilé leurs poumons malades sous ce toit ? Ludivine songea alors au vent qui glissait dans ces couloirs et sifflait comme la respiration de tous les fantômes des patients morts ici.

Sous le soleil de mai, au milieu des marguerites ponctuant les hautes herbes qui les entouraient, Ludivine se dit qu'elle devait être une fille à l'imaginaire particulièrement morbide pour avoir des idées pareilles. Il était temps de se vider l'esprit de toutes ces horreurs qui l'accaparaient depuis deux semaines, et de profiter du cuir confortable, de l'air frais et de la puissance du moteur.

Mais les étincelles de son cerveau ne prenaient que rarement de repos, c'était ce qui l'empêchait de dormir aussi facilement que la plupart des gens, cette faculté presque déstructurante à ne jamais faire de pause, à ne pas savoir mettre sa tête sur *off*. Et ses neurones continuèrent à grésiller, sa mémoire à brasser des mots, des images, des goûts, son instinct à orienter les connecteurs dans des directions que seule l'expérience, consciente et inconsciente, parvenait à influencer.

En une seconde à peine l'idée émergea. D'abord une démangeaison lointaine jusqu'à devenir un fil sur lequel elle tira sans bien savoir pourquoi. Le fil se déroula et entraîna toute la pelote dans son sillage. Et Ludivine relâcha l'accélérateur en tournant la tête vers le long bâtiment désaffecté.

Serge Brussin avait une famille. Il ne pouvait retenir ses victimes prisonnières chez lui. Pourtant Albane et Frédéric avaient été séquestrés pendant trois ou quatre jours. Et Brussin ne les avait pas bâillonnés, il avait besoin d'entendre leurs pleurs, leurs supplications, de se nourrir de leur peur. Il lui fallait un endroit isolé. Un lieu où personne ne risquait de s'aventurer.

Les hectares du domaine étaient protégés par de hauts murs, les visiteurs n'y pénétraient que sur rendez-vous, sous la surveillance d'un gardien et d'une grille automatisée, aucun curieux ne risquait de parvenir jusqu'ici et le personnel de la clinique avait autre chose à faire que de visiter une ruine inhospitalière.

De plus, compte tenu de son emploi du temps professionnel déjà chargé, de sa vie privée – même limitée au strict minimum –, il lui était difficile de trouver le temps pour se rendre au chevet de ses victimes. Sauf si elles étaient là, juste sous sa main, prêtes à le gorger de leurs cris à la moindre de ses pauses.

C'était la cage parfaite pour retenir ses proies.

Ludivine avisa un vieux chemin qui tournait à gauche en direction de la ruine et elle s'y engagea sans plus réfléchir.

La Porsche se gara dans l'ombre du château et Ludivine fouilla la boîte à gants. Par chance elle y trouva ce qu'elle cherchait : une petite lampe de poche.

Lorsqu'elle s'approcha de l'immense masse de briques jaunes, Ludivine se sentit toute petite, et pendant un moment elle hésita à faire demi-tour pour revenir avec Segnon, juste par précaution. Mais c'était un signe de faiblesse qu'elle chassa en s'interdisant de devenir ce genre de fille impressionnable. Ce n'était pas elle. Du moins ça ne l'était plus.

Elle dévala la pente d'un fossé et chercha un accès, un peu déconfite de n'en apercevoir aucun. Les portes et les quelques fenêtres au niveau du sol étaient murées depuis longtemps ou recouvertes de planches cloutées. Il y avait forcément un passage, un trou ou une...

Elle s'immobilisa en remarquant des traces assez récentes dans la terre et les herbes et s'approcha des lattes qui condamnaient une ancienne porte étroite. Celle-ci avait été forcée et, en tirant sur le bois, Ludivine dégagea un espace suffisant pour se faufiler dans les entrailles du sanatorium.

En définitive, elle allait brasser la poussière, déranger les araignées et écouter le sifflement des fantômes.

Au fond d'elle, Ludivine espérait même qu'ils lui chuchoteraient leurs secrets.

55.

Le sang et la cervelle de Simone Lemine avaient laissé une trace contre la vitre du bus, trace qui ressemblait à une Barbapapa triste. Des minuscules fragments de sa boîte crânienne y étaient encore collés.

Avant de reprendre la route, le conducteur avait finalement accepté de sortir son cadavre et Laëtitia ne savait pas ce qu'elle serait devenue s'il avait refusé. Elle se sentait terriblement coupable de sa mort. C'était sa faute, c'était à cause du portable, parce que Simone avait mis le pied dessus pour l'empêcher de tomber.

Mais la panique des enfants avait obligé Laëtitia à se ressaisir, à ne plus y penser, pour les faire taire, pour justifier sa place dans le bus, pour gagner le droit de survivre encore un peu.

Les enfants paniquaient, tremblaient, pleuraient, d'autres étaient entrés en catatonie, repliés sur eux-mêmes, chacun avait sa réaction, mais ils avaient compris qu'il valait mieux pour tout le monde rester calmes et tous finirent par reprendre leurs places et vivre leur traumatisme dans leur coin. Quelques-uns se montrèrent plus braves que ne l'aurait été un adulte en consolant leurs camarades, en les prenant dans leurs bras, dont Léo qui rassurait son frère du mieux qu'il le pouvait ou Karim qui serrait la petite Rachel contre lui depuis qu'elle avait vu son père se faire assassiner sous ses yeux.

Le conducteur, désormais équipé d'un gilet d'explosifs relié à un détonateur scotché le long de son index, se concentrait sur la route, et il surveillait Laëtitia du coin de l'œil mais avec moins de vigilance qu'auparavant. Après l'épisode de Simone Lemine, il avait fouillé Laëtitia, il l'avait palpée de près avec ses grosses paluches dégoûtantes, s'attardant un peu trop sur ses seins, ses fesses et lui pressant le pubis à lui en faire mal, soi-disant pour *vérifier*. Mais à côté du corps suintant de Simone, Laëtitia n'avait rien dit, sinon écrasé furtivement les larmes qui lui coulaient sur les joues.

L'homme marmonnait quelque chose depuis qu'ils étaient repartis, il se parlait à lui-même, tout bas, et Laëtitia pressen-tait que ça n'augurait rien de bon pour eux. Son comportement devenait de plus en plus étrange. Il avait à présent des tics nerveux, avec sa tête et aussi avec sa langue qui n'arrêtait pas de venir claquer contre son palais. Était-ce la pression intérieure qui montait ?

Ils empruntaient des routes vraiment isolées, étroites, sans y croiser personne, et Laëtitia commençait à douter qu'ils puissent s'en sortir vivants. Car l'homme n'avait pas de revendications, il ne demandait rien, il tuait sans la moindre hésitation, sans un scrupule, sans un remords, c'était palpable, il n'accordait à la vie aucune importance. Et il n'avait pour les enfants aucune espèce de considération, pas même une once de tendresse ou d'égard, il tuait devant eux sans s'en soucier, et tout ce qui lui importait était « qu'ils la ferment ». De la marchandise, voilà ce qu'ils représentaient pour lui. De vulgaires paquets qui allaient lui servir à Dieu sait quoi.

C'était cet aspect de sa personnalité qui poussait Laëtitia à ne rien lâcher. Elle avait trop entendu son mari lui raconter comment certaines victimes d'agressions s'en étaient sorties à force de batailler, en s'acharnant jusqu'au bout, au-delà du désespoir, pour baisser elle-même les bras. S'il n'y avait pas eu ses fils derrière elle, et les quarante autres gamins, Laëtitia en était persuadée, elle aurait craqué depuis longtemps déjà, mais tous ces petits visages affolés lui insufflaient une énergie, une volonté insoupçonnables.

Et pour survivre, il fallait être attentive. Au moindre détail.

Mais, après un moment, Laëtitia comprit que cela ne suffirait pas. *Le destin est l'excuse des feignants,* lui répétait son père lorsqu'elle était petite et attendait de la vie des bonnes nouvelles sans rien entreprendre pour les favoriser. Elle devait agir. Trouver *quelque chose.*

Mais elle ignorait quoi et craignait de finir comme tous les autres adultes qui étaient entrés, le matin même, dans ce bus conduit par un dément.

Les tics nerveux du chauffeur amplifièrent et Laëtitia serra les mains d'angoisse. Une douleur à l'estomac la fit grimacer et elle étouffa un gémissement. Son ulcère se réveillait. Ce n'était vraiment pas le bon moment pour ça.

Qu'attendait-il pour tous les faire exploser ? Pas les caméras puisqu'il cherchait à passer inaperçu. Que ferait-il une fois qu'il aurait rejoint sa destination ? Pourquoi ne les tuait-il pas tous maintenant ?

Laëtitia ne parvenait pas à comprendre mais elle savait qu'elle devait avoir un plan d'ici là. Physiquement, il était bien plus fort qu'elle et il gardait son revolver toujours à portée de main, prêt à s'en servir Et puis il lui suffisait d'une pression du pouce sur le détonateur pour expédier tous les gamins *ad patres.*

L'affrontement direct était impossible.

Et prévenir Segnon sans téléphone ne...

Laëtitia se tourna lentement pour embrasser le bus du regard. Les enfants qui n'étaient pas absorbés par leur détresse la guettèrent avec appréhension et une pointe d'espoir pour certains.

Le plus vieux avait dix ou onze ans, se souvint Laëtitia. Était-il possible qu'à cet âge un parent leur ait confié un portable ? Cela lui parut impensable, parce que c'était contre sa propre déontologie parentale, mais en même temps pas si absurde, compte tenu de l'omniprésence de la communication. N'y avait-il pas un père ou une mère un peu plus laxiste – ou « ouvert d'esprit » –

qui désirait pouvoir joindre son fils ou sa fille à tout moment pendant une sortie scolaire ?

Laëtitia hésita. Mettre sa vie en jeu était une chose, celle des enfants une autre, inimaginable.

Ils sont déjà en danger de mort.

C'était ça ou compter sur le destin.

À cette pensée, Laëtitia se mit à tâter ses poches, cherchant de quoi écrire. Elle n'avait bien sûr rien de tel. *Mon sac à main !*

Il était par terre juste derrière le conducteur, là où elle était assise au départ, de l'autre côté de l'allée.

Laëtitia se tourna à nouveau vers les jumeaux. Elle ferma les paupières. Elle ne pouvait demander ça à ses fils. Mais il lui était impossible d'y aller elle-même, le chauffeur pilerait aussitôt qu'elle se lèverait et elle savait très bien ce qui adviendrait ensuite.

Mon Dieu, non, pourquoi m'obligez-vous à ça ?

C'était une pensée abominable, mais elle songea qu'elle aurait préféré *choisir* un autre enfant si elle l'avait pu.

Elle se tourna légèrement de manière à mettre le coude sur le repose-tête, comme si elle voulait surveiller les passagers et allongea son bras sur le haut de son siège. Puis elle leva l'index et l'agita en espérant que cela suffirait à captiver l'attention de Léo. Nathan dormait sur son épaule, ou en tout cas fermait les yeux. Laëtitia guettait nerveusement la réaction de son fils tout en s'assurant que le chauffeur fixait encore la route de ses deux icebergs.

Léo fronçait les sourcils. Regardant sa mère avec suspicion.

Le cœur de Laëtitia s'emballa. Toujours avec l'index elle désigna son sac devant. Léo ne semblait pas comprendre. Il repoussa Nathan qui gémit avant de se recroqueviller, et finit par se pencher pour distinguer le sac.

L'index lui fit signe de l'attraper.

Les icebergs entrèrent en collision avec les prunelles de Laëtitia et elle s'efforça de maîtriser son stress pour ne rien trahir tout en tendant la main pour intimer à Léo de s'arrêter.

Son ulcère embrocha son estomac avec une lance et Laëtitia enfonça son poing libre dans sa cuisse pour se contenir.

Le chauffeur était retourné à la route.

Vas-y ! ordonna la jeune femme à son fils qui tendit la jambe derrière le chauffeur pour attirer le sac jusqu'à lui. Avec l'agilité d'un singe, il fit remonter la besace jusqu'à ses mains et l'ouvrit.

Laëtitia forma le mot « STYLO » avec ses lèvres et le répéta en silence plusieurs fois. Léo fouilla et brandit un feutre qui traînait au milieu de tout son attirail de mère et de femme occupée. Puis il pensa tout seul à prendre aussi un bout de papier – un long ticket de caisse – et il l'entoura autour du feutre avant de se préparer à le lancer.

Laëtitia lui fit signe d'attendre.

Non seulement il ne fallait pas que le conducteur voie quelque chose voler au milieu de l'allée, mais surtout Laëtitia devait l'attraper au vol, ne pas le laisser filer dans les marches et signer leur arrêt de mort. Et l'adresse n'avait jamais été son fort.

Garde les yeux sur le feutre, à tout moment.

Elle jeta un coup d'œil vers le conducteur et attendit qu'il la regarde, ce qu'il fit à la sortie d'un virage. Dès qu'il se reconcentra sur la route, Laëtitia fit signe à son fils d'envoyer le feutre bleu.

Elle verrouilla toute son attention sur le minuscule trait et le regarda partir des mains de son fils en songeant qu'il venait de le lancer beaucoup trop fort. À cause de la peur.

Il allait lui passer devant trop vite et s'écraser contre la vitre, rebondir dans les marches et sonner l'alarme.

Ses yeux le suivirent comme s'il s'agissait d'un carreau d'arbalète prêt à l'empaler. Et Laëtitia se surprit à sentir ses mains se refermer dessus dans le bon timing.

Miracle.

L'homme à la casquette Coca-Cola se préoccupait toujours de sa conduite et Laëtitia en profita pour lentement décapsuler le feutre et écrire au dos du ticket : QUELQU'UN A UN TEL PORTABLE ?

Puis elle plia le mot à toute vitesse, l'enroula autour du bouchon comme l'avait fait son fils, et glissa le tout entre la fenêtre et le dossier pour que sa main apparaisse devant les enfants du rang derrière le sien. Des petits doigts tout froids le lui ôtèrent.

Coca-Cola, comme elle venait de décider de l'appeler, n'avait toujours pas décollé ses icebergs du chemin qu'ils empruntaient et Laëtitia réalisa qu'ils ne roulaient plus sur de l'asphalte mais bien sur de la terre. Des branchages crissèrent contre les fenêtres de part et d'autre du bus et ils furent tous secoués par les nids-de-poule boueux.

Ils s'enfonçaient dans un bois. Leur destination finale ? Laëtitia comprit qu'ils s'en rapprochaient.

Le bus progressait doucement, Coca-Cola avait peur de s'enliser.

Elle se tourna pour contempler la cohorte de frimousses désespérées. La plupart étaient à présent attentives et l'observaient.

Mais aucun signe de son papier. Soit il s'était perdu en route, soit un des gosses n'avait pas compris et le retenait, ou alors ils étaient d'une discrétion surprenante.

Trois minutes interminables passèrent pendant lesquelles le bus s'enfonça plus profondément loin de toute civilisation, et Laëtitia commença à comprendre qu'elle avait placé trop d'espoir en cette idée un peu folle. Aucun gamin de dix ans ne partait à l'école avec un portable. Et quand bien même ça aurait été le cas, il était fort probable qu'il se soit perdu dans la pagaille, dans un des sacs qui encombraient l'allée. Inaccessible.

Quelque chose lui tira la manche par l'espace entre les deux sièges de sa rangée. Une petite main lui tendait le mot et le feutre.

Laëtitia prit à peine le soin de vérifier que Coca-Cola ne l'épiait pas et elle déplia le ticket.

Une écriture enfantine, maladroite, mais si pleine d'espoir avait répondu.

OUI TU LE VEUX ?

56.

De tous les enquêteurs de la cellule 666, celui qui connaissait le mieux toute l'affaire, dans ses moindres arcanes, était celui qui s'était tenu le plus loin de sa réalité. Celui qui avait le moins mis les pieds sur le terrain.

Guilhem Trinh était le seul qui avait vu passer sous ses yeux chaque rapport, le moindre procès-verbal, c'était lui l'analyste, l'archiviste, celui qui déterminait toutes les entrées possibles à saisir dans le logiciel. Il avait passé l'essentiel de ses journées enfermé entre quatre murs à lire, à surligner et à taper sur son clavier.

Cela lui conférait une vision d'ensemble que même Ludivine, malgré son obsession, n'avait pas, car c'était une vision moins troublée par les remous de la vie, des attitudes, des souvenirs. Lui, tout ce qu'il avait engrangé dans son cerveau avait le même format : des mots. Et ils se compilaient avec une netteté et un agencement parfaitement soigné, à peine parasité de temps à autre par l'horrible vision du plan de table qui, parfois, mélangeait ses noms avec ceux de tous les témoins entendus dans les affaires de la SR.

Si bien que Guilhem n'eut pas besoin de son logiciel pour comprendre.

Il revenait des toilettes lorsqu'il s'arrêta au milieu du couloir, la tête penchée sur le côté comme s'il avait entendu quelqu'un l'appeler.

C'était une telle évidence qu'il ne comprit pas pourquoi les autres ne l'avaient pas envisagé en même temps que le reste.

Patrick Mahon avait ciblé sa victime. Il l'avait attendue et guettée pour ne lui laisser aucune chance.

Mais Patrick Mahon n'en voulait pas personnellement à René Dauvert. Ce n'était pas une affaire de vengeance ni un délire de psychopathe pour lui voler sa vie. Non. Patrick Mahon n'en avait cure, de René Dauvert.

Sa cible c'était le bus.

Ce bus-là en particulier.

Et à cela, pour justifier cette nécessité particulière, Guilhem ne voyait qu'une explication : il n'y avait pas de coïncidence.

Les enfants de Segnon n'étaient pas victimes d'un enlèvement au hasard. Guilhem n'y croyait pas. C'était trop gros. Pile-poil un des enquêteurs au cœur de la cellule 666 victime d'un taré comme ceux qui sévissaient justement tout autour de ce personnage diabolique qu'ils traquaient ? Serge Brussin…

Non, Patrick Mahon était un de ses sbires. Au même titre que HPL, Ludovic Mercier et les autres.

Et le diable, après avoir attaqué Ludivine, s'en prenait à Segnon.

C'était voulu.

Guilhem se jeta sur son ordinateur, consulta la fiche de Patrick Mahon et trouva en peu de temps le nom du dernier hôpital psychiatrique où il avait séjourné, cinq mois plus tôt.

Il les appela et se fit transférer de service en service jusqu'à obtenir ce qu'il voulait.

– Oui, en effet, lui répondit un médecin ou un secrétaire – Guilhem avait perdu le fil –, le docteur Brussin intervient parfois chez nous. Dans le cadre de pathologies suicidaires lourdes, de bouffées délirantes mystiques, bref, c'est un spécialiste qui vient consulter certains de nos patients.

– Et Patrick Mahon a fait partie de ses patients ?

– Je ne peux pas vous dire ça, encore moins au téléphone.

Encore cette tyrannie du secret médical, enragea Guilhem.

– Vous avez un poste de radio ou une télé à côté de vous ? demanda-t-il.

– Euh... oui, une télévision, pourquoi ?

– Allumez-la. Allez-y.

– Qu'est-ce que ça vient faire dans...

– Allumez-la ! aboya Guilhem.

– Je vais raccrocher si vous...

– Quarante-deux gamins sont pris en otage par votre ancien patient, Patrick Mahon, allumez votre putain de télé, je suis sûr que les médias sont déjà sur le coup. Regardez !

L'argument fit mouche car il entendit l'homme allumer son poste et mettre une chaîne d'information continue.

– Punaise..., souffla-t-il dans le combiné.

– Si vous voulez donner une chance à ces gamins de s'en sortir, répondez à ma putain de question !

L'homme demeura silencieux, Guilhem le devinait absorbé par les commentaires journalistiques.

– Oui, finit-il par admettre. Brussin venait pour Patrick Mahon.

Guilhem claqua le téléphone plus qu'il ne le raccrocha, et cette fois il appela directement Jihan qui répondit à la première sonnerie.

– C'était pas le vrai chauffeur l'objectif, ça a toujours été le bus, colonel ! C'est le bus parce qu'il y a les gamins et la femme de l'un des nôtres ! C'est encore un coup du « Diable », c'est Brussin qui a tout préparé ! Il a expédié un des tarés sur nous ! J'ai vérifié, Mahon était un de ses patients ! Comme tous les autres !

Les phrases fusaient comme des rafales de mitrailleuse et chacune faisait mouche.

– Il va pas se planquer pour nous demander une rançon, non, poursuivit le canon qui fumait entre les lèvres de Guilhem, il se planque pour pouvoir mettre en scène leur mort ! Il va tous les buter !

– J'espère que vous vous plantez, Trinh, j'espère de tout mon cœur que vous fantasmez.

– Non, j'ai vérifié, je vous dis ! Ça colle ! Il n'y a aucun doute ! Il veut tous les flinguer !

Guilhem devina le bruit du moteur d'une voiture derrière Jihan, ils étaient sur la route.

– Le GIGN est en attente à Satory, avertit Jihan. Dès qu'on aura localisé le bus, ils seront sur le coup.

Mais cela ressemblait surtout à une prière.

– Une dernière chose, colonel, je n'arrive pas à joindre Ludivine et...

– On s'en fout, Trinh, pour l'instant on s'en fout, de Ludivine, c'est une grande fille.

Et il raccrocha.

57.

Il y avait tant de poussière dans les couloirs obscurs que le faisceau de la lampe se prenait dedans comme une jambe dans une corde tendue entre deux arbres. Des milliers de particules se dandinaient dans la lumière, elles se tortillaient tellement que Ludivine crut que les ténèbres autour d'elle n'étaient faites que de micro-organismes en stagnation, ne s'animant que dans le viol que représentait son intrusion dans cet espace sanctuarisé par le temps.

Cependant, les traces dans la poussière sur le sol ne laissaient planer aucun doute : elle n'était pas le seul être humain à s'être introduit récemment dans le sanatorium.

Elle les pistait, ces traces, la petite lampe torche en guise de museau, flairant chaque amas moutonneux, chaque parcelle de carrelage noir et blanc. Et pour l'instant, elles l'avaient guidée jusqu'au sous-sol de l'établissement, dans un corridor étroit, au milieu d'armoires en métal rouillé contenant encore tous les anciens dossiers des patients d'autrefois, puis à travers une succession de pièces jonchées de radiographies de cages thoraciques. Ludivine le savait parce qu'elle avait fini par en soulever une, puis deux, puis une poignée, à chaque fois en braquant son pinceau révélateur en dessous pour voir surgir dans la pénombre les squelettes creux de ces hommes et femmes ; elle avait contemplé l'intérieur de tous ces gens, elle avait vu leur maladie, avant de les laisser retomber dans la poussière.

Le sanatorium résonnait non pas du sifflement du vent mais de l'indifférence. Il croulait sous le poids des ans, de l'oubli, de l'humidité qui avait envahi ses os, le rongeant du même mal qui avait auparavant tué celles et ceux qui souffraient dans son ventre. Ludivine s'était attendue à croiser les spectres des tuberculeux et c'était finalement celui de l'hôpital qu'elle écoutait respirer difficilement, qui lui susurrait à l'oreille son lent requiem.

Et au milieu de ce cimetière de souvenirs elle progressait avec attention, n'oubliant pas qu'elle marchait sur les pas d'un tueur en série, un maniaque impitoyable qui pouvait avoir protégé son repère avec des pièges, même si cela pouvait paraître excessif. Un excès de prudence valait mieux qu'une mort idiote, se répétait Ludivine pour ne pas aller trop vite.

Elle continua dans ce qui devait être une salle d'attente aux bancs moussus de moisissure suivie d'une enfilade de minuscules pièces pleines d'appareils imposants, de radiographie ou de soins quelconques, avant de retrouver un autre couloir. Il n'était pas difficile de remonter la piste du diable, lui-même ne pouvait aller contre le temps et le marquage au sol ne pouvait pas être camouflé à moins de nettoyer entièrement tout le sanatorium, ce qui était impossible

Brussin était peut-être malin, mais pas magicien.

Il venait trop souvent ici pour ne pas laisser de traces de son passage, et il y avait entraîné Albane et Frédéric, c'était à présent une certitude, il y avait plusieurs empreintes de pas, Ludivine l'avait constaté.

Elle contourna un coude, puis descendit quelques marches pour pénétrer dans un endroit entièrement carrelé qui sentait le renfermé ainsi qu'un parfum bien plus acide, sorte de mélange d'urine et de bile. Elle se rapprochait. Sa main se resserra un peu plus sur la lampe. Les particules dorées étaient moins nombreuses à se prendre dans le faisceau, comme si elles-mêmes rechignaient à fréquenter ce lieu.

Le clapotement d'une infiltration d'eau marquait le rythme, ainsi que le souffle lointain du vent pris dans un tuyau d'aération trop étroit qui zozotait quelque part dans l'obscurité autour de la jeune femme.

Était-elle profondément enfoncée sous terre comme ses sens le lui suggéraient ? Combien de temps avait-elle mis pour descendre jusque-là ? Au moins dix minutes. Et en cas de problème, ce serait le temps qu'il lui faudrait pour regagner la surface, songea-t-elle avec une pointe d'angoisse.

Il n'y a aucune raison de flipper.

Sa lampe attrapa un petit paquet de cordelettes entassées sur une paillasse carrelée et la lame d'un couteau dentelé brilla comme un œil vicieux soudain pris au piège. Des liens.

Elle touchait au but. L'odeur s'intensifiait, c'était celle de la peur. Une transpiration acide mâtinée de déjections rances. C'était ici que Frédéric et Albane avaient passé leurs derniers jours, leurs dernières heures. L'écho de leur mort traînait ses dernières résonances, elle pouvait le sentir, presque les entendre pousser leur dernier soupir, celui qu'on surnommait le « gasp » dans le jargon des pompiers ou du Samu, cette étrange respiration réflexe survenant parfois *après* la mort.

Ludivine s'approcha sans faire un bruit, par respect, il y avait une forme de silence cérémonial imposé par l'atmosphère, et promena sa lampe sur le carrelage jaunâtre jusqu'à éclairer une porte. Une cellule.

Ludivine le sut immédiatement en la voyant, à cause des deux verrous récents vissés sur le battant et du petit trou en guise d'œilleton. Elle y entra doucement, prenant soin de ne rien toucher, et l'odeur devint très forte.

Mais son ventre se creusa lorsqu'elle se retourna pour découvrir les multiples traces d'ongles au dos de la porte. Des dizaines, certaines zébrées d'un sillage sombre lorsque les ongles s'étaient retournés.

Brussin avait poussé le couple à bout. Elle ignorait ce qu'il leur avait dit, quel genre d'atroce torture mentale il leur avait infligé pendant ces quelques jours de détention, mais il s'était amusé, assurément, la face perverse du psychopathe s'en était donné à cœur joie. *Interdisez à un enfant de jouer pendant plusieurs semaines puis donnez-lui un jouet en lui garantissant qu'il peut en faire ce qu'il veut et contemplez le résultat,* se dit Ludivine.

Sauf que Brussin n'avait pas la candeur d'un enfant. C'était un malade, un tordu qui n'éprouvait du plaisir qu'à travers la soumission totale et mortelle des autres. À travers leur déchéance, leur souffrance. Leurs cris étaient l'eau qui hydratait son âme. Un buveur de larmes.

Le faisceau s'arrêta sur une marque dans le mur. Peu profonde mais suffisamment fraîche pour contraster avec le reste. Des traits maladroits. Une écriture difficile, faite avec les moyens du bord.

« Papa maman nous vous aimons Alba et Fred. »

Le cœur de Ludivine se comprima. Les parents du couple ne s'en remettraient jamais.

L'odeur l'indisposait, Ludivine porta une main à son nez et pivota pour sortir de la cellule lorsqu'un bruit attira son attention. Tout son corps se raidit brusquement, sa colonne vertébrale craqua et ses sens s'aiguisèrent.

Une seconde plus tard, elle recula d'un bond en s'empêchant de crier, trop saisie par la peur elle n'eut pas le réflexe d'empoigner son arme.

Serge Brussin était sur le seuil de la minuscule pièce, juste devant elle. Il la regardait avec une intensité malsaine. Et malgré la lumière de la lampe en plein visage, ses yeux étaient grands ouverts, ses pupilles anormalement dilatées, deux puits sans fond qui la fixaient, qui l'aspiraient.

Brussin voulait entraîner Ludivine dans ses propres abysses.

La jeune femme chercha son souffle, soudainement couverte d'un filet de sueur, les battements de son cœur étaient trop rapides. Sa main droite fouilla à sa ceinture pour sentir la crosse de son Sig-Sauer.

L'heure de vérité sonnait. Ils allaient voir si le diable craignait les balles.

Haletante, prise de vertiges surprenants de violence, Ludivine défit la sécurité de son holster et commença à lever le bras, avec une lenteur anormale.

Brussin ne broncha pas.

Jusqu'à ce qu'un flot de sang noir lui sorte par la bouche et inonde sa chemise.

Alors il bascula sur elle pour l'embrasser du baiser de la mort.

58.

Le bus sortit de la forêt pour entrer dans une clairière crayeuse bordée de ravines, de petites falaises et encerclée par une végétation dense.

La carrière était déserte, nota aussitôt Laëtitia avec une nouvelle pointe d'ulcère. C'était leur destination finale à n'en pas douter

Il fallait faire vite.

Elle jeta un coup d'œil en arrière pour voir où les choses en étaient et vit la petite Emma, sur la banquette juste après la sienne, récupérer discrètement le téléphone entre les deux sièges.

Le courage et l'efficacité de ces enfants l'inondèrent d'une bouffée d'amour. Se rendaient-ils seulement compte du danger qu'ils encouraient ?

– Hey ! Retourne-toi ! s'énerva Coca-Cola brusquement. Ils gueulent pas alors tu restes droite, que je te voie bien ! On arrive.

Laëtitia obéit sans protester mais après plusieurs secondes elle tendit la main en arrière pour qu'Emma y dépose le précieux téléphone.

C'était un vieux modèle sans écran tactile, remarqua-t-elle avec appréhension. Elle ne savait pas s'en servir, cela faisait une éternité qu'elle n'en avait pas eu un comme celui-là.

Couper le son et le vibreur avant tout, ne pas faire la même erreur !

Cette fois elle n'avait plus le temps de prendre des précautions et d'y aller doucement, ils allaient se garer d'un instant à l'autre et ensuite Coca-Cola serait face à elle, l'empêchant d'écrire. Elle vit un appel en absence : « Maman. » Une mère qui n'était certainement pas au courant de la prise d'otages sinon les appels en absence se seraient accumulés. Laëtitia entra dans le menu de l'appareil et naviguait avec les flèches du pavé central.

Elle s'assura tout de même que Coca-Cola ne la surveillait pas.

Ses icebergs flottaient, imperturbables, sur la poussière de la carrière, déjà projetés dans ce qui allait s'y produire bientôt.

Laëtitia trouva le pictogramme des sms et elle pressa le bouton pour y entrer. D'abord taper le numéro de Segnon. Par chance, il faisait partie des rares qu'elle connaissait par cœur, qu'elle n'avait pas abandonnés à l'unique mémoire de son répertoire. Elle pianota de chiffre en chiffre pour le composer.

Il lui en restait encore trois à entrer lorsque le bus stoppa d'un coup.

Laëtitia enfouit le portable dans sa poche de veste au moment où Coca-Cola jaillissait de son siège pour braquer son arme sur elle. Trop tard.

Ils étaient arrêtés au centre de la carrière.

– Dis aux gamins de se foutre à poil, ordonna Coca-Cola.

– Quoi ? Mais... Ce sont des enfants, ils ne...

– Tu fais ce que je te dis ou je t'explose la tête !

– Monsieur, je ne sais pas ce que vous voulez de nous, mais ce n'est pas comme ça que vous réussirez. Il faut...

– Ce que je veux, c'est que tous les gamins soient à poil. Ça aura plus de gueule pour partir en voyage.

La façon dont il avait prononcé ce dernier mot fit frémir Laëtitia. Elle comprit de quel genre de voyage il parlait. Du genre définitif. Absolu. Laëtitia sut qu'elle ne pourrait jamais envoyer le sms à Segnon.

— C'est moi qu'organise, ajouta-t-il avec une pointe de fierté. Cette fois, c'est moi qui dis comment on fait.

Il allait les mettre à nu, tous, et ensuite il appuierait sur le détonateur rouge scotché le long de son doigt. Elle devait gagner du temps. Par tous les moyens. Grappiller quelques secondes. Ce serait des secondes de plus à vivre. En attendant l'inéluctable.

Laëtitia se leva pour faire face aux enfants. Elle prit un moment pour calmer sa respiration et montra ses paumes pour captiver leur attention.

— Les filles, les garçons, dit-elle d'une voix qui tremblait, il va falloir m'écouter attentivement. Je vais vous demander de vous déshabiller. Complètement.

— Ouais ! aboya Coca-Cola derrière. Nus comme des petits vers !

Laëtitia se retint de réagir. Elle n'avait qu'une envie c'était de lui rentrer dans le lard et de lui enfoncer le canon du revolver dans la bouche pour voir ce que *lui* dirait si sa cervelle menaçait d'exploser. Toutefois elle ne devait pas céder à ses pulsions.

— Je vais passer vous voir pour vous aider si vous n'y arrivez pas, d'accord ?

Les enfants lui rendaient un regard circonspect. Eux-mêmes savaient bien que ça clochait, qu'on ne pouvait pas décemment leur demander de se mettre nus les uns à côté des autres en plein jour, dans un bus. Mais il le faudrait, sut Laëtitia, parce que si Coca-Cola perdait patience, il les expédierait tous au paradis d'un coup de bouton magique. Pour un *voyage* sans retour.

Nathan et Léo la guettaient avec plus de peur que de doute Ils attendaient de leur mère un signe rassurant, ou au moins un baiser, une attention particulière. Elle se l'interdit. Ne surtout pas livrer à Coca-Cola ce moyen de pression supplémentaire. Il y avait tant de sadisme en lui qu'elle devinait qu'il ne s'en priverait pas.

— J'arrive, dit-elle en se dirigeant vers le fond du bus On va le faire tous ensemble, d'accord ?

Ce faisant, elle pourrait mettre la main dans sa poche et composer le numéro de son mari. Elle se souvenait de l'ordre des touches, ce serait facile. Puis elle eut un doute. La touche verte pour lancer l'appel était-elle à droite ou à gauche ?

À droite.

En était-elle sûre ? La vie de quarante-deux enfants pouvait se jouer à un bouton.

— Allez-y, commencez par retirer vos chaussures, les guida-t-elle pour qu'ils se lancent, pour que Coca-Cola soit satisfait, avant qu'il ne s'énerve.

Elle remontait l'allée lorsque Nathan lâcha, avec toute la spontanéité d'un garçon de son âge :

— Mais maman !

Laëtitia se figea.

— Tiens, tiens, fit la voix mielleuse de Coca-Cola dans son dos.

59.

Le sang coula vers Ludivine comme s'il cherchait à la pénétrer, à la posséder. Un flot noir glissa entre les lèvres de Brussin tandis que l'homme s'effondrait sur elle dans l'étroite cellule.

Son corps mou s'affaissa et l'écrasa de tout son poids contre le mur tandis qu'il tombait lentement sous l'effet de la gravité, son visage collé contre la joue de Ludivine, l'inondant de sang chaud, puis bavant dans son cou, avant de glisser, le nez entre ses seins.

Elle poussa de toutes ses forces pour l'éloigner d'elle, pour reprendre son souffle, pour comprendre ce qui lui arrivait. Elle était en pleine crise de tachycardie, elle transpirait abondamment, les mains moites, elle arrivait à peine à tenir sa lampe entre les doigts.

La porte de la cellule s'était refermée.

Les verrous rayèrent l'acier du montant en s'enfonçant dans le mur.

– Non ! hurla-t-elle. Non !

Brussin était affalé contre sa jambe, il la retenait de sa masse, elle était coincée.

C'était impossible. Brussin ne pouvait pas être là, mort, et elle enfermée ainsi. C'était un cauchemar.

Une voix familière résonna depuis la pièce mitoyenne. Grave et sûre d'elle. Une voix d'homme.

– Vous savez très bien ce qui vous attend si vous ne m'écoutez pas attentivement.

Il n'y avait aucune forme de jubilation, il s'exprimait sur le même ton neutre qu'elle lui connaissait.

Malumont.

Ludivine baissa la tête. Elle capitula d'un coup. Elle s'était fait berner depuis le début. Comme une débutante. Malumont l'avait laissée venir à elle. Il avait toujours joué la carte du modeste, de celui qui n'est pas intéressé, du gentil, alors qu'il tirait les ficelles.

Pourtant son association avec Brussin était inattendue, il avait tellement le profil du loup solitaire, de celui qui ne veut pas partager son festin. Le chef de meute ne partage normalement pas, il mange en premier, dans son coin, pendant que les autres attendent.

Parce que Brussin n'y est pour rien. D'une manière ou d'une autre, ce n'était pas lui.

Ludivine s'était laissé aveugler par ce qu'elle avait perçu chez Malumont, cette part d'ombre maîtrisée, cette folie sous contrôle dans son regard. Elle l'avait immédiatement comparé à Richard Mikelis, le criminologue.

Oui, ils sont faits de la même trempe, c'est vrai, ils dégagent le même magnétisme trouble. Mais à la différence de Mikelis, lui œuvre de l'autre côté du miroir.

Penser calmait Ludivine, son cœur lui parut moins agité, elle parvenait à canaliser sa respiration aussi.

– Vous êtes perspicace, lança Malumont, vous êtes maligne, je l'ai senti dès le début.

Mais c'était plus fort que lui, elle le savait bien. Un excès de confiance, la mégalomanie des grands pervers. Ce besoin de démontrer, de partager, d'être *admiré*.

– Finalement, le problème c'est moi qui l'ai créé, avoua-t-il. En voulant dresser un écran de fumée avec Brussin, je me suis pris à mon propre jeu. Quand vous êtes venue me voir tout à l'heure, je ne savais pas si vous aviez mordu à l'hameçon Brussin ou si vous me le faisiez croire pour mieux me sonder. J'étais convaincu que vos petits copains allaient débarquer dans mon bureau d'un instant à l'autre et me passer les menottes. J'ai attendu, je vous ai guettée, et puis vous êtes repartie. Aussi seule que vous étiez venue. Aussi seule que vous êtes. Tout le temps.

Il appuya ses derniers mots et ils résonnèrent avec une force surnaturelle, ils rebondirent contre les murs pour se planter dans la chair de la jeune femme.

– Vous êtes juste incapable de vous arrêter, n'est-ce pas ? C'est votre drogue à vous, l'action ? Rechercher la vérité à tout prix. Agir pour ne pas se sentir mourir. Vous la craignez, Ludivine, cette mort ? L'avez-vous tant côtoyée que sa présence vous est devenue insupportable ? Ou au contraire est-ce un désir ardent de vous y confronter ?

La cellule tournoyait et le poids de Brussin contre sa cuisse la rendait de plus en plus claustrophobe. Elle manquait d'air. Ludivine inspirait la bouche grande ouverte malgré l'odeur infecte.

Le sang de Brussin inondait peu à peu son jeans et dégoulinait dans sa chaussure comme s'il cherchait lui aussi à s'enfuir par tous les moyens.

– Vous êtes une vraie tête brûlée, je me trompe ? N'est-ce pas ce qu'on appelle communément une « fuite en avant » ? Chercher et provoquer ce que l'on craint le plus ? Vous défiez la mort, Ludivine. Parce qu'elle vous attire comme un papillon sur une ampoule.

L'air devenait suffocant dans la minuscule pièce.

Il fallait qu'elle se concentre. Qu'elle reprenne le contrôle. Penser. Focaliser son esprit sur autre chose.

Il me parle pour faire monter la pression, parce que ça l'excite, parce qu'il a le contrôle. Il attend mes réactions, il... me guette ?

Il était là, juste derrière la porte. *L'œilleton !*

D'un geste coulé, elle saisit son Sig-Sauer en faisant sauter le cran de sûreté dans la foulée et pressa la queue de détente trois fois en visant la porte sans se soucier de comment elle sortirait ensuite.

La première balle se ficha dans l'acier, la seconde ricocha en étincelant pour aller se planter à quelques centimètres de la cuisse de Ludivine, dans l'épaule de Brussin, et la troisième, enfin, perça le montant.

L'odeur de la poudre prit le dessus sur les relents acides de la peur pendant un court instant.

Les oreilles de Ludivine sifflaient à cause des détonations terribles du 9 mm.

– Je vais mettre ça sur le compte d'une réaction de frustration, Ludivine, fit Malumont, mais ne recommencez pas. Sinon j'invoque vos démons pour qu'ils festoient sur votre inconscient torturé.

Le gaz ! Il la menaçait d'employer son cocktail chimique hallucinogène. Le désespoir commença à l'envahir.

Il m'en a déjà injecté ! C'est pour ça que j'ai la tête qui tourne, que mon cœur va exploser, que je me sens si mal, ce salaud a diffusé une dose avant de m'enfermer !

– Vous portez le Sig-Sauer SP 2022 réglementaire de la gendarmerie, je l'ai vu à votre ceinture. C'est une arme avec un chargeur de quinze coups. Vous êtes du genre prudente, fonceuse, donc vous avez sur vous un second chargeur. Je veux que vous fassiez tomber par le trou au centre de la porte vos vingt-sept balles restantes, Ludivine. Sinon notre conversation s'interrompt ici, et vous savez ce qu'il adviendra.

Le gaz. La terreur. Toutes ses pires pulsions refoulées jaillissant sous ses yeux en même temps et, au bout du compte, son cœur qui lâche.

Ludivine pensa alors à son téléphone, elle l'attrapa et l'écran illumina d'une lueur presque rassurante ses traits crispés. Il n'y avait pas de réseau. Elle était dans le sous-sol.

– Ludivine, accordez-nous cette discussion. Vous voulez savoir, n'est-ce pas ?

Et lui voulait parler. Parce qu'elle était la seule capable de saisir ce qu'il avait entrepris, elle était son unique témoin.

Avait-elle le choix ?

Elle força en appuyant ses coudes contre le mur pour se dégager de l'étreinte de Brussin et se coller à la porte. Une à une, elle enfonça ses balles dans l'œilleton, et elle entendit les vingt-sept cartouches tinter en heurtant le carrelage de l'autre côté. À chacune, c'était un morceau d'elle qu'elle abandonnait. Des fragments d'espoir.

Il était là, juste de l'autre côté, adossé au mur, elle pouvait le deviner à présent. Elle percevait sa respiration. Son excitation aussi saturait l'air, songea la jeune femme, son extase perverse puait comme une partie de cul endiablée. Elle laissa tomber le Sig-Sauer désormais inutile, s'accrochant à la petite lampe.

Puis il bougea, un raclement de semelle sur le sol, et il y eut un léger sifflement, presque imperceptible pour ses tympans meurtris, et lorsque Ludivine comprit, il était trop tard. Elle avait respiré à pleins poumons le mélange démoniaque. Elle recula, se prit les pieds dans les jambes de Brussin et s'effondra contre le mur du fond.

La pièce s'envola brusquement, les murs coulèrent aussi sûrement que s'ils n'étaient qu'une cascade d'encre et la tachycardie reprit de plus belle. Ludivine enfonça ses ongles dans la paroi, la lampe roula sous ses cuisses et elle chercha son oxygène en haletant.

Les verrous grincèrent avant que la porte ne s'ouvre sur une silhouette faite d'ombres et de souffrance.

Dans la faible luminosité, Ludivine n'aperçut que les deux rides profondes qui barraient les joues de Benoît Malumont. Il n'affichait aucun sourire de triomphe, ses prunelles ne brillaient d'aucune joie.

Mais lorsqu'il ouvrit la bouche, ses dents étaient plus longues que des couteaux et, tout au fond de sa gorge, les flammes de l'enfer s'embrasèrent en même temps que toutes ses victimes hurlèrent.

60.

Le convoi de la gendarmerie avait roulé gyrophares et sirènes allumés pour rejoindre La-Queue-les-Yvelines en début d'après-midi. Cette brigade avait été choisie parce qu'elle était centrale par rapport à la zone de recherches délimitée un peu plus tôt dans la journée. Lorsque Jihan et ses équipes y arrivèrent, ils firent sortir journalistes, membres de la municipalité et aussi la police locale pour bénéficier d'espace et de discrétion afin d'établir leur poste de commandement dans une salle du premier étage du bâtiment.

Segnon suivait les conversations, il entendait mais tout paraissait lointain, irréel. Une partie de lui refusait de croire que tout cela se produisait.

Lorsque son téléphone sonna, affichant un numéro qu'il ne connaissait pas, il appuya sur la touche pour refuser l'appel.

Mais son doigt manqua le bouton tactile ou ne pressa pas assez fort et l'appareil continua de vibrer.

Sans bien savoir pourquoi, il se décida enfin à décrocher.

– Allô ? fit-il machinalement.

À part sa femme et Ludivine, aucun appel ne pouvait être important, alors à quoi bon s'embarrasser d'une conversation qu'il se savait incapable de mener. Mais au fond de lui, il savait que sa belle-mère, si elle était au courant, voudrait des informations, être rassurée, tout comme leurs amis. Segnon ne s'en sentait pas le courage. Et comme personne ne répondait, il allait raccrocher lorsqu'il entendit une voix au loin, très ténue, à une certaine distance du combiné, puis une seconde, féminine :

« Ils se ressemblent, ce sont vos fils ?

Laissez-les en dehors de ça. »

Laëti ! C'était elle, il en était certain, a s'en couper la main. Segnon se leva et fit de grands signes pour que tous se taisent et l'observent.

– Chérie ? demanda-t-il.

Un frottement désagréable obligea Segnon à repousser brièvement l'appareil de son oreille avant que la voix de sa femme, toujours aussi lointaine, poursuive :

« Ils s'appellent Nathan et Léo, quelle que soit votre colère, ils n'y sont pour rien, monsieur, ne leur faites pas de mal. »

Le téléphone était posé à côté d'elle ou dans une poche, comprit Segnon. C'était elle, c'était un coup de sa femme. Il s'empressa de mettre la touche « silence » en marche pour couper son propre micro et se tourna vers Magali et Jihan :

– C'est ma femme ! Je la capte ! Elle est en train de discuter avec lui !

Magali bondit avec un bloc-notes entre les mains.

– Le numéro !

Elle le griffonna avant d'arracher la page et de se précipiter sur son propre téléphone.

– Je m'en occupe.

Segnon activa le haut-parleur de l'iPhone tout en s'assurant que le mode « silence » était encore en place, Jihan, Ben et Franck se resserrèrent autour de Segnon.

« Eux, ils ne se déshabillent pas ! ordonna Patrick Mahon. Ils restent avec leurs fringues.

– D'accord, mais laissez-les. »

Entendre Laëtitia, la voix chevrotante. et savoir ses fils en danger de mort rendait Segnon ivre de rage. Il voulait une heure enfermé avec Mahon pour le détruire à coups de poing.

« Comme ça, quand le feu prendra, leurs habits vont fondre sur leur peau ! gloussa Mahon.

– Oh, mon Dieu... »

Laëtitia pleurait.

« Allez ! aboya Mahon. À poil, tous les gosses ! J'ai dit à poil ! Je veux du spectacle ! Je veux qu'on soit tous beaux pour partir au soleil ! On va tous bronzer ! »

– Putain d'enfoiré ! explosa Segnon. Il va les faire sauter !

Jihan se tourna vers Magali :

– Capelle, ça urge !

– Oui ! Oui ! répondit la brune, son téléphone coincé entre l'épaule et l'oreille. La ligne appartient à Elsa Lehanin, c'est un des noms des gamins du bus et aussi d'un des accompagnateurs !

– La triangulation, c'est tout ce qu'il nous faut ! répliqua Jihan.

– Ça peut prendre un peu de temps, je fais au mieux, colonel.

Segnon fulminait, ça n'allait pas assez vite. Jihan s'éloigna pour prévenir le GIGN de grimper dans leurs véhicules, l'adresse n'allait plus tarder. Les pilotes de l'hélicoptère pour survoler la zone étaient déjà en place, prêts à décoller.

Pendant ce temps, Laëtitia monnayait la vie des petits passagers :

« Vous n'avez pas besoin de tous les enfants, n'est-ce pas ? Laissez-en sortir quelques-uns, juste pour... »

Elle avait repris un peu d'assurance entre deux reniflements, elle avait du cran.

« Je les veux tous. Pour que ça fasse un beau spectacle ! Pour notre voyage. Je suis souvent parti, tu sais ? Souvent ! Des voyages difficiles, oh ça oui ! Mais maintenant plus personne ne me forcera à aller là où je n'ai pas envie ! C'est moi qui choisis, c'est ma destination ! La plus belle ! On file au soleil ! On va se dorer la pilule en enfer, les gosses ! Ouais ! En enfer ! »

Son rire était syncopé, forcé, Patrick Mahon était en plein délire.

« Parce que je connais le diable ! C'est un ami à moi ! C'est un GO ! Vous le saviez, ça ? Hein ?

– Monsieur, tenta Laëtitia en cherchant à se contrôler, moi, je suis prête à partir avec vous, je veux bien de ce voyage, ce sera beaucoup plus reposant sans tous les enfants, vous ne croyez pas ? »

Bien joué, ma puce. Bien joué !

Segnon était fier. Il se rendit compte qu'il pleurait aussi.

« Laissez les enfants sortir, insista-t-elle. Je peux vous faire le plus beau spectacle du monde, moi, si vous nous laissez juste vous et moi. Je...

– Ta gueule ! Tu n'es pas une GO ! Tu n'as pas à me dire ce que je dois faire ! Fais-les se déshabiller ou je te flingue là, tout de suite ! Qu'ils se dépêchent ! On perd du temps ! »

Segnon serra les dents de frustration. Il ne tenait plus. Mais faute de mieux, il devait se concentrer sur le moindre détail. Il nota alors l'obsession pour la thématique du voyage. Pourquoi les GO ? Qu'est-ce que les Gentils Organisateurs venaient faire là-dedans ?

Ils lui disent quoi faire... Les matons. Ou les surveillants des unités psy où il a séjourné pendant des années ! C'est ça qu'il appelle des voyages. Il s'est fait un fantasme autour de ça.

Et comment pouvait-il s'en servir contre lui ?

Soudain le haut-parleur cracha encore, le téléphone bougeait, et pendant un court instant les voix des enfants devinrent plus claires, moins étouffées.

Elle a ouvert sa poche ! Elle a vu que je suis là !

Son cœur devint trop gros pour sa poitrine. Segnon eut envie de cogner les murs autour de lui jusqu'à les abattre.

Laëtitia aidait les enfants à se déshabiller, elle tentait aussi de les rassurer du mieux qu'elle pouvait. Puis elle haussa la voix pour s'adresser à leur bourreau :

« Pourquoi cette carrière ? demanda Laëtitia. Pourquoi faire le spectacle ici ?

– Parce que c'est tranquille. »

Segnon fit claquer ses doigts au-dessus de sa tête et chercha une carte de la région qu'il trouva étalée sur la table principale.

– Une carrière dans le périmètre !

– Putain, ça manque pas ! désespéra Franck en sondant la carte.

Laëtitia continuait son excellent travail de limier entre deux sanglots à peine contenus :

« Mais pourquoi celle-ci ?

– Pourquoi pas ? On s'en fout non ? »

Le salaud n'allait pas donner le nom.

« Pour quelqu'un qui veut laisser un beau spectacle derrière lui, pour partir en beauté, ce serait dommage de faire ça dans un endroit dont le nom est moche, c'est tout... »

Patrick Mahon se rapprocha soudain du micro car sa voix devint beaucoup plus présente :

« Parce que je voulais partir dans un endroit que je connais, c'est tout. »

Segnon regarda Franck mais Benjamin était déjà en train de vérifier sur l'écran de son ordinateur portable.

– C'est un endroit qu'il a fréquenté, où est-ce qu'il a habité, cet enfoiré ? dit-il tout haut en cherchant dans son dossier.

– Il a son permis poids lourd ! rappela Magali qui attendait toujours le résultat de la triangulation. C'est peut-être une carrière où il a bossé !

Ben fit claquer ses mains :

– Carrière de la Huguenoterie ! Il y a conduit des engins au début des années 2000 !

Dans le haut-parleur de l'iPhone, la voix de Patrick Mahon monta d'un cran :

« Maintenant assez perdu de temps ! Tant pis pour les autres, venez, on a trop attendu. C'est l'heure ! »

Non, pas si vite !

Jihan était en ligne avec le GIGN.

– Ils partent de Satory, ils y seront dans moins de trente minutes, prévint-il.

— On n'a pas trente minutes, rétorqua Segnon. Ben, c'est loin d'ici ?

— Si je conduis, on peut y être en moins de dix.

Segnon ne laissa pas à son supérieur le choix de la décision. Il courait déjà vers l'escalier, tout en s'assurant que son arme de service était bien en place dans son holster.

61.

Les dents du diable étaient ce qu'il y avait de plus effrayant. Ses longues pointes effilées presque translucides, prêtes à mordre, à déchirer la chair pour mieux accéder à l'âme.

Il s'était accroupi face à Ludivine.

Sa voix gutturale, millénaire, résonna comme si des millions d'êtres à l'agonie s'exprimaient en même temps que lui :

– Ça va passer, une simple précaution pour vous rendre plus docile.

Sa main griffue se déplia pour venir caresser les cheveux de la jeune femme. Elle cherchait à respirer, la sueur lui brûlait les yeux, ses jambes s'agitaient, cherchant à la repousser plus loin dans le mur pour échapper à l'emprise du monstre.

Son cœur battait si vite que Ludivine peinait à rester consciente. Il lui faisait mal, toute sa cage thoracique s'était transformée en une caisse de résonance douloureuse.

– Respirez, détendez-vous, dit le diable caché sous les traits du docteur Benoît Malumont. Nous n'avons pas fini.

Fini quoi ? pensa Ludivine.

– Mais de nous montrer nos vrais visages, enfin.

Avait-elle pensé à voix haute ? C'était tout à fait possible vu son état mental, mais pour ce qu'elle en ressentait, il pouvait tout aussi bien lire dans son esprit.

J'ai vu le vôtre, celui de la perversion, du vice, de la souffrance, de la peur...

– Oh non, pas celui de la peur, non, croyez-moi, pas encore. Mais ça va venir.

Les murs de la cellule reprenaient consistance et Ludivine cligna des paupières à mesure que les traits du docteur Malumont gagnaient en netteté devant elle.

Ses dents acérées avaient disparu mais une boule rouge crépitante nimbait encore le fond de sa gorge lorsqu'il s'adressa à elle :

– Ce face-à-face était inéluctable, n'est-ce pas ? Je commençais à peine à vous connaître et nous devons déjà nous dire adieu.

– Rien ne l'oblige, murmura-t-elle avec difficulté. Vous n'avez pas à me...

– Moi non, je ne vais rien faire, je ne suis que le révélateur, je suis votre thérapeute. Mais vous avez trop refoulé la vérité, ma chère, vous vous êtes voilé la face, vous avez enterré vos démons plutôt que de les affronter, vous niez vos peurs plutôt que de les décortiquer, et vous savez ce que l'on dit des gens qui enterrent tous leurs problèmes ? Ils en meurent...

Malumont ne trahissait pas la moindre empathie à ces mots, pas une once de compassion. Il n'était que dans l'énumération factuelle. Comme tout bon psychopathe, se dit Ludivine en le contemplant, il n'éprouvait rien d'autre qu'une forme de jubilation à donner la mort, un flash euphorique au moment de jouer à Dieu. Pourtant Malumont était un être intelligent, il connaissait tous ces mécanismes psychiques, il savait comment un être brisé dans son rapport affectif durant son enfance pouvait compenser par un détachement absolu en grandissant.

Elle devait trouver un moyen de toucher cette part de lui-même, l'attirer sur cette pente pour qu'il cesse de la voir uniquement comme un objet nécessaire à l'accomplissement de son plaisir mais comme une femme, et pour cela, elle devait retrouver en lui une corde sensible, quelle qu'elle soit. Le temps que l'effet de la drogue s'estompe encore un peu plus, qu'elle puisse retrouver un rythme cardiaque moins soutenu et un peu de force.

– Docteur, dit-elle la gorge sèche, vous êtes vous-même dans une posture, vous le savez bien... Tout ça, c'est... une mise en scène, pour vous rassurer. Qu'est-ce que vous cachez tout au fond... au fond de vous ? Quelle peur est la vôtre ? Si grande qu'il faille la... la cacher derrière les terreurs des autres ?

Malumont lui offrit une esquisse de sourire.

– Ne m'entraînez pas dans cette direction, Ludivine, dit-il d'une voix à présent moins gutturale, plus proche de la sienne. Vous n'y trouveriez que déception. N'avez-vous jamais envisagé qu'il ne puisse simplement pas y avoir de réponse à tout ? Je n'ai pas été un enfant maltraité, si c'est la question qui vous brûle les lèvres, au contraire même, j'ai bénéficié de tout l'amour qu'un enfant peut espérer. Je n'ai jamais été battu, ni violé. Jamais assisté à la mort de quiconque avant mes dix-huit ans. En fait, mon enfance fut d'un ennui total mais parfaitement équilibrante.

– Il y a... *forcément* un point d'achoppement. Vous le savez très bien.

Malumont leva son index et le pointa sur Ludivine.

– Non, *vous* le savez très bien, pour certains « tueurs en série », puisqu'il faut appeler ça ainsi, il n'y a pas d'explication rationnelle et psychologique à ce qu'ils sont devenus. Vous appelleriez ça le « mal pur » si vous étiez un tant soit peu lucide.

Ludivine se força à lui adresser un sourire joueur. Tant qu'il trouverait la conversation à son goût, il poursuivrait, il ne lui injecterait pas plus de drogue.

– Et vous, docteur ? Comment appelleriez-vous ce que vous êtes ?

– Un révélateur, comme je vous l'ai dit. Regardez autour de vous, regardez ces carcasses corrompues que j'ai laissées derrière moi. Je ne fais que les confronter à leurs terreurs personnelles, et aucun n'y survit.

Mais les adolescents du Paris-Hendaye, pourquoi eux ?

– Ah, Pierre et Silas... Des garçons sous influence, Ludivine, rien de plus. Ça aurait pu être n'importe qui d'autre. Un prêcheur, Justin Bieber, une fille de passage, ils étaient prêts, sensibles, cherchant une voie à suivre, comme des milliers d'autres.

– Mais ça a été vous. Pourquoi ?

– Parce qu'il en fallait un. Parce que je les ai révélés à ce qu'ils voulaient *sincèrement*, tout au fond d'eux-mêmes : se venger de ce monde qui les marginalisait, faire payer l'addition. J'ai opéré de la même manière avec Ludovic Mercier, Marc Van Doken et tous les autres... J'ai longuement écouté leur souffrance et je les ai poussés à s'en libérer. Je n'ai fait que leur proposer une voie, et tous l'ont embrassée avec délivrance.

Et avec une bonne dose de psychotropes et d'hallucinogènes !

– Parce que vous étiez leur psy. Ils avaient confiance en vous, ils vous ont écouté parce que vous aviez de l'influence sur eux, ils voyaient en vous un chemin possible vers la guérison.

– N'ai-je pas tenu parole ?

– La mort n'est pas une délivrance.

Malumont se rapprocha jusqu'à frôler le visage de Ludivine. Elle put sentir son souffle sur elle.

– Qu'en savez-vous ? Pour certains elle n'est que la seule issue. Et elle leur a permis de délivrer un message qui va au-delà de leur petite personne, parce que tous mes disciples, les uns après les autres, ont ouvert les yeux à la civilisation dans son ensemble.

– Quand les gens sont sous pression, qu'ils ont peur, si vous faites tomber le rempart de la sécurité alors ils perdent foi en la société qui ne leur offre plus rien, vous le savez très bien. Vous vous servez de la crise sociale que nous traversons pour vous donner du pouvoir, pour vous offrir l'illusion d'influencer le monde, mais vous le faites basculer dans le chaos.

– Parce que le chaos est un révélateur, Ludivine, ne le niez pas. On ne reconstruit pas sur des cendres fumantes, on rebâtit après avoir tout rasé. Je n'ai fait qu'allumer la mèche, si nous n'étions pas aussi inflammables, elle n'aurait pas prise. Et pourtant... les bombes dans les cinémas, je n'y suis pour rien. Pas plus que le poison dans les bouteilles de supermarché ou les attaques contre les médias. J'ai planté une graine qui germe toute seule et qui essaime à son tour. Vous ne pouvez plus rien faire pour l'en empêcher maintenant.

– Savez-vous qui est Diane Codaert ?

Malumont demeura impassible, manifestement ce nom n'évoquait rien pour lui.

– C'est la dernière victime de Michal Balenski. C'était une gamine de seize ans qu'il a écorchée vive. C'est ça la révélation pour vous, docteur ? Le meurtre barbare d'une gamine ?

Ludivine s'était emportée, il fallait qu'elle se reprenne, qu'elle maîtrise ses émotions, son cœur. Elle ne se sentait pas encore en état de bouger.

– Michal était un solitaire, peu influençable. Je n'ai fait que le couver pour qu'il éclose plus tôt et ensuite je l'ai mis en relation avec un de mes... protégés.

– Kevin Blancheux ? Parce que c'est plus facile d'endoctriner quelqu'un qui est déjà fanatique ?

– Parce que le décorum est aussi important que le message. Ne vous en êtes-vous pas aperçue mercredi soir dans votre salle de bain ?

Ludivine tressaillit. Le diable, elle avait vu le diable ce soir-là.

Malumont leva un masque en plastique assez laid qu'il tenait à la main. Un masque flasque avec une grande bouche allongée et des orbites creuses. Un mélange entre la mort, un diable et un squelette.

– Le pouvoir de suggestion, c'est tout ce qu'il faut, quelques artifices pour la légende et le tour est joué. Il faut savoir parler à une société du spectacle en usant de ses propres codes.

Qu'avait-il encore dans sa panoplie ? Des chaussures avec la semelle sculptée en forme de sabot de bouc ! Et surtout ses précieuses drogues sans lesquelles il ne serait rien...

Ludivine hésita à le confronter sur ce terrain mais elle estima que c'était risqué, c'était le renvoyer vers ses limites et elle ne voulait pas l'énerver, ce n'était pas le moment. Elle opta pour une direction plus humaine :

— Le couple que vous avez enfermé ici, ils vous ont supplié de les libérer... À aucun moment vous n'avez songé que ça pourrait être votre propre fille un jour ?

Malumont poussa un soupir, plus amusé qu'agacé.

— Oh, vous faites allusion à cette photo sur mon bureau, n'est-ce pas ? Oui, c'est exactement ce que je vous disais : le pouvoir de suggestion et quelques artifices. Des objets glanés çà et là sur eBay pour la décoration et un cadre acheté dans une boutique en guise de famille, j'ai même laissé la photo originale à l'intérieur, et me voilà considéré comme un bon mari et un bon père, bien sous tous rapports, amateur de voyages et des vrais plaisirs de l'existence.

Il secoua la tête, déçu.

— J'espérais mieux de vous, avoua-t-il, de votre pugnacité. Je croyais que vous iriez au-delà des apparences de ce monde, mais finalement, vous êtes comme tous les autres, nourrie à l'illusion. Ces mêmes illusions que moi et mes compagnons combattons. Pour un monde meilleur. Où les plus forts seulement survivront, où il ne sera plus nécessaire de créer une société d'assistés – il est grand temps que tout cela flambe, nous vivons sous assistance respiratoire, et que l'humanité fasse à nouveau un grand bond dans son évolution, comme elle le faisait autrefois.

— Vous vous croyez supérieur aux autres ?

Le faire parler encore un peu. Ludivine sentait le poison se diluer. Il avait en effet usé d'une dose minime, juste de quoi la déboussoler quelques minutes.

— La loi du plus fort, Ludivine. Moi, j'ai affronté mes démons, je me suis libéré de mes pulsions et j'ai compris que c'est en les exprimant pleinement que je suis vivant. Je ne suis pas un faussaire, un hypocrite comme vous tous.

— C'est pour ça que vous vous cachiez derrière Brussin ? ironisa Ludivine.

– Oh, Brussin ! L'archétype du psy qui a plus de problèmes que tous ses patients réunis ! Il n'a probablement plus touché une revue spécialisée depuis sa sortie de la fac, il n'y avait pas plus pantouflard que lui. J'ai été dans des dizaines de cliniques sous son nom et personne ne s'en est jamais rendu compte, pas même lui ! Il me suffisait de signer le registre sous son identité, personne n'a jamais vérifié à quoi ressemblait le vrai Brussin Si je mens, c'est parce que votre société m'y oblige, parce qu'elle refuse ma différence, tandis que vous, votre mensonge n'est que cosmétique, pour dissimuler tout ce que vous êtes et que vous n'assumez pas.

Ludivine eut alors un sentiment de déjà-vu très fort. Le discours nauséabond des prédateurs qu'elle avait affrontés au Québec était à peu de chose près le même. Le droit à la différence. À l'expression de leur être, aussi incompréhensible soit-il pour les autres...

– Je croyais, insista-t-il avec déception, que j'avais trouvé mon égal avec vous, ma Némésis. Celle par qui j'allais devoir me sublimer. Je nous voyais aller loin vous et moi.

– C'est fini, docteur, Brussin est mort, votre couverture est tombée, vous n'irez pas loin.

Malumont secoua la tête, il ne mordait pas à l'hameçon.

– Vous ne saviez rien sur moi en arrivant ici, vos collègues n'y verront pas plus clair, et lorsqu'ils retrouveront votre cadavre avec celui de ce cher Brussin, ils constateront, avec amertume, que Ludivine Vancker, cette chère tête brûlée, a voulu l'appréhender elle-même, pour régler ses comptes, et que ça s'est terminé dans un bain de sang ! Fin de l'histoire.

– Ils vous retrouveront.

– D'autres écrans de fumée viendront et, d'ici là, mes graines auront germé. Oh, d'ailleurs, qu'en est-il de votre collègue qui est venu ici mercredi ? Le lieutenant Segnon Dabo ! Est-ce que ses fils vont lui manquer ?

Le sang de Ludivine se glaça d'un coup. Malumont jubilait. Ses deux rides verticales se tordirent de joie.

– J'ai pris la liberté d'équilibrer les comptes entre vous et lui, ajouta-t-il. Après vous avoir rendu visite, j'ai pensé qu'il serait plus fair play de sonder aussi ses refoulements. Nous saurons bientôt s'il est prompt au pardon ou à la rage.

– Qu'avez-vous fait ? s'alarma Ludivine.

– Joindre l'utile à l'agréable. Disons qu'au dernier moment, j'ai changé de bus pour que ce soit celui qui transporte les enfants de votre collègue.

Ludivine se liquéfia en comprenant que les appels de ce matin n'avaient rien à voir avec leur enquête. Jihan voulait prévenir Segnon pour ses fils.

– La graine est plantée, Ludivine, nous verrons ce qu'elle donnera chez lui lorsqu'il pleurera ses chers fistons.

La voix du docteur était normale à présent. Ludivine se sentai encore nauséeuse mais elle ne pouvait plus attendre, elle pouvait prendre le dessus si elle agissait rapidement. La distance entre eux était faible, si elle parvenait à sentir ses jambes et prendre appui dessus, elle se savait capable de le maîtriser.

Malumont perçut un changement dans son regard et il dut comprendre car il recula au moment où elle tenta de l'agripper par le col. Elle reçut un violent coup en pleine face en retour Pas assez sonnée pour ne pas défendre sa vie chèrement, Ludivine puisa au fond d'elle-même pour balayer Malumont de sa jambe. Elle frappa de toutes ses forces et le psychiatre bascula sur le côté, contre Brussin. En un instant, tel un félin, Ludivine avait retrouvé une partie de sa grâce et fut sur lui pour l'attraper par le col et tenter un étranglement.

Le visage du médecin ne trahit aucune réaction, il se contenta de la maintenir à distance autant que possible avec les genoux et puisa dans sa poche pour en ressortir un couteau à cran d'arrêt dont la lame apparut en claquant. Ludivine lâcha prise pour cogner le poignet et l'arme s'envola.

Mais le talon de Malumont s'écrasa contre sa tempe et elle chavira à son tour.

Le temps qu'elle reprenne ses esprits il était sur elle et lui assenait un autre direct, à la mâchoire cette fois, pour la déstabiliser encore plus. Puis un masque transparent lui recouvrit la bouche, relié à une minuscule bonbonne de gaz portative. Ludivine ne put lutter, totalement étourdie par les coups et encore sous l'effet de la drogue.

- Cette fois, la dose va vous expédier tout droit au pays de vos pires démons, dit-il avec une colère teintée de triomphe.

Son pouce se posa sur la molette et il s'apprêta à jouir.

Le canon d'un Sig-Sauer se plaqua contre sa pommette.

– Garde tes démons dans leur bouteille, fit une voix, sinon je t'explose le crâne pour fouiller les tiens, connard !

Guilhem se tenait sur le seuil.

62.

Le soleil entrait dans le bus par toutes les fenêtres, aveuglant ses passagers. Ils étaient sous le projecteur des cieux, songea Laëtitia.

Et elle se demanda si ça ne pouvait pas être un signe.

Segnon avait décroché, il l'écoutait depuis un moment déjà, elle était parvenue à jeter un rapide coup d'œil dans sa poche en se penchant pour aider un enfant à se débarrasser de ses chaussures.

Elle avait fait son maximum pour que Coca-Cola se livre, pour qu'il leur dise où ils se trouvaient, mais sans réussir.

Et à présent, il avait perdu patience, il la poussait devant lui vers l'avant du bus.

Tout allait prendre fin ici.

Gagner du temps, encore un tout petit peu de temps.

Parce que ce serait toujours ça de pris sur la mort.

Mais est-ce que vivre avec la peur au ventre quelques instants de plus ou de moins changerait quelque chose à leurs existences ? Ne valait-il mieux pas en finir tout de suite et abréger ces souffrances une bonne fois pour toutes ?

Non, la vie à tout prix. Jusqu'au bout.

Segnon aurait été fier d'elle.

En remontant l'allée, Laëtitia eut un regard pour Nathan et Léo et elle se retint de s'effondrer à leurs pieds. Elle avait encore à faire. Préserver jusqu'au bout l'illusion que tout allait bien finir.

— Quel a été votre plus beau voyage ? demanda-t-elle à court d'idées.

Coca-Cola parut interpellé par la question car il s'arrêta dans la travée, au milieu des enfants.

— Ben... Je dirais Rouen. J'ai bien aimé Rouen

Laëtitia se tourna pour lui faire face.

— Les cathédrales ?

C'était tout ce qu'elle connaissait de Rouen, sa réputation de ville aux cent clochers.

— Non, là-bas, les GO étaient assez gentils avec moi. Ils me laissaient faire ce que je voulais la plupart du temps.

Laëtitia ne comprenait rien à ce qu'il racontait

— Vous étiez dans une sorte de club ?

— Oui. Une sorte.

Ccs souvenirs réanimèrent de mauvaises images et Coca-Cola se redressa, indiquant l'avant du bus avec son revolver.

— Allez ! Assez perdu de temps !

Le ton était reparti dans l'agressivité et les enfants se recroquevillèrent. Tous savaient à présent de quoi il était capable, ils l'avaient vu tuer trois adultes de sang-froid. Leurs rétines seraient à jamais imprimées par les éclaboussures de sang et de cervelle.

Cette fois, tout était terminé, se résigna Laëtitia

Elle resta plantée dans le passage.

— Nous ne sommes pas des chiens, dit-elle à bout de nerfs, refusant de se pousser, de continuer.

— Oh non, ça c'est sûr ! Parce que les chiens je les brûlerais pas comme ça !

Il avait dit ça avec un premier degré désarmant.

— J'aurais dû prendre mes laisses, ajouta-t-il presque comme un enfant qui se rend compte qu'il a oublié son doudou préféré.

Devinant qu'il se jouait peut-être quelque chose d'important dans la psychologie délirante de cet homme, Laëtitia embraya immédiatement, pour ne pas lui laisser le temps de se reconnecter à la réalité :

– Vous en avez beaucoup ?

– Des chiens ? Non, j'en ai plus maintenant, c'était pas bon pour moi.

– Mais vous avez gardé leurs laisses en souvenir, c'est ça ?

Coca-Cola acquiesça, le regard dans le vague. Laëtitia avisa son arme et se demanda si elle serait capable de la lui arracher. Non, probablement pas, et encore moins de l'empêcher de presser le détonateur dans la foulée.

– J'ai toute la collection à la maison, expliqua-t-il. Tous mes chiens alignés contre le mur. Je me souviens de chacun, et il y en a quarante-quatre.

– Quarante-quatre ? fit Laëtitia qui vit là une opportunité trop grande pour ne pas la saisir. Comme nous aujourd'hui dans ce bus. Vous le saviez ?

C'était peut-être le signe qu'elle attendait, le coup de pouce dont ils avaient tous besoin.

Coca-Cola releva la tête et regarda les enfants autour de lui comme s'il les voyait pour la première fois.

– C'est vrai ?

– Oui, nous sommes quarante-quatre, allez-y, comptez, vous verrez !

Coca-Cola hésita et, à la grande surprise de Laëtitia, se mit vraiment à les compter, lentement, s'y reprenant à trois fois, avant de hocher la tête.

– Non, ça fait quarante-trois, soupira-t-il avec une pointe de déception.

– Et avec vous, quarante-quatre.

– Ah oui, c'est drôle ça alors.

– Comme vos chiens.

Laëtitia constata alors une lueur qu'elle ne lui avait encore jamais vue dans le regard, une once d'humanité qui remontait à la surface à l'évocation de ces bêtes qu'il avait aimées. Elle décida de continuer dans cette direction :

– Vous voyez, ce n'est pas un hasard, nous sommes liés à vos chiens, d'une manière ou d'une autre, comme des anges gardiens, peut-être.

Coca-Cola fit la moue, dubitatif.

– Vous n'avez peut-être pas vos laisses, insista-t-elle, mais vous nous avez nous. C'est presque mieux, non ? Vous aimiez caresser vos chiens, j'en suis sûre, vous ne leur auriez pas fait de mal, n'est-ce pas ? Alors pourquoi nous...

Les icebergs étaient de retour. Glaçants. Ils fonçaient droit sur Laëtitia. En un instant Coca-Cola fut sur elle :

– Mes chiens ils m'ont tous apporté des problèmes à la fin, je les ai tous enterrés, tous. Vous, y aura pas besoin !

Il la repoussa pour forcer le passage.

Laëtitia avait été sotte de croire à un signe. C'était idiot, ça n'avait servi à rien.

Coca-Cola s'était immobilisé un mètre plus loin. Il se pencha pour mieux voir à travers les vitres.

– Putain de saloperie..., lâcha-t-il.

Plusieurs silhouettes armées se rapprochaient, elles venaient de jaillir de la lisière de la carrière, et avançaient d'un pas rapide en direction du bus.

Laëtitia vit une fille brune avec une frange, un homme au crâne rasé et...

Son souffle se bloqua dans sa poitrine.

Segnon.

Mais ils étaient encore à plus de cent mètres.

Coca-Cola fit volte-face, rouge de colère.

– Salope ! T'as gagné du temps !

Il leva son arme vers elle et de son autre main se prépara à les envoyer au paradis... Ou en enfer.

Laëtitia ne réfléchit pas une seconde : elle sauta sur le chauffeur et repoussa le bras armé pour saisir le pouce qui allait appuyer sur le bouton. Elle l'attrapa avec toute la détermination d'une femme pour sauver des enfants, d'une mère pour épargner ses fils, d'une femme pour vivre encore. Ses doigts se refermèrent sur le pouce et son autre main parvint à capturer l'auriculaire et l'annulaire. Et alors elle tira dessus. De toutes ses forces, de toute sa rage, exprimant les heures de terreur qu'elle venait de vivre. Elle tira comme si le monde devait se résumer à ce geste. Elle tira parce qu'elle n'avait plus d'autre choix.

Elle demeura sourde aux craquements, sourde aux cris de Patrick Mahon. Et sourde aux coups de feu qui claquèrent contre ses flancs.

Mahon pressait la détente, les flammes du canon jaillirent à quelques centimètres seulement du C-4 et plusieurs balles se fichèrent dans le corps de Laëtitia Dabo sans qu'elle ne relâche la terrible étreinte qu'elle exerçait sur la main du kamikaze.

Elle ne ressentait pas la douleur des blessures. Seulement toute l'adrénaline qui irriguait son cerveau, qui lui conférait une force dont elle ignorait tout dix minutes avant.

Elle ne vit pas le canon se relever pour se rapprocher de son crâne.

Et Patrick Mahon, dans sa folie, ne comprit pas tout de suite d'où provenait la douleur qui tordait son corps. Parce qu'elle venait d'un peu partout en même temps.

De la pointe de stylos s'enfonçant dans le creux de son genou ou sur le flanc de sa bedaine, du bout de ciseaux qui le perforait au bras, d'un couteau suisse qui s'enfonçait dans son cou, d'une autre lame à bout rond qui s'affairait à entrer par son aisselle, de l'extrémité d'un jouet en plastique qui s'en prit à son œil gauche et même d'une branche de lunettes lui lacérant le bas du dos.

Tous les petits démons du bus s'agglutinaient sur lui pour le larder de tout ce qu'ils trouvaient sur leur passage. Et ils hurlaient.

Les enfants, poussés à bout, traumatisés, ne purent laisser la dernière adulte qui prenait soin d'eux se faire tuer sans rien faire. Pas cette fois. Il avait fallu que deux commencent, Nathan et Léo, pour que Rachel se précipite pour faire mal à celui qui avait assassiné son père, puis que Karim se jette dans la mêlée, bientôt imité par d'autres. L'effet de meute Un instinct animal pas encore dompté par l'apprentissage de la civilisation.

Patrick Mahon tituba. Désorienté, affolé par la douleur, il recula à toute vitesse pour s'éloigner des enfants, mais Laëtitia, elle, ne le lâcha pas une seconde, rivée à sa main létale.

Ils tombèrent dans les marches et cette fois la sueur la fit lâcher prise.

Tout ce qu'elle réalisa, c'était qu'ils n'étaient plus dans le bus, et lorsqu'elle le vit se redresser, bardé de C-4 sur la poitrine, elle ne put qu'espérer que le plus grand nombre d'enfants s'en sortent.

Patrick Mahon explosa.

Du moins sa tête se disloqua sous l'impact de deux balles de 9 mm.

Segnon ne courait plus, il avançait d'un pas déterminé, une main sous la crosse de son arme fumante. Le corps du chauffeur de bus glissa mollement en arrière et il ne bougea plus.

Segnon posa un genou à terre près de sa femme et la serra contre lui.

Elle saignait par les trois orifices qui lui ouvraient le ventre.

Mais elle trouva la force de sourire.

63.

Ludivine assista à l'enterrement sans trop savoir pourquoi Probablement parce que sa présence conforterait les proches de Serge Brussin dans la conviction que les autorités ne lui reprochaient rien. Il n'avait été qu'une façade. Un tour de magie consistant à attirer l'attention pendant que la véritable manipulation se produisait de l'autre côté. Sa veuve vint la saluer et lui demander s'il avait souffert. Personne n'avait pu ou voulu lui expliquer comment était mort son mari. Ludivine mentit en lui garantissant que non.

Puis elle fila à l'hôpital pour retrouver Segnon et sa famille au chevet de Laëtitia. Sa chambre ressemblait à la serre d'un fleuriste. Tous les parents des enfants du bus veillaient à ce qu'il en soit ainsi, un bouquet resplendissant succédait à chaque bouquet fané.

Les médecins se montrèrent plutôt optimistes sur son état et pronostiquèrent même qu'elle pourrait gambader avec les siens pour les vacances d'été, à condition de se reposer d'ici là.

Le bonheur de la petite famille, malgré l'horreur qu'elle venait de traverser, faisait plaisir à voir et Ludivine se gorgea de chaque rire, de chaque câlin auquel elle assista et termina même dans les bras de Segnon qui étreignit avec ferveur sa partenaire, son amie.

Une enquête fut diligentée en interne sur les circonstances exceptionnelles qui avaient amené à l'arrestation de Benoît Malumont ; il fallut quelques jours à Ludivine pour réaliser à quel point elle avait été trop loin en se rendant seule à la clinique, même pour une simple rencontre, et surtout en décidant d'aller jeter un coup d'œil dans le sanatorium abandonné. Elle se savait téméraire, parfois tête brûlée, mais pas à ce point. Plus elle y repensait, plus elle se disait qu'elle aurait dû écouter le professeur Colson, le cocktail de drogues avait perturbé son jugement, pendant plusieurs jours elle n'avait pas été tout à fait elle-même. Mais était-ce vraiment la vérité ? N'était-ce pas, au fond, sa véritable nature ? Ce désir de plonger dans les ténèbres, corps et âme...

Le plus déstabilisant restait tout de même sa conversation avec Guilhem au moment où Ludivine lui avait fait relire son rapport. Il avait été très gêné par la première partie.

— Euh... Je pense que tu devrais édulcorer la première partie, avait-il dit. Tout le côté « hallucinations diaboliques·»

— Je ne vois pas pourquoi, c'est ce que j'ai vécu.

Guilhem avait grimacé.

— Eh bien, parce que ça pourrait nuire à ton évaluation psychologique.

— *Mon* évaluation ? Et puis quoi encore ? Malumont m'avait droguée ! Tu as même ramassé la canette de gaz qu'il s'apprêtait à m'injecter pour me tuer !

Nouvelle grimace de Guilhem.

— Eh bien... justement, c'est tout ce qu'on a retrouvé sur lui et sur place. Et cette petite cartouche pleine était munie d'un dispositif continu. S'il l'avait enclenché, il n'y avait plus moyen de l'interrompre. Ce que je veux dire, c'est que s'il avait appuyé sur la molette la cartouche se serait entièrement vidée, il n'y avait aucun moyen qu'il en vaporise un peu puis qu'il s'en garde pour plus tard. Et comme je viens de te le dire : il n'avait aucune autre cartouche ou récipient sur lui, et la Scientifique était claire : rien non plus dans les ruines.

— Mais...

Ludivine n'avait pas rêvé, elle avait vu le visage de Malumont se transformer, devenir un puits de ténèbres avec des crocs comme des arêtes de poissons interminables, elle avait senti la cellule se dérober sous ses pieds... Elle avait vécu tout ça, ce n'était pas un délire.

– Rappelle-toi ce qu'a dit le toxicologue, la drogue se stocke dans la graisse parfois et elle peut resurgir, provoquer des bouffées délirantes plusieurs jours ou plusieurs semaines après son absorption...

Ludivine avait finalement acquiescé, faute de mieux. Pourtant le timing avait été parfait pour Malumont. Ça ne pouvait être le fruit du hasard... À moins d'une forme de conditionnement inconscient dû à la peur, au choc de l'agression chez elle, refaisant surface en sa présence. Parce qu'il n'y avait pas d'autre explication.

Ludivine ne croyait pas en l'existence du diable.

Malumont l'avait bernée. Il avait parfaitement joué le jeu. *Son* jeu. Et Ludivine ne devait la vie sauve qu'à la perspicacité de Guilhem qui s'était inquiété de n'avoir aucune nouvelle, de ne plus parvenir à la joindre. Il la savait fragile, la devinait dans un état anormal, et son silence prolongé alors qu'elle arpentait les mêmes murs que le présumé suspect de leur enquête avait fini par le pousser à foncer lui-même à la clinique. Tous les autres étaient accaparés par l'enlèvement du bus, Guilhem n'avait pu « réquisitionner » que deux collègues des Stups encore présents et ils avaient roulé à toute vitesse. Lorsque, à l'accueil de la clinique, on lui avait dit que Ludivine était repartie depuis déjà près d'une heure au volant d'une Porsche, Guilhem avait compris que les choses tournaient mal. Il avait repéré une Porsche ainsi qu'une autre voiture garée près de l'ancien sanatorium. Il avait foncé sur place, suivi les traces dans la poussière, jusqu'à entendre les voix au loin, puis l'affrontement...

Le docteur Benoît Malumont dormait à présent derrière les barreaux d'une cellule bien plus confortable que celle dans laquelle il avait enfermé Ludivine et laissé agoniser Albane et Frédéric.

Le souvenir du sociopathe sortant à l'air libre, menottes aux poignets, pour entrer dans la voiture de Guilhem, restait gravé dans la mémoire de Ludivine. Il marchait dignement, parfaitement droit, le visage impassible, seulement griffé de ses deux profondes rides verticales, et il ne la quittait pas des yeux. Ces deux crochets qui s'était fichés dans l'esprit de la jeune femme.

Au moment de basculer à l'arrière du véhicule il lui avait dit :
– Passez me rendre visite, Ludivine, nous avons tant à nous dire.

C'était la dernière fois qu'elle avait vu ce monstre. Ce génie. Car il ne faisait aucun doute pour Ludivine que c'en était un. Un être supérieur d'une certaine manière. Impitoyable, aucun remords, à l'intelligence particulièrement aiguisée, et si la loi de la nature était encore prédominante, alors il était au-dessus du reste de l'humanité, car plus fort.

C'était un prédateur redoutable, d'un genre nouveau pour Ludivine. Parce que à l'écouter il n'existait aucune explication à ce qu'il était devenu. Aucun mauvais traitement ou carence dans l'enfance, aucun traumatisme. Ses déviances n'étaient que le fruit d'un choix, d'une évolution. Se fermer à son empathie, la cloisonner, être capable de ranger ses émotions dans une boîte étanche, pour n'être que dans la pure analyse, que ses décisions ne reposent que sur ce qu'il y avait de mieux, sans les filtres parasites de son « humanité ». À l'en croire, Malumont n'était pas mauvais, il était différent. Il proposait une alternative. Un choix contestataire à ce qu'était devenu l'homme, atrophié dans son développement par la pensée bienveillante et infantilisante de la civilisation. Il n'incarnait pas le mal, au contraire, il incarnait la liberté. Tout comme le diable.

Et tout comme son modèle, parce qu'il refusait de se soumettre, on le chassait, on le marginalisait, on le *diabolisait*.

Ses mots et son regard allaient hanter Ludivine pendant longtemps, elle le savait, elle s'y préparait.

Elle partit dès qu'elle le put pour s'éloigner de la ville, de ces souvenirs trop encombrants pour le moment, de son statut de « superflic » trop lourd pour ses épaules, elle savait qu'à son retour Guilhem serait là, prêt pour son mariage, et que Segnon et sa famille lui feraient une place comme ils l'avaient toujours fait.

Dans les deux semaines qui suivirent l'arrestation de Benoît Malumont et la mort de Patrick Mahon, les drames de grande ampleur se poursuivirent, plusieurs individus au bout du rouleau s'en prirent à leur banquier, à leur patron et même à un préfet. Un autre aspergea d'essence toute une allée de supermarché et s'immola au milieu des télévisions, tandis qu'une déséquilibrée prit une classe de maternelle en otage avant de se rendre à la police cinq heures plus tard. Mais ils diminuèrent peu à peu. Les actes de pure folie comme celui commis sous les yeux du père Vatec disparurent brusquement. Le sang du cannibale dévoila son secret : il avait été empoisonné avec un cocktail de BZP concentré, les fameux et terrifiants « sels de bain », ainsi que de méthamphétamine, de LSD et de kétamine. De quoi rendre dément n'importe quel individu bien portant. Cette potion portait la signature de Benoît Malumont, et il fut aisé de remonter jusqu'à lui sous sa signature de Serge Brussin dans l'institut psychiatrique où l'homme avait été traité pour dépression quelques semaines auparavant.

Malumont avait sélectionné ses candidats à la démence parmi les patients qu'il traitait sous l'identité de Brussin et qu'il estimait les plus à même d'être réceptifs, avant de leur faire ingérer sa formule tragique, la versant dans de l'eau, chez eux, lors d'une visite « amicale » ou directement à l'aide de ses cartouches à gaz.

Pourtant, une fois le commanditaire arrêté, il fallut un peu de temps avant que la spirale ne s'estompe, il avait fait des émules, et ses dégâts laissèrent de profondes cicatrices dans les tissus de la mémoire collective. Le poseur de bombes des ciné mas fut arrêté au terme d'une enquête minutieuse et technique.

il s'agissait d'un trentenaire en colère contre le système, un solitaire déséquilibré que la vague de violence avait convaincu d'exprimer sa rage et qui, à l'aide d'Internet, était parvenu à se transformer en terroriste.

Mais la société s'apaisait. Rassurée par la capacité de son système à finalement la protéger, Malumont stoppé et son œuvre mise à bas, la grogne générale retomba, et chacun se remit à nourrir sa frustration intérieure dans son coin, d'autres refoulèrent, comme l'aurait dit Malumont, et n'ayant plus d'étincelles pour les rallumer, les feux de la rancœur devinrent des braises, puis des cendres chaudes. Le pays n'était pas bien, il frissonnait d'une forte fièvre mais sa résilience n'était plus à prouver, et tous se prirent à espérer qu'il guérirait vite. L'espoir redevint ce qu'il avait cessé d'être avec Malumont : la morphine du peuple.

Lorsque Ludivine sortit de sa voiture de location, elle inspira à pleins poumons l'air frais de la montagne. Un gros choucas noir l'observait depuis un tas de bûches entassées les unes sur les autres. Il fit pivoter sa tête pour mieux braquer alternativement chacune de ses billes d'ébène sur la gendarme, comme s'il l'avait déjà vue quelque part, puis il déplia ses ailes et s'envola pour disparaître entre la cime des conifères et colporter la nouvelle de sa venue. La fille blonde au regard perçant était de retour.

Ludivine tira sur sa veste pour mieux se couvrir, il faisait plus froid qu'elle ne pensait, à cause de l'altitude, et elle marcha jusqu'au rebord d'un petit promontoire. Une pente douce dépliait son parterre d'herbe fleurie de gentiane, et d'anémone, jusqu'au liseré de rochers en contrebas, eux-mêmes dominant une falaise plus abrupte et, beaucoup plus bas, la vallée tout entière.

La jeune femme fut d'abord prise d'un vertige à ainsi dominer le monde. Puis elle s'en accommoda et les souvenirs refirent surface.

Ludivine se crut près d'un an en arrière, lors d'un pique-nique qui avait marqué le début de sa quête pour faire d'elle une experte, une machine à comprendre le crime, qui l'avait amenée à tout lire sur la criminologie, sur la psychiatrie criminelle, sur les pervers, pour mieux les cerner. Et malgré tout, Benoît Malumont s'était joué d'elle comme d'une enfant.

Je me suis voulue en véritable phare contre l'obscurité de ces êtres, une adversaire à la mesure de la férocité des pervers du monde et, en définitive, je suis devenue la Némésis de leur maître à tous...

N'était-ce pas ironique ? Le terme employé par Malumont dans la cellule étroite et étouffante lui revenait sans cesse en mémoire. Némésis. Il ne l'avait pas choisi au hasard. Son double maléfique. Son adversaire. Mais aussi le symbole de l'équilibre divin.

Est-ce que Richard Mikelis et Joshua Brolin avaient raison en affirmant qu'il existait une conjuration primitive dissimulée dans les replis du système, la conséquence d'une croissance trop rapide de la société ainsi qu'une évolution prédatrice de l'espèce humaine ? Une conjuration primitive qui serait incarnée par des *monstres* unis par leur différence, rassemblés pour devenir plus forts, pour s'entraider ?

Benoît Malumont était-il l'incarnation de cette conspiration ? Un mentor ayant opté pour la lumière, pour la révolte, pour frapper cette société là où ça pouvait lui faire mal, avec l'espoir fou de la changer, tandis que derrière lui, mieux cachés, se développent ses congénères, ceux qui ont fait le choix de l'ombre.

Non, Malumont a semé les graines du chaos, du doute, de la peur, et il va attendre qu'elles produisent leurs effets. La plupart se décomposeront et pourriront, mais certaines germeront. Elles remonteront à la surface.

Malumont avait la patience pour cela. Il resterait, oublié de tous, dans sa cellule, et attendrait le bon moment pour se repaître de sa récolte. Oui, il avait la patience pour cela...

Soudain Ludivine réalisa que c'était là la technique des éclaireurs que l'on sacrifiait. Malumont ressemblait à ces pionniers qui s'offraient à l'histoire pour poser les premiers pas sur une terre inconnue, avec la conviction que cela servirait les suivants.

Combien étaient-ils derrière lui ?

Ludivine refusait d'y croire.

Un cri de joie enfantin résonna dans le dos de la jeune femme.

– Ludivine !

Sacha se précipita vers elle les bras grands ouverts. La petite fille s'était prise d'affection pour Ludivine au fil de ses venues ici, lorsqu'elle venait y glaner le sombre savoir de son père.

La silhouette massive et trapue de Richard Mikelis se profila derrière. Le soleil luisait sur son crâne chauve mais ses yeux n'étaient que deux fentes obscures.

Ludivine eut la curieuse impression d'un retour aux sources.

Elle attrapa Sacha et la souleva pour la faire tourner.

– Je suis trop contente de te voir ! s'écria la fillette.

Elle la redéposa sur le sol et Sacha sautilla d'excitation.

– Je vais prévenir Louis ! hurla-t-elle en fonçant vers la ferme pour y retrouver son petit frère.

Mikelis et Ludivine se rapprochèrent. Tous les deux se ressemblaient beaucoup. Quelque chose qu'ils dégageaient.

Ludivine avait fait son apprentissage et elle réalisa qu'au-delà de son expérience, du savoir acquis, il y avait un terreau propice à la compréhension du pire. Tout son être avait la faculté de s'immerger dans la pensée des plus grands pervers, elle parlait leur langage, elle avait assimilé leur culture, et, plus que cela, elle portait les stigmates du mal. Suffisamment pour se mettre à leur place, dans leur tête. Et elle n'avait pas la moindre explication à ce phénomène. Elle-même n'avait pas été battue, ni jamais traumatisée dans son enfance, elle avait grandi heureuse, bien entourée. Alors comment s'était-il insinué en elle jusqu'à gangrener son esprit ?

Et si c'était ça, le mal ? Une forme de perversité qui n'a pas d'explication...

Mikelis posa une main sur son épaule pour l'observer de haut en bas.

– Je savais que tu viendrais, dit-il tout bas.

Ludivine lut dans son regard froid que les mots seraient super-flus. Il était passé par là, il connaissait son mal-être, ses doutes. Ludivine pouvait compter sur lui pour qu'il partage son sanc-tuaire, pour qu'elle se repose, une base pour se vider de toute la noirceur accumulée, pour se recharger.

Mais peut-on se débarrasser de toutes ces ignominies qui flottent sous nos crânes détraqués ?

Elle réalisa que c'était peu probable. L'homme n'a aucune prise sur les ténèbres. Elles ne recouvrent pas ce qu'on leur abandonne, elles prennent la place. Les ténèbres remplacent. Et ce qui tombe dans leurs puits ne peut être reconstruit à l'identique. Jamais.

Il faudrait faire avec elles. Maintenant qu'elles s'étaient instal-lées, Ludivine devrait s'en faire des alliés. Les appréhender pour ne pas se faire engloutir, pour ne pas sombrer.

Mikelis l'observait sans jugement, il savait quelles batailles se déroulaient en ce moment même en son cœur.

Ludivine ignorait s'il avait raison, si le monde abritait une nouvelle génération de monstres prêts à surgir, plus forts, plus nombreux, plus démoniaques encore. Rassemblés ? Mais elle savait qu'un an auparavant elle s'était déjà posé la question, ici, en voyant Segnon et Mikelis avec leur famille. Elle avait envié leurs rires, leur union, leur amour.

À présent, elle savait qui elle était, quel était son rôle.

Il fallait des personnes comme elle pour protéger ces bulles d'innocence, ou du moins ces fragments d'insouciance, il en fallait pour guetter les nuages à l'horizon et veiller à les garder éloignés.

Aucun doute n'était plus permis désormais.

Pour un temps au moins, elle serait l'un de ceux-là, les Veilleurs. Comme Mikelis l'avait été avant de céder sa place. Comme ce Joshua Brolin de l'autre côté de l'Atlantique, cet être étrange qu'elle devinait asservi à sa tâche, refusant pour sa part de quitter son poste.

Elle serait l'un d'eux.

Vigilante. Pour s'opposer à cette conjuration primitive si elle existait réellement. Elle serait attentive et endurante pour ne rien lâcher.

Pour contrer la patience du diable.

Ludivine se retourna pour contempler la vallée. Loin en contrebas les toits de la civilisation scintillaient sous le soleil comme mille éclats d'argent. L'ombre d'un nuage passa alors et la vallée se resserra, soulignant la fragilité de ces minuscules maisons au pied des crêtes séculaires. Le miroir aux alouettes s'était terni.

Mikelis renifla dans le dos de Ludivine.

— Bienvenue à la maison, dit-il d'une voix éraillée par le pollen.

Ludivine hocha la tête. Elle s'avança sur le rebord du rocher.

Elle n'avait plus peur du vide.

ÉPILOGUE

Les entrailles de la prison de la Santé bruissaient du cri des détenus. Une faune crissante dont l'écho résonnait jusque dans les couloirs les plus éloignés, une mélopée diurne obsédante qui retombait progressivement en fin de journée, à l'heure du dîner.

Lorsque la porte de la cellule s'ouvrit, Benoît Malumont était assis sur sa couchette, les mains jointes au-dessus des cuisses. Son colocataire, lui, était allongé sur le lit du dessus et il se redressa au coup de verrou qui ici remplaçait la clochette des anciennes demeures bourgeoises pour sonner l'heure des festivités.

La tête de Malumont pivota sans que ses épaules ne bougent, à la manière d'un hibou, et son regard harponna le gardien qui accompagnait le détenu responsable de la distribution des repas. Ses prunelles perçantes s'enfoncèrent dans celles du maton à l'instar d'hameçons, impossibles à lâcher.

– Je voudrais une chambre individuelle, dit-il d'un ton parfaitement neutre, presque glacial d'indifférence.

Malgré le malaise que lui inspirait ce détenu, le gardien s'efforça de garder la même assurance qu'avec tous les autres.

– Avec la presse quotidienne chaque matin et les croissants ? Bien sûr !

Quelque chose passa dans le regard bleu du détenu, comme l'ombre fugitive d'une silhouette filant à toute vitesse. Le gardien éprouva alors une étrange sensation d'anxiété. On lui avait parlé de ce nouveau-là, de sa façon de fixer ses interlocuteurs, il savait qu'il s'agissait d'un tueur en série et ce n'était pas le premier à séjourner entre ces murs, pourtant, à peine arrivé, il avait déjà sa réputation.

Les repas distribués, le gardien attrapa la porte, il n'avait aucune envie de rester sur le seuil plus longuement, il avait l'impression que l'air à l'intérieur était plus chaud, plus moite, et que l'oxygène manquait. Il repoussa le battant.

Jusqu'à ce que la porte claque, les hameçons restèrent plantés dans l'âme du gardien sans vaciller une seule seconde.

Celui-ci frissonna en tirant sur les verrous.

Pour le coup, il n'aimait pas ce type. Et s'il y en avait bien un qui devrait demander à changer de cellule, c'était plutôt son acolyte !

Mais Gabriel est un dur à cuire, se rassura le gardien. Braqueur féroce et tueur de flics sans pitié. Le gardien songea alors qu'ils n'étaient peut-être pas enfermés ensemble par hasard. On avait collé à Gabriel un type pas net pour l'emmerder. Pour lui faire payer d'avoir tiré sur des policiers. Oui, c'était certain même ! À chaque fois qu'un nouveau détenu pas sympathique débarquait, il finissait avec Gabriel, histoire de lui pourrir un peu plus la vie.

Mais à bien y réfléchir, le gardien n'était pas sûr que ce soit un si bon calcul que cela. Deux prédateurs au sang froid ne risquaient-ils pas de lier une certaine complicité ?

Peut-être. C'était là un des méfaits reconnus de la prison. Faire ressortir des détenus avec le réseau qui leur manquait en entrant.

Non, pas Gabriel, c'est un connard arrogant, un meneur, et l'autre aussi, ça se sent. Deux coqs enfermés dans la même basse-cour, ces deux-là !

Le gardien poursuivit sa tournée et un peu plus tard dans la soirée toutes les lumières s'éteignirent d'un seul coup.

Les nuits à la Santé n'étaient jamais tout à fait calmes, il y avait forcément un cri ou deux, rapidement étouffés, et surtout les pleurs des nouveaux.

Mais les hurlements qui retentirent vers 1 heure du matin n'avaient rien de commun avec l'agitation nocturne habituelle. Le détenu qui partageait sa cellule avec le docteur Benoît Malumont vociféra si fort que ses cordes vocales se brisèrent, et suivirent des beuglements insupportables mêlés à des supplications, à des gargouillis et des suffocations. Tous les pensionnaires entendirent distinctement Gabriel appeler sa « maman » au milieu de ces rugissements terrifiants, puis le choc de son corps cognant contre la porte, répété, encore et encore jusqu'à ce que le silence, effrayant, ne tombe.

Les pas affolés des gardiens finirent par retentir dans le couloir, mais il était trop tard. Tous les détenus allaient faire des cauchemars jusqu'au petit matin.

Pour ceux qui retrouveraient le sommeil.

Lorsque la cellule fut ouverte, Benoît Malumont était assis sur sa couchette, les mains jointes au-dessus des cuisses, impassible.

Derrière lui, un spectacle abominable attendait les gardiens.

– Je veux une chambre individuelle, commanda le psychiatre d'une voix étonnamment calme et grave. J'aime patienter seul.

REMERCIEMENTS

Un roman ne s'écrit pas vraiment tout seul. C'est un peu comme une traversée en solitaire sur l'océan, pendant que le marin est seul à bord, des équipes entières se relaient à terre pour le guider, pour s'assurer que tout va bien.

Sur ma terre ferme, il y a Ollivier qui veille à la crédibilité de l'enquête (même si parfois je pousse un peu pour le bien du roman) ; il y a mon éditeur et toutes les escouades d'Albin Michel sans qui la traversée serait impossible ; et il y a Cath & Kev qui veillent dans l'ombre, ainsi que tous les modos du forum sur : www.chattamistes.com

Et bien sûr, il y a mon étoile du berger à moi, ma boussole par tous les temps, ma femme Faustine à côté de qui brille une autre petite lueur grandissante, Abbie. Avec vous, je ne peux plus me perdre.

Benoît Malumont est l'anagramme d'un autre personnage que nous avons déjà croisé dans un de mes romans. Leurs fins sont similaires, ce n'est donc pas un hasard et cela suggère que nous n'en avons pas fini avec eux, ou lui, selon l'opinion qu'on se fait de sa réelle nature... Le Mal sait prendre des formes différentes car seul compte le résultat.

Cher lecteur, si d'aventure l'envie vous prend de partager vos impressions, vous me trouverez sur Facebook : Maxime Chattam Officiel, ainsi que sur Twitter pour plus de quotidienneté : @ChattamMaxime. J'espère vous y croiser prochainement...

Et d'ici là, bonnes lectures.

Edgecombe, le 6 mars 2014.

DU MÊME AUTEUR

Aux Éditions Albin Michel

Le cycle de l'homme :

LES ARCANES DU CHAOS
PRÉDATEURS
LA THÉORIE GAÏA

Autre-Monde :

T. 1 L'ALLIANCE DES TROIS
T. 2 MALRONCE
T. 3 LE CŒUR DE LA TERRE
T. 4 ENTROPIA
T. 5 OZ
T. 6 NEVERLAND

Le diptyque du temps :

T. 1 LÉVIATEMPS
T. 2 LE REQUIEM DES ABYSSES

LA PROMESSE DES TÉNÈBRES

LA CONJURATION PRIMITIVE

Chez d'autres éditeurs

LE CINQUIÈME RÈGNE, Pocket
LE SANG DU TEMPS, Michel Lafon

La trilogie du Mal :

L'ÂME DU MAL, Michel Lafon
IN TENEBRIS, Michel Lafon
MALÉFICES, Michel Lafon

Composition Nord Compo
Impression CPI Firmin Didot en décembre 2014
Éditions Albin Michel
22, rue Huyghens, 75014 Paris
www.albin-michel.fr
ISBN : 978-2-226-25808-3
N° d'édition : 19096/07. – N° d'impression : 126123
Dépôt légal : juin 2014
Imprimé en France